中华现代学术名著丛书

《中华现代学术名著丛书》

【第一辑　四十种】

马氏文通	马建忠
国故论衡	章太炎
王国维文学论著三种	王国维
吴梅词曲论著四种	吴　梅
中国中古文学史 汉魏六朝专家文研究	刘师培
中国文学批评史（上、下）	郭绍虞
甲骨文字释林	于省吾
中国俗文学史	郑振铎
汉语语音史	王　力
红楼梦辨	俞平伯
中国韵文史	龙榆生
汉魏六朝诗论丛	余冠英
台湾通史（上、下）	连　横
秦汉史	吕思勉
中国史学史	金毓黻
史学要论	李守常
中国通史简编（上、下）	范文澜
国史大纲（上、下）	钱　穆
中国史纲（一、二卷）	翦伯赞
春秋史	童书业
魏晋南北朝史论丛	唐长孺
明清社会经济史论文集	傅衣凌
西夏史稿	吴天墀
中国伦理学史（外一种）	蔡元培
新唯识论	熊十力
东西文化及其哲学	梁漱溟
科学与玄学	罗志希
中国艺术精神	徐复观
论逻辑经验主义	洪　谦
九朝律考	程树德
比较宪法	王世杰　钱端升
中国法律与中国社会	瞿同祖
中国民治论	鲍明钤
中国官僚政治研究	王亚南
通货新论	马寅初
中国经济思想史	唐庆增

中华现代学术名著丛书

平民教育与乡村建设运动

晏阳初 著
宋恩荣 编

商務印書館
创于1897 The Commercial Press
2014年·北京

图书在版编目(CIP)数据

平民教育与乡村建设运动／晏阳初著；宋恩荣编．—北京:商务印书馆,2014
(中华现代学术名著丛书)
ISBN 978-7-100-09922-6

Ⅰ.①平…　Ⅱ.①晏…　②宋…　Ⅲ.①平民教育—研究—中国　②农村文化—文化事业—建设—研究—中国　Ⅳ.①G40-06　②G12

中国版本图书馆 CIP 数据核字(2013)第 072621 号

中华现代学术名著丛书
平民教育与乡村建设运动
晏阳初　著
宋恩荣　编

商　务　印　书　馆　出　版
(北京王府井大街36号　邮政编码 100710)
商　务　印　书　馆　发　行
北京瑞古冠中印刷厂印刷
ISBN 978-7-100-09922-6

2014 年 4 月第 1 版　　开本 880×1240　1/32
2014 年 4 月北京第 1 次印刷　　印张 17⅜　插页 1
定价：50.00 元

晏阳初

(1890—1990)

出版说明

百年前，张之洞尝劝学曰："世运之明晦，人才之盛衰，其表在政，其里在学。"是时，国势颓危，列强环伺，传统频遭质疑，西学新知亟亟而入。一时间，中西学并立，文史哲分家，经济、政治、社会等新学科勃兴，令国人乱花迷眼。然而，淆乱之中，自有元气淋漓之象。中华现代学术之转型正是完成于这一混沌时期，于切磋琢磨、交锋碰撞中不断前行，涌现了一大批学术名家与经典之作。而学术与思想之新变，亦带动了社会各领域的全面转型，为中华复兴奠定了坚实基础。

时至今日，中华现代学术已走过百余年，其间百家林立、论辩蜂起，沉浮消长瞬息万变，情势之复杂自不待言。温故而知新，述往事而思来者。"中华现代学术名著丛书"之编纂，其意正在于此，冀辨章学术，考镜源流，收纳各学科学派名家名作，以展现中华传统文化之新变，探求中华现代学术之根基。

"中华现代学术名著丛书"收录上自晚清下至20世纪80年代末中国大陆及港澳台地区、海外华人学者的原创学术名著（包括外文著作），以人文社会科学为主体兼及其他，涵盖文学、历史、哲学、政治、经济、法律和社会学等众多学科。

出版“中华现代学术名著丛书”，为本馆一大夙愿。自1897年始创起，本馆以“昌明教育，开启民智”为己任，有幸首刊了中华现代学术史上诸多开山之著、扛鼎之作；于中华现代学术之建立与变迁而言，既为参与者，也是见证者。作为对前人出版成绩与文化理念的承续，本馆倾力谋划，经学界通人擘画，并得国家出版基金支持，终以此丛书呈现于读者面前。唯望无论多少年，皆能傲立于书架，并希冀其能与“汉译世界学术名著丛书”共相辉映。如此宏愿，难免汲深绠短之忧，诚盼专家学者和广大读者共襄助之。

商务印书馆编辑部

2010年12月

凡　　例

一、“中华现代学术名著丛书”收录晚清以迄20世纪80年代末，为中华学人所著，成就斐然、泽被学林之学术著作。入选著作以名著为主，酌量选录名篇合集。

二、入选著作内容、编次一仍其旧，唯各书卷首冠以作者照片、手迹等。卷末附作者学术年表和题解文章，诚邀专家学者撰写而成，意在介绍作者学术成就，著作成书背景、学术价值及版本流变等情况。

三、入选著作率以原刊或作者修订、校阅本为底本，参校他本，正其讹误。前人引书，时有省略更改，倘不失原意，则不以原书文字改动引文；如确需校改，则出脚注说明版本依据，以“编者注”或“校者注”形式说明。

四、作者自有其文字风格，各时代均有其语言习惯，故不按现行用法、写法及表现手法改动原文；原书专名（人名、地名、术语）及译名与今不统一者，亦不作改动。如确系作者笔误、排印舛误、数据计算与外文拼写错误等，则予径改。

五、原书为直（横）排繁体者，除个别特殊情况，均改作横排简体。其中原书无标点或仅有简单断句者，一律改为新式标点，专名号从略。

六、除特殊情况外，原书篇后注移作脚注，双行夹注改为单行夹注。文献著录则从其原貌，稍加统一。

七、原书因年代久远而字迹模糊或纸页残缺者，据所缺字数用“□”表示；字数难以确定者，则用“（下缺）”表示。

目　　录

平民教育新运动*

近数年来，“平民”二字渐为一般人所注意，这也是我国的一种好现象，所以平民程度之高低，关系于国家努力之强弱。先贤所说的：“民为邦本，本固邦宁”，就是这个意思。吾国男女人民号称四万万，估计起来，至少就有大多数一个大字不识，像这样有眼不会识字的瞎民，怎能算做一健全的国民而监督政府呢？怎会不受一般政客、官僚、野心家的摧残蹂躏呢？“本”既不固，“邦”又何能宁呢？

少数知识阶级的人，往往以“上流”自命，无暇或不屑顾及一般平民。多数的人民，因社会的习惯及知识的缘故，亦不得不甘以“下流”自居，因此就把世上一个文明最古、人民最多、天然物产最富的中华大国，无形无影、不知不觉地弄成一个下流国了！吾人不愿中国上流则已，如愿中国上流，那唯一着手的办法，就是把这许多目不识丁的男女同胞，设法上流起来。如要达到这个目的，非各省教育家一面拼命地提倡，一面下死工夫去研究平民教育不可。我们平民教育新运动之产出，亦不过区区此意耳。兹将同人海外经验与国内调查，并新运动真相，略述于下，以就正于海内外明达。

---

* 原载《新教育》第5卷第5期，1922年12月。（书中脚注皆为编者注，此后不再另做说明。）

一、海外经验

欧战时我国派了20余万工人，到比、法战地为联邦做工，有挖战壕的，有造枪炮的，有修铁路的。既不能操外国语，又不谙异国的风俗人情，生活非常困苦。北美青年会有鉴于此，乃筹巨款，创办驻法华工青年会。又在美国各大学校，招募中国留学生赴法，为服务华工的干事。我国学子以美国同学，既多冒险赴欧，牺牲一切，为国家争战，而吾辈华人，又怎不能为那些在法受苦吃亏的工界同胞服务呢？于是有各大学同志十余人，于1918年欧战剧烈之时赴法为华工服务，铤而走险，过大西洋在比法各战地同过苦力生活。这些工人百分之九十，即是一字不识的。我们对于教育上，特别地注意，所以每晚皆有演讲，并有汉文班，他们虽是整天地做苦工，而每晚仍然到各营读书听讲，夜夜不断，甚至有不吃饭而赶来上课的。我们看见如此勤学忘食的劳工，真令我们做大学生的惭愧，更使我们痛恨那恶劣不平的社会，不给他们一个受教育的机会。

自忆前赴英美求学之时，脑海中并没有"平民"二字，及至法国，躬亲在工营中，每日同那些社会所谓"下流"的人过生活，相往来，相友爱，那些前大学生对平民的观念和态度，就根本推翻了。社会所谓"下流"者，并非禀赋与那些自命"上流"的有什么不同。所不同的，不过机会耳。那社会所谓"下流"失学的人，如早受同等的机会，他们又怎会不"上流"呢？这种觉悟，虽是近年以为很平常的，然而我们这种平民的觉悟，不是专从书本上看来的，或从某大家学来的，乃是从经验中、生活中得来的。所以就在法国决志，他日归国，定投身于平民教育。并即在法、比各工营青年会，立即实行推广。一面就工人的需要和心理为根据，编辑课本；一面实验方法，随时改良。就把那七八十所工营，当作我们平民教育实验场。后因工人中好学而有成绩的日多，乃邀友人傅若愚君（驻法工营同事，前芝加哥社会学硕士）于1919年在巴黎创办驻法《华工周报》，如是服务者二年余。平民教育新运动实胚胎于此时。

二、国内调查

在法华工教育，所研究的学理，所得来的经验虽好，然非熟悉中国的实体情形，因地制宜地去做，那于我国平民教育断然不能有什么贡献。所以回国后，第一着手，就是游历各省，做调查的工夫。论及平民教育一事，自民国成立而后，凡稍有思想的人，无不知其紧要。更自"五四运动"以来，平民教育或通俗教育的觉悟，一时风行。所有各官立私立学堂，少有不附设义务学校贫民学校的。这种风气，由外表看来，自是难得。但据两年以来，在十余省所调查的实情，内容十居八九很少切实成绩，其失败的原因颇多，兹略举一二以供大家的研究：

（甲）教员

（一）一般热心办义务学校的人，多不注重教员问题，以为随便什么人，只要识字，就可以教别人识字的，这是义务学校失败的一大原因。（二）"五四运动"以来，所有的义务或贫儿学校，强半是各校学生自动倡办的，他们一番爱国服务热忱，实在是大家公认而钦佩的；但不免有许多心有余而力不足的地方：（A）既为青年学生，缺少教学经验，况教育不识字的弟子，比教育大学学生难得多。（B）在校自有功课，因时间的关系，有许多学生三四人同时担任一班的，对于来学的贫家子弟，实难收效。一因教法不相联络，二因口音各殊，今天一个先生这样教，明天一个先生那样教，南腔北调地把那些知识简单的学生，弄得糊里糊涂的了。（C）学生自己功课既多，到他们来教学的时候，多半是精神很疲乏的，教员既没有好多的精神，怎能引起那些未受过教育的子弟的热心呢？这些话不是说来批评各校热心教育的学生，不过是要指出他们当学生求学的时代，难得同时做一个好先生。他们于平民教育的贡献，不在教学，而在他种方法（详论在后）。（三）教育子弟，非一朝一夕所能成功的，事属义务，教职员不负专责，随来随去，教员虽好，往往有半途终止的。

（乙）课本

我国于各学校教科书，近年出版尚多，适用的也有。但于平民通俗教育方面，出版的既少，有的又不切用。因此大多数义务学校所用的课本，不是中学教科书，便是小学读本。虽有一二所谓通俗教育读本，亦多属那些抱着“秀才不出门，能知天下事”态度的先生，据着“想当然耳”的原则来著的，徒在文字上讲究而已，自己对于平民的心理、平民的需要、平民的生活，并未曾研究过。这种主观的、牛头不对马面的课本，怎能适合平民的需要，怎能引起他们上课的兴趣呢？

（丙）组织

甲校在东门附设一个义务学校，乙校在北门办一个贫儿学校，尔为尔，我为我，既无相当的组织来联络各校，振起教育的精神，统一办法，又无学会来交换得失的经验，互相研究学理。这样东碰西碰，散漫无统的独我式的教育，再等百年，我国的教育还是难普及哩！

三、新运动的真相

国内的调查既如此，海外的经验又如彼，我们对于普及教育人手办法，略具端倪，于是有平民教育新运动的产出，这运动的真相，可分以下的两层来说：

（甲）工具

语云“工欲善其事，必先利其器”，这句话是很有价值的。平民教育的工具是什么呢？就是课本。无良好适用的课本，虽有善教的先生，好学的学生，总是事倍功半，难以见效的。所以我们入手的第一步，就是制造一个较适用的课本。

（一）检字　吾国文字很深，实是教育普及的一大阻力。读了四书、五经、古文，而不能写一封通顺的买卖信的，十居八九。及新文化运动做成了“文言一致”的工夫，那就把我们平民教育问题的担子减轻了。在中国讲平民教育，须知平民教育，即是贫民教育，所以对于他们的生计问题，就不当忽略。他们一天到晚为饭碗忙碌，哪有好多闲时来读书，所以我们如要为他们求教育普及，非制造一种特别的工具，使他们于最少的时间，识得最多的文字（Maximum vocabulary，minimum time）不可。所以我们查验一个说国语的人，至少离不了的常用字是什么字，又有多少字，然后再根据学理、经验，来把它编成适用的读本。

我们选出这最通用字的办法，强半是根据以前在法比华工教育中的经验。那20万华工之中，有农，有工，有商，有兵，实能代表3万万平民的心理、生活及需要。同时，我们又根据归国后由各种平民课本，及他种白话书报的调查比较后，选出常用的字数千。由此数千字中，复选出最通用的1000字，作为“基础字”（Foundation characters），这样使所学即是所用，所用即是所学，不致枉费精神时间空学一个无用的字。但这种选法，还怕欠妥，所以我们又博咨旁问，在各方面教育专家前请教。恰有吾友陈鹤琴先生自归国以来，即与同事数人，在东南大学对于此事曾有精深研究。他们几位先生，不辞劳瘁，不嫌麻烦，用了两年余的光阴，将我国的白话文学，如《水浒》、《红楼梦》等书，及各界通用书报，每种分工检查，将各书所有的字，以各字所用次数的多少分类，一共检查了50余万字，从中选出通用的字数千（检字的方法陈君于本刊别有详论）。以陈君用科学的方法所选的通用数千字中，最通用的，即分数最高的1000字，与我们由经验及研究所选的1000字比较，竟有80%相同。由此足见经验的方法（Empirical）与科学（Scientific）的方法，实能互相纠正发明的。陈君同事与我们，还要继续地研究下去，希望不久可达到完善的地步。

（二）编辑徒有单字，而无一种根据科学的、经验的与最有趣味的编辑，也是难读，难记明白的。所以我们就把这1000字编成3册，名《平民千字课读本》，其大意如下：

千字课是特为一般12岁至20岁目不识丁少年预备的，共计122课，字义由浅而深，字数由少而多，每天用一点半钟的工夫，4月之内可以读完。

首册（A）计300字，分40课，每课用白话体，将生字参入，撰成通常日用或稍带新意的语句。而联句的字，仅限于前课已认过的字，借此可以一面教学生明白新字的用法，一面可以温习前课的旧字。

（B）凡生字或生字所联成的熟语，都用大号字，以醒眉目。

（C）每6课参入一课练习，或填字，或对字，或词句重组，或造句，以便活泼脑力，运用字句。

（D）大字旁附注音字母，是备学生学过注音字母的，更易辨明字音，以期达到国音统一的目的。

（E）根据一册的生字，著“工读”、“互助”、“爱国”三个歌儿，并歌调，附在课末，凑趣凑趣，且略表本书的意旨所在。

第二册、三册有了一册的300字做基础，二册、三册的编辑法也就稍不同了，其大意如左：

（A）本册的字数、课数，与第一册同。但每课皆有一定的题目，根据本课的生字，与前课的熟字，来撰成白话数句，或十数句，照题发挥，或用白话信，或用故事，或用寓言，或用中西名人传，或诗歌的各种体裁，借以增进学生认字的兴味，和求学的精神。

（B）可用图画的课，皆附图画，借以点缀。

（C）注音字母和首册一样附着备用，三册除共计400字分42

课外，与二册的编法大概相同。

我们编印这三册的课本，特设课本校正委员会，会同审慎研究，务期妥善；此外，得到东南大学教育科陈鹤琴先生及他的几位同事的帮助甚多，北大胡适之先生指正的地方，也很不少。这课本出版不过数月，而销售之多已达二万余册，各界这样地欢迎，实出乎我们意料之外。一册二册已再版、三版了。每再版一次，必经委员会同人，根据学理及各校实地的经验，逐课研究后，方才付印。随时我们亦将字课分送各处热心教育的专家，征求他们的意见，以期渐达精善适用的地步。

（乙）合作

做了研究的工夫，造就了工具，第二件的急务，就是做提倡的工夫来推行这工具，如我们不大加提倡，那不知何年何日，我们才能实现教育普及的大梦！惟做此种群众教育的事，非一个学校、一个机关、一个阶级的人，单独做得到的。此种教育，是大家的，是全社会的。能出钱的出钱，能出力的出力，无分阶级，无分贫富，群策群力地执着教育普及的旗帜，奔走呼号，坚持到底，先城市而后乡村。我们因为有了这种志愿和抱负，乃根据各地实验的结果，拟有提倡的办法，名"全城平民教育运动计划"，附在末后，以供大家参考。

（丙）长沙实验

有了工具，又有了办法，但此不过纸上谈兵而已。如无相当的实验、工具与办法,有否实际的价值,是不得而知的。因此我们先选定湖南长沙来做我们一个教育试验场,首由该处青年会发起,联络各界人士,做一个全城平民教育大运动。目的在引起全城人民的热忱,通力合作地来实验一个全城教育运动的方法,以达到全城男女人人识字的最后目的。着手在招集1000目不识丁的人,聘请100有经验的教员,看于4月内每日一时半(星期休课,4月共199时),能否读完《平民千字课》。兹将运动的大概略述如下:

(一)组织　(1)总委办共70人,由城中各界所公推。当选者皆城中有声望而热心平民教育的人。(2)副委办各5人,担任(A)经济,(B)地点,(C)教习,(D)学生,(E)新闻各委办。各负专责,分道进行。

(二)鼓吹　有了这样分道进行的组织,然对于提醒人民的觉悟,引起人民的注意上,又不能不有种举动,因此,有以下的种种:

(1)全城遍贴画张数千份,如"对症发药"、"举国皆瞎"等等描摹不识字的苦及教育的急要,以醒眉目。

(2)省政府告示几百张,同图画并贴城中,劝告家庭有不识字的子女的,和店铺有不识字的学徒,均来校读书。

(3)本城各中学及中学以上的学生同军乐队,分段发送2600余份劝学传单。

(4)分段召集店主大会,先给他们看看影戏娱乐娱乐,然后对他们演讲"工人教育的急要",希望得他们的赞同,送学徒来校读书。

(5)召集全城各界大会一次,由省长主席。

(6)各中学及中学以上的学生,到各街道分队演讲,一面演说教育的紧要,一面报告新运动的办法。

（7）全城举行游街大会一次（由各校学生组成），人人手持旗帜或灯笼上面写着“不识字就是瞎子”、“你的学徒是瞎子吗？”“忍看同胞都瞎眼吗？”“救中国的根本方法，是平民教育”等警语。

（三）招集 （1）学生，招集学生的办法，是先将长沙全城划为72学段，每段派训练过的学生（中学师范、高等大学各校的代表）劝学队，各一队，手握报名单和别的印刷物，在各段按户劝学。3日后，共得1300余人。（2）教习，是由教习委办，一面个人接洽，一面在各校开招募会，共得教习80人，他们都是师范毕业而有三四年教学经验的，每星期授课6次，每次一点半钟，不受薪水，不过每月收车马费4元而已。

（四）班次的组织和监察 全城课室共80余处，概系借公私学校、工会、商会、教会、庙宇、店铺、住宅、男青年会、女青年会等处的地点，学生共分70余班，至于组织班次，规定课室，分派教习，系归特别委办经理。全城共分四大学区，每区由各教习公推视学一人，复由四区教职员公推主任一人以主理全城学务。各区教习每星期将每日学生数目，及一星期的经过并现状报告本区视学，视学每星期亦必将下属各班的经过与现状报告主任。四区教职员，每月由主任召集开讨论会一次或两次，借以彼此交换教授及管理的经验，以谋教育改进的方法。各区学生每月由视学召集，开游艺会，或演戏剧，借以活泼学生的脑力，并鼓励求学的精神。

（五）经费 开办经费的由来有以下三种：（1）热心平民教育的个人；（2）演戏或开音乐大会，或游艺大会；（3）各公共机关如商会、教育会、工会等捐助。

（六）运动的成绩 我们是本年阳历3月中旬开班。4月后有1200学生，读完千字课，7月15日行毕课试验，竟有967名考试及格。7 月 20 日,全城举行毕课大会,由省长发给文凭。这种成绩,实在使我们为中国平民教育前途,抱无限的希望。

此次所招的 1300 学生,他们年龄最小的是 6 岁,最大的是 41 岁。但是自 10 岁至 16 岁的学生,占了全体的 72%,这究竟是因什么缘故,我们不能武断。或是因为(1)他们 10 至 16 岁求学的心较切,(2)家长要他们求学的心较切,(3)比 16 岁以上的家庭担负较轻,(4)除此等平民学校外,无与他们程度及年龄相当的学校可入。据学生年龄表看来,10 岁以下的人数降低,16 岁以上的亦渐减,年岁愈大,人数愈少,固然,此不过一处一次的招集,未敢一概而论;但将来在各省实验较多,我们就可根据各地经验,来规定平民学生年龄的问题。

兹将长沙平民学校全体学生各级年龄数目表列后:

年　龄	数　目	百分比
6	1	0.07
7	4	0.3
8	25	1.9
9	24	1.8
10	240	18.2
11	196	14.9
12	195	14.9
13	149	11.3
14	82	6.2
15	53	4
16	43	3.2
17	22	1.6
18	34	2.5

续表

年　龄	数　目	百分比
19	24	1.8
20	34	2.5
21	11	0.8
22	26	1.9
23	10	0.7
24	25	1.9
25	15	1.1
26	9	0.7
27	8	0.6
28	19	1.4
29	6	0.4
30	15	1.1
31	5	0.3
32	10	0.7
33	3	0.1
34	6	0.4
35	2	0.1
36	2	0.1
37	2	0.1
38	5	0.3
39	1	0.07
40	5	0.3
41	1	0.07
总数	1300①	100%

① 原文如此,应为1312。

学生的职业，以工界为最多，其数共530名；其次商界，共230名；农界共53名；学界11名；军警10名；医5名；乞丐2名。所填职业共59种，共463名，其余460名，或属无职业的，或属有职业而未填的。下列的表，以中国职业无常及学生笼统的缘故，于分类上不免有些欠妥的地方，如“劳工”，如“普通生理”等。

兹将长沙平民学校学生本身或家长各种职业一览表列后：

职业	数目	职业	数目
劳工	285	竹工	8
缝工	53	棕匠	7
车夫	33	轿夫	7
木工	22	铁匠	6
皮匠	20	铜匠	5
佣工	19	理发	4
捡粪	11	渔业	4
泥水	10	厨工	4
力夫	10	捡柴	3
漆匠	9	洗衣	2
织工	2	船夫	1
银匠	1	砌工	1
石匠	1	绣花	1
旗夫	1		
以上工业共530名。			
职业	数目	职业	数目
小贸	80	铁业	2
普通	70	眼镜	2
经商学徒	28	针业	1
木业	6	衬业	1
卖小菜	5	布业	1
染业	5	米业	1

续表

<table>
<tr><td>职业</td><td colspan="2">数目</td><td colspan="2">职业</td><td>数目</td></tr>
<tr><td>车业</td><td colspan="2">5</td><td colspan="2">山货</td><td>1</td></tr>
<tr><td>饭店</td><td colspan="2">4</td><td colspan="2">香店</td><td>1</td></tr>
<tr><td>炮房</td><td colspan="2">4</td><td colspan="2">伞业</td><td>1</td></tr>
<tr><td>屠业</td><td colspan="2">3</td><td colspan="2">洋货</td><td>1</td></tr>
<tr><td>瓦货店</td><td colspan="2">3</td><td colspan="2">鸡鸭业</td><td>1</td></tr>
<tr><td>猪经理</td><td colspan="2">3</td><td colspan="2">刷业</td><td>1</td></tr>
<tr><td>糟房</td><td colspan="2">2</td><td colspan="2"></td><td></td></tr>
<tr><td colspan="6">以上商业共 230 名</td></tr>
<tr><td>职业</td><td>数目</td><td>职业</td><td>数目</td><td>职业</td><td>数目</td></tr>
<tr><td>作园</td><td>43</td><td>力田</td><td>6</td><td>种花</td><td>4</td></tr>
<tr><td colspan="6">以上农业共 53 名。</td></tr>
<tr><td>职业</td><td colspan="2">数目</td><td colspan="2">职业</td><td>数目</td></tr>
<tr><td>学界</td><td colspan="2">11</td><td colspan="2">医生</td><td>5</td></tr>
<tr><td>军警</td><td colspan="2">10</td><td colspan="2">乞丐</td><td>2</td></tr>
<tr><td colspan="6">以上其他共 28 名。</td></tr>
</table>

（七）运动的善后　（A）毕课之后，要紧的就是这些字要有一种练习，不然，过不多时，就会忘了。许多更要紧的，就是这些字要有种实际的用处，不然，无人愿学的。近来上海、汉口等处劳动界宁肯学英文，而不愿读中文，因为中文经济价值，较英文低的缘故。（B）如只教他们读书，而不为他们预备一种有价值的书去读，那不如目不识丁的好。（C）出校毕课之后，如没有一种机关来给他们一个继续读书的机会，培养他们求学的精神，那他们最好也不过做一个一知半解的国民罢了。因此我们准备根据著三册的千字，来做关于他们经济、道德、知识、社交各方面有补助的书。如现在所做的平民书信、平民算法、平民卫生、平民诗歌、平民常识、平民地理问答、平民历史问答、农人须知、工艺浅说、法制说要、工人道德等

书。明春还要出《平民周刊》一报，凡遇有千字外的生字的旁边，皆附有注音字母，以便自习。又凡举行了教育运动的地方，在一城的各处因善后起见，组织平民报社、读书室、图书馆、研究会等，以养成一般毕课的学生读书的习惯，并求学的精神。

结　论

这个平民教育新运动，发起未久，而成绩亦稍有可观。谅各热心教育的同志，自当以为欣喜。但是草创伊始，工具和办法，两者都在试验时期，未臻完善。深望各省教育家惠赐教言，匡我不逮。并将计划中有可采取者，力为提倡并推广，那不但是同人当感激的。现后有请同人，明春到北京、天津、奉天、吉林、汉口、杭州、成都等处去，照长沙的经验，提倡全城的教育运动。一二年后，在各城的运动，于学理上、办法上，有了实地的经验，或能造出一种全国平民教育的学制。十年之内，我国教育普及的目的，我想是可以达得到的了。

附：全城平民教育运动计划

（甲）目的

提倡一个全城平民教育运动，引起人们的热忱，实验具体办法，以全城人人识字为目的。

（乙）组织

（一）总委办1（若干人），由城中各界有声望而热心平民教育者组成。

（二）副委办5（各若干人），担任（1）经济、（2）地点、（3）教习、（4）学生、（5）新闻各项。

（三）主任1人，副主任若干人。

（四）视学员若干人（每五区以上1人）。

（五）教员若干人。

（丙）经费

（一）热心平民教育的个人。

（二）演剧或开音乐或游艺大会。

（三）教会、商会、教育会、工厂、店铺等等机关。

（丁）班次

（一）不宜太大，平均以12人为最合宜。

（二）上课每星期六次，每日一时半或二小时。

（三）书籍当勉励学生自购。

（四）教材除平民千字课外，当设游戏及唱歌，以助学生的兴趣。

（戊）课堂

（一）班次以在附近学生工作的地方或住宅开设为最善。

（二）凡公立学校、私立学校、礼拜堂、男青年会、女青年会、商会、工会、店铺、行社、工厂、住宅等等，都可利用。

（已）教员

官立私立学校的教员，师范学校的高级生，暨本地在教授方面有经验的人，都可聘请。

（庚）文凭

（一）每一学生，读完千字课程，考试及格，毕课时皆得领受文凭。

（二）凡已受了文凭的学生，如将千字课教授了他人，其文凭上得另加一大红印。

（三）各班学生每月试验后，得照各人识字的多少，领带红黄蓝白黑五色旗的徽章，以示鼓励。

（辛）重要机关

（一）接洽商会、教育会、教会、报馆、行社、工会、工厂各领袖，得他们的赞助。

（二）接洽各学校请代募教员，并供给课堂。

（三）得各报馆的赞助，请代任鼓吹之责。

（四）本省长官及要人赞助，开大会时，可请省长或其他重要人莅会主席。

（五）男女青年会的协助。

（壬）运动种种手续

一、事前的准备

（一）先将全城调查一周，俾知何人为不识字，且有若干。

（二）调查城中课堂地点，根据本城地图支配。

（三）与教育会、商会，及其他重要机关中有势力的人，作个人的接洽。

（四）组成一个总委办，执行一切事务，该委办由城中有势力的人，如著名商人、学校校长、工界领袖等组成。

（五）用通告与画张传单等，做传播的工夫。

（六）用特别新闻的材料，做鼓吹的工夫。

二、平民教育运动大会

借城中最大的集会场，开大会一次，宗旨在引起人民对于平民教育的热忱，并使他们明晓本运动的旨趣与方法。到会的，须有下列诸人在内:教育会领袖、大学校长、商会代表、工界领袖等等。

三、学生的招集

(一)联合学生和别界的人,在城内举行一个游街大会,以引起人民的注意,并分送印刷等物。

(二)将全城分为若干区,以便分道劝学(根据地图)。

(三)开店主大会一次,以得他们的赞助,准他们的工人或学徒来校读书。

(四)派训练过的男女高级学生若干人,手携报名单和别的印刷物,分区劝学。

(五)开课地点和日期订妥后,当先通知各区学生。

四、教员的聘请和训练

(一)应聘的人,予以聘书,期限以授完所订的学课为止。

(二)招募方法。

(1)个人接洽最为有效。

(2)开教员招募会。

(3)在各处重要学校开会。

(4)应募的人,至少须受训练六次。

五、班次的组织和监察

(一)特别委办一,以主持组织班次、选定课堂和分派教员等事。

(二)班次即在大会时开始举行。

(三)教员在第一次上班前,须先探望学生。

(四)各教员须将一星期中和每日学生的数目,及全班的经过和现状,报告本区视学员。

(五)视学员须每星期将属下班次报告主任。

“平民”的公民教育之我见*

公民教育这个名词的含义有种种不同。我这里所用的是指以养成好国民为目的的教育全体说的。我以为教育的正当目的，不仅是养成良好的个人，却是养成健全的公民。健全的公民应该有何种知能，公民教育内就得包含着何种相当教育。所以公民教育不应单指普通所谓公民科和公民训练说，就是什么生计教育啦，科学教育啦，卫生教育啦，都应得包括在内。可是现在为大多数民众设施的公民教育和那些为正式学校学生设施的公民教育，办法应有不同，所以把我对于“平民”的公民教育的意见或说“平民教育运动”里的公民教育进行步骤，简略提出来，希望读者不吝指教。

一、“平民”的释义

平等是人人所有天赋的权利。可是大多数民众因为知识能力较低，什么事情都不能和少数知识阶级的人享受同等的幸福。增进大多数民众的知能，除去不平的现象，使同为良好公民，这是从

* 原载《新教育评论》第 1 卷第 21 期，1926 年 4 月。

事教育的人的天职。我们将对一般男女已过学龄期限的(就是在12岁以上的)不识字的,及已识字而缺乏常识的都称为“平民”。把这些占全国人民大多数的民众称为“平民”的缘故,是表示应靠教育的力量使他们有知识能力做个平等的公民。

二、平民教育的目的

平民教育是对于12岁以上不识字的及识字而缺乏常识的全国男女所施的教育,所以它的目的有二:(1)使一般12岁以上不识字的男女都能够运用日常生活必需的文字。(2)使一般已识字而缺乏常识的男女皆领受共和国民应有的基本教育。这两种目的又可以总起来说:平民教育的目的是把目前全国的“平民”都养成为好国民。所以设施平民教育,是以识字教育为起点,而以公民教育为正鹄,有些人以为平民教育不过为《千字课》教育而已,实在是不明了平教运动的目的了。

三、“平民”的公民教育之实施步骤

(一)对不识字的“平民”先施以识字教育

我国人口号称四万万,12岁以上不识字的人占二万万有余。我们可以想象对这些不识字的民众施行公民教育,正如没有基础,就要建筑房屋,势不可能,这是显而易见的。我们一说起民众,就不啻说公民，一说起民众教育，就不啻说公民教育。因为在共和国家人人都有做公民的资格，人人都有受公民教育的权利。我们要大多数民众都能施行公民的权利，就得给他们一种公民教育。可是人若不先识字，连名字都不会写，那么关于种种公民活动，如怎样选举，怎样参与政治，是万不可能的。所以我们对今日的“平民”如果真要实施公民教育，必须从根本上着手，必须从识字教育着手。因为识字是求知识的工具，受教育的基础，日常生活上最需要的基本知能。假如我们不照这样做，却想单靠几天演讲的鼓动，几种图画的刺激，几张传单的宣传，就算为公民教育运动，那么，所得效果至多不过引起少数人暂时的兴趣和注意罢了。试看去年上海的“五卅惨案”，今年国务院门前的“三一八惨案”，这类刺激可谓强烈极啦，应可以引起大多数人民的注意，使他们觉悟自己的地位和责任。可是考之事实，究竟怎样呢？难道不是仅有少数知识阶级的人奔走呼号，大多数的民众都视若无睹，不关痛痒吗？他们所以如此，不能群起追随领袖，做强有力的后盾，岂非由于缺乏知识吗？像这样强烈的刺激，尚且不能引起大多数人的注意和觉悟，那么，想靠数天演讲的鼓动与宣传，就望对于公民教育收什么有价值的成效，是难乎其难的。况且大多数失学的民众事事被动，事事待人鼓动刺激，终非长久之计。要培养他们主动的精神和能力，非从基本教育方面入手不可。所以实施识字教育于我国目不识丁的民众，是推行公民教育的基本方法，并且我们所说的“识字”并非仅指一二千基本汉字，乃是指平民教育初步教材与课外种种读物所发表的教育。

(二) 对已识字的人施行“平民继续教育”

“平民继续教育”的目的在于灌输程度较高的公民常识。因此,有两个重要问题,我们必须精思熟虑的:(1)什么是“中国的公民”?(2)什么是“中国的公民教育”?这两个问题不能在此做分析和讨论,可是盼望从事公民教育的同志不要忘掉它。务求所施的公民教育为真正中国的公民教育,不是由他国模仿来的公民教育。外国的公民教育未必可直接模仿为中国的公民教育。外国的公民活动亦未必可直接模仿以为中国的公民活动。有外国的历史文化和环境,而后产生出它所特有的公民教育。有我国的历史文化和环境,亦当有我国所特有的公民教育,方能适应我国的需要。要知道什么是中国的公民教育,非有实地的、彻底的研究不可。我国办理教育数十年,成效未著,原因固然复杂,而我国从事教育者奴隶式地抄袭外人,漠视国情,也不能不说是失败的一个大原因。所以我们现在要办公民教育,当以彻底研究为第一要务。对于本国的历史文化环境务必彻底研究,求得公民教育的根据;对于外国方面的,亦可引为参考,以期适合世界的潮流。这是施行公民教育的背景,不可不先有充分的研究的。

讲到“平民”的公民教育本身,尤其当注意:(1)什么是最低限度的公民教育?(2)怎样实施?(3)怎样给“平民”练习与实践的机会?对于第一个问题,似应研究什么是中国“平民”最不可少的公民常识。这类常识有居于理论的,有居于事实的。在教科书里所学的理论之外,应给他们一些事实作为应用的机会。例如所失的重要领土、重要的不平等条约等等。这类事实可编成小册,作为补充读物。第二个问题，就是怎样实施这基本的公民教育。研究这个问题的时候，应注意几件事：(1)受教育的，大都是受经济的压迫；办教育的，亦无充裕的经费，因此教育费用，应减至最低限度。(2)受教育的人既为平民，每汲汲于谋生计，自不能用多少时间来受教育；尽义务的教师，大都是自己有职务的，亦不能有多少时间来做教授的工夫，所以时间亦有减至最低限度之必要。在这种穷而且忙的环境中，施行公民教育，非研究出一种时间与费用最经济的方法不可。所以实施“平民”的公民教育，应研究怎样用：(1)最短的时间；(2)最少的经费；(3)实施最不可少的公民教育。对第三个问题是怎样研究，怎样提倡各种公民活动，如“平民校友会”、家庭改良会、平民法制讨论会，及种种改良中国“节期”的运动，使“平民”有练习实行的机会。近来各省组织“平民校友会”的已不在少数，现单就山东烟台一处说，平民学校毕业生已达4000余人(10岁至56岁)。我们曾经组织了一个“平民校友会”。会内职员行委员制，概由委员选举。每遇地方公众运动，皆往参加。这是直接有益于地方事业，间接有益于公民训练的。这种“平民校友会”的活动，是实行公民训练的一个好例子。总起来说对于已识字的“平民”，我们应根据研究所得，或用课程式的教法或用直观教育(visual education)的方法或用平民种种读物以灌输公民生活的基本常识，并提倡适合中国国情的种种公民活动，以养成公民的实力与精神。不过这两种工作，非有彻底的研究与实地的实验是不能收效的。

四、结论

近年以来,国内提倡公民教育的消息时有所闻,实在是一件可喜的事。我国人素来缺乏国家概念,可是共和国家实以人民为主。今日不识字的与识字而缺乏常识的男女二万万有余,如不励行公民教育,他们就永远不会和国家结成一体,所以我们对近日各种公民教育运动的宗旨都非常赞成。不过我以为举行这样关系重大的运动,不可不先有彻底研究。凡事研究愈彻底,愈可减少失败的危险,愈容易持久。这样堂皇宝贵的、足以号召全国的公民教育,吾人应当慎重施用,免致信用扫地,使后来的人难以着手。我对公民教育素来重视,尤其是对于“平民的公民教育”。深愿国内有心于公民教育之士,勿以一星期的运动,就算为了事。更当大家继续努力,彻底研究,群策群力,共求良效,这是我希望于诸位同志的。

平民教育运动术*

（甲）范围

此次所讲之平民教育运动，乃全城大规模的平民教育运动。范围既定，然后再言运动之术。

（乙）目的

平民教育运动之目的，约言之，有下列三点：

（一）引起全城人士之注意与合作。平民教育，乃中国二百兆民众之教育，非一人一派所得包办，亦非一人一派之力量所能包办；故必先使一地之民众知平民教育为何事，进一步对于平民教育表示同情，给予援助，欲达此目的，唯有举行全城大规模之平民教育运动。

* 原载《晨报》副刊《社会》第47号，1926年9月14日。

（二）制造民众读书之空气。中国人以读书为专门事业，士、农、工、商，惟士可以读书，即现在居于知识阶级之人，亦常作此想；此种观念不除，平民教育难望进行；破除此种观念，唯有制造读书空气，使人人知有读书之权利与可能，此平民教育运动所由起也。平民教育运动，不特在刺激从未受到过教育者，使其有发愤求学之决心，并欲刺激曾受教育者，改变其旧思想，热心参加平教工作，使全城充满读书空气，此平教运动之第二目的。

（三）达到人人识字与平教普及之最后目的。平民教育以达到人人识字与教育普及为最后目的，故吾人运动之目的，亦在人人识字与平教普及。

（丙）运动前之预备

（一）接洽　先与本城各界重要人士个人接洽，得其赞同与合作；接洽时，不仅得当地人士之赞助而已，即将来寻觅校舍，筹划经费，聘请教师，招收学生，亦颇有关系。

（二）调查　在平教运动未举行之前，对于其他教育状况当极明了，故必调查(1)失学男女人数，(2)可借作平校之地点，(3)小学教师人数等，则运动成功之后，创设平校，得适宜之分配。

（三）筹备会　经个人接洽及全部调查之后，由本城负有声望者，发起邀集各方领袖人物，开平教会议，组织全城平教运动筹备会。

（四）干事会　全城平教运动筹备会成立，即当组织干事会，执行筹备会议决事项，干事会干事，由本城热心平教精干男女充任。

(丁)运动之性质

平民教育运动,有下列五种特殊的、必要的性质。

(一)超然的　平民教育乃全民众之教育,无宗教、无党派、无主义之色彩。若带有宗教、党派、主义色彩,则运动范围必因之而缩小,不能称为全城平教运动。

(二)义务的　任何机关,若经费充裕,而管理不得其法,必不免内部之冲突,与外界之猜疑,吾人办理文盲之教育,无巨款固难举办,倘有巨款,应善为管理与分配,使平民均能获益,故从事平教运动者,不可借此美名,而存牟利之心,须具牺牲服务之精神。

(三)地方自给的　本地之人,出本地之财力,办理本地方之事业,然后可以持久;平民教育关系于地方之文野,地方人士不能辞此责任。

(四)人人有份的　现在难得一种事业,人人皆有参加之机会,平民教育运动不论男女、老幼、贫富、贵贱,皆有参加机会,故平教运动为养成人民合作精神之一种最良方法。

(五)以民为主的　平民教育运动,完全为民众自动的运动,不受任何方面之支配指挥,此种运动,直接使人读书识字,间接即养成民治精神。

(戊) 组织

办理全城平教运动事宜,自不能不有一种组织,通常先成立一全城平民教育运动委员会,委员为60人至80人;在总委员会之下,设(一)执行委员会,(二)各股。

(一) 执行委员会,由总委员会选出,人数为9人或11人。

(二) 分股:(1)庶务股,(2)经济股,(3)招生股,(4)教育股,(5)宣传股。执行委员同时可兼任股长,每股之内,应有一二精练干事。

(己) 平教职员之物色与训练

平民学校不愁无学生,只愁无教员。或以为平校科目简单,程度低浅,能识字者即可充当教师,实则不然。仅仅识字之人,不明教学方法,无教学之经验,不免教者谆谆,听者藐藐之弊。故平校教师最好由小学教师兼任,小学教师负有教育之使命,每日为平民教育多努力一二小时,想亦小学教师所乐为者也。至于物色教师之方法,第一先做个人之接洽,说以利害,动以感情,不难得其允诺。其次可开各校教职员会,由教员股干事到会做恳切演说,以激起服务平教之热忱,可得多数教职员签名担任。最后举行各校教职员联席会议,利用竞争心理,善为刺激,更易收罗多数热心之教员。

至于训练之方法，则用短期的讲习会，演讲平民教师必不可少之几种知识与技能，使其教学能合于平教原理。

（庚）招生队

平民学校招生方法，与普通学校不同，盖平民多不识字，广告效力极低，须用直接劝导法，使不识字者皆知不识字之害，自动求学，因此有组织招生队之必要。本来中等学校以上招生，深具服务社会之精神，故平民学校招生队队员，请中学以上学生充任，最为适宜。

组织招生队之前，须在各校先开一平民教育会。约集全体学生，演讲平教，使学生感觉平教之重要，有非为平教服务不可之势，当场请其签名，加入招生活动。然后再分区组织男女招生队，女生队专负招收不识字之妇女。

招生队既组织矣，而劝导之方法如何？劝导之态度如何？应先准备。倘方法不宜，态度不良，反足以引起民众之误会与反感。故对招生队员应加以相当训练，简言之，方法宜简单、动人，态度宜平和、诚恳。

（辛）平教运动星期

平教运动星期，即选择某一周内，专从事于平教运动之工作，如掷一猛烈炸弹，轰动全城，以制造民众演讲之空气。故平教运动星期

内,每日应做各种活动,须在事先准备停当,切勿临渴掘井,致费力多而收效少也。兹将平教星期内应有之工作,按次序述之于下:

(一)全城贴满广告、教育画图、长官通告,以鼓励全城人士注意平民教育。

(二)报纸的宣传。托城中各大报纸,每日开专栏,登载平教重要文件。干事须多负投稿责任,且须预先起草;又可发行平教特刊,敦请教育名家、新闻记者,著作关于平教之论文借资宣传。

(三)举行平民教育会。按区域与性质分别举行。按区者:如东西南北中区平民教育会等,如此干事之时间与力量,方便于支配,赴会者亦不致路途遥远,发生困难。按性质者:如(1)男界领袖会,(2)女界领袖会,(3)店主会,(4)家长会,(5)说书人会,(6)私塾教员会等。因各人性别与职业不同,心理亦异,故鼓励方法与措辞之间,不能不因人而施。又上述各种人物,因其职业与地位不同,其宣传平教之工作亦有不同。如说书人与平民接触机会最多,茶楼酒馆、乡间城市,莫不有彼辈踪迹。吾人即可利用此种特点,请其于平教运动星期内暂不说书,专做平教之演说,彼辈富有言语天才,民众易受感动。又如私塾教员,与平民亦极接近,应与彼辈通力合作。谈相算命者,亦可利用宣传平教,因一班平民,迷信甚深,遇事不决,多就教焉,使此辈能了解平教之重要,乘机劝告平民读书识字,所得之效果,较之学生讲演为大也。举行此等平民教育会之目的:一方面在鼓励各方面人士了解平教之重要,愿为平教服务;一方面即指导利用各项人才,就其能力所及,宣传平民教育。

(四)全城平教大游行。游行时,非为热闹,借此可联络全城一致之精神。又以一城之大,不识字人数之多,广告、报纸及各种集会之宣传,尚恐遗漏。若再举行大游行一次,则不难家喻户晓,游行时各界男女人士均应参加，本地最高级长官，若能加入尤妙，否则亦须派代表与会。前在烟台，游行者有15,000人，商店罢市，工厂停工，学校休课，其重视平民教育，可见一斑。

（五）全城平教运动大会。经过前四种之宣传，全城人士已知平民教育之意义与重要矣，于是做进一步之工作，召集全城人士，开一全城平教运动大会，劝告大家出钱出力，创办平民学校，并讨论平教实际推行之方法，此后即派招生队分赴城郊各处，招募学生完毕，即可正式开学授课，平民学校，于焉成立。

（壬）结论

平教运动之目的与方法，已如前述，尚有二点从事平教运动者不可忽视：（1）民众之心理；（2）社会之风化。因一般平民知识浅陋，吾人为彼辈善意的服务，有时不仅不能得彼辈之好感，反遭彼辈之厌恶。不目吾人为教徒，劝其入教，即疑吾人有何作用。此种心理可叹亦复可怜，吾人决不可因此灰心。应当增加怜惜，考其心理，善为指导，一切举动应沿社会之风化，若违反太甚，最易引起平民之反感也。

关于平民教育精神的讲话*

一个人，他是属于哪一界的，大概他对于那一界的情形，多知道一点，而于其他各界的情形，就有一点隔膜，尤其是我们中国人有这个毛病，甚至自己不知自己。所以我们这些自命“上流”的一部分读书人，对于那些所谓“下流”的大部分没有受过教育的平民情形，知道得就很少了，这并不是像印度一样，阶级分得很严，不过彼此少有往来，积久而上下流的界限遂生了。

就拿我来说吧，“平民”二字，当我在大学里读书的时候，脑子里并无此物，有之自欧战始。当欧战时，英、法青年壮丁，俱赴疆场，国内男工，极感缺乏，我国“苦力”素以勤劳著称，乃来我国直、鲁省招募工人，担任筑路、运粮、挖掘战壕等事，应征前往的，共计20万以上。

和这20余万旅法华工同做工者，有英、法军官，对华工每多鄙视。华工生活非常痛苦，且华工知识甚低，作奸犯科者，在所有之。又不审欧人习惯礼节，乘坐电车，则将花生壳遗弃满地。途遇法人夫妇并肩偕行，则群相戳指而笑，衣服又破烂不堪，行动复俗丑可憎。法人所未见支那人，今既见之只增其轻蔑之心，以为华人尽属

---

* 原载北洋政府内务部档案(一〇〇一)4813。

丑怪，即遇华人之较整饬者，亦以为非支那人，而是日本人。

那时我正留学美国耶鲁大学，闻讯意颇不怿，以为决不能让20余万华工在那里受苦。后以美国军事青年会之约，遂自告奋勇，由美赴法，时德焰正张，航行至险境，未尝须臾离去。抵法以后，目击华工受苦情形，实在令人心痛。我的朋友们认为只要替华工担任翻译，或做其他普通的事，即可减少他们痛苦，不过我却以为要减少他们的痛苦，须根本提高他们的知识与人格。要根本提高他们的知识与人格，非从教育入手不可。

我服务的地点，先是在法国北部白朗地方，我和同人数人管理5000华工，他们的年龄已50(岁)左右，多系直、鲁等省失业的人。然亦有抱冒险精神堪叙述者，即其中尚有大学生数人，秀才二人。询其何以来此，则曰欲观新世界，对这种冒险为奇的精神，是很可佩服。其余都不识字，做不名誉事的亦多属此辈，我于是为他们设汉文班，自编书籍，给他念，这当然是很麻烦的。

可是，那时有一个很好的机会，就是他身居异地，生活艰难，回首祖国，则山水茫茫，终年信断，不禁凄然欲绝。反观法人之“下流”阶级，亦能手披报纸，琅琅成诵，口道天下事，又深复艳美。他们既然受了这种刺激，有了这种感想，好学之心，油然而生。我们利用这种机会去教他们，也就比较容易了。他们虽每日苦干在十小时以上，归来即赶赴汉文班，“发奋忘食”传为美谈。我辈知之而不能行，有愧于此辈华工矣！

工人，居然能读能写了，一时这种办法，传播于华工所在各地。后来我又到巴黎，一面极力提倡华工教育，一面办驻法《华工周报》，报价至贱，每份约合华币铜子一枚。各地华工欢迎此报之热心，为向未观。有一个工人曾函余曰：“自读贵报以后，我已知天下事，惟贵报定价太低，恐赔本过多，不能维持下去，我有积金50法郎①，愿以奉助。”我因此大受感动。人们常说华人缺乏公益心，证以此事，岂可尽信。我以为我们只当反躬自问，所做之事，能不能打动人心，不必问人之肯不肯赞助。“十室之邑，必有忠信”，果有相当成绩，不患没有人帮助。我自从到法国战地过“苦力生活”，与苦力相处，这才知道苦力的情形，知道苦力的“苦”和苦力的“力”，他们的体力固在吾人之上，而智力亦不在吾人之下，所不同者，只在教育机会。

因此，那时我有一个问题常在心坎中起伏，即20余万华工来法受苦，做不名誉的事，我们来帮助他们，施以教育，冀图挽救，反观祖国境内，尚有三万万以上目不识丁的同胞，岂能置而不论，而且既为20余万华工谋教育之普及，独不当不为三万万以上目不识丁的同胞谋教育之普及么？兄弟本来是学政治的，至是始憬然觉悟“民众教育”之急需。自誓回国后，一切高官厚禄，当视之若屣，惟致予毕生之力于平民教育，一息尚存，此志不渝。

回国后，与在法国情形当然迥不相同，旅法华工虽苦，然人数只有20余万，犹得饱食暖衣，生活有规律，国内一般平民则大不然，不识字的人数，依中华教育改进社十三年统计，占全国人民的80%，人数这样多，势不能用在法国时之办法，非另起炉灶不可。这三万万不识字的当中，尚有未受义务教育的学龄儿童约六千万，这个大数目，实在是世界各国罕见与无以伦比的。不过六千万未受过义务教育的学龄儿童，政府在学制上还有一种规定。但对于

① 《九十自述》等所记皆为“365法郎”。

二百余兆失学的青年和成人，连纸上的规定都没有。这些失学的青年与成人，关系何等重大，若不从速设法，则此二百兆男女，势将永埋于黑暗地狱，莫得超生。虽然教育经费之困难已达极点，国立省立各校，均在风雨飘摇中，平民教育，人数如是其巨，更何以办起。此就经济上言其困难，苟从学理上言，尤觉不易。盖平教问题，乃中国之特殊教育问题，种种办法，均得创新，仿无可仿，模无可模。东洋西洋，自更无抄袭了。有人认为我们的平民教育与英国的成人补习教育一样，殊不知英国国民，几都受过义务教育，故有补习教育之说。我们中国失学民众，连字都不认得，补什么？习什么？

又有人认为平民教育，和美国的“移民教育”相同，但该项教育乃为那外国不通美国语言风化之移民而设；我们中国人，始终是中国人，并不是从别处移来的，虽然认不得字，中国话总是会说的，哪里扯得上“移民教育”呢。

二百兆失学的平民，大都是“穷”而“忙”的，所以办平民教育，欲收相当效果，非根据平民的生活程度、平民的心理需要不可。就各地调查所得，最热心办平民教育者，首推学生。惟学生在求学时代，时间、精力两俱有限，偌大事体，非有根本办法是不行的。所谓根本办法有四个要点。

第一，要根本改变从前办平民教育的旧观念：认清此二百兆之民众教育是一种专门教育事业，不是“施衣施粥”式的慈善事业。以前办平民教育者虽不乏人，却少有把他们当作专门的正宗的教育事业去研究、去提倡它。试想二百兆以上的人失学问题，是何等重大，岂可作寻常附属事业看待呢？

第二，要有一定的机关：专司其事，一面罗致专门人才，做精密的科学研究，一面为热烈的、有组织的提倡。

第三，要有一定的制度：凡办教育，无论如何，总得要有一定的制度。平民教育应该有平民教育的“学制”。

第四，要大规模地去办：我国失学之男女青年和成人，在二百兆以上。不仅是中国的最大教育问题，亦是世界上最大教育问题。问题既然如此之大，如果零零碎碎地去办，过 50 年也没有希望。而且对于解决今日民主国家亟待解决的“除文盲，作新民”的问题，是不能有什么贡献的。所谓杯水难救车薪之火，正是此理。

我们对于平民教育的主张，既如上述，则第一步之急应进行者，即为约集同志，组织专门机关，从事提倡与研究。民国十三年，平民教育促进会于北京清华学校举行会议，凡五日，最后结果，议决组织中华平民教育促进会，并推定执行董事 9 人，全国董事 40 人，每省 2 人。各省区闻风响应，相继组织分会，而平民教育运动，遂有了基础了。

至实施平民教育步骤，则分三段：

（一）识字教育：国人之不识字者，既占 80%，根本知识，便无法灌输，故识字教育实为至要。

（二）公民教育：识字以后，当更进一步，以中华民国国民必须关于平民教育精神的讲话之教育，完成其公民资格，平民教育之最后目的，亦即在此。

（三）生计教育：此段生计教育，在城市则注重工业；在农村则注重农业，改良其技术，改善生活，使之生计稳定，生趣盎然。平民至此，可谓教养兼备了。依据前述之估计，二万万以上不识字的人中，青年、成人各占一半，即各约一百兆。这两种人的生活情形不同，所以我们教育方法也有两种。对于成人，注重“平民社会教育”,对于青年,则注重“平民学校教育”。这是怎么说呢?成人生活负担之较重,凡终日为衣食奔忙,暇时较少,脑力亦较迟钝,叫这种人受学校教育,不很相宜。像讲演就是一个最好的方法。这里所谓讲演,是“讲”与“演”并重,“讲”与“演”打成一片,例如讲演中国负债累累,则绘一人背巨石,使人一目了然。其他如白话戏剧、展览会,也都是社会教育很好的方法。至于青年则与成人不同,脑力灵活,生活负担较轻,暇时亦较多,大可令之入校读书,将来对于社会国家的贡献,是很大的。我们现在就特别注意者,是失学的青年,且自信如青年教育成功,10 年之后,中国民众势力,必大甚于今日。近来虽各种运动,所在都有,然一般民众,因为不了解其中意义的缘故,加入者寥寥。倘一旦有一百兆曾受教育之青年,突然兴起,中国的内政外交,仍如今日,我不信的。

现在再将识字教育评论之,因为识字教育是其他教育的根本。但是,讲识字教育有三种难关:

(一)文难:我国文字之难学,为各种文字之冠,而且应该识“多少字”,应该识“什么字”,都是难解决的问题。这是一难。

(二)忙难:平民既然大多数是很贫穷的,因此终日为衣为食奔走,无暇读书,这是二难。

(三)穷难:一般不识字的平民大多数是很贫穷的,故无钱读书,这是三难。

倘不摧陷而廓清之,平民教育要想普及,就永无希望,于是我们首先设法解决“文难”。六七年来,我们搜集古今各种白话文字及应用文件数百种,统计其中各个字用过的次数,然后拣出使用次数最多的字,从事统计者 50 余人,皆大学学生。此种选择法,固然很笨,但苦无其他较好方法,自信由此拣得之字,其必为最常用之字无疑。以之供又穷又忙之平民念读，甚适用。

除采用此种客观方法外，主观选择方法，亦在应用之列。所谓主观，即依我们大多数人认为某字最常用，某字不常用，遂定取舍。统计结果，大约有3000字，为日常最通用者，如全能认得，用这些字编成千字课，此1000余字，可以说是平民必须认识的基本字数。当我民国九年由法国回国时，千字课本只有二册，逐渐实验，乃成今之四册。共96课，每日一课，四个月即可读完。文难是解决了，而且忙难亦随之解决。因为无论如何忙碌之人，每日总可以抽出一小时来读千字课的。至于解决穷难问题，则学费一律免收，惟书费则须自备，盖借此养成自尊心与独立性。倘有十分穷苦者，亦须查其要求甚殷，成绩优良，始可以用奖励之名义赠之。总之，我们用最少的时间，最少的金钱，设施最不可少的教育，实在是最合经济原则的了。

说到此地，我再将办理识字教育的成绩，向大家报告报告，吾则不过纸上谈兵罢了，至于平民教育的全部运动经过，则时间有限，只能略略地说一说。

民国十一年时，兄弟由沪赴长沙，做初步实验，所以不在上海者，以其地不东不西，无东西之长，而有东西之短，不能代表中国城市。长沙为中国一大城市，很是以代表中国大部分地方。第一步即在长沙做大规模全城平民教育运动。态度则取超然，凡同情于民众教育者，俱表欢迎，事前向各方接洽，造成空气，使人人了解平民教育之意义，不致有误会。盖一般不识字之平民，多被雇于人，或受其父母之管束，苟不得其雇主或父母之同意，则必不愿来就学。各方疏解后，乃组织委员会，即教育委员会、招生委员会、宣传委员会、地点委员会与庶务委员会。以商界人任经济委员；视学员任地点委员；各校学生任招生委员。分头进行，先有游行大会，继有各区掌柜老板大会。将全城分作若干区，每区中重要人物，担任讲解。我也趁机出台关于平民教育精神的讲话演说，做宣传工作。既竣事，招生工作以起，各校学生年龄在15以上者，始得任招生事，分区进行，仅3小时已招有学生2000余人。所经区域，只有原定区域1/3，嗣以组织未备不敢再招。次日即开学，全城成立平民学校，共80余所。教员每人每月只送车马费4元。第一个月终，读完第一册千字课，举行恳亲大会，女子成绩特好，90%常到。男子则只有80%常到。4月后，举行全城毕业生游行大会，应试者1200余，考上者967人。省长亲颁文凭，以示隆重。游行时，各人手持文凭，至觉得意。平民教育之效，乃轰动一时，从前表示反对者，亦一变其态度，加入襄助了。

翌年我到烟台，试验平民教育，该地工会甚多，全部加入游行，共15,000余人，锣鼓喧天，精神较长沙尤为焕发。现烟台先后毕业之男女约5000人。年岁从11至56岁。随又赴杭州，初次毕业约1500人。继至嘉兴，成绩亦可观。

再说到全部运动的大略状况，便是平教分会，已遍于22行省及4特别区，计城市分会42处，乡村分会百余处。读过千字课的则已有300多万人。这是根据千字课本售出的册数推算的。胡适之先生说，读此书者，当有600万人。因为我们中国人素来喜欢借读的。

总之，300万人是毫无疑义的。譬如拿保定乡下一隅来说吧，平民学校学生就已有三万余人了。可是，这300万人，数目虽然不小，但在200兆不识字人中，仍然不过海洋中一滴而已。

以上所述，都可以鼓励我们，使我们高兴。但其中困难问题，尚非常之多。如①平民读物问题,②民众的公民教育问题,③各省平民教育视导问题,④平教人才的培养问题,⑤筹备经费问题等,都是亟待解决的,而且非群策群力,人人起而负兹责任不可。千金之裘,非一狐之腋啊!中国之糟到如此地步,民众愚昧到如此地步,我们大家应分其咎。但是一般知识阶级,对于民众,不仅放弃责任,不自感其放弃责任之可耻,反恶民众之无知识。高官厚禄,则恐后争先;民众目不识丁之重大问题,则淡漠视之,怎不痛心。诸君大学学生,各有专长,对于上面说的问题,都要负相当的责任。敝会将组织"平民教育研究会",需要各种人才,希望诸君加入研究。例如平民教育问题,就是目前急需要研究的问题。因为平民教育之目的,不仅在供平民识字,前已言之,盖识字后而无良好书籍供其阅读,一般平民,势非看诲淫诲盗之书不止,是不如不会识字之为愈。中国从来无所谓真正平民文学的,不识字的平民亦无此需要。读书只是士流之专业,惟今后情形既变,读物问题,诚大需研究。所编之书,务须适合平民心理与需要,否则有何用处呢?诸君有关于文学的就可以帮忙了。又如现在所谓一般公民教育,大都欧美之公民教育,非中国公民教育,更非民众之公民教育。因为这些人未曾接近过民众,不知民众情形。诸君中不少研究政法的,不妨来共同研究民众的公民教育。此外,还有许多问题,都是诸君能够帮忙的,只看诸君愿不愿是了。这些问题,不仅男同学有责任,就是女同学也有责任,像我乡村教育部的同人感困难的一件事,就是妇女识字问题,因为乡间风气闭塞,叫来受教育的妇女进民校读书,男教师教,她们不愿来的。则此任务,除女同学外,殆莫属了。去年太平洋国民代表会议在檀香山开会的时候,他们听兄弟报告中国之"平民教育运动",赴会九国代表,大受感动,想不到在战事混乱之中而有这样的建设事业。闭会时,会长韦尔伯博士致辞,谓此太平洋会议所发表的问题,虽有几十种,然与太平洋沿岸国家及世界前途最有关系者,首推中国今日之平民教育运动。中国开化最早,物产饶富,幅员之广,大于全欧,人民之多,甲于天下。所可惜者,厥为"脑矿"未开,民智闭塞。倘"脑矿"一开,民智发达,即可称雄于世界。要世界"平"就平,要世界"乱"就乱。故平民教育运动,真空前之大运动。由此可见,中国之平民教育运动,不仅关系本国,而且影响世界。在座男女同学,我深信你们是热心爱国的青年,只要你们能救国,虽"上刀山,下油锅"你们也是不辞的。不过诸君,只知其救国之"当然"而不知其"所以然",那就是牺牲也是徒然的。若诸君以为提倡民众教育,启发"民智"是今日实际爱国根本工作,同人等非常愿意与诸君研究,共同努力。

平民学校教材问题*

关于平民学校教材问题，可分为两方面来讲：一、关于历史方面，即平校教材编辑经过情形；二、关于计划方面，平校教材搜集进行情形。

前次讲平教进行史时，曾经说明，中国平教运动之萌芽，是从旅法华工之识字教育始。其时因不识字工人居90%以上，故最先着手者，厥为识字教育。时在法国难觅适当教材，即欲自行编辑，亦苦无材料可供参考，勉强搜罗，得600字课通俗教育读本一书，以之教授工人，颇觉枯燥无味。其编辑方法，系于一课之内，各提10个生字，连缀生熟字，作成10句。姑不问此种生字有何根据，是否适合平民日常必需之用，但各句独立谟不相关，读者仅明一字之用，不能得全文之意，偏重实质，轻于形式，殊欠适当！兹列该书第十五课全文如下，以供参考：

全　全才不多见

求　求人不如求己

作　作事不可不信

信　我父今日有信至

---

* 原载《世界日报》副刊合刊第7、8期，1927年3月21日。张哲农记。

安　民安官亦安

政　政美民亦美

美　君子必成人之美

其　作事必求其成

再　春光一去不再来

君　我方见君自山西来

全书后半附录关于卫生、伦理、修身、正俗、爱国、地文、信函等，各类短篇论文，用意颇佳，惜用文言，平民多不了解。

600 字课试验失败后，决定自行编辑，请傅葆琛先生主其事。选择普通浅近之字，分类编成600 字韵言。如"一二三四五，金木水火土，六七八九十，上下至古今"。虽无意义，因能协韵，读者易于上齿，较诸600 字课，实觉便于教学。继600 字韵言之读物，为通俗新知识课本，共100 课，分天文、地理、历史、实业、尺牍、科学、卫生、修身、爱国及中外名人故事等。每课中除600 字韵言中已见过之字外，另加入实用简易之字约十数，并标于课文之后，以便学者注意。此种编辑方法及教材极合华工心理与程度，故收效颇著。继由余担任编辑驻法《华工周报》，采择世界新闻、公民常识、道德、卫生等以为材料，专供已受识字教育华工阅读，赓续三年，成效亦有可观。回国后，本此经验，仍努力于平教之工作，曾费一年有半时间，亲到各省区调查平教教材，结果毫无所得。盖凡创设平教之省区，多利用现有教材，以供教学，所列课程，更为错杂。有以国民学校课程，全部列入，甚有以英文加于平校者。总之，以前各省平校多由中等以上学校之学生主持，彼等正在求学时代，服务时间有限，且未受专门训练，对于平校，徒具一片热心，至于目标教具、教学方法、教材选择等种种重要问题，均无切实的具体的研究。与吾人理想之平民教育，相去甚远！

余经此次调查之后，觉平校运动工具之刻不容缓，尤以课本为先决问题，乃留上海从事编辑，以主观方法，于字典上选择关于平民日常应用必需之文字千余，编成千字课，分上下两册，于民国十一年由上海青年协会出版。其后屡经长沙、南京、武昌、烟台、杭州各处之试验，内容及册数，均随所得之经验逐渐改良。初出版之千字课，系选一单字，将日用常需之字义，附注其下。如一"了"字，其下附以"完了"、"了结"、"了解"及"不得了"等。此亦不脱字典窠臼，觉其不当，改为一课之内，限选十余生字，将生熟字，缀成课文，使平民学校教材问题读者知字之用法及全文之意，较诸专授断片字义，已觉进步。又一课之内，仅有文字不能引起初学者之兴味，为引起读者兴趣，及便于介绍课文起见，每课之内加入插画，其顺序为单字、课文、插画；后改为先单字，次插画，后课文；最近又将顺序更改，一插画，二课文，三单字，依此排列。经多次试验，觉其可用，至今沿之。又教授平民识字固为重要，若仅能读而不能写，又属无用，以汉字笔画之繁难，平民学习颇不易，故拟将单字笔画多者，改用通行之简写法。如以刅代钱、㒷代興、体代體等等。此法实行后，大遭社会非议，谓简写字近日社会尚未通行，如以刅代钱，即使平校毕业优等生，亦不识钱辅之所在。此种言论，颇有采取之价值，修改时将正体附于简体之下，但怀疑之者，尚有人在。故又以正体居先，简体居后。此外吾国文字，读音最难，一字一音，未经传授，不能自读。平民卒业平校，充其量不过识千余文字，倘遇千字以外之生字，又不能自读，平教拟用注音字母为读音自教之工具，每生字右旁，加以注音。惟统一国音之运动，尚未普遍，平校教师，多数不能传授注音，中国幅员广大，各地方语音不同，平民学习国音,无生活上应用之需要,及教一生字同时须教简体及注音,对于时间极不经济。学生对于一字,须费三番工夫,大感困难,故最后本会编辑之平民千字课内,将简体及注音一概取消。总之,《平民千字课》,经多次修正,以今日论,内容缺点尚多,举其大者,字数是否千字已足平民之应用?所选文字,是否适合于平民日常生活所必需?教材选取,是否相宜?分量支配,是否适度?均未经科学方法加以精密研究,不能断定,若以应暂时之急需,则可谓其已达完善之域,且有待于改良也。

以下论平校教材之进行。关于平校教材之进行,分为四方面研究:

(一)**范围**　凡12岁以下学龄儿童,由政府负责办理义务教育外,其余12岁以上,25岁以下之青年,及25岁以上40岁以下之成年,不识字与识字而缺乏公民常识者,均在平民教育范围之内。故教材之范围应规定:(甲)为何种年龄之人而编?12岁以上25岁以下青年?抑为25岁以上40岁以下之成年乎?青年成年中,又有不识字与识字而缺乏常识者之分,教材应如何选择分配?此有待研究者也。(乙)为何项职业之人而编?农工商各项之人,处境不同,经验不同,操业不同,需要亦异,选择教材,标准如何?亦不可不加注意。

(二)**目标**　平校教材之目标可分为:(甲)授予日常生活必需之文字;(乙)授予公民必具的常识;(丙)授予专门职业的知识,以增进平民生活能力。与欧美各国盛行之成人补习教育,旨趣相同。

(三)**教学方法**　教授青年与成人方法不同,青年受课时间较长,思想活泼,趣味浓厚,宜多采用课堂式之教学。成人受经济条件制约,受课时间较短,且思想较保守,记忆亦减,宜采多种形式教学。

（四）具体教材问题　关于初步之平民教育，即平民识字教育问题，应注意下列三点：

（甲）所选基本汉字，应如何适合于目标，字数究应多少，选择何种文字最为适用。以上三个问题，本会正在收集各种白话报、白话小说、戏剧或广告招贴等，与平民日常接近之出版物，加以分析、统计，不久便可完事。将来统计次数最多之文字，作为根据，改编课本，则课本问题当可解决矣。

（乙）注音字母问题，平教应否教授注音字母，为一最大疑问，惟图平民读者自教之便利，自以加授为宜。但教授方法，亦大有研究之余地。其方法有三种：一、字与音同时教授；二、先教字音，至将毕业时以一周时间专授注音；三、于每小时内，乘课文之余暇，教授一二单音。以余意见，第三种教法，最为相宜。但未经试验，犹不敢臆断，本会正在筹办试验学校，俟试验得有结果，方敢公布。

（丙）简写字体问题，为养成平民不仅能读而且能写之习惯，自非竭力提倡简写字不可！惟教法亦如注音字母，有顺序之分，如觀从观，歡从欢，及勸从劝，是字之从“雚”旁者，均以“又”代之。但難从难，或艱从艰，是字旁之从“莫”者，亦以“又”代之。然则欢字应作歡或为歎乎？此其不科学之例也。故须先加系统研究，方可提倡，以示慎重从事。

课本册数，亦更改数次，最初为 2 册，后增 3 册。经长沙试验之后，定为 4 册，每册 24 课，每日授课 1 小时，每小时授毕 1 课，每月可毕 1 册，4 个月即可卒业。此种时间上之分配，与平校发展，关系甚巨，盖当乡村农暇之时，居民无事，每日授课二三小时，与农民生活无碍。若在城市，操业之人终日劳作，每天费去求学时间一小时，已属勉强，倘再延长其授课或卒业时间，有妨生计，市民必不能来，故为城市平民计，依此分配，最得其宜。其次学生于最短一月之内，能修毕一册读本，无形中足以鼓舞其努力求学之兴趣，与心理学原则亦极符合。

千字课首先发行者为中华基督教青年会全国协会，其次本会委托陶知行、朱经农两先生重新改编，由商务印书馆出版，全国采用。于是，中华书局、世界书局、上海书局，接踵而起，各省热心平教者，亦多自行编辑，但名称内容略有不同。兹分列于下（见以下列表）。

名称	册数	编辑者	发行者	出版年月	出版次数	每册定价	备考
平民千字课	4	晏阳初 傅若愚 黄沧渔	中华基督教青年会全国协会	十一年二月	十三年七月三版	每册7分 100册8折 500册7折	
平民千字课	4	朱经农 陶知行	商务印书馆	十二年九月	十三年三月四十一版	每册3分	附有第一册教学法
千字课本	4	魏水心 董　文 戴渭清 曹芝清	世界书局	十四年四月		每册3分	附有教学法全
青年平民读本	4	卓恺泽	上海书店	十四年七月		每册3分	
平民课本	4	黎锦晖 刘传厚 陆费逵 戴克敦	中华书局	十三年三月	十三年十一月三版	每册3分	附有教授法全
平民课本	4	李六如	长沙广文书局	十一年十月	十三年三月四版	每册8.4分	

续表

名称	册数	编辑者	发行者	出版年月	出版次数	每册定价	备考
成人读本	4	曹典琦	长沙文化书局	十年十月	十四年五月四版	每册 4 分	
新千字课	4	(同上)	长沙贡院西街野村印刷局	十三年六月	十三年十月再版	每册 3.5 分	
平民识字课本	1	张思明 戴联荫 高元泽	奉天教科书编审处	未详	未详	未详	

平民教育概论*

平民教育运动在中国虽有了八九年的历史，但社会上能彻底了解平民教育的人，确实不多。这并不是因为平民教育是一个奥妙难明白的东西，实在是因为它是中国特创的教育，社会上一般人，少见少闻，对于它就没有一个整个的观念。兹作此篇以介绍平民教育。

一、平民教育的意义

（一）平民信条　人的人格本来平等，原无上下高低之分；因为社会制度不良，一部分人得有受教育的机会，一部分人没有受教育的机会，于是各人的学问、德行显出不同，而人格的上下高低亦即由是而判别。吾人在社会组织未经改良之前，唯有努力于教育机会的平等，使人人所蕴蓄的无限能力都有发展的机会。这样，人格不平等的原因就可以消除了。

（二）平民界说　现在全国只有最少数的人民得受教育，其余

* 原载《教育杂志》第19卷第6号，1927年6月。1928年4月，商务印书馆曾以"平民教育丛书"之一印行。

最多数的人民全没有教育。依中华教育改进社的调查统计，不识字的人民占全国总数80%以上，就是全国四万万人中有三万万二千万不识字的人。其中有一部分是6岁至12岁的学龄儿童，虽不能得其概数，但依欧美各国的统计，学龄儿童约占人口总数1/5，所以现在国内至少有7000万的失学儿童。这种学龄儿童应受国家的义务教育；假使政治上了轨道，还有受教育的机会。其余二万万以上的青年和成人，政府对于他们不负责任，社会对于他们没法补救，真是不幸极了。所以应受平民教育的平民，从狭义讲，就是指导这一般失学的青年和成人；从广义讲，就是一般粗通文字没有常识的男女，也应包括在内。

（三）平民教育　平民教育的目的是教人做人。做什么人？做"整个的人"。什么叫做"整个的人"？第一要有知识力，第二要有生产力，第三要有公德心。要造就整个的人，须有三种教育：

1. 文字教育——民智　就我国人对于读书的观念来说，常有一种根本误谬的观念，以为读书是读书人的专业，其他的人可不必读书。士农工商之中，惟士可以读书；若农，若工商，就不必读书。所以现在除商人需要文字，尚有一部分读书以外，其余农民、工人几乎全数都是不识字的。我们应先将此种观念根本推翻，使人人觉悟读书识字是人类共有的权利，无论什么人都应享受。若是只有一小部分人读书，最大多数愚蠢，必致产生许多痛苦和羞耻的事。

就我国的新文化运动来说，所谓新文化运动，都是少数学者的笔墨运动，和多数平民真是风马牛不相及。其中虽亦有关于改进平民生活，免除平民压迫的问题，然而平民生活只有一天比一天堕落，各种压迫只有一天比一天加重。尽管一些研究社会学的学者在报章上对于工人有什么八小时工作制啦,增加工资啦,工人卫生和工人教育啦,对于农民又有什么打倒地主啦,保障农民利益啦,高谈阔论,说得天花乱坠,而城市的工人每天工作仍然在15小时以上,所得工资得顾个人的口腹尚虞不足,至于教育、卫生,更是梦想不到;乡村的农民,终年忙碌,所有生产都被政府、地主剥夺净尽,自己则"乐岁终身苦,凶年不免于死亡"。像这样无知识的人,对于自己的生活没有改进的方法,对于外界的压迫没有免除的能力;社会上种种切身关系的运动,也不知道参加,岂不是"一生辛苦有谁怜!"再从人类和牛马的分别来说:牛马供人的驱使,所得不过满腹。现在的农民工人,为吃饭而劳动,为劳动而吃饭,和牛马有什么分别?与其名之为人,不如称为两腿动物。倘人类与牛马仅在两腿与四腿之争,人生还有什么意义?有什么价值?但人类无论如何,决不屑自等于牛马,皆愿享受教育以培植其知识,更愿将所得的知识分给多数的人,以消除其牛马的生活。

最后就人类生存的竞争来说,知识是生存竞争必不可少的东西,无论个人,无论国家,其优胜者,必定是知识超越的!其劣败者,必定是知识低下的。现在国家受异族的压迫,人民受军阀的摧残,其根本原因就在我国人民的平均知识低下。假使我们真有为民族争自由,为民权图发展的决心,则应先努力于提高民智,使我国牛马奴隶生活的民众一变而为有知识有头脑的国民。

文字是传播知识的工具,也是寻求知识的钥匙。欲传播知识,须先传授文字;欲得知识,必须认识文字,所以平民教育第一步必须有文字教育。

2. 生计教育——民生　文字教育可以消除大多数的文盲。即使文盲除尽,人人能应用日常必需的文字,其与国家社会的前途究竟有什么利益？这是平民教育第一重要问题。并且中国人还有一种最通行的毛病，在没有读书以前，尚肯做工，以谋个人的生活，一到抱了书本以后，便成文人，文人自己可以不必生产，社会应负供养的责任。还有一部分的人，终日埋头窗下，只求书本的知识，至于实际生活，尽可菽麦不分。这种寄生虫似的书呆子，不是平民教育的需求，且应极力设法消除。所以平民教育于实施文字教育以外，即需有生计教育，使人人具备生产的技能，造成能自立的国民。倘全国人民均有生产能力，国民生计必皆富足，社会经济自给活动，就是将来世界的经济也都要受中国的影响了。

3. 公民教育——民德　平民教育从文字方面以提高民智，从生产方面以裕民生。即使民智提高，民生充裕，对于国家社会的前途究竟有什么利益？这是平民教育第二重要的问题。试看历来的卖国奴，何一非知识超越、经济富足的人呢？盖其人缺乏公德心，一举一动，只知有自己的祸福利害，不顾国家社会的祸福利害；所有知识、经济，只足以供其为恶之资，所作之恶，常比无知识无能力者高出万倍。倘平民教育处处都是养成这种自私自利的亡国奴，岂是国家之福？所以平民教育于实施文字教育和生计教育外，另有公民教育，希望造成热诚奉公的公民。

总之，平民教育是养成有知识、有生产力和公德心的整个人。

二、今昔平民教育的区别

（一）以前有许多人误解平民教育为贫民教育。办理贫民教育的动机，也就是以慈善为怀。平民学校招收的学生，虽十之八九都是贫民,其实平民教育何曾是施米施粥的教育。近来所提倡平民教育,在中国现状之下,比较高等教育、中等教育和义务教育还更重要。凡是中华民国国民,无论男女贫富,只要他是在应受教育期内而未曾受教育的,或受过基本教育而缺乏公民常识的,都应领受平民教育。民主国家里最重要、最正宗的教育事业,莫过于此。

(二)以前的平民教育,多是中等以上的学生于求学之余抽暇来办的。这种关系我国两万万平民的重大问题,岂是学生课余附带办理的方法所能解决。现今所提倡的平民教育,必须有专门的人才、专门的研究和专门的组织去办,才有成功的希望。

(三)以前办理平民教育的人,是东一个西一个,零零碎碎彼此毫无联络。现在办理平民教育的人是很有联络的,因为现今的平民教育是有组织、有系统的。就组织方面说:北京有中华平民教育促进会总会,各省区有省分会、市分会、县分会、村分会,运用灵活,如脑之使臂,臂之使指。就系统方面说:有高初两级平民教育和继续教育等。

(四)以前办理平民教育的,不外授予学生以文字教育,绝没想到生计教育和公民教育的必要,只能养成有知识而无生产力及公德心的片面人。现在我们知道一个人至少必具知识力、生产力及公德心三种要素,才能成为整个的人。因此才有文字教育、生计教育及公民教育。

(五)以前办理平民教育的,多是社会热心人士的提倡。某地有热心的人,某地平民教育即可发达,所以运动的范围都是限于一小区域之内。自民国十二年,全国平民教育代表集合于北京,组织中华平民教育促进会总会以后,这种运动才有普及全国之势。现时各省虽未见都能进行无碍,但平教空气确已遍传于全国,兼及各地的华侨所在地了。

三、平民教育的急需

（一）齐家

中国人对于国家的观念，非常薄弱，但对于家庭的观念，确是根深蒂固，牢不可破。这种观念，有利有害，随各人见解而不同，现在有许多人觉得有害无利，主张打破家庭的组织与制度。但能否打破，尚属疑问，即使能够打破，必另产生新组织新制度的家庭。可以断言，无论旧家庭或新家庭，精神方面纵不讲怎么纲常伦秩，亦必一家人相亲相爱，通力合作。物质方面虽不必高楼大厦，画栋雕梁，亦必窗明几净，室无微尘。倘进其门则秽气冲天，登其堂则粪土满地，入其室则立无容身，家人相语则此诟彼谇，人类的团体生活和男女的共同生活，无论取任何形式的组织，恐怕也不应有这样的现象吧？西洋人对于家庭观念，虽不及中国人，但对于家庭的整理，亦非常注意。可见齐家之事，无论古今中外都是必要的。现在中国仍是以家庭为国家组织的单位，欲治其国，须从齐家起。平民教育为齐家所急需的至少有两点：

1. 平民教育与家长教育　欧美的教育注重在儿童；中国的教育应注重在家长。为什么呢？因为中国现在做家长的，自己都没受过教育，不知道教育的重要，多不肯送子女弟妹们去上学。倘若他们受过教育，至少可以觉悟教育的重要和不识字的害处，推想到子弟不受教育的害处，自然很愿意送他们去读书。

2. 家庭教育与学校教育　学校教育固然重要，但是家庭教育和儿童的发展,更是密切。因为学校教育是有限制的,家庭的教育是无限制的。家长的一举一动,影响于子女者甚大;而教师的一言一行,影响于学生者甚小。有人以为家庭不过吃饭与睡觉的处所,对于儿童教育没有关系。其实家庭是造人的工厂,要想制造有学问有道德的好人,须看家长是否有学问有道德的好人。倘家长受过平民教育,便有好习惯以教训灌输于子女。同样,学校教育得到家庭的协助与合作,定可收最大的效果。

(二)治国

儿童是将来国家的主人,这句话谁都不能否认的。欧美各国对于义务教育特别注重,以培养国民的基础,担负将来国家的责任。近常有人说:今日的中国是没有希望了。要建设明日的中国,尽可努力于义务教育,数十年之后,便可收效。不知欧美各国所以能努力于将来,是否因为现在的结果已由前人艰难缔造好了。中国的先民既不肯艰难缔造,致生今日举国文盲的结果。倘今日中国所处的地位,还有数十年从容制造国民的机会,那么,现在的青年和成人,只好任他随时而逝,不容我辈操心。不幸中国所处的地位危险已极,救国的责任,加不到数十年后的人身上,只好借重现在不长进、号称为文盲的青年和成人。

1. 平民教育与平民政治　中国今日已为共和国家,若能把共和推翻,恢复16年前的专制,则蚩蚩者氓,仍可不识不知,顺帝之则,凡努力于平民教育的人们,都是多事。现在这民主国的金字招牌,是脱不下了的。聪明的人,就得脚踏实地地做共和国家以民为主的工作,从根本上唤醒民众,使他们知道人民都应该参与政治运动,人民都能参与政治,才是真正的民主的政治。不参与政治,让一般军阀、官僚、政客去把持,就是假民主的政治。现在国家弄到这步田地，固然应该痛恨一般军阀、官僚、政客的误国殃民，但是我们也得自怨自艾。为什么不摆起主人翁的架子来管政治？我们不管政治，是因为多数的民众没有政治的知识，不知道国家是什么东西，和自身有什么关系。所以我们觉得现在应从速施行平民教育，提高民众的知识，才有实现真正的民主政治的希望。孙中山先生说：外国人建屋重在奠基，中国人的建屋重在架梁，我们建设民主政治的华夏，请从奠基始。

2. 平民教育与建国人才　中国现在最危险的现象，就是无论在政治界或教育界的舞台上，都是这一般老角色在台上轮流演唱，我们做顾曲的民众，实在已经听倦了，不爱听了，喊他一声倒好。知趣点的就下台，不知趣的简直是恋栈不去，始终看不到一个新名角出台，这不是国内人才将破产了吗？其实不然。试以美国为例，其人口约1亿，自立国至今不过200年，人才辈出，且所谓人才，大多数都是平民。数年前某报发起选举历来国内伟人50名，投票者共200万人，选出的伟人50名中，有32人是平民政治家，远之如华盛顿、林肯，其出身寒微，固已人人皆知；近之如哈丁、顾理治，亦均出自平民。科学家如福兰克林、爱迪生，大商人如福特等，无一不是从平民出身。中国前此何独不然，所谓“将相本无种”，“茅庐出公卿”，就是这个意思。中国人口4倍于美国，按理美国若于10年之内能产生一个拔萃的人才，中国于同样10年之内应出4个，才合比例的数目。但为什么竟没有1人呢？其原因就在美国人民都受了基本的教育，凡是天才都有自行发展的机会。中国虽号称4亿，其得受教育的机会的，不过8000万人，其不能多产人才，也是理之当然。中国现在不是没有人才，是民众的“脑矿”未开，有许多“豪杰”、“智士”、“哲人”和其他有用的人，都埋没在不识字的人脑海中了。平民教育是开脑矿最简单最适用的工具，使大多数人民均有受教育的机会，然后从多数人中产生人才。有了真正的人才，从民众中产生，然后才有多数人去负担国家各种的责任。所以欲谋国家发扬光大，唯有推行平民教育之一法。

（三）平天下

1. 平民教育与国际关系　民国十二年在美加利福尼亚举行世界教育会议时，各国代表报告本国文盲的人数。在英国每100人中只有3人，在法国只有4人，在美国只有6人，在日本也只有4人；我国代表报告每100人中有80人时，各国无不惊讶。即此一端，在国际上已无地位之可言。该会并议决12年以内，除尽全世界的文盲。倘此时若不努力，以后要在中国举行世界教育会议时，不知我国有担任的勇气没有？

2. 平民教育与世界和平　太平洋沿岸各国国民，得欧战的教训，不愿人类再演战争的惨剧，于民国十四年，特召集国民代表会议，实行国民真正的公开外交，打破政府秘密的外交。赴会的共九国，代表100余人。阳初为中国国民代表之一，曾提出平民教育案。闭会时，会长韦尔伯博士当众宣言，此次通过议案60余件中，依我个人的意见及各专门家的观察，最有关系于太平洋沿岸各国的太平的，莫如现在中国的平民教育运动。在各国或含有夸扬之意，在我国实敢受之而不愧。我国地大物博，人口占世界1/4，前此所以无大发展者，即在民众知识的低下，生产力的薄弱和公德心的缺乏。设若平民教育运动成功，把民众都养成社会整个的人，那就不难建设健全的国家。以全国人民之多，一举一动，真有影响世界之力。

吾民族素有大同思想，正可尽量发挥，以保持世界永久的和平。

四、平民教育的原则

（一）**全民的** 即凡一般已过学龄时期，而不识字或已识字而缺乏常识的青年和成人，不分男女、老少、富贵、贫贱，都有领受平民教育的必要。

（二）**以平民需要为标准的** 平民是因为缺乏某种常识，或需要某种技能，才来上学。是故所学当为所用，所用即为所学而后可。倘平民学校不能满足其需求，平民教育就算失败了。

（三）**适合平民生活状况的** 平民大多数都很穷苦，每天工作的时间很长，要使他们筹出一点钱，在百忙之中来受教育，非用最少的经济、最短的时间，万办不到。所以平民教育第一要图金钱和时间的经济。课程及教材，也应力求简单，读书的时间过长，易使平民生厌倦之心，势必半途而废，所以教育的期间不能过四个月。

（四）**根据本国国情和人民心理的** 平民教育是我国特有的教育问题，非抄袭东西洋而来；要想抄袭，亦无从抄袭。只有根据本国国情、人民心理而定教育的目标、方法与进行的步骤。

（五）**地方自动负责的** 平民教育应普及于全国。事业远大，不是一个机关可以包办的。不说财力不足，人才缺乏，没有包办的本领，就是财力、人才都很充足，在原则上讲，也不应由少数人来包办。因为由本地方的人，出本地方的钱，办本地方的事，不特可以持久，更可养成本地责任观念和自立精神。

（六）**人人有参加的可能** 现在社会上很难得有一件事人人都有参加的可能，只有平民教育，无论什么人都可以参加。受过教育的人,可以来教人,未受过教育的人,可以来受教。所以人民对于平民教育运动,不必问能否参加,但问愿不愿参加而已。

五、平民教育实施的方法

(一)学校式的　学校式的教育,对于青年较为适宜。因为青年脑筋灵敏,思想活泼,用形象的、有系统的训练,收效甚易。在学校式的教育中,因教具和教法的不同,可分为三种:

1. 单班学校普通的单班教学,用不着特别的教具。
2. 挂图学校所用教具是挂图、挂课、挂字等。
3. 幻灯学校应用幻灯,可以教授多数的学生。

(二)社会式的　成人年龄已长,事务较多,脑筋纷杂,记忆薄弱,只能施以社会式的教育。如讲演、戏剧、展览、电影、音乐等,都是教育成人最好的方法。

(三)表证式的　凡事徒空谈理论而没有实验证明,往往不易使人信服。尤其是平民厌听空话,爱看实验。所以在生计教育方面,多采这种方法,使平民易于相信,并能仿效。

六、平民教育的现状

(一)国内

可分为城市和乡村两部分来说:

1. 城市　全国各省已经成立平民教育促进分会的,有19处,特别区分会3处,市分会20余处。

2. 乡村　全国乡村平民教育促进会,有150余处,都是自动组织的。由总会直接办理的直隶保定道属的20县。并以定县为推广平民教育的试验区,进行不及数月,成绩很好。

全国平民学校及已受平民教育的男女共有若干,本会未得完全的报告,无从统计。但据上海各大书局报告售出《平民千字课》的总数,截至去年9月底止,共360万部。准此以推,全国平民学校毕业生,至少已达300万名以上。

(二)国外

亦可分两层来说:

1. 华侨教育的发展　前述太平洋国民会议在檀香山举行时,因阳初有关于平民教育的提案,得多人的赞扬,该地华侨大受感动,组织檀香山华侨平民教育促进会,推行平民教育。已毕业学生120人;其继续开办的,不久亦将毕业。此外菲律宾、澳大利亚、日本及其他各国各地华侨,亦闻风继起,常来信探询推行平民教育的情形。

华侨旅居异国,受外国的教育,易被异族同化,对于祖国的文化,每怀轻视之心,真是国家前途最不幸事!海外同胞,富于冒险,善于居积,所以都能独立奋斗,造成巨富。孙中山先生前此提倡革命,得他们的助力不少。可见华侨尚未忘情祖国,应急推行教育,使他们能欣赏祖国的文化,生爱国之心,并愿协助国内文化事业的发展。

2. 国际教育的联络　自太平洋国民会议以后,平民教育影响不但及于华侨,其他国也受了相当的影响。现在菲律宾已进行最大规模的平民运动,计划在五年之内,普及平民教育。印度、朝鲜有志之士,也都觉得平民教育的重要,正在设法推行,彼此声气互通。我们倘能由国际教育的联络，进而为东亚民族的联络，由东亚民族的联络，进而为谋东亚民族的自由解放而联络，力量之巨大，真可撼山岳，泣鬼神。我希望努力平民教育的人都有这种抱负。

七、平民教育总机关的组织

中华平民教育促进会总会的组织，包含有三种制度：

（一）**行政制度**　本会于总干事之下，设有总务、城市、乡村、华侨四部，每部直辖若干股，分担一切行政事宜。

（二）**研究制度**　本会设有调查统计、平民文学、视导训练、公民教育、生计教育、直观教育、妇女教育、健康教育八科，每科直辖若干门，分担一切研究事宜。

（三）**训练制度**　本会设立平民教育师范院、育才院、研究院，以培养全国平教事业需要的人才。

八、平民教育运动的使命

平民教育运动的使命，在于“作新民”。分析其内容，有下列三项：

（一）养成有知识，有生产力，有公共心的整个人。

（二）养成社会健全的分子，发展社会的事业。

（三）养成建设国家的国民，增高国际的地位。

九、平民教育推行的政策

平民教育促进会总会是平教的学术机关;至于推行平民教育,是各地平民教育促进会的责任。要希望平民教育达到普及的目的,非全国各地方一致努力进行不可。根据各处推行平教的经验并希望各地推行平教顺利,我们采取了鼎足而三的平教推行政策。这三足是:一、地方人士;二、平教专家;三、地方政府。三足分工合作的责任大致如下:

(一) 地方上各界领袖,自动结合各社团、各机关和一般热心人士共同提倡平教,并分任各委员会的委员,协助专家实施平教;

(二) 培养或聘请平教专门人才,专任实施平教事宜,并请托平教总会选派专家指导一切;

(三) 呈请地方政府补助经费,维持秩序,并规定褒奖和惩戒办法,使平民教育在地方上易于普及。

平民教育的真义*

——"平民教育"的真义与其他教育的关系

一、引言

自"平民教育运动"开始以来,为时虽仅数年,然影响所及,已遍全国,大而通都大邑,小而穷乡僻壤,都有平民学校的踪迹,先后受平民教育的,已达300余万人(系根据售出之《千字课》推算)。至于组织平民教育促进分会,专事提倡平民教育的,则已有20行省及4特别区。"平民教育"一名词,差不多是家喻户晓了。可是"平民教育"的真义究竟怎样?"平民教育"和其他教育的关系究竟如何?非但一般人一知半解,有许多误会的地方,就是现在从事"平民教育"事业的人,也少有能十分彻底了解的。我们创办"平民教育"的人,实负有解释之责,爰成斯篇,一详述之。

---

* 1927年在北京以单行本刊行。

二、我国的“平民教育”就是欧美的“成人补习教育”吗？

开宗明义，我要郑重声明“平民教育”不是欧美的“成人补习教育”，因为这种误解，几乎普通人都是有的。所谓欧美的“成人补习教育”，是为已经受过国家“义务教育”而未受过较高的专门教育的成人而设，目的在使受教者得到职业上和公民上的知识，并能运用此等知识以改善其生活。若我们中国现时一般的人，目不识丁，本来就未受过教育，补什么？习什么呢？还有，“平民教育”也不是美国的“移民教育”。美国的“移民教育”是为不通当地语言文字习惯的外来移民而设，目的就在使受教者通晓运用当地语言文字和习惯，成为美国的国民。若我们中国一般的人，虽然一字不识，虽然没有受过教育，但他们始终是中国人，不是移来的外国人，哪里扯得上什么“移民教育”呢？

三、“平民教育”是“义务教育”的仇敌呢？朋友呢？

有许多人以为“平民教育”是代替“义务教育”的，还有许多人以为“平民教育”是与“义务教育”冲突的。其实“平民教育”既不能代替“义务教育”，也不与“义务教育”有什么冲突。

就受教者的年龄来说，全国 6 岁以上、14 岁以下的学龄儿童，是应受义务教育的，其最小限度亦需 4 年，6 岁到 10 岁。其余 14 岁或 10 岁以上未受教育的人，估计总数约在 200 兆以上，是应受

“平民教育”的。不过在城市中，“义务教育”已有相当的设施，所以城市平民学校所收的学生应在14岁以上。但在乡村中，6岁至10岁之最小限度的“义务教育”都未实行，故乡村平民学校中，不能不暂时兼收10岁至14岁的学龄儿童。再就教材来说，“平民教育”的教材，多关于青年与成人在社会上的种种活动，注重适合青年及成人的心理，采取混合编制法。“义务教育”则不然，教材多关于儿童的种种活动，注重适合儿童的心理，采取分科制度。其他如教育年限等等亦各不相同。总而言之，“平民教育”和“义务教育”，各有特殊的目标和方法，不相雷同，亦不能偏废，更不能说谁代替谁。

至于说到冲突，这简直是笑话，“平民教育”不仅和“义务教育”不相冲突，还能补助“义务教育”呢！为什么？有道理：

第一，父兄们自己没有受过教育，就很难知道教育的重要，也更不注意他们子弟去受教育。倘若他们受过“平民教育”，固然不能得到很多的知识，但至少能叫他们觉悟教育的重要，和不识字的吃亏；更进而推想子弟们不受教育的痛苦，自然而然肯踊跃叫他们去读书了。抑或没有义务教育可进，他们也要自动地想法子了。可是，现在呢，一般做父母兄长的，多未受过教育，就是有了义务学校，恐怕他们也不肯送子女弟妹们去上学，宁肯留在家里看小孩子或放牛呢。由此说来，要想“义务教育”发达，先要提倡“平民教育”。“平民教育”实是“义务教育”的先锋。

第二，学校固然是教育儿童最重要的地方，但是家庭里的生活，关系儿童的发展更形密切。故家庭教育，更觉重要。家长的一举一动，对于儿童的影响，既深且大，所以没有受过教育的父母兄长，很难同学校合作。譬如在学校里，先生讲授卫生，说“随地吐痰”如何危险，如何不合卫生，应该怎样养成不随地吐的习惯，学生都完全明白了，但是一回到家，看见父亲随地乱吐，母亲也随地乱吐，自己也不知不觉跟父亲母亲乱吐起来了。又如学校里讲公民教育，有一项是“不要骂人”，说得学生明白这实是一种恶习惯，要努力克服改正；孰知一跑回家，不是听见父亲骂母亲，就是母亲骂他们自己，或者母亲和邻居相骂，骂忘了形也把他们夹在里面骂起来了。在学校里听得的一点好教训，就无形中在家里打消了。在这种情形之下，纵使“义务教育”实行全国，若无“平民教育”来先教义务学校里学生的父母兄长，“义务教育”的效率一定是事倍功半的。

第三，除上述两项而外，“平民教育”又是促进“义务教育”实现的，因为在一个地方，从事“平民教育”运动，一定要联络当地教育界和其他各界人士，与之合作，做大规模地游行宣传，大规模地招生，大规模地训练教师，大规模地办几十处或几百处平民学校，这样一来，这个地方上教育的空气一定要很浓厚了。教育的空气既浓厚，其他教育也一定要连带受影响，受刺激的。何况“义务教育”原与“平民教育”有互相的关系，更不能不受“平民教育”的影响了。据我们这几年办理“平民教育”的经过看来，因受了“平民教育”的影响，而振兴“义务教育”及其他教育的，比比皆是。

四、“平民教育”就是千字课而已吗？

“平民教育”的工作大概可以分为两步：第一步是“识字教育”，第二步是“继续教育”。有些人说“平民教育”就是千字课，或千字课就是“平民教育”，这实在是大误会而特误会。

先说第一步“识字教育”，要想设施一种教育，识字是必需的基本工具。但我国字繁而且难，故不能不选出最常用的字，去教一般已过学龄期限失学的人，以求速效。现在用的千字课，就是“初步平民教育”的一种工具，它的目标有三种：(1)认识1000余个基本汉字，(2)输入这千余汉字所能代表的常识，(3)引起读书的兴趣。这第三个目标“引起读书的兴趣”尤其重要。读完千字课，绝不能就算毕了业，平民教育的事功，也绝不是教完千字课就算全部完成了。况且千字课既不是万应灵丹，也不是百科全书，这是更要大家明白的。

现在人们对于千字课的批评分两派：一是瞧得起千字课的，把千字课看得太高了，不是说千字课里没有科学常识，就是说千字课中缺少公民教材；一派是瞧不起千字课的，把千字课看得太低了，说：教千字课，谈不上教育两个字。其实这都是不明了千字课的目标，或误解千字课为百科全书的结果。

“识字教育”的工作完成之后，就要谈到“继续教育”了。“继续教育”的目标也有三种：

（一）养成自读、自习、自教的能力。

（二）灌输公民常识，培养中华国民应有的精神和态度。

（三）实施生计教育，辅助、指导、改善平民的生活。在城市中如关于工业、工艺等，在乡村里如关于农业、农艺等是。

那么，怎样才能达到上面说的三种目标呢？这就有下面的三种方法：

(甲) 关于普通方面的

(1) 平民补充读物　我国妇女以及农工商贾等,除大街小巷卖的唱本小说外,均无可读之书。著作家及出版者也决不为他们特别编辑、印刷可读之书。在这些人中,不识字的固不能读书,已识字的又苦无书可读,所以编辑一些有价值的、浅显的、平民能够欣赏的补充读物,实为当务之急。这种补充读物,可以印成小丛书、戏剧、小说、诗歌等,或编为定期刊物(如中华平民教育促进会总会出版之《新民》、《农民》,南京平民教育促进会出版之《平民旬报》等是)。内容应无所不包:如关于文化的,关于生计的,以及其他种种学科等是。这些补充读物,有可以在平民学校里抽出几分的工夫来讲授的,有可以让他们自己去读的。

(2) 平民阅报室　平民阅报室是各地平民教育促进会与当地人士为平校毕业生设立的。一般平民,大都受经济的压迫,实无余钱买多量的书报来参考,若有了公开的平民阅报室,则可以随时尽量阅读了。

(3) 平民读书团　读书团是由平民教育促进会干事去辅助指导的,它的功用在互相质疑,互相研究,而且互相交换阅读各人所有的书,这又是很经济的。

(4) 平民校友会　现在各地平民学校的毕业生,已自动地组织了许多平民校友会,其目的有三:(一)继续研究学问,(二)彼此联络感情,(三)共同做有组织的社会活动及公益事业。如举行国耻纪念、拒毒运动、卫生运动等是。各地校友会的人数,多则数千,少亦有数百人的。

（乙）关于学校方面的

（1）高级平民学校　在初级平民学校毕业后，倘若有志继续研究，就可入高级平民学校，高级平民学校与初级平民学校的组织大略相同，惟特别注重“公民教育”及做人应有的常识。

（2）平民奖学金　高级平民学校毕业生中，如有成绩优异而有志升学的青年，就设法送他们到正式学校里去继续读书，对于贫寒有志的学生，则助以奖学金，这种“奖学金”的办法，有由学校免学膳宿费的，有由平民教育促进会另行筹款津贴的。现在由平民学校转入正式学校的学生，城市、乡村都很不少。盖如此，则有天才的人，不致湮没；且可鼓励后来的人努力。

（丙）关于生计方面的

（一）在乡村里，如办：（1）农家改进社，（2）农事表证场等，以改进农民的生活及改良我们中国固有的农艺。

（二）在城市中，如办：（1）平民银行，（2）平民工厂，以改进我们中国固有的工艺。

总之，在我们中国今日情形之下，最注重的是根据我国一般平民生活程度，经济能力的大小，去一面研究，一面试验，来改进我国固有的农艺工艺，方适应今日平民的需要，方有改进平民生计的可能。若徒高谈外国的法门，照样画葫芦地去办，一定是有弊无利的。

五、“平民教育”是否“社会教育”的别号?

复次,“平民教育”不是“社会教育”,我们可以指出两种不同的地方:

所谓“社会教育”,是一种辅助正式学校的教育。譬如图书馆,本身就不在正式的学制系统内,但它对于教育事业却有间接的影响。学生到图书馆里阅读书籍,一方能帮助校内的正课,一方能引起他们研究的兴趣。成人到书馆里阅读书籍,能补充或继续增长他们在实际生活上所需用的知识,能在图书馆里得到高尚的娱乐,以免浪费时间金钱于无益的消遣。这就是一种“社会教育”,一种间接的或附带的教育事业。其他如博物院、音乐厅、陈列所、展览会、阅报室、纪念日、教育电影、通俗讲演、文明新戏、动植物公园等也是“社会教育”。它们的事业虽然不同,却有两种通性:(1)假定受教者已经受过基本教育;(2)和学制系统内的教育事业只有间接的关系。“平民教育”则不然。受初级平民教育者都未曾受过基本教育,目的就在给予他们这种基本教育。照平民教育的学制说,这种基本教育和义务教育相仿佛,“继续教育”里有和“社会教育”相仿佛的。我们只能说“社会教育”是“平民教育”的一部分事业,却不能说“平民教育”就是“社会教育”。

六、“平民教育”就是“贫民教育”吗?

还有一种很普通的误会,就是把“平民教育”当作“贫民教育”,或如从前一般人办的平民教育,或如现在各学校附设的平民学校一类的教育。其实,“平民教育”之受教者,是不分贫富贵贱的,决不限于贫民。至于从前一般人办的平民教育或如现在各学校附设的平民学校一类的教育,也大都是“贫民教育”,不是“平民教育”,兹将其分别之点,分三项述之:

(一)“贫民教育”是附带的。办这种教育的多属学校学生,于读书之余,抽暇从事于此的。若“平民教育”则关系我国两百兆平民的大问题,实如美国教育家所说“中国的平民教育是自有人类以来最大的教育运动”;而且我国“平民教育”是世界上的特殊教育问题,是东洋、西洋所没有的,要想抄袭,绝不可能。所以像这样重大问题,非专门研究、专门去办不可,不过研究出来的东西,亦非有各界人士与提倡“平民教育”的人去合作实施不可。

(二)“贫民教育”是慈善性质的。贫民学校所收的学生,贫家子弟十居八九。而且办这种教育的动机,也就是以慈善为怀的。至于“平民教育”却是正宗的教育事业,和高等教育、普通教育是一样重要的。但在今日的中国,“平民教育”实较其他任何教育还来得重要。凡是中华民国国民,无论男女贫富,只要他是在应受教育期限内而未受教育的,或受过基本教育而缺乏公民常识的,都在“平民教育”范围之内。受“平民教育”的固有一大部分贫民,但“平民教育”却不单限于贫民。总之“平民教育”是以教育程度来定范围的,不是以经济能力来区分的。

(三)“贫民教育”是零碎的。“贫民教育”既是附带的,又是慈善性质的,所以办这种教育的是东一个西一个,彼此毫无联络,更无制度、无系统。“平民教育”则不然,是有组织、有系统的,北京有中华平民教育促进会总会,各省区有省分会、市分会、县分会、村分会。北京总会的组织分总务、城市、乡村、华侨四部,又复分科研究,如平民文学科、研究调查科、视导训练科、公民教育科、生计教育科、妇女教育科、健康教育科等是。再关于“平民教育”的学制方面,目前正在研究与试验期间,大约分为第一级平民学、第二级平民学校以及继续教育等等。

或者有人要说像这种重大的事业,不应该由人民来办,应由政府去办,这话倒也不错。不过现在7000万失学的学龄儿童,政府都还没有地方给他们读书,怎能谈到200兆失学的青年与成人的身上呢?因此,我们的能力虽然薄弱,却不能不努力的。

七、“平民教育”是否一种“阶级教育”?

还有一部分人因了“平民教育”的“平民”二字,就误认“平民教育”是与“贵族教育”成对峙的名词的。其实所谓“平民教育”是说同是圆颅方趾,同是平等的人,都应当享同等的权利,受人所应受的教育。故“平民教育”可以说是“全民教育”或“民众教育”。若拿东洋或西洋“平民”名词的观念来看我国的“平民教育”,那便成了阶级教育了,岂非笑话!

“平民教育”决非“阶级教育”,已如上述。而且我国人对于阶级的观念，自来就很薄弱，远不及英国、日本、印度等那样严厉。考之历史，在中国有许多立大功、成大业的，大都是平民出身，并未曾受过什么贵族压迫而不得发展。如果说中国也有阶级，那便是"知识"阶级，或说是"士"的阶级。所谓"士农工商"把"士"列在首位，"士"的阶级和其他各界，显然分个贵贱高下。"平民教育"就在铲除这种"士"的阶级，使所有的人都受教育，以达到士农、士工、士商、士兵的目的，实行"均学"主义。所以说"平民教育"是打破阶级的教育则可，如说"平民教育"是制造阶级的则不可。现在我国人才缺乏，主要的原因，就在大多数的人不但未曾受过初等教育，就连受低级限度的基本教育的机会都没有，故无形中不知道埋没了多少英雄好汉。试看美国几个世界闻名的人物，例如大发明家爱迪生、政治家林肯、实业家福特，虽然高等教育是没有受过的，然而最低限度的基本教育，却是受过的。他们便凭了这一点基本教育，自己寻出大的发展了。由此看来，倘若我们借"平民教育"来开发世界最大最富的"脑矿"，使我国两百兆失学的男女，都受点基本教育，使他们天赋的才能，有发展的机会，难道说在这两百兆人民当中，不会产生些出类拔萃的人才吗？我们相信，凡是一个"人"，对于社会国家都有贡献的可能。欲使这"可能"成为事实，无论如何，最低限度的基本教育，是决不可少的。

八、结论

最后，再总起来说一说，所谓"平民教育"的"平民"是指一般已过学龄时期而不识字的男女，或一般已识字而缺乏常识的男女。

所谓“平民教育”的“教育”共分三步:第一步是“识字教育”,第二步是“公民教育”,第三步是“生计教育”。“平民教育”的最后目的,是在使两百兆失学男女皆具共和国民应有的精神和态度。

不过要达到这个目的,是一件很不容易的事。现在亟待解决的“平民教育”问题很多很多。例如关于教材的研究,补充读物的编制,干事人才的培养,学制的规定,师资的训练,视导的计划等事,都非一方面专门去做调查、研究、实验、编辑、训练、提倡工夫,一方面与全国人士通力合作不为功。因为这种教育,不仅是我们中国的创举,亦是世界上的创举,所以我们竭诚地希望全中国、全世界的人士,多多注意这个问题,并多多地赐予帮助。

平民教育的宗旨目的和最后的使命*

我中华统四万万众多的人民，领427万英方里广大的土地，承五千余年文化丰富的历史，处今日交通便利关系密接的世界，凡我国家的举措设施，社会的风习好尚，人民的行为思想，一举一动，莫不影响世界全局的安危。故今日关于我中华的问题，不仅是亚洲局部民族的问题，而且是世界人类利害相关、安危与共的问题，凡具世界眼光的人，并曾对此加过一番深彻的考究的，当能十分地觉察。我国自从经过了辛亥革命，数千年来所有政治上、社会上、家庭里安定的生活秩序，都从根本上发生了疑问。又当着欧战的结果，世界各国人的宇宙观、人生观、社会观，及一切生活上的法则，皆起了剧变，吾国人不能避免世界思潮的激荡，当然更要发生种种问题。以故内政上外交上，在他国早已解决的事情，在吾国尤为新兴的问题。以致社会上原来不成问题的风俗习惯等，在今日也都成了新提的议案。问题丛生，关系复杂，终日烦扰吾人的头脑，究不知从何处得把快刀斩此乱麻！

今日我国的问题，这样地复杂，非从根本上求一个解决方法，只顾头痛医头，脚痛医脚，终究是治丝益棼，剪不断理还乱的状态。

---

* 1927年在北京以单行本刊行。

所谓根本的解决法，在将欲从各种问题的事上去求的时节，先从发生问题的“人”上去求，因为社会的各种问题，不自发生，自“人”而生，发生问题的是“人”，解决问题的也是“人”，故遇着有问题不能解决的时候，其障碍不在问题的自身，而在惹出此问题的人，所以我中华四万万民众共有的各种问题，欲根本上求解决的方法，还非从四万万民众身上去求不可。在从前君国时代，国家所有的问题，虽然是靠着圣君贤相来解决，但也知道“民为邦本”，重大的事情，还得要“谋及庶人”。现在既已入了民国时代，国家的主人翁，明明就是人民；假若人民全体，或多数，具有解决问题的知识和能力，那就不怕问题之多且难；倒是愈多愈难，愈发表现解决问题的智能，国家社会愈呈新兴活泼隆盛的气象。从反面说，名义上虽然号为民主国家，事实上不论人民全体或多数，甚至连少数，都没有解决问题的智能；遇着问题发生的时节，只是淡漠旁观，惊骇躲避，或是抑郁烦闷，暴躁妄为，相率而出于轨道外的行动，形成一种恶势力，这岂特为我中华自召的不幸，亦将延为全世界的浩劫！

我们内受国家固有文化的陶育，外受世界共通新潮的教训，自觉欲尽修齐治平的责任，舍抱定“除文盲、作新民”的宗旨，从事于平民教育的工作而外，别无根本良谋。《诗经》上说：“周虽旧邦，其命维新”，外人虽称我中华为东方的老大帝国，若我四万万同胞，勃然兴起，普受教育，人人自振，个个自新，正当中西今日以前的旧文化两皆衰落，而今日开始萌芽的新文化，犹未结蕊的时期，安见我四万万同胞的肝胆心血，不为中西新旧文化的调和，灌溉滋润，而贡献光华灿烂琳琅珍玮的花果！

我国人在今日的世界当中，其关系与责任如此，然而考诸实际，我全体同胞所受的教育程度为如何？其目不识丁而为文盲的人民多至三万万以上，其侥幸读书识字的，不过是最少的最少数。试看欧美教育普及的国家，人人有读书看报之能力，两相比较，其智愚的相差，不啻天渊。孟子说：“不耻不若人，何若人有？”我同胞弄到三万万以上的文盲，名为20世纪共和国家的主人翁，实为中世纪专制国家老愚民；纵不计较人间有羞耻事，当知今日的世界为民族知识的战场，以目不识丁的民族，和饱受教育的民族相竞争，瞎子斗不过明眼人，这是何等显明的事理！同人等为除羞耻计，为图生存计，为解决国家种种问题计，为维持世界的和平计，为贡献人类的文化计，我四万万同胞当中，今日要以“除文盲、作新民”为最重要的事业。平民教育的运动，即应此要求而生。

吾辈羞视三万万以上的同胞，在20世纪的文明世界流而为文盲；吾辈恐惧四万万的大民族，不能生存于知识竞争的世界；吾辈愧为民主共和制度下的人民，不能自立自新而影响及于全世界的祸乱，更羞见有五千余年的历史，自尊为神明贵胄黄帝的子孙，对于20世纪的文化无所贡献。四顾茫茫，终夜徘徊，觉舍抱定“除文盲、作新民”的宗旨，从事于平民教育外，无最根本的事业，无最伟大的使命，无最有价值的生活，这是同仁的自觉心、责任心、奋斗心。

吾辈发宏愿，奋勇气，对于全国失学的青年成人，其就学的年龄已过，其谋生的时间很忙，加以处今日经济压迫，政治纠纷的局势之下，希望平民教育能普及。愿虽宏，气虽勇，奈何事情的范围太广，责任太大，以吾辈如此微弱的力量，对于这样大的事业，不啻涓滴之于沧海，如何能济于事！

虽然，吾辈自省天职之所在，本愚公移山的精神，只顾尽心竭力，不问于事有济无济，而且海内外不乏热心志士，知识高于吾辈的，能力大于吾辈的，不知其几何！人人奋勇，个个努力，合全国人的力量，来谋三万万失学同胞的教育，个人能力虽微，众人的能力绝大，安有无济于事之理？

吾辈希望全国对兹事体，形成鼎足的力量来撑持：一是专门家精密的研究；二是社会上自动的尽力；三是政府的奖励与保护。研究一层，正为同人主要的职责。七年以来，同人根据科学的方法，本国的国情，做彻底的研究，实地的试验，其间虽然经过许多困苦艰难，然已获得相当的成效，深获社会的同情，越发鼓舞同人的勇气。研究门类应乎今日我国民必不可少的要素，分为四大类：（一）文艺教育，以培养知识力；（二）生计教育，以增进生产力；（三）公民教育，以训练团结力；（四）卫生教育，以发育强健力。此四者不可缺一，缺一则非健全的国民，缺四则尽失其国民的意义。国家不建设在国民的基础上，固然是很危险；建设在缺乏知识力、生产力、团结力、强健力的国民的基础上，更是危乎其危。

吾国民数虽号称四万万，但未受教育的，竟多至三万万以上，其“知识力”如何不待言。产业不兴，生活艰窘，穷民饿殍，遍地皆是，其“生产力”如何不待言。举国之人，勇于私争，而怯于公战，轻视公义，而重视私情，其“团结力”公共心如何不待言。国民身体脆弱，疫疠繁兴，其“强健力”如何更不待言。以如是的国民，来建设20世纪的共和国家，无论采用何种主义，施行何种政策，一若植树木于波涛之上，如何可以安定得根！

吾辈所以努力于平民教育的目的，正为培养国民的元气，改进国民的生活，巩固国家的基础；无主义的主奴，无党派的左右，无宗教的成见，无地方的畛域，无个人的背景，无新旧的界限；但期望三万万以上失学的同胞，普遍地得到做20世纪的人最低限度必不可少的基础教育。虽以爱国为精神，而不偏于狭隘的国家主义；虽以爱世界为理想，而不偏于广漠的世界主义；至于宗教上或党派上的信徒，尤其任国民的自由意志去选择，绝不挟入平民教育内来宣传，这亦是同人良心上的主张，人格上的自信。

或谓共和国家的人民，对于政治不能无思想无主张，有思想有主张，自然不同丁甲，即同丁乙。平民教育中既有"公民教育"一项，怎样能逃避党派的信徒？不能逃避而强逃避，是无异于以怯懦教人，决非共和国民应有的正大光明的态度。

吾辈对此疑问，虽认为亦有相当的理由，但吾辈今日所做的基本工作，与发生此种问题的距离尚远。因为平民的公民教育，其最大最要的目的有二：（一）在一切社会的基础上，培养民众的团结力、公共心，期望受过平民教育的人，无论处任何团体，皆能努力为一个忠实而有效率的分子；（二）在人类普遍固有的良心上，发达民众的判断力、正义心，期望受过平民教育的人，无论对何种事体，皆能有自决自信、公是公非的主张。这是必要的根本的精神，为人人所共同应该受的教育。对于国家分子的训练，也专在共和国民人人共同应有的根本知识上注重，绝不挟入其他任何主义，这是吾辈正大光明的态度。

吾辈个人，也是中华民国的一分子，当然对于政治有一分子的责任。各人良心上所有的思想意见，自己认得确定时，也当努力贡献于国家，犯白刃，蹈汤火而不避。但政治是政治，教育是教育，吾辈不应借教育来宣传政党的政见，犹之乎宗教家不应借教育来宣传教派的信仰。若吾辈立足在政治方面，自有发表政见的自由；亦犹宗教家立足在宗教方面，有尽力宣传宗教的自由。明乎此，对于平民教育的宗旨和目的，可以彻底地了解了。

由此，可以进论平民教育最后的使命。人类文化的进步，无论属于任何民族的文化，都有同一的进程：即它的关系，由狭而广，渐渐地扩充到全世界；人的关系，由少而多，渐渐地普及到全人类。20 世纪的新文化的趋势，正向着全世界全人类的大门进展。故各国文化的进步，在国家范围内，必为民众化；在世界范围内，必须全人化。一切政治经济教育及其他种种方面的文化，若仅乎这种趋势，无论其为旧有的，或新创的，皆将减少存在的价值。中西旧文化的中心关系，大都限于少数人的阶级的贵族的范围。即 19 世纪以来，欧美政治上流行的民众主义，也不过只有程度的差别。以 20 世纪新趋势的文化眼光去从新估价，无论中西文化，其价值都要发生变动，大起兴革，故当今日全世界新旧文化过渡的时期，我中华四万万众多的人民，承五千余年文化丰富的历史，正当努力发挥新光彩，以贡献于全世界。吾辈所以从事于民众教育的事业，就先从根本上垫高我民族的程度，然后本吾辈毕生的经验，全副的心血，合四万万同胞的聪明才力，对于 20 世纪的新文化，尽我民族占全人类四分之一的责任。这是平民教育最后的使命，即我同人共矢不渝的精神。

《定县社会概况调查》序*

定县实验的目标是要在农民生活里去探索问题，运用文艺教育、生计教育与公民教育的工作，以完成农民所需要的教育与农村的基本建设。而一切的教育工作与社会建设必须有事实的根据，才能根据事实规划实际方案。

因此本会对于定县的实验最先注意的就是社会调查。要以系统的科学方法，实地调查定县一切社会情况，使我们对于农民生活、农村社会的一般的与特殊的事实与问题有充分的了解与明了的认识，然后各方面的工作才能为有事实根据的设施。

定县实验区的工作近年颇引起社会人士的深切注意，来定县参观的人实在不少。到定县来的都愿意先知道定县社会的事实。社会调查的工作，亦很得到大家的注意，希望从速整理发表，现在所发表的只是本会中社会调查工作的一部分，是《定县社会的概况调查》。其余比较细密的调查工作，比较属于专门研究的整理工作，此后自当陆续编辑发表，供实际从事农村建设的同志们与关心农民生活的朋友们参考研究。

定县实验的社会调查有其特殊的注重之点，这是从整个的平

* 原载李景汉编著：《定县社会概况调查》，中华平民教育促进会1933年版。

民教育运动立场下应该说明的。关于这几点的说明可以说是我的义务。

说到社会调查,有人以为这是政府的责任。政府以法令行之,可以有种种的方便。但社会调查的目的在得到事实的真相,而如何才能了解事实真相,至少根据定县社会调查的经验,也有一套方法,必须切实研究,实地经验。在完成这套实地调查的学术研究之后,政府才能有办法上的一种根据,可以做大规模的全国或全省的调查,才能希望得到社会事实的真相。

农村社会的调查工作,由社会学术机关去做,也有它的困难。第一点,从事农村调查的工作人员必须有到民间去的认识与决心。在与农民共同生活之下,才能了解农民生活的真相,才能得到正确数字,才能亲切地了解数字背后的所含有的意义,才能做规划实际建设的方案。

第二,调查既是为谋整个农村社会建设之人手的工作,单独地进行,是不会顺利的。必须通盘筹划由多方面施以互相为用的工作,然后才能造成可以深入的环境,调查方为可能。定县实验在各方面的工作,增加了若干调查上的便利。

第三,调查的目的,既是为了了解事实,但事实的了解不是工作的终了,而是工作的开始。所以调查工作不是为调查而调查,必须要着眼于社会的实际的改造。要根据建设的需要,调查事实。

第四,从事调查的人必须了解现代社会调查的科学理论以及方法与技术,必须要顾到中国的民间生活状况而规定出适合中国情形的方法及技术来。即如拟一表格,就得特别注意与农民心理、风俗、习惯、生活相应合,而又要顾到(一)所问须使他们能回答,

（二）他们所能回答的，又是我们所需要的。

换言之，社会学术机关所进行的社会调查在它的进行中，便须以整个社会改造为目标，从多方努力，随时研究如何先建设起来中国的社会调查之整套的学术。而调查人才所应具的修养、训练与经验，更是调查成功的重要条件。

本会的社会调查工作，是根据对于上述困难之了解而呈现，同时又以下述二种意义为其特具的立场：

一为教育的意义。本会社会调查，非为调查而调查，为的是要知道农村生活的究竟，寻出生活上的问题，进而解决此项问题。即整个工作要以社会调查为指南针，求先知道生活的依归，然后再事规定教育的实施方案。如此乃可以谈得上“教育和生活打成一片”。

二为社会科学的意义。社会科学和自然科学不同，不能依样画葫芦般地抄袭应用。必须先知道中国社会是什么样，然后始能着手于科学的系统之建设。因此，我们希望本会的社会调查对于中国的社会科学之研究有其贡献，以中国的社会事实一般的学理原则，促立中国化的社会科学。必如此，中国化的政治、中国化的教育等之建设，乃有可能性。

本会于民国十五年秋选定定县为“华北实验区”，以翟城村为中心，从事各种工作，社会调查便开始进行。当时由冯梯霞先生主持，进行一年多，各事粗具规模。冯先生曾著有《乡村社会调查大纲》一书，胪列当时所拟各项表格。至民国十七年，即由李景汉先生偕同多人继续进行，直至现在。虽然此项工作已有五六年的历史，但在开始时，是有特别困难的，最主要的就是农民对于从事工作者的不信仰，工作不易进行。后来战胜这种困难，便是从教育方面着手。因教育的实施而联络其感情,而获得其信仰,调查工作始得逐渐顺利进行。

说到教育工作的设施,这实在引我们得到一种深彻的认识。即调查者的技术,固须训练;被调查者也同样地须受技术的训练。譬如我们为调查农民家庭岁入和岁出的情形,而要他们记账,便须先训练他们能写、能算,就是说,他们信仰你,而愿意帮助你,但是帮助你的能力,还须你先替他们培养起来。这是一切中国建设事业中的共同问题,一切从事中国建设事业的人都应体会。——我们正在要建盖房子,本来招工、购料就可开始,但是我们现在的中国啊,正是工料全无。我们须得先栽树、烧砖、训练工人,在这种意义下,就本会的全体工作来说,还是附产品了。"实验区"之设置,从第二次内政会议后,俨成风行一时之势,可见政治建设、社会建设工作之需要科学的研究与实验,已为一般所认识。调查工作之重要更为从事建设人所了解。希望这本书能坚定从事"实验区"工作者调查的兴趣,或且能增添他们一点勇气,希望多有这一类的工作实现,使我们更能走上科学化的建设之途。

自翟城村起始工作到现在,经过三次战争,还有地方水灾、瘟疫,以及农村经济之凋敝,工作上受过不少的阻碍,而我们能获得如许的结果,虽然自己也不能满足,但也很矜视这点收获。

即此成绩,已由许多人的努力始抵完成。甘博(Gamble)先生是社会调查的专家,在中国曾编著《北京社会调查》(*Peking: A Social Survey*),对于本会社会调查,非但在工作上给予指导,在经济上也有援助。冯梯霞先生从事艰苦的开轫工作,李景汉先生及其许多得力的助手,积年的继续努力,会中其他部分,也都是踊跃地通力合作。这都是我愿意表明,而且引为欣幸的。还有许多本国和国外的专家,对于本会的调查工作,有种种的鼓励与指导,这是我们更应该感谢的。

农村运动的使命*

一、农村运动的使命

凡是一种运动，自身要有远大悠久普遍根本的意义，然后这种运动，才有继长增高进展扩大日新不已的动力；否则要犯“其兴也勃，其亡也忽”的毛病。中国的农村运动，到现在总算是风起云涌，极盛一时，人们对它，虽说讴歌诅咒，反对赞成，其毁誉尚不一致。然而由少数人的提倡，得到一般同志的苦干，因此引起中外人士的注目，这个运动，必然有它的远大悠久普遍根本的意义，来做它的使命。

有些人把农村运动，看作就是“农村救济”。固然，看到中国今日的农村，它的破产的情形，那样的悲惨，那样的可怕，谁忍说不应当赶快救济呢？但是农村救济，不过是一时的紧急事情。虽说它的要求很迫切，但是没有什么远大悠久的意义。若竟把农村运动，

---

* 原载《民间》第1卷第11期，1934年10月10日，原题为《农村运动的使命及其实施的方法与步骤》。1935年1月，中华平民教育促进会又以《农村运动的使命》为题印行单行本。

全看作就是农村救济，还未免把农村运动的悠久性和根本性抹杀了。

又有些人把农村运动，看作就是“办模范村”。固然，把一个破旧不堪、又穷又苦的农村，费一些人力，用一些金钱，把它救济起来，收拾起来，整理起来，焕然一新，做其他农村改良的模范，谁能说这样的办法，没有好影响呢？可是办模范村，不过是限于当地的特殊事情。虽说它能给周围以好影响好刺激，但是没有什么普遍远大的意义。若竟把农村运动全看作就是办模范村，这又未免把农村运动的普遍性和远大性忽视了。

我希望关心中国社会根本问题的人们，对于农村运动，无论站在正反的哪一方面，先要了解它的真意义真使命之所在，然后才能对于农村运动的实际工作，加以正确而切实的指导与批评，尤其是从事于农村工作埋头苦干的同志们，更要认清农村运动自身具有的真意义真使命，然后抱着自己所负的使命，向着前途猛勇精进，才不至于走入歧途，或中道而废。

中国的农村运动的使命，到底是什么？据我们很清楚地看来，它耸着巨大的铁肩，担着“民族再造”的重大使命。

中国今日的生死问题，不是别的，是民族衰老，民族堕落，民族涣散，根本是“人”的问题；是构成中国的主人，害了几千年积累而成的很复杂的病，而且病至垂危，有无起死回生的方药的问题。这个问题的严重性，比较任何问题都严重；它的根本性，也比较任何问题还根本。我们认为这个问题不解决，对于其他问题的一切努力和奋斗，结果恐怕是白费力，白牺牲。近数十年来一切的改革建设失败的经验，已经够给我们认识这个问题的根本性与严重性了。

农村运动，就是对着这个问题应运而生的。它对于民族的衰老，要培养它的新生命；对于民族的堕落，要振拔它的新人格；对于民族的涣散，要促成它的新团结新组织。所以说中国的农村运动，担负着“民族再造”的使命。

为什么“民族再造的使命”，要“农村运动”来担负呢？因为中国的民族，人数有四万万，在农村生活的，要占80%。以量的关系来说，民族再造的对象，当然要特别注重在农村；又因为中国民族的坏处与弱点，差不多全在“都市人”的身上，至少可以说都市人的坏处，要比“乡下佬”来得多些重些。你试到农村里去，在乡下佬的生活上，还可以看得出多少残存的中国民族的美德，在都市人的生活上，那就不容易发现了。古来许多英雄豪杰成大功，立大业的，大部分都来自田间。所以就质的关系来说，民族再造的对象，当然也要特别注重在农村。

或许有人要问，在农村里生活的人，为数在四万万以上，要达到民族再造的目的，除非你有齐天大圣能拔一毛即变一人的魔术，否则你有什么妙法呢？要解答这一个问题，自然有一定的目标有一定的策略。

这三万万的农民当中，年老的已成过去，自难达再造的目的；年幼的又尚属将来，目前等不及他来担负国家急切的重任。所以今日农村运动的主要目标，要特别注重在农村的青年男女。这些青年他不但可以为继往的好手，又可以为开来的良工。他们真可做救护中国的生力军，改造中国的挺进队。姑就定县来做例，全县40万人之中，就有8万是青年农民。以全国四万万人计算，中国的农村青年，至少当在8000万左右。从前项羽破秦兴楚，只仗8000子弟，中国今日如果集中精神只要把这8000万的农村青年改造过来，我想无论什么国难，都当得起，什么国耻，都雪得掉，一切建设，也才有了安定的地盘，巩固的根基。

或许有人又问，农村运动的使命，在民族再造；民族再造的中心，在农村青年，这个看法，固然是很根本，它的方法如何，姑且不问，单说把这8000万众的青年改造过来，试问需要若干岁月，以中国今日这样的危急待救，实在等不及了。我们要解答这一个问题，自然有历史上的教训和事实上的理由。

自鸦片战争以至现在，已经有了90余年；甲午之战，到现在又整整40年，就是日本提出“二十一条”的要求，到今日也忽忽18年了，这些关头，国家日日都在危急存亡之秋。国人未尝不忙，忙学东洋，忙学西洋，忙办这样，忙办那样，结果怎样？没有把根本问题认清，瞎忙了几十年，又来了一个“九一八”的大祸，依然是坐以待毙，束手无策。就是“九一八”事变，到现在也已经3年了，在这3年当中，又忙了些什么？我看照这样抓不着命脉，咬不定牙根，无远大的计划，无持久的耐力，只是一味地瞎忙下去，再过几十年，恐怕根本上就用不着你忙了。

所以要救中国危亡的重要关键，不应当光在缓急快慢上计较；要先抓住国家的命根，治着它的症结，培养它的元气，拿定主义，下大决心，干他几十年，乃至于我们一生的时间不够，望诸后人向着既定的目标，有前进，无后退，有牺牲，无顾虑，我想以中国这样长的历史，这样广的土地，这样大的民族，一定有她光明灿烂的前程！！！

所以我们今日，除非不认中国的生死问题，根本是在民族衰老，民族堕落，民族涣散；除非不认根本救亡的大计，是在民族再造；除非不认农村运动，可以担负民族再造的使命；除非不认8000万的青年农民，可以做民族再造的核心；那么，就当别论！若果承认这些都不错，那就应当本着“卧薪尝胆”和“舍我其谁”的精神，奋着毕生的心血，埋着头去干！去苦干！去死干！这样地忙，才真是有价值有定见的忙，多忙一分，然后救中国的急才能快一分。我希望，我热烈地希望农村运动的同志们对于农村运动的重大使命，要看得透，拿得定，无贰无疑，然后，来探讨它的实现的方法和步骤。

二、实现的方法与步骤

（一）实现的方法

要实现“民族再造”的使命，最有效力的方法，莫若“教育”，但是要怎么样的教育？这是生命攸关的问题。若用中国式的古董教育，或西洋式的舶来教育，可说这不但不能达民族再造的目的，反要促成“民族自杀”、“民族速死”悲惨的结果。

究竟要怎样的教育呢？总括起来说：要“实验的改造民族生活的教育”。中国式的古董教育，与民族生活不相干，只能造成三家村的乡学究；西洋式的舶来教育，与民族生活不相应，只能造成外国货的消费人。只有实验的改造民族生活的教育，才能造成国家中兴、发强刚毅、有作为、有创造的民族。

何以叫改造民族生活的教育呢？这种教育，以培养民族的新生命，振拔民族的新人格，促进民族的新团结新组织为目标；以适应实际生活，改良实际生活，创造实际生活为内容。前者“教育即生命”，使接受这种教育的人，自己决心要改造他的身心，来发扬民族的精神；后者“教育即生活”，使接受这种教育的人，自己决心要改造他的生活，来适应民族的生存——所以叫做改造民族生活的教育。

又怎样叫实验的改造民族生活的教育呢？要实现上段所说的“教育即生命”和“教育即生活”的两个原则，绝不是在书本上言语上的教育可以做得到的，教者与学者，都要在实际生活上去实地历练才成。举两个例来说：譬如教农村青年选择良种，驱除病虫，其方法不重在教室内黑板上的讲演，而重在田地里的实际工作。其目的不光在增加生产，而要在输入科学知识，造成科学头脑，启发人类可以“赞化天地”、“征服自然”、“人定胜天”的观念。这正是在改良实际生活的实验中，培养民族的新生命，振拔民族的新人格。又如在农村里提倡办合作社，其目的不仅在增加农民的收入，而要在养成他们的合作精神、合作习惯、合作技能，以促成民族的新组织新团结。像这样在实际生活上，教者与学者一同去历练的教育，所以叫做实验的改造民族的教育。

中国的农村运动，要实现“民族再造”的使命，其方法非从“实验的改造民族生活的教育”下手不可。中国的农村虽然破产，而人才很丰富，有的是人，只要你肯给他们以好教育，那是很大的富源。依我们从事农村工作的同人，十余年来的经验看来，青年农民当中，真有不少的天才，受了短期的平民教育，就能表现出他们很丰富的智力与才力，真是我们未到民间以前，所梦想不到的高兴事情。我们所以能十余年如一日，在乡间吃苦挣扎，就因为受了这些可爱可造的农民的感动，否则我们也愿意享受都市的很舒服的生活，老早就一丢光跑了。

我希望农村运动的同志们，看清楚这些青年农民，真是可畏的后生，他们要是都受了改造生活的教育，国家今后的大责任，就可由他们的群策群力去担负，我们今日只管培养他们的新生命，振拔他们的新人格，促成他们的新团结，训练他们的新生活，使他们科学化、合作化、纪律化、现代化，他们便自己能尽国家主人翁的责任，随时代的演进，解决变化无端层出不穷的种种问题，用不着我们包办他们的将来，什么问题都要想依我们今日的理想主义，替他们都做好，人类社会没有这样简单容易机械的事情。

（二）实现的步骤

以上我们已经把民族再造的实现的方法说过了，现在要说说实现的步骤。民族再造实现的方法，既如上所述，在实验的改造民族生活的教育，然而这种意义的生活教育，在西洋无可模仿，在东洋无可抄袭，国内的教育家历来就无人屑于替这些乡下佬的教育打算，可怜时代到了今天，才显出这种教育的要求，它的教材在哪里？教学的方法在哪里？教育的人才在哪里？这是一种混沌初开的创造的教育，所以实现的步骤应当有三步：

第一步要研究实验。中国近几十年来教育上最大的错误，在一切制度方法材料，多半从东西洋抄袭来的，那工商业发达的国家的都市人的教育，如何能适合犹滞在农业时代的中国社会的需要。我们初到乡间，看见农民的失学，慨叹中国的教育不普及，后来在乡间久住，才知道幸而今日中国的教育不普及，否则真非亡国不可。这并非愤激之谈，因为农村青年，未入学校以前，尚能帮助他的父母，拾柴捡粪，看牛耕田，不失为一个生产者，可是一旦入了学校，受了一些都市文明的教育，他简直变成一个在乡村不安、到城市无能、不文不武的无业游民。所以为实现民族再造的使命而创造的改造生活的教育，断不能不深入乡间，从农民实际生活里去找问题找材料，去求方法来研究实验，否则坐在都市的图书室里讲农村教育，那就是等于闭门造车，隔靴搔痒。这种研究实验，绝非容易的事情，因为他有好几种的条件：

一是人才上的条件。要有本国的学术根底，科学的知识技能，又要有创造的精神，吃苦耐劳的志愿与身体，还要有国家世界的眼光，因为研究实验的区域，虽只在一县一乡一村，其目的是为整个民族生活改造而研究。

二是事业上的条件。这种改造生活的教育的研究实验，要合于“生活即教育”的原则。农村生活比城市生活虽简陋，可是它的方面差不多一样地复杂，关于政治、教育、经济、卫生、交通等等方面的生活，无不具有，所谓“麻雀虽小，肝胆俱全”。因此为要得改造实际生活的方法材料与经验，不然不办种种的事业。其主要的目的，只在做研究实验的设置，与办模范村模范县的建设迥乎不同。

三是经济上的条件。要充足人才上事业上的两种条件，非有相当的经费，是办不到的。普通办一个大学，每年不过数百或千多学生，动辄年需数十万，乃至百多万，这种为全民族生活改造的教育研究实验，当然要用相当的金钱。

四是时间上的条件。这种教育的研究实验，它是以整个的农民生活区域内的一切生活现象做它的图书馆研究室，又要以研究之结果，实用到农民生活上去实验，非经过相当长久的时间，是不容易看出它的效果来。因为与普通物质上的建设事业不同，譬如官家要修马路，只要有钱，几天半月就可以修起，若要做一个教育农民自动的修马路的设计去研究实验，这个绝不是几天可以有结果的。

五是社会上的条件。这种改造生活的创造的教育之研究与实验，因为它与人民的实际生活太接近，当然不免要发生一些阻碍与冲突，要是不得政府社会各方面的了解与赞助，有许多计划是很难实现的。

以上的条件若果具备了，还得要抱定几个原则去研究实验：

1. 要有基础性。农村生活问题，非常复杂，不能应有尽有，都去研究实验。所以要选择有基础性的来研究实验。

2. 要有实际性。如某种问题在学术上虽然有研究的价值，但是与老百姓的实际生活无关系的，就用不着研究。所以必须有实际性，然后研究实验的结果，才可以应用到民间去。

3. 要有普遍性。为研究实验的便利计，总要有一个小区域，可是它的目的，不是为一个特殊的区域而研究实验的，乃是为研究实验之结果，可以推广到全国各农村。所以研究实验的问题，及其解决问题的方法都要有普遍性。

具备了以上所说的几个条件，本着以上所说的几个原则去研究实验改造民族生活的教育，这是实现民族再造的方法的第一步。

第二步要训练人才。中国号称有四万万人民，其实只有生物学上的四万万个自然人，哪里有国家社会学上的几个人民呢？所以要改造中国，莫说无人民，而且无领袖。任你有何种理想的主义、伟大的计划，都是行不通的。中国的古人说："穷则变，变则通。"可是中国今人的事情，正和古人说的话不对，"穷了还是不变，变了还是不通"。其所以"穷不变变不通"的根本道理，就是因为没有真正的人才。所以有了改造民族生活的方法，还得要训练运用改造民族生活方法的人才。

关于训练人才的事情,有三个问题应当要先决的:(1)为什么要训练?(2)谁来训练?(3)训练什么?我们从事农村工作的同人,只感到有训练人才的必要,可是对于上面之三个问题,要是不加以研究,随便开学校,收学生,那么,恐怕训练的结果,又为社会多造一些有学无用的游民。如今“事事求不到人”,“人人求不到事”的矛盾现象,这是为国家造大乱的征兆,负有教育责任的人们,不可以不慎!

我们解答第一个问题,为什么要训练?可以说现在关于“农村复兴”、“农村改造”、“农村建设”一类的呼声,高唱入云,可是谁到农村去担任“复兴”、“改造”、“建设”的责任,去的人有何知识技能和经验,能够胜任愉快?若说要靠受过一般学校教育的人,我想那些舶来的讲义上的知识,与农村的需要简直是风马牛不相及。未尝不有许多青年有志之士,想到民间去,但是怎样的去法,带些什么本领去,都是大问题。我们就因为这些,要训练人才。训练人才可分两种:

1. 技术专门人才:实地到农村做农村生活改造的学术研究与实验。

2. 技术推广人才:实地到农村领导农民做改造生活的事业。

这两种人才,除开基本的农村生活改造的知识技能的训练外,还注重精神上人格上态度上阅历经验上的锻炼。在一个政治已上轨道的国家,一个技术人才对于社会就能有相当的贡献,但在中国今日,什么都未入轨道的时期,如果仅仅有点技术上的训练,而忽略了以上所说的一类的锻炼,恐怕是“学得屠龙无从施展”,结果要弄得垂头丧气,消极堕落。

我们要解答第二第三个问题，谁来训练？训练什么？可以简单地同时答复，非曾经深入民间，躬亲田舍，吃土尝粪若干年的事迹，把他从实际工作中一点一滴的辛苦经验、知识技能，来做材料去训练不可，同时还要领导学生在实际工作上、在自己的生活上言行上，现身说法，以身作则，紧抱着农村运动的使命，去表演"教育即生命"、"教育即生活"的原则。这是实现"民族再造"的方法的第二步。

第三步就是表证推广。我们在第一步的研究实验的工作上，所以注意到问题与方法的基础性、实际性和普遍性，就因为是照顾到第三步推广到全国各地的工作。在第二步训练人才，也正为供给第三步工作的需要。这三步工作，是互相连锁的，没有第一步工作，则第二第三步工作是无根；没有第二第三步工作，则第一步工作是无足。无根的没有生命；无足的虽有生命不能行远。所以要实现农村运动的使命，完成改造民族生活的方法，须得要有这三个步骤。

三、农村工作的大联合

我们对于农村运动，虽然看清楚了它的使命，同时有了实现它的方法和步骤，大家就各自去埋头努力工作，这还是不够。因为农村问题太复杂，方面也很多，非把全国各地从事农村工作的同志们，大家联合一气，共同努力，共同奋斗不可。要知道这种民族再造的运动，包含有改造民族文化，改造民族生活的两方面。它的使命之伟大，绝不是少数人干得了的，也绝不是多数人各干各的能成功的。因为这种工作需要大量的金钱与大批的专家,在今日中国经济破产、人才缺乏的时代,从事农村工作的人们,还不联合起来,前途哪里有许多希望!

可是应当联合为一事,怎样地联合又为一事,虽有联合的意思,没有联合的方法,也是空的。我们姑且把农村工作分析一下,来找出各方面分工合作的线索,或者看得出工作上应当怎样联合的方法来。我们在前面已经说过三个步骤,也可以根据它来看就是这三类的工作:(1)研究实验;(2)训练人才;(3)表证推广。

第一类的工作很繁难,需要经费、人才和时间都比较多。这类工作,如果太散漫,太分开,没有集中的组织,一定要发生种种不经济的毛病和不能解决的困难。

第二类的工作,它必须和第一类或第三类的工作连在一块才有意义,就是关于技术专门人才,要在研究实验区训练,关于技术推广人才,可以在表证推广区训练,也可以在研究实验区训练。

第三类的工作,倒越多越好,能够到处都提倡起来,实现起来,那农村运动的进展便不可限量了。

我们如果站在整个农村运动的立场上,来看自己方面的工作的性质,各自认清楚各自的特点,联成一个整个的农村运动的计划,彼此分工,彼此合作,互相辅助,相依为命,我敢断定前途一定有很大的光明!

总之,农村运动的使命要能实现,当然一方面要认清我们的使命;一方面要决定我们的方法和步骤(合起来说可说就是农村运动的旨趣)。然后从事工作,才不致走入歧途。但是最要紧的,还是我同人们从事农村工作的同人的合作精神。因为农村运动的使命,就在培养民族的新生命,振拔民族的新人格,促进民族的新团结。我们自己要是不能合作,不能团结,那根本就无希望了。所以我希望,我很真诚热烈地希望农村工作的同志们,要在我们彼此的言行上、生活上,先造成一种农村运动者的风格。工作是表现我们的生命,是实现我们的生活;我们的生命,我们的生活,就是为我们的工作。

我这篇文章,是赶着乡村工作讨论会的诸位先生到定县来开会的机会发表的,就是代表定县工作的同仁的意见向诸位先生致欢迎的敬意和请教。

中华平民教育促进会定县实验工作大概*

一、引言

时至今日，农村应该改造，国家亟待建设，民族必须复兴。有志之士不但认识其重要，且在各处已由理论的探讨，转成实际的进行。其较著者如江宁、兰溪的实验县政，江苏无锡的教育学院，邹平、菏泽的乡村建设，广西全省的农民自卫，以及其他各省正在进行的建设事业，其观点与方法容有差异，其在努力以求实现救亡复兴之宏愿，并无不同。

中华平民教育促进会为社会上少数有志之士所组织的私人学术研究团体；目前所有工作，集中于研究"农村应改什么，造什么，国家建设的内容、方法和民族复兴的基本条件又是什么"。来定人士，如欲参观马路、工厂、电灯、洋楼、公园、博物馆、图书馆等一般的所谓建设，则必失望而归。因一般的所谓建设，乃政府及全国人士应负之责任；本会对地方上的物质建设固无此力量，而本会同仁

---

* 本文是作者于 1934 年 10 月在河北定县召开的第二次乡村工作讨论会上的工作报告。选自《乡村建设实验》第二集，中华书局 1935 年 9 月出版。

对于社会需要之根本观察及其工作要点亦并不在此。

阳初于欧战时朝夕与5000华工相处,因得深切认识"苦力之苦与苦力之力",于是对于中国一向被人忽视之平民,发生一种新信仰,新希望:觉得中国真正最大之富源不是煤,也不是铁,而是三万万以上不知不觉的农民。要把农民智慧发展起来,培养起来,使他们有力量自动地起来改造,改造才能成功;自动地起来建设,建设才会生根;自动地起来运动复兴民族,民族才有真正复兴之一日。

启发农民的智慧,也就是"造人"。造人必须有造人的教育。中国数十年来的所谓教育制度与内容,无非东抄西袭,不合国情,不切需要,所以不曾与一般人的生活发生关系,所以不能完成"造人"的使命。本会在定县的实验工作,意在深入民间,根据一般人的生活需要,继续不断地创造新民教育的内容;根据一般人的生活习惯,继续不断地制定新民教育的方法,并根据社会的演变,民族的进展,继续不断地创制新民教育的方案。

本会最初欲去除一般人的愚昧,而启发其智慧,所以有文艺教育以培养"知识力"。嗣后感觉人民之"愚"与"穷"有莫大之关系,且人民之愚尚能苟延残喘,穷则不保朝夕,乃又有生计教育以培养"生产力"。后又感觉人民体弱多病而死亡率高,实为民族前途之忧,乃又有卫生教育以培养"强健力"。同时感到一般人民自私心重,因之生活散漫,不能精诚团结,于是又有公民教育以培养"团结力"。所谓四大教育,实为根据实际生活之要求,逐渐演进而创出新民教育内容之荦荦大端。其实施方式,有学校式以教育青年为主要工作,因青年是国家今日建设之主力军;同时又顾到教育儿童,因儿童系民族复兴的后备队。学校式之外有社会式及家庭式,其目的在使整个社会尽是教育的环境，以免一曝十寒之弊害。教育内容的实验，所以定教材之是否合适；教育方式的实验，所以定方法之是否合宜。而教育方案之拟定，又必根据社会调查所得之事实，以免主观之谬误。

新民教育以人民全部生活为起点，以民族改造为目标，其工作之繁难，当非一个私人的学术团体所能胜任。所幸自河北省县政建设研究院成立，划定县为实验区以来，本会实施方面能多与之合作，以期完成实验制度之研究。关于各方面学术上之研究，亦尽量与国内各学术团体、各机关合作，以期使各方面节省人才经费，而共同养成建设事业合作之习惯。本会研究实验之成绩，愿供政府及全国人士之采择推行，自不待言；而对于供给各种程度之技术人才，亦已开始训练。训练之方法，乃就各种实际工作上，予以严格的训练，以期工作即求学，所学即所用，由此以养成干练的实际人才。

定县的全部实验工作，起始于民国十八年（十五年至十八年在翟城村只有部分的实验），五年经过，其成功究竟到了什么程度，实难断言。因为第一是人才的问题，这种改造全生活的实验，关系的方面太多，无处供给所需要的各种人才；第二是经费的问题，在这民穷财尽的时候，很难筹措这百年大计的实验费；第三是社会环境的问题，现在全国方在一个天灾人祸、内忧外患的环境中，国难如此严重，大家容易误认这种基本工作为不急之务；第四是时间的问题，这种改造民族生活的大计划，决不会一刹那间就能成功。有此四种困难，平教运动的前途，殊可栗栗危惧。不过本会同志深信贪便宜、省力气、走捷径，永远不会有成功的希望。所以决心要脚踏实地，一点一滴地做这研究实验的工作。

这本小报告，不过把本会已往与现在的工作，开了一个简单的节目，以便考查。至于研究实验的详细情形，另有专籍记载，兹不赘述。

附表一　中华平民教育促进会组织系统

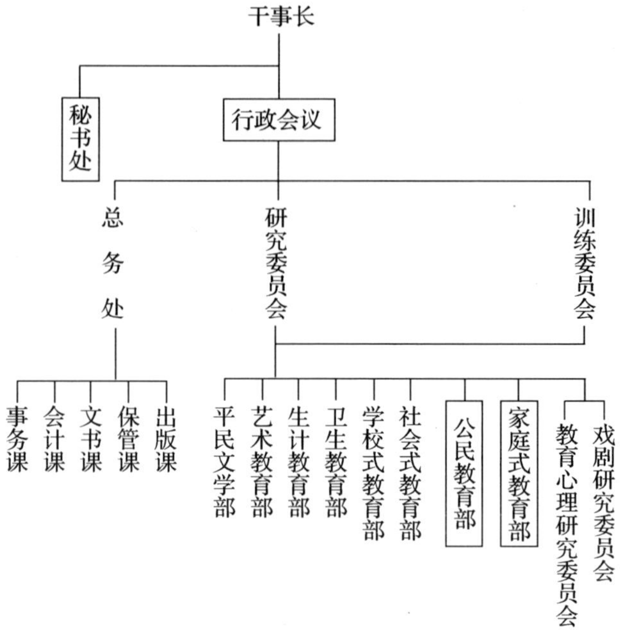

二、社会调查

农村建设的工作必须有具体的方案。具体的方案必须以事实为根据。事实的根据，又必须靠有系统的精确调查。本会在定县的社会调查工作，在平教运动的立场上，是要以有系统的科学方法实地调查县内一切社会情况，然后将根据调查而归纳之各种结论及建议，分别供给有直接关系之四大教育与三大方式的主持者，使计划实现推行各该种教育时有参考之材料，及可靠之根据。

（一）统计调查工作节略

民国十七年以前，本会在定县的工作范围只有城东第三区内的 62 村庄，正式职员及短期工作人员不过 20 人左右。十六、十七两年，又经过两次内战，各项工作很难进行。那个时期只附带做了些简单的调查，例如定县的历史，定县的地理、风俗习惯、政府组织，62 村的交通、人口、教育、娱乐、信仰、兵灾、农业、地亩、生活等概况。

十八年秋季，本会全部由北平移到定县，以全县为实验区，因此社会调查工作亦随着以全县为范围。第一步先开始调查第一区 71 村每村的概况，包括项目有每村距城里数、位置、家数、人数，村长的姓名、年龄、职业，村中主要领袖，各种学校教员及学生数目，村内在高小、中学、大学毕业的人数，可作平民学校之地点，村人职业，种地亩数，主要农产物，集市日期，医生及药铺数目，寺庙及信仰各种宗教人数等项。然后举行第一区 71 村详细户口调查。计调查城内 1707 家，三关 562 家，71 村内 6230 家，共计 8499 家。同时附带举行挨户疾病死亡调查之试验，共计调查 5000 家。此外补充已往不完全之调查，其中主要者有全县赋税调查，包括国税、省税、县地方捐、村捐等项。

本年度内关于统计整理材料方面之工作，有定县地理、历史、交通与运输、政治、赋税、教育、信仰、风俗习惯、娱乐、灾荒及经济概况等项。

民国十九年度之工作分实地调查与整理材料两类。关于调查者约计六种:(1)全县各村概况调查,共计调查382村。(2)土地分配与农产调查,以村为单位,共计调查134村。(3)家庭手工业与工厂调查,以村为单位,共计调查134村。(4)乡城及乡村铺店调查。调查城内三关、东亭清风店之各种店铺数目,每铺店之资本、赚利、组织、店员待遇等项。(5)生活费调查,用每日记账方法,自民国二十年二月开始调查123个农家一年内之各项收入与支出数目,及所需各种物品之数量,由此彻底洞悉农民真相。(6)物价调查,包括物品34类500余种。

本年度关于整理材料约分四种:(1)整理统计全县各村之概况调查;(2)整理统计城内、三关及中一区之挨户人口调查;(3)整理编辑所搜集之定县秧歌48出;(4)继续整理东亭乡村社会区内62村之材料。

民国二十年度,关于调查方面的工作约计七种:(1)继续从事每村土地分配与农产调查,共计319村。(2)继续从事家庭手工业调查,共计调查319村。(3)继续从事123个农家生活费每日记账调查。(4)继续34类日常用品之物价调查。(5)高头研究村之详细调查,以家为单位,共计调查120家。(6)南支合、李亲顾、明月店三处中心村之详细调查,共计调查住户1365,铺户193。(7)研究区61村挨户人口调查,并绘制各村地图。

本年度关于编辑方面主要之工作,为将中文编辑有定县社会概况调查材料译成英文。

民国二十一年度,本会规定六年实验计划,各部处工作以设计为主。统计调查处在六年计划第一年内共有12个设计。(1)研究区内田场经营调查设计。选研究区内有代表性质之自耕农家100

家，调查每田场周年经营详细情形。(2)研究区内主要农作物及猪鸡羊调查设计。用选样法共计调查1089家，以应畜牧研究之需要。(3)主要手工业详细调查设计。以家庭为单位，调查结果供生计教育部做提倡改良手工业之根据。(4)研究区内集市与商业调查设计。所得材料，供经济合作组织之参考。(5)借贷调查设计。选择有代表性质之5个村庄，调查每家农民负债情形，供组织信用合作社之参考。(6)研究区内关于经济之各种会社调查设计。例如钱会与青苗会等组织。调查结果，可为计划新经济制度之参考。(7)家庭卫生调查设计。以家为单位，调查1000家，供卫生教育部做改进农民家庭卫生之根据。(8)整理研究区内人口调查材料设计。共计调查6484家。(9)整理123家生活费记账设计。(10)整理全县各区土地分配与农产物之概况调查材料设计。(11)整理全县各区手工业材料设计。(12)整理南支合、李亲顾、明月店三个实施中心村之调查材料设计。

民国二十二年七月河北省县政建设研究院成立，以定县为实验区，亦设调查部，两方既同在定县，于是分工合作，本会偏重在整理已有之材料，实地调查工作多由院方担任。关于整理者，有下列六种设计：(1)123个农家生活费周年记账材料初步整理设计。(2)定县主要家庭手工业之详细调查材料整理设计。(3)全县土地分配调查材料整理设计，现已整理完竣。(4)100个田场经营调查整理设计。调查项目极繁，已大致完成。(5)家庭卫生选样调查材料整理设计。此项1000家卫生选样调查材料之统计系与北平之协和医校公共卫生部合作。(6)研究区内按户人口调查材料整理设计。此项材料，统计6484家之调查工作，系与北平协和医校公共卫生部合作。

本年度关于调查者有两个设计:(1)物价调查设计。在城区内调查500余种物价,随时加以整理。(2)出生死亡调查设计。每日调查城内出生及死亡人数,及与出生者死亡者各方面有关系之情况。

关于整理与编辑者有五个设计。(1)编辑土地分配调查设计。除编辑汉文报告外,并将统计材料译成英文,送美术编辑。(2)编辑定县借贷调查设计。亦包括译成英文工作。(3)继续整理定县农家生活费调查材料设计。(4)继续整理家庭卫生调查材料设计。(5)继续整理人口调查材料设计。

(二)实地调查进行时之情况

这种调查工作若要获得可靠的材料,在进行时非常困难,有的是表面显然的困难,有的是不易看破的困难,因为人民饱受乱世之害,故时有戒心,防备受害,早学会了搪塞支应的技术。民国以来,政府几乎完全丧失人民之信用。苛税杂捐,征兵拉夫,兵匪劫掠,已成家常便饭。上捐时又按每村之户口和地亩数为标准。如此调查人口和地亩时,岂不视为大祸之将至?再者,无论如何,他们不易明白调查的意义和实际的用处,而且有时愈解释愈不明白。因为向来没有这样麻烦的询问。有时他们故意不说实话,很难辨别真伪。况且一般人模模糊糊的习惯和说话的不准确,尤其是对于数目之含糊,都令人不易得到事实。因此调查时非常费力。例如调查人口本是简单,然而其中复杂情形,真是一言难尽。农民有种种不利于调查的怀疑,包括怕与县政府有关系,怕与上捐派捐差有关系,怕与共产有关系,怕是传教的,怕是无论如何没有便宜的事。

此外有似乎与调查有利而其实也是不利的揣测,例如疑为是慈善机关放赈,疑为华洋义赈会又要助款凿井,疑为中华平民教育促进会白叫人读书或看病不要钱。除去设法免除这些怀疑以外,在实地调查时又要碰到许多阻碍。例如往往村长敷衍对付,借故迟延,有时给假户口册或地亩册,有时村中分党派,不易接洽。调查富家人口尤其困难,因为避富之故,不肯告知准确人数,不承认小孩识字,房屋地亩就难询问。调查员皆为男子,与家庭中妇女谈话非常不便,易生误会。各家报告人口时,往往将家中未出嫁的姑娘与青年的妇女故意遗漏,或以偏大或偏小之年龄报告,老年人也往往遗漏,以为将死之人没大关系。壮年男子也往往不报,怕征兵派差。小男孩容易遗漏,怕人知道生日年龄,摆镇物陷害。小女孩无足轻重,亦易忽略过去。我们调查时要知生日属相,但因迷信的缘故,有人不肯说实话。家内为公公的不好意思知道儿妇的年龄生日,假意说不知道。已婚者常瞒尚未娶,如此同时遗漏其妻子和子女。出生死亡尤难得到确数,调查疾病亦不容易,因为人民不高兴这类不吉利的询问。因此调查时必须费很大的事才能胜过这些困难,得到事实。稍微疏忽一点,就是失败。处处必得小心。例如调查表上不写“户口调查表”而写“拜访家庭谈话表”,不写“调查员”而写“拜访者”,不写“报告者”而写“赐教者”,表之两旁写“若要知道用什么好方法为农民谋幸福,必须清清楚楚地明白他们家里的状况”。如此极力避免一切不必需的误会。

现在顺便把实地调查进行的步骤略述一下。在调查以前,先将某项调查目的和范围详细向调查员解释,务必一律填写表格,然后分头向各村村长及其他村中领袖接洽。自然第一步也须先使他们非常明了,没有怀疑。然后讨论合作的办法。请他们在调查时请出本村的人来作向导。然后在方便的时间为农民开娱乐会，用调查讲演挂图向他们解释调查的意义和需要，并请本村领袖对村人说明过几天要在本村调查什么事情。然后按照所定的日期，调查员到村内各家填写表格，但最好有本村人领导，因为有他们担保无事，许多容易发生的困难，即可迎刃而解。然后这些填写的表格经过指导的人详细阅过后，再补充完善。然后交给统计的人计算，制表绘图。将结果供给全会或特别需要此种材料的某部。近一两年来的调查虽然较以往的复杂，但进行时容易多了，因为各村平民学校毕业的学生一天比一天地多了。本处自民国二十一年度起，开始编写定县社会调查丛书。兹将书目列下：

《定县社会概况调查》　全书分地理、历史、县政府及其他地方团体、人口、教育、健康与卫生、农民生活费、乡村娱乐、乡村的风俗与习惯、信仰、赋税、县财政、农业、工商业、农村借贷、灾荒、兵灾等17章，共计898页，统计表314，附录有本会在定县实验之经过，精装1册，实价3.8元，平装2册，实价3.2元。邮费2角3分。

《定县秧歌选》　全书搜集秧歌48出，分六类，即爱情、孝节、夫妻关系、婆媳关系、谐谑与杂类，共计1063页，为平民文学调查类，精装1册，实价2元5角，平装2册，实价2元2角。邮费1角6分。

《社会调查讲演挂图》　共8幅，实价1元。邮费1角1分。

《实地社会调查方法》　全书共计484页，详述在定县所用调查方法，实价2元2角。邮费1角6分。（上开各书定县及北平本会均有发售。）

《定县土地分配调查》　　编辑中

《定县人口调查》　　编辑中

《定县家庭手工业调查》　　编辑中
《定县农民借贷调查》　　编辑中
《定县农民家庭卫生调查》　　整理中
《定县农民生活费调查》　　整理中

三、文艺教育

(甲) 平民文学

文艺教育里头有许多工作项目,平民文学工作就是这许多工作当中的一个项目。

(一) 文字研究的工作

文字研究的工作目的,在要知道中国文中何种字对于平民生活为必要,何种字为次要,何种字为不必要。这个结果得到以后,我们编辑课本、读物以及定期刊物,便都有了凭借。

(1) 制定通用字表　先搜得平民书报 90 种,平民应用文件 25 种。这 115 种材料,合计共有单字 504,609 个。依其发现次数之多寡,排列单字的先后,除了重复的,约计得单字 8000。更取其发现次数较多的 3420 字,作为通用字表。

(2) 制定基本字表　通用字只是通用而已,还不是人人所必须知道的基本字。因为我们要编千字课,所以先把基本字假定为 1000 上下。第一步用客观方法,就教育部国语统一会出版之《国音字典》中,由 20 人之同意,选得 1144 字。又取会外学者陈鹤琴先生用客观方法选出之《语体文应用字汇》中排列最先之 1300 字,互相比较损益,而成1320字之基本字表。

(3)制定词表　通用字与基本字表,成于民国十五年顷。试验应用之后,渐渐觉察其缺点,故又有制定“词表”之工作。这种词表的选定分为两部:一是平民用词,一是新民用词。平民用词表中之词是平民口头所已有了的词,故编辑书报时,只得加上注音符号,则聆音可以知义,便可以无限制地使用。新民用词表中之词,是受过教育的平民口头所必须有的词,故编辑时须为有意识地介绍,以期平民日常用语逐渐提高。

选字的结果,得到一部《平民字典》,选词的结果,将来也有一部《平民词典》。

(4)简笔字的应用　字与词的选择以外还有一部分简笔字的工作,一边研究,一边在教学与编辑方面已经应用,最初先调查农村社会中已经通用的简单字,作为底稿;又以都市间商业社会中已经通用的简笔字,加以补充;更有不足,始采用文人社会中通用之简明行草。

(二)平民文学研究的工作

在文字研究工作中得到平民已用的和常用的字和词。在平民文学研究工作中,得到平民已用的文法构造,描绘技术和篇章组织,并及其内容所反映的思想和环境。此种工作的步骤,分采访、研究、删改、出版诸项。

(1)采集秧歌　这是定县民间最流行的一种戏曲。若无印本或写本,亦无职业的唱功。本会统计调查处同志再三访求之结果,竟得一能唱多出秧歌之老者名刘洛便。我们用年余的时间,刘洛便一边背唱,统计调查处几位同志轮流替他记录。结果得到完全秧歌48出,都50余万字。现已出版,名《定县秧歌选》。

（2）采集鼓词　定县东乡有田三义者，在农村演唱大鼓凡40余年。男女老幼无不知之。可惜他也一字不识。我们请了这位盲诗人来，仿照采集秧歌的办法，请他一边背唱，我们一边记录。凡6月间，共采集大鼓词203段，计612,000余字，均为未有印本者。已经删改印成平民读物者有《小姑贤》、《苏梅山卖妻》、《打黄狼》、《穷富拜年》、《鲁达拳打镇关西》等，连同改编秧歌共有20种。

（3）采集民间文艺　这些材料，类多短小。现在计已采到歌谣200余则，歇后语300则，谜语300余则，谚语600余则，故事笑话等100余则，共约70,000字。

（三）课本编辑工作

平教运动开始的时候，课本工作几乎占了工作的全部。第一部编成的课本便是《平民千字课》。本会初期，在全国各地举办识字运动，用的课本便是这一部。

（1）三种千字课　平民千字课用了几年之后，渐渐觉悟到千字课应随职业而有不同，这时本会工作也渐由都市转移到农村，乃开始有《市民千字课》和《农民千字课》的编辑。全国大多数平民、市民与农民之外，还有士兵，所以也给他们编了一种《士兵千字课》。三种千字课，均各为四册。

（2）三种自修用本　与千字课生字完全相同，而文字完全不同的，又有三种自修用书，曰《农民千字课自修用本》、《市民千字课自修用本》、《士兵千字课自修用本》，也是各为四册。

（3）两种文艺课本　以上千字课与自修用本是初级平校用的，至于为高级平民学校，我们又编了《市民高级文艺课本》二册，《农民高级文艺课本》二册。

四种千字课与两种高级文艺课本，销行虽已到1000万部，但是我们始终不敢自满，现在仍不断地实验，不断地补充。现已增加上注音符号，极便于用。

（四）平民读物编辑的工作

文艺教育为学校式教育预备的材料是课本，为学校式、社会式与家庭式三方面共同预备的教材是读物。

（1）平民读物　我们打算以农民需要的立场，出版平民读物1000册。书中70%是常识，30%是文艺。文艺包含三部分：一部分是采集得来的或经删改的民间文艺，一部分是删改的选录的流行民间的大部旧小说，又一部分是现代人的创作。这三部分是按程度的深浅排列的：先是民间文艺，次是旧小说，又次是新创作。凡是常识，因为内容的不熟悉，一定得放在文艺以后读。

平民读物现已完成340册。因为本会试验注音符号教学有相当之把握，所以自300册以后，一律词类连书，加上注音符号。预定于二十三年度编到600册。

（2）《农民周报》　为了随时报告给农民一些合时的常识，及为了农民有发抒意见之园地，发展天才之机会，本会特编辑《农民周报》，每年合订一本，已有八册。

（五）平民科学教育研究的工作

文艺教育以治愚为事，治愚则以科学为最便。平民读物中70%的常识，自然科学、社会科学、应用科学各占1/3，这已经是科学的范围了。科学常识必须附带实验，在平民读物工作之中，实验工作已隐然成了独立的一部分，其研究工作之内容有三：

（1）编辑　凡是教材中的科学部分，特别是需要实验的一部分，都由这一部分供给。

（2）训练　凡平校教师及小学教师，有未经实验室的训练者，都需短期的训练，这训练工作，也归这一部分担任。

（3）表演　一方树科学馆的基础，一方与社会式教育工作合作，赴各乡村游行表演。

这一部分工作开始不久，所以只有这三方面，将来拟添上平民科学仪器的制造。

（乙）艺术教育

艺术教育，是文艺教育之一部，现在已有之工作，计有图画、音乐、广播无线电三个部分。

（一）图画

（1）搜集工作　①搜集民间实用画（刺绣、染印、编线等各种花样）。②搜集民间纯艺术绘画（家庭之年画，及各种装饰品条幅挂画，庙宇之壁画以及各种宗教画），以为绘制培养美感兴趣，提高图画知识与技能之教材根据。

（2）编辑工作　①图画方面的编辑。计已完成高级画范二册，初级画范四册，普通实用图案一册，妇女手工花样一册。②文字方面的编辑。计已完成画范教学法一册，艺术教育浅说一册。

（3）绘制工作　A. 印刷图画方面的：①绘制插图。计已完成千字课三种，初高级平校文艺实验课本二种，平民读物 100 余册。现在继续工作平民读物。②绘制图说。计已完成历史图说 25 种，现仍继续工作。③绘制挂图。计已完成农民、市民、士兵千字课挂图各四册。文艺挂图一辑，农业三辑，卫生二辑，公民二辑，国难教育一辑，社会调查一辑。现在继续工作中者，有合作社挂图一辑，注音符号挂图一辑。④绘制灯片。计已完成士兵、农民千字课幻灯片192片。现继续制作市民灯片。⑤绘制夜灯识字之图画与文字。计已完成92种。B.绘画图画方面的:计已完成辅助四大教育进展之布挂图百余幅,培养社会美感兴趣方面的展览会应用画160幅,壁画16幅。

（4）实施工作　①家庭方面:运用挂图代替年画;运用历史图说,代替通俗小说。②学校方面:采用十分钟教学实验;采用图画与劳作连接教学之实验,并训练教师。③社会方面:举行农村图画巡回展览会于20个村庄。农民报增加图画特刊。

（二）音乐

（1）制造工作　乐器制造,是我们注意的工作之一。现能自制者,计有风琴、木棒琴、笛子、留声机唱头等,价格均较市价为廉。

（2）研究工作　研究工作,注重于民间歌曲、乐器及乐谱之搜集,及实用歌谱之编选,计选定中西歌谱30余种,编成普村同唱歌集2册,为历史图说创作歌谱50种。

（3）教育工作　计会邀集城内公立中小学6个,作唱歌比赛一次。邀集50处小学教员65人,组织音乐研究会以改良小学唱歌。现正进行之工作有五:①指导初高两种平民学校唱歌。②实验乡村小学唱歌。③实验普通中小学唱歌。④指导同学会组织音乐研究会。⑤制定歌谱及乐器使用法。

（三）广播无线电

利用广播无线电为工具,以普及社会教育,效力极宏。我们的办法,是以四大教育为内容,制定节目,按时广播,就农民好奇的心理,无形中使之受到所需的教育。现正准备完成四大教育讲演材料,及选编唱片故事,并研究利用此等工具。

为了要推广这个教育利器,我们不能不注力于机件之制造,制造结果,对于小规模无线电台之全套机件,皆能自制,用费仅及舶来品之半价。电力若为二十五华特,电波可达七八县之内。收音机及电瓶等亦能自制,费用较欧美货廉1/3,而使用效率则有过之无不及。

(丙) 农村戏剧

戏剧在平民教育上至少有下面的五种力量:(一)焕发农民意识向上;(二)抒发农民情感;(三)介绍一般的常识;(四)施行公民训练;(五)提高农民的语言。历经实验结果,证实农民确能接受话剧,并确能表演话剧。

(一) 过去的工作

自民国二十一年至二十三年三月止,计游行公演话剧于24个乡村,共训练了11个农民剧团。演员有180余人(戏委会有详细统计表)。

(1) 话剧公演　在本会大礼堂共举行过13届戏剧公演,观众3万余人(参考戏委会展览室统计表)。

(2) 编制工作　共编制《屠户》、《锄头健儿》等剧本21种(戏剧导演浅说及表演术各1册,本会售书处出售)。

(二) 现在的工作

在民国二十三年度中,拟完成下列三种工作:

(1) 露天剧场　在这一年度,要在研究区内选定适当村庄,按照所制模型,建筑一座乡村露天剧场。

(2) 训练剧团　本年度中,拟充分训练两个农民剧团,在露天剧场举行4次公演。指导一般同学会的戏剧活动。本会演员要在考棚公演3次。（本年双十节举行首次公演，即在本会二门月台上实验露天剧场演剧。）

（3）编制工作　本年度拟编制剧本6种，戏剧小册子3种。

四、生计教育

生计教育的目标，要训练农民生计上的现代知识和技术，以增加其生产；要创设农村合作经营组织；要养成国民经济意识与控制经济环境的能力。换言之，要从生计教育入手，以达到农村的经济建设。

生计教育的工作，一面充实农业科学之研究，一面实验巡回生计训练办法，以期完成推广农业科学之表证训练制度。对于农村经济组织之改进，仍致力于合作社之组织与活动之研究、训练，但本会能力有限，人才设备，两感不足，更以生计研究，须赖学术团体之合作；经济建设，须赖金融机关之协助，是以本会年来尽量与各方合作。

（一）农民生计训练

此项工作分生计巡回学校、表证农家，及实施推广训练三段研究；形成生计教育整个推广制度。

（1）生计巡回训练实验学校　本设计研究领导农民生计训练之教材、教具，与整套应用学术，及其经费制度，构成县单位推广农业，普及生计教育之办法。生计巡回训练学校着眼之点，在使农民在农村中取得应用于农村当前实际需要的训练，以生活的秩序，为教育的秩序，顺一年时序之先后，施以适合的教育，授以切实的技术。第一期在春季三个月，为植物生产训练。第二期在夏季八、九月，为动物生产训练。第三期在冬季十一、十二、一、二各月，为农村工艺及经济合作训练。现有一巡回学区，五分学区，训练之处，即切实分别规定农家实施表证设计，由原来训练人员，分负视导检查之责，其成绩较良之农民，足为其他农民之表证者，认为表证农家。生计训练科目：分为植物生产、动物生产、农村经济、农村工艺四类，分述于下：

① 植物生产类　土壤肥料，小麦选种，玉蜀黍选种，高粱选种，谷子选种，大豆选种，棉花选种，介绍作物改良种，介绍果树改良种，介绍蔬菜改良种，梨树整枝，烟草汁防除棉花蚜虫，捕蝗，防除病虫害机械药剂。

② 动物生产类　选择鸡种，改良鸡舍，选择猪种，改良猪舍，家畜疾病的预防及疗治，新法养蜂，介绍新品种。

③ 农村经济　家庭记账，农场管理，农产市场，合作社。

④ 家庭工艺　棉花纺织。

（2）表证农家　表证农家之选择，既如上述，现已有23家。兹仅举其工作大要略言之：凡本部交动物植物予其表证，同时给予各种表格，教其使用方法，彼等须将表证经过情形，随时照实填写，并将经验或心得教授其他农民。

（3）实施推广训练　此种训练，乃用表证农家，将其在本部领导下所获得之知识与技能，表证经验及结果传授予一般农民，使农民对于作物了解，如何选种，如何栽培，推动全村接受各项设计的农民实际从事建设。

（二）县单位合作组织制度

生计教育部，曾有县单位合作组织制度设计，以研究村区各级合作经济组织及县单位之合作经济组织为目标。

(1) 自助社　在合作训练未能完成,合作社尚未组织之前,先组织自助社。自助社之性质,实为合作社之准备,社员不必缴纳股金。成立之后,可以用自助社之名义,向仓库抵押棉麦等农产品,通融资金。农民对于仓库之设立,颇感便利。现在中国、金城两银行,在城区李亲顾、东亭、明月店、清风店成立仓库中心 5 处,分仓库 12 处。全县自助社成立者 276 处,其中由自助社自动地请求改为合作社者 20 社。

(2) 合作社　合作社采取兼营方式,按农民之需要,逐渐经营信用、购买、生产、运销四方面之经济活动。合作社之组织,仍注意以农民受合作教育之训练为基础。推行合作社之工作,尤注意于业务之视导,以指导社会之进行,审核其会计,并继续授以合作教育之训练。合作社正式成立者有 50 社,其中多举办信用及购买,生产及运销次之。

(3) 合作社联合会　为欲构成制度起见,各村成立合作社既多,必须赖有合作社联合会以为后援,经营始能便利,故区有区联合会,区之上有县联合会。依定县经济活动区域的分配,划全县为两区,组织联合会,现已于城区内成立合作社联合会,分购买、运销、信用、生产四部分。

(三) 植物生产改进

关于植物生产改进分育种、园艺两方面之设计,计城内农场约有 80 亩地供园艺之用;高头农场有 620 亩地,专供作物研究之用。

(1) 育种工作　自民国十六年起,开始育种工作。但育成新种,率多五年至七年之久,始有可靠之结果。所需要之财力与专门人才亦最多。现分棉花、小麦、谷子、高粱、玉蜀黍五种设计进行。

列表简略说明如下：

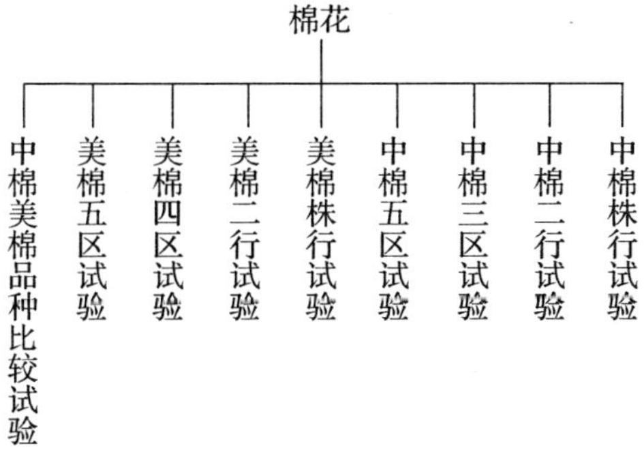

棉花分中美棉花试验，中棉有品种比较试验，五区试验，三区试验，二行、株行等试验。各试验皆以本场已著成绩之114号为标准。经分析统计结果，除有少数超越标准者外，其余大多数均多逊色，足证其为中棉中之优越者，其平均产量比普通农家者增20%。

美棉与中棉大致相同，计有美棉品种比较试验，五区试验，四区试验，二行、株行试验。其中除五区试验，以114中棉为标准外，以南京脱字棉做标准。统计分析结果，以南京脱字棉为最有希望。其产量比较农家增40%。

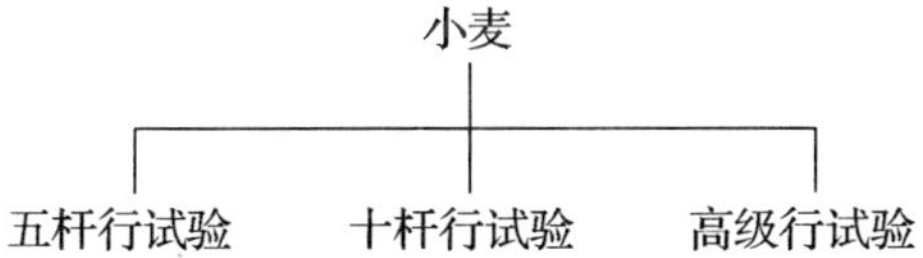

小麦成绩，计72号白皮麦产量较普通农家增20%；38号红皮麦，增18%。但比以前之选穗较狭，未得佳良品系，而所用之标准，多病虫害，不足以代表本地之佳良品种，而所得之结果，吾人殊不满意。今年于华北各试验场，征来46种，加以本场之20品系，共66品系，做一高级试验又征来70品系，加以本城之168品系，共做十秆行试验，标准则选最佳之有芒白小麦，共7000余行。预计明年收获统计后，或有令吾人满意之品系。

谷子今年始由燕大等试验场，及河北各县征来90余品系，分高级试验、五区试验、观察试验，其中之观察试验，乃以各县征来之品种，率多混杂不堪，乃另种一区，观察其生长情形，并举行去劣自交。其生长情形良好，及无病害等情者，即选升入明年试验，余则淘汰。

其关于高粱与玉蜀黍则有①比较试验，②交配试验，③杂交试验。高粱实验产量20%。

（2）园艺工作　自十九年度园艺工作开始进行，现仍继续做证实实验之工作。

① 白菜改良设计　本设计期育成佳良品种，以增加其抵抗力，改良栽培方法，以增进其生产量。过去实验结果，在农人同样管理之下，改良种比普通种，每亩增加25%。病害统计改良种占16%，普通种占25.35%。本年度集中本场66品种，实验区域较大，家数较多，实验结果当更为准确。

② 梨树整枝设计　本设计欲调剂果树发育作用，促进果实产量，改良果实品质，整齐树枝，俾便于管理采收，及病虫害之防除。过去实验，颇为农民了解。其结果表证区“已整枝梨树”，比对照区“未整枝梨树”增加产量24.3%，品质比较表证区平均一斤个数占4.52个，对照区平均一斤个数占5.64个。本年度更继续做证实之实验。尚有葡萄栽培设计，本年度仍继续采集品种，供给实验。现在实验中者，共有十余种，并注重葡萄设架实验，以期得到简而易

行之方式，推广于农民。

此外有肥料及土壤之研究。肥料方面关于黑豆骨肥利用，及人粪厩肥亚母尼亚保存，已有一年之试验。土壤之定县全县调查业已完成，化学分析正在进行中。其他植物栽培及病虫害防止附带实验。

（四）动物生产改进

畜牧工作，分猪种改良、华北各地猪种比较试验，及鸡种繁殖等设计进行，此外并开始筹备兽医工作。

（1）猪种改良　猪种改良，自民国十七年开始研究实验，试用波支猪种，用纯系繁殖法，尽量繁殖，将波支猪与定县猪，及第一代改良猪，实行饲养比较，并实行猪种五代改良研究。现在第一代波支改良猪，在同一饲养与管理之下，比本地猪多产肉 18%，颇受农民欢迎。本年度改良猪推广益众，现已于民间产生改良猪 13,743 头，以资表证。

（2）华北各地猪种比较试验　将华北各地猪种比较试验，选择优良之猪种，计已搜集者有河北行唐、大名，河南项城，河北白宝镇，山东曹州，山西太原等地所产猪，继续实验，以期得到中国良种。但此项工作，须六七年始行完成。

（3）鸡种改良　本场有红洛岛鸡和力行鸡，以备推广之用。今春共孵鸡雏 384 个，除留百个外，悉做表证之用。计表证力行鸡，十九年有 528 只，二十年有 581 只，二十二年有 134 只。改良鸡房者，有 54 家，产孵记录者有 43 家。这种工作期以 6 年完成。

以上各方面形成农村建设的一个方案，即先农民生计训练而农民合作经济组织，同时各种经济建设种种设计所谓由教育而达到建设是也。欲知其详，请阅《农民生计教育》小册，兹不赘述。

五、公民教育

公民教育之意义，在养成人民的公共心与合作精神，在根本上训练其团结力，以提高其道德生活与团结生活。一方面要在一切社会的基础上，培养民众的团结力、公共心，使他们无论在任何团体，皆能努力为一个忠实而有效率的分子；一方面要在人类普遍共有的良心上，发达国民的判断力、正义心，使他们皆有自决自信，公是公非的主张。这是必要的根本精神，亦是必要的道德训练。

（一）**国族精神研究工作**　以发扬国族精神，选择志士仁人之事迹，做系统的研究为目标。特选历史上志士仁人杀身成仁舍生取义之事迹，制成图说，附以歌曲，以为公民教育之材料。计完成《历史图说》40套，出版《国族精神论例浅释》一册。

（二）**农村自治研究工作**　以研究村自治之内容与组织，并训练村自治基本人才为目标。曾于高头村实验训练自治人才，指导人民组织自治所应行之事务。现在高头村乡公所完全成立，由村中办公人共同讨论乡务进行事宜。如修改乡公约，清理债务，修筑道路，成立农民训练班，看管田禾，本会略进指导，并充其活动之内容。本会根据此项研究所得，足为制拟农村自治实际办法与训练材料之根据。

（三）**公民教育材料研究工作**　此项工作，分为两部，第一部是基本材料的研究与编辑。计已成书者有《公民道德根本义》、《公民道德纲目》、《公民知识纲目》、《国民生活上应改正之点》、《中国伦理之根据》等。第二部是应用教材的研究与编辑。计已成书者有《公民课本》、《公民图说》、《历史》、《地理》、《唱歌》、《三民主义讲稿》、《农村家庭设计》、《模范家庭调查表新设计》、《农村自治研究设计》、《公民讲演图说》等。

（四）公民活动指导研究工作 此种工作，乃欲培养村民的公共心与团结力。须随时随地因势利导，如利用节会，加以指导。曾丁高头等村，加以实验。

（五）家庭式教育研究工作 家庭式教育，或为中国的特殊教育方式。家庭在中国社会尤其是农村社会里，占极重要地位。家庭式教育是联合各个家庭中地位相同的分子施以相当的训练。一方面是要使家庭社会化，一方面是见到教育必须以全民为对象，要使在家庭中的老少男女，都能得到相当的教育。不过在实施方面，多与社会式与学校式联络进行。独立之工作，只有“家庭会”。家庭会为研究家庭式教育的方法与材料，并研究家庭实际问题及改良家庭日常生活之方法，以期达到家庭社会化之目标。其办法分组为家主、主妇、少年、闺女、幼童五种集会。

六、卫生教育

生教育的目的，就是要根据农村医药卫生的实际状况，顾到农村的人才经济，与可能的组织。一方面实施卫生教育，使人人为健康的国民，以培养其身心强健的力量；一方面要创建农村医药卫生的制度，以节省各个农民的医药费用，改进今日医药设备的分配状况，以促成公共卫生的环境。

（一）保健制度之组织 在中国人才经济极端困难的情形之

下,创造适合民众需要之保健组织。

(1) 保健员　每村设保健员1人,由平民学校毕业同学会会员受有相当训练者充任之。其规定之工作有四:①报告死生,②水井改良,③普及种痘,④救急治疗。备有保健药箱,以供应用。现有保健员53人,大多数皆能答复人情上、技术上之要求。每村每年平均只需维持费15元。

(2) 保健所　乃联村之组织,所内有医师1人,助理1人,设立保健所区域之划分,须顾到人口距离等对准。其工作有四:①训练并监督各村保健员,②实施卫生教育,③预防注射,④逐日治疗。现经证明,保健所为应用今日医学校毕业生之唯一方法。每所每年平均用费800元。现有六所,最近尚有二所可以成立。

(3) 保健院　为全县卫生教育与卫生建设之总机关,现已组织完备,工作项目繁多。每年用费约14,000元。

以上三种组织,在年内可达到全县范围,每年总共用费(除训练人员外)约35,000元。以定县人口40万计,平均每人每年担负不过大洋1角。

(二) 减除天花流行病之技术完成　以最经济最有效之组织减除天花流行病。经过三年实验,研究区内61村,天花已将绝迹。今年全国天花流行,定县各地患天花者亦多。独研究区内病者极少,死者只有2人,每次种痘平均用费每人不过大洋3分,在农村内如何减除天花之方法,业已完成。

(三) 治疗沙眼与皮肤病之方法业已普及　应用保健员与小学教育,已将普通皮肤病及沙眼治疗方法,普及全研究区。无论何人皆可得治。

(四) 生命统计方法业已找出　借保健员为农村生命统计员,

既经济，且可靠，为今日国内仅有之有效方法。

（五）进行中之工作　已完成之工作，已略述如上。现在正待完成之工作，有下列四种：

（1）完成县单位保健制度之组织并充实其已有工作。

（2）试验推行节制生育之方法（与学校式教育联合进行）。

（3）试验合作社贷款，改良环境卫生之办法（与生计教育部联合进行）。

（4）地方病（黑热病）之科学研究。

（六）将来工作计划

（1）训练医学院高级学生与医学院毕业生，使定县成为华北乡村卫生人才训练中心。

（2）编著《定县保健制度三年经验报告》，供做国内举办乡村卫生之基本参考书。

七、学校式教育

民十五年以前，本会的实际工作多在都市；十六年冬，本会翟城村办事处，成立农民教育股，始渐次集中精力，从事乡村教育实施之研究与实验。七年以来，本会定县实验区工作之属于学校式教育者，计有下列各种：

（一）初级平民学校之研究与实验

民十七年以前，平民学校之办法与内容，多以都市平校为准则。民十七年，《农民千字课》初稿完成，乃在翟城村设实验乡村初级平校两所，以实验新教材之适用与否。

十八年度，重新修正课程标准，规定修业期限及学校组织，又办实验初级平校八所，教材则用《农民千字课》第一次改正本，同时注重学校费用及学生担负之统计，以期完成初级平校关于行政事项之研究。

十九年度，又制定校董会组织法，关于平校之招生分班、课程标准以及教学时期与时间之规定，均根据以往经验，加以修正，同时拟定训育标准及训育实施法，再办实验初级平校六所，教材则用《农民千字课》第二次改正本，并将新编之初级珠算教学书列为实验事项之一。

二十年度，又将学生入学年龄重新规定，因而影响到整个课程标准，《农民千字课》第三次改正本及教学书亦已于此时完成，故又设实验初级平校三所。

二十一年度，搜集一般初级平校历年来所未能解决之问题，细加研究，又设实验初级平校二所，除实验《农民千字课》第四次改正本外，同时开始语词本位教学之实验，关于学生在校组织及综合活动秩序训练（即军事训练）等之实施研究，使全部训管问题得到一总的解决。当时所办妇女平校，因师资缺乏，乃试以男教师担任功课，结果亦无行不通之处。

二十二年度，关于初级平校之研究，以如何增高初平教育效率及如何缩短初平修业期限为目标，设甲乙两种实验初级平校各两所：甲校修业两个月，乙校修业三个月。欲缩短修业期限之原因，系根据各方报告，谓第四学月留生极难。但本会此次实验结果，乙校三个月毕业后试延长一月，学生仍不见减少，由此可知留生问题之发生，实与学校之办法及内容关系较大。

二十三年度之工作，除将初级平校之课程教材教法做最后一次之修订外,并汇集年来实验经过记载,编《初级平校指南》一部,以供实施乡村教育者之参考。

(二)除文盲实施之研究与实验

(1)推行制度与方法　本会推行制度之完成,全赖表演平民学校办法之三次改进。十七年度,虽曾设表证平民学校24所,然其目的纯在示范,初未尝以此为推行平民教育之利器。十八年度,设表演平民学校14所,各个表演平校均有向附近各村推行平民教育之责任,因之普通平校陆续成立至162所之多。十九年度,对于推行方法,做更进一步之研究,又将表演平校办法再度改善,分区设立共15所,推行制度至此已渐完成,实验结果:分县成立普通平校共316所。二十年度,为使推行与视导工作发生密切关系起见,分全县为三个实施区,各择一村镇为实施中心村,并设表演平校20所,分布各区,担任推行工作;结果,全县成立普通平校共417所。二十一年度,因推行制度之实验已告一段落,乃将推行表演工作集中研究区内之60村,做技术与方法之精密的研究,并设表演女平校五所,做推广妇女教育之实验;结果,研究区内成立男女普通平校共86所。二十二年度,因推行制度与方法之研究已有相当结果,关于全县除文盲工作,遂改由县政府担任,本会仅贡献以历年来研究实验之所得。

(2)导生传习制　妇女教育之推行,素感困难,非家长怀疑阻止入学,即本人以无整洁衣服为羞。二十年度,曾在马家庄试用家庭传习办法,由表演女平校学生18人担任家庭教学;实验结果,能读完千字课者27人。二十二年度,东建阳村实验学校,以失学儿童之众多,致使文盲生生不已,且一般生计艰难或家务忙碌之青年男女,虽设有平校,亦不能按时入学:乃创导生制,由实验学校学生自设传习处21个，收学生141人，教读千字课。二十三年度，东建阳村及小陈村两处，仍拟同做导生传习制之研究，欲使导生本身成一坚强的干部组织；传习科目，不仅为文字工具，兼及其他职能；并使各传习处之学生，均能在导生干部组织之下互相团结，以增强改造农村之力量。

（三）初级平校以上教育之研究与实验

十七年本会暂定平民教育学制为：初级男女平民学校——高级男女平民学校——平民职业学校。

十八年一月，改平民职业学校为平民育才学校，以训练农村领袖人才为目标，并设实验男女校各一。

十九年七月，又因平民育才学校程度与高级平校不相衔接，乃改为青年补习学校，设实验男女校各一所。同时设实验高级平校二所，以实验新编制之教材与课程。

二十年度，又将高级平校课程重新规定，设实验学校三所。青年补习学校之实验，仍继续进行。

二十一年度，重新修订高级平校目标、新编教材与教法，并设实验男女校各一所。至于青年补习学校，当时因恐其徒变成一高级平校之升学机关，乃决计停办，而以生计巡回训练班代之。又因高级女平校之师资甚感缺乏，乃试用男女合校办法，行之并无困难。

二十二年度，又重新制订高级平校课程，设实验高级女平校二所，以探讨其是否有培养乡村妇女教育实施人才之可能；两校均于第三学月，由学生自办初级女平校各二班，轮流担任教学，借做学校式活动之训练；关于社会式活动之训练，如妇女组织、种痘及其他保健技能，又家事如缝纫纺织等，均列入课程。实验结果，颇满人意，遂将高级女平校教育目标重新制订，并整理修正各科教材教法，以备推行。同时又设实验高级男平校二所，以养成乡村建设关于经济合作之下层领袖与技术人才为目的；此种实验，二十三年度犹在小陈村继续进行。

二十二年度，为欲解决初平以上之教育问题，尚有天才职业教育研究。（参看《民国二十二年学校式教育工作》第68页）

（四）乡村小学之研究与实验

本会于二十年冬，开始做儿童教育的研究，以期根本消灭文盲。初在城内设实验小学一所，做城镇小学整个的实验。

二十二年秋，在东建阳村设实验小学一所，依照"实验须含有创造性"之原则，做纯粹乡村小学的实验，并使能与平民教育的成人青年教育打成一片；又在高头及马家寨两处设特约实验小学各一所，意在改良乡村固有小学之办法与内容。当时为欲解决一般乡小教育之诸现实问题起见，创造"组织教学"、"习作教学"诸方法，使教师一人能教百数以上之学生，且以增大其学业进度，提高其课程标准，同时使一切训管之实施，均发生伟大效力。

二十二年冬，东建阳村实验小学，由组织教学之研究，趋重于习作教学之研究，后又集中于导生传习制之实验，乃又在西平朱谷村设特约实验小学一所，专做组织教学之研究，希于最短期间完成整套新制乡村小学之实验。二十三年度，又在小陈村设特约实验小学一所，专做习作教学之研究。

（五）妇孺教育之研究与实验

十七年度起，本会对于乡村妇女教育之研究，即已开始进行。最初的实验，为妇女平民学校、妇女育才学校、青年补习学校等。二十年度，本会设青年妇女教育研究委员会，分妇女职业及家事教育两组；二十一年度，开始在高头村做主妇会及闺女会诸实验；又在西平朱谷村设实验初级女平校一所，将缝纫育儿诸事列入课程，以解决妇女必须在家“作活计”、“看孩子”因而不能入学之问题。二十二年度，东建阳村实验女校青年部，设书算、保育、缝纫、纺织、畜牧、园艺六科；乡村幼稚教育之实验，因保育科之设立，遂亦同时开始进行；且在麦收时，试办农忙托儿所一次。西平朱谷村，亦开办保姆训练班，附设幼童园一所，以供保姆实习；后因保姆训练班毕业，幼童园遂失其依附；乃改用小保姆制，使幼稚教育之实施，隶属于家事研究会之下。二十三年度，小陈村亦做乡村幼稚教育之实验，并训练女平校毕业生及小学女生为保姆。

（六）师资训练之研究与实验

关于如何培养师资之研究，在实验乡村小学尚未开办以前，只决定短期训练及专科学校两种办法。十七年度，有暑期平民教育研究会；十八年度，有平校教师研究会。十九年度，有平校教师讲习会。二十年度，有平校教师训练班，此种临时的及短期的师资训练，均由视导工作人员主持之；其目的在使实施乡村教育者能振作其服务的精神，增加其干的勇气；因种种简而易行的教育方法，虽少技术训练，苟能在不敷衍之态度下行之，亦未尝不有相当效果；且受训练者自与视导人员发生关系以后，即可随时予以方法及技术的指导。至于十八年度所办之平民教育学院师范科，十九年度及二十年度所办之平民教育专科学校，又二十年度所办之妇女平校教师训练班：修业期限均为一年，目的在培养推行与视导人才及表演学校教师；故对于一切方法的运用，技术的熟练，在此比较长期的训练设施中，均不能不使之占有重要的地位。二十二年度，根据历年来训练师资之经验，制定县单位的师资训练实施法，并整理增编各种教材，以期完成整套师资训练应用学术。二十三年度，因乡村小学教育及村单位建设等研究已有相当结果，故对一般乡村师范办法内容之改进，亦拟开始研究。

（七）村单位教育建设之研究与实验

十七年度，本会为工作推行便利计，特订村平民教育分会简章，并成立村分会18个。十九年度以后，乃改订办法：关于平校之设立，有校董会之组织；村诊疗所之实验，由卫生教育部负责；一切社会教育之设施研究，成立社会教育研究委员会主持之；各村仅有自治委员会之组织。二十二年，又有村识字教育委员会之组织。二十二年度，在西平朱谷及小陈村两处做村教育建设委员会之实验，订立组织大纲及办事细则，使对于村政之处理，教育之实施，卫生之设备，以及经济合作之推行，做一个建设的整个筹划，并依照建设程序，一一促其实现。

（八）学校式教育编纂工作

七年以来，关于学校式教育研究实验之记载，以人力不敷分配之故，均未能细加整理。例如初级平校之实验：课程方面——由偏重文艺教育进至兼重组织训练（包含一切学生活动及秩序训练、单元训练等），由第三四学月教习注音符号进至开学日即教习注音符号；教育方面——由千字课教学进至语词本位教学，由特重读法至兼重语法（当然包含做法）；其他学科，如注音符号——由三拼教学法进至结合韵母教学法，再进至结合声母教学法；又关于珠算笔算教学之比较、学生常用差别字之统计与探源、国语罗马字之实验等，其经过情形，无一不有发表之价值。此外推行平校之经验，以及学校式教育应用学术之研究等，均有辑成专书之必要。平校及小学之整套教材教法，尤为急需。故二十三年度学校式教育部之工作,特重编纂方面。

八、社会式教育

(一)什么是社会式教育

平教会为推行四大教育,决定应用三种方式,除学校式、家庭式外,便是社会式教育。学校式、家庭式自为推行四大教育必不可缺之路线。然学校、家庭,范围都是固定的,欲向一般群众及有组织的农民团体施以适当的教育,则必赖社会式。社会式教育内容的取材,当然是完全根据由四大教育研究出来的方案,而利用各种工具对一般农民做普通的讲演或指导。但本会社会式教育的工作,却并非如此简单,它除了推行四大教育外,还负有其他的更重大的使命。研究室内研究所得的结果,是否适合于农村环境,如不经过一度实验,恐怕谁也不能确定,所以社会式教育必得把实验以后的得失经验,转达于各从事研究工作者以资参考。且整个平教运动的目标与内容,能否随时随地与正处于急剧变化的漩涡中的中国社会的现阶段相适应,尤须赖与社会接触较多、对现社会的实况与动向有较切的体验与认识的社会式做其改进与充实的根据。

(二)社会式教育的演进

民国二十年,社会式教育委员会方始成立,至二十二年改为社会式教育部,先是完全站在学术团体的立场上去工作,嗣以县政建设研究院成立,双方均为工作便利起见,乃约相合作。合作事项,如训练民众、组织民众等工作。

（三）民校毕业同学会（简称同学会）

（1）成立同学会的意义　平校或民校学生，毕业之后，苦无适当学校可入，如置之不理，则所学本已无多，日久必致荒废，前功尽弃，宁不可惜！本会有鉴于此，乃有同学会之组织，为接受继续教育之团体。但同学会却并非纯为使一般会员继续接受四大教育，而更要使其参加四大教育的活动，推动或介绍四大教育到乡村民众，同时，更有一个重要的意义，便是养成青年农民求知的欲望与团结的力量，为农村建设的中坚分子。

（2）同学会的组织　同学会是由平校或民校毕业生组织成的。每村同学会设委员长一人，依四大教育之内容，文艺委员、生计委员、卫生委员、公民委员各一人，处理本会一切事务，领导本会一切活动。

（3）同学会的活动　根据组织同学会的意义，同学会便有下列各种活动：关于文艺方面的如成立读书会、演说比赛会、演新剧、练习投稿等；关于生计方面的如成立自助社、合作社、农产展览会；关于卫生方面的如种牛痘运动、防疫注射、拒毒运动、武术团；关于公民方面的如禁赌、修桥补路、植树、自卫等等。

（4）同学会的设备　为满足农民迫切的需要，而又须适应农村经济状况，同学会的设备即为平民角之设备，用三个煤油箱造成一个适宜于放在墙角的木柜，我们名之曰平民角。既可存置图书、报章、钤记等用品，又可作为办公桌，一举两得，所值无几。此外关于《农民周刊》等工作亦以同学会为教育中心。

（5）《农民》周刊　《农民》周刊的目的，可以说是为使农民发抒舆论，唤起农民对于国家民族的责任，养成农民读报的能力和习惯，和给予农民练习写作的机会。用本地毛头纸印刷，每期两大张，每年只收费1元。内容以农民来稿为主，占全篇幅2/3。

（6）图书担　选定极浅易通俗适合农民需要的书籍，分装于两个木柜内，定期挑到各村，供给农民阅览。

（7）巡回文库　用木匣四只，装满书籍，依计划的时间，分送到四个毗邻的村子，烦文艺委员负管理及解答之责。十日后互相交换，阅毕，再分送至另外的四个村庄，如此轮流送阅以期普遍。

（四）今后社会式教育的工作

（1）关于同学会的：①扩大组织的范围。②确定教育活动。

（2）注意社会式内容材料的研究。

九、教育心理研究

本会教育心理研究，开始于民国十六年，其意义在充分运用教育心理的原则、心理测验的方法，对于学力测验、智慧测验等问题，做一种科学的分析研究。文盲的标准如何，大多数农民的智慧如何，青年与成人的学习能力如何，天才农民的教学应如何办法……这些问题都是极重要的。其工作略述如下：

（一）研究概况

（1）测验的分类　本会所用的测验，可照惯例分为成绩与智慧两大类。智慧测验只有两种，其余的都是成绩测验，换言之，都是考查平民学校各种文艺教育成绩的测验。这些教育成绩测验，都是根据一定的教材编制的，其中以属于农民千字课与农民文艺课本的，及市民千字课与市民识字课本的为最多。此外还有注音符号与珠算测验亦是根据一定的教材编制的。

（2）测验的内容　自民国十六年至民国二十三年这七年之间，一共编制并应用了44种测验，每种测验有2种至6种方式，每方式有50至100个例题，所以每种测验中一共有20至205个例题。在每种方式中，每个例题大半算一分，不过在例题少的时候，每个例题要多算几分，因为要把总分数加多——至少20分，至多130分。

所有44种测验共用了26种方式，每种方式被用的次数不等。"听读默写"与"辨别是非"用过20余次，"填字造句"与"默读了解"用过10余次；"听读认字"、"看图识字"、"辨别字形"、"改正错字"与"选择答案"用过5次以上，其余的27种方式，只用过一二次。

（3）测验卷册数目　总结民十六至民二十三这七年间，44种测验所测验过的班数有1,601，人数有36,602。这个数字，并不是表示定县平民教育在过去只除了那么多文盲，也不是表示有那么多不同的人受过测验。因为入平民学校学生的总数，一定比实际受过测验的人多，所以这个数字只代表实地受过测验的人数。

（4）成绩优良农民的选拔　从这36,000余份平校测验卷册中，我们把那23,000份中一切事实，如姓名、年岁、性别、住址、测验日期等都完全的，选拔出数100个成绩最优良的农民来分别研究。

这个成绩优良的农民的选拔，是预备为将来研究农村运动领袖人才用的，选拔出来的农民可以施以特殊训练，培养成农村领袖人才。我们一共选拔了452人，其中男子366人，女子86人。

（二）研究结果

（1）挂图测验法的试验　在二十一及二十二这两年度中，我们试验了挂图测验法相当成功。所谓挂图测验法，即是把测验卷册分为两部，一部为测验材料，一部为答案纸条；测验材料可以严密控制，只要把答案纸条分发给学生。这种办法不单应用方便，而且易于管理测验材料。无意地披露测验材料内容可以避免；而且因为所有测验材料，都是订成一套挂在班前，一页一页翻起来，所以每题目露示的时间都可以准确地控制。

这种挂图测验法在乡间应用的时候，非常引人注意。它的很明显的好处是：①经济方便；②每个题目的露示时间，可以严格控制；③一般学生的注意力容易集中；④测验材料可以严密地收藏起来；⑤回答时间短促，学生不易传递作弊。

（2）中国军队智慧测验的创举　在十七年二月，平教会曾用智慧测验甲种，测验过当时驻在河北顺德的何柱国军队约100余人，测验卷册还保存的有863份。该测验于十九年春又在定县平民学校测验过650人，这两组的成绩是完全可以比较的。

（3）各种成绩测验的改订　我们按月教授的每册千字课，起先都有一个测验。到后来采用四册混合编制法，因此各月的成绩就可以互相比较了。每测验有时三四种，都是历年陆续改订的。

（4）识字能力与年龄的关系　由44种测验、55组受过测验的农民得到识字能力与年龄之关系的结果，其最要者有二：①识字、注音符号与珠算，在15岁至45岁之间，学习能力，差不多完全一样，这个事实与美国教育心理学大家桑戴克(Thorndike)氏结论，说25岁至45岁成人学习的能力与15岁至20岁的青年差不多相等,是完全一致的。②根据识字、注音符号与珠算学习的总成绩来说,我们似乎觉得定县平教实验中的文艺教育,不应当只特别注意15岁至25岁之间的青年。文艺教育同样地可以施之于平民学校中这些青年的父母与祖父母。许多实验早已证明,年长的成人虽然有些方面不如年轻的,但是我们的真诚、热心与郑重,还足以补救他们在知识能力方面的缺陷。因为老年人对于青年人的道德影响非常之大,所以他们的文艺、生计、卫生与公民教育,实在比青年人还要重要;青年人的思想是激进的,老年人的思想是保守的,担当农村改造与建设责任的青年,如果与保守的老年人冲突起来,什么事都办不成的,老年人至少要使他们受一种特殊教育,专门训练他们常识,并且赞助青年担当乡村改造与建设的工作。

这两种结果,是从民国十六年至民国二十三年这七年中所有的材料得出来的;它是定县平民教育科学化数量化的最具体、最切实的证据。

十、本会与国内各团体之合作

上面所述各项,我们能力有限,力求与国内各团体合作,而收集思广益之效。兹将本会与国内外各团体合作事业与团体名称,列表于后:

与合作有关之会内各部	合作团体名称	合作事业
平民文学	国语统一会	文字研究
生计教育	金陵大学	育种
	河南大学	肥料
	地质调查所	土壤
	南开大学	农产改良（先从棉花入手）
	华北农产改进社金城银行	
	平教会	
	南开大学	经济研究
	中国银行	农村仓库
	金城银行	农村合作及仓库
卫生教育	内政部卫生署	农村卫生技术人才训练
	协和医院	
	湘雅医学院	
学校式教育	黎川农村服务联合会	协助
教育心理研究委员会	清华大学心理学系研究	研究
社会调查	协和医院	家庭卫生
		人口调查
全会	燕大农村建设科	农村建设技术人才训练

十一、研究院与平教会的关系

外间往往误传定县有三个大机关：（1）平教会；（2）研究院；（3）实验县。其实定县只有一个大机关，就是河北省县政建设研究院。实验区的县政府是研究院四部中之一部，就是实验部，部主任兼任县长(另有调查、研究、训练三部)。平教会不是一个机关,乃是一个私人学术团体。平教会与研究院在法律上、经济上并没有关系,然而在实际工作上却有很密切的合作关系。

研究院系河北省政府根据中央的法令和选定实验区的条件而创设的,其性质完全是政治的,欲以定县做河北全省之县政改革的出发点。平教会是私人创设的教育学术团体,其工作完全是社会的教育的学术的性质,其目的在从人民生活里研究实验出一种民族改造的基本方案,贡献与政府及社会做参考或采用。这是工作性质显然不同的地方。惟其不同,故有合作的需要与可能。

研究院与平教会合作的关系可以借河北省于主席的一句话来说明:“研究院与平教会的关系就是政治与学术合作”。这个合作关系可以从两方面分析去看。先从研究院方面去看。研究院院长是平教会干事长兼任,院内一部分专门人才也有平教会的专门干事兼任的(但均属义务性质不受薪),这是借用学术人才的关系。研究院实验部自成立之日起即有不少的实际工作推行全县:例如县单位除文盲的推行,县单位保健制度的推行,县单位农业表证制度的推行,乃至全县合作制度之推行,都在一年之中得到很多的成绩——这完全是利用平教会以往的工作做基础,并充分采用平教会一切设备及研究实验已经成功的方法与工具而得的结果。

再从平教会方面去看。平教会一切工作的研究实验都是为推行全国着想,所以就不能抛开政治而专讲学术。但政治力量如何运用,和运用什么政治力量,都非从政治本身做一番研究实验的工夫不可,然此则非平教会所能兼顾的事。于是则不得不借重研究院的力量去做推行和应用的实验——这是平教会需要研究院而与之合作的地方。总结起来说,从研究院方面看是“政治与学术合作”,从平教会方面看是“学术与政治合作”,两方面共同的目标,或者可以说是想达到政治学术化、学术事业化的目的。

十二、本会的经费

关于本会的人士,每以经济情况见询,兹略述之如下:

平民教育促进会是一个私立的学术团体,是一些穷书生得了极少数人的同情与援助而创办起来的。因此就与一般有政府做经济后盾的机关完全不同。本会自创办以来,经费就没有可靠的来源,全凭国内同情此种工作的朋友的自由捐助。中美教育文化基金董事会对于本会工作素表同情,曾给我们多年的补助。本会出版税的收入也可以维持一部分工作。政府对于本会的工作向来也是非常同情赞助的,并且十余年来我们也曾多次与政府合作,尽本会的力量帮政府的忙。不过当此内忧外患、山穷水尽的时候,政府也碍难给我们经济上的助力。虽然如此,这种农村生活改造的基本工作,迟早要有政府的经济后盾,方能继续进展。

本会虽是为应各省平民教育工作的需要而在民国十二年成立的,但是因为经费、人才的困难,到十三年方正式开始工作。当时全年的经费只有3600元,全是故董事长夫人朱其慧捐助的。经费既是异常的窘迫,而同时处于平教总会的关系,又不能不顾到全国各省分会的工作,其艰窘之状,就可不言而喻了。

民国十四年六月阳初应中国太平洋国民会议之请,和檀香山大学中国学生会之约,曾至檀香山赴会;在会中曾讲演中国平民教育运动,九国代表听了一致表示很热烈的赞同。该会主席韦尔伯博士在最后的结束一夜，特别提出中国平民教育运动的重要性、国际性，及其与太平洋沿岸各国之太平问题上的密切关系，颇引起国际上一班教育家、政治家的注意与同情。该地华侨又请阳初讲演，两星期内演讲30余次，许多听过讲演的人，随即联络同志组织一个檀香山华侨平民教育促进会。一般华侨领袖自动地组织募捐队，参加募捐的人，男女共300余人，三天内募集了二万美金，为该地捐款的空前成绩。此款全数赠送平教总会，表示他们对于祖国平教运动的赞助与拥护。捐款数目虽不算大，而平教事业却赖之得有发展进行的可能。

平教工作虽赖此进展，然而国内民十五、十六、十七年间，无日不在枪林弹雨之中，真是一波未平，一波又起，经济破产是当然的结果。从前曾捐助本会经费的人，至此皆有心无力，于是本会经费在当时几入于山穷水尽的境界。

民国十七年阳初因赴美返母校耶鲁大学领受荣誉学位，并有美国全国教育会及其他大学延请演讲，便中结识少数同志同道的朋友，组织了一个“合作委员会”，以一年的时光、精力，得到了一些友人的赞助与同情和几个学术团体的合作。乃募得五年为限而有条件的补助金。此项补助金由美国方面合作委员会收集并保管。每年根据条件考核工作成绩，然后由委员会酌量分期寄款交由本会董事部所聘请之经济委员会按议决工作计划及预算数目按月发款。现已五年满期，而本会并无分文基金，今后工作如何继续维持，使得向前发展，尚待本会同人的努力与政府社会的赞助。但是我们根据以往的经验，深信工作只要有成绩，迟早总能得政府和社会各方面的赞助的。外间一般不察事实不明真相的人，认平教会为拥有百万基金的发财机关，实是完全误会。

本会工作以研究实验为主。至于表证推行于全国或于一省的工作决非私人学术团体所能办所应办的事，故本会所募来的钱都是用到研究实验上的。我们这个由穷书生的结合靠募捐来维持工作的私人学术团体，完全在困窘的生活中努力撑支，整整有十余年了，怎会把钱浪费？又怎能有钱让我们来浪费呢！本会经费最多的时候，曾未超过月费万余元的记录，而研究实验的工作却有十余部分之多。至于河北省府在定县设立之县政建设研究院，在经费上与平教会毫无关系。平教会同人在研究院兼职者皆为义务性质，而研究院的经费每月亦仅仅五千余元，由省库支出，外间传说研究院每年经费数十万，亦系无稽之谈。

关于民众教育的任务*

教育的主要目的，不仅是要受教育者能够适应生活，更要以教育的力量，达到改造生活的目的。

民众教育的对象，应该是全体民众。现在中国大多数的民众，不但不能得到改进生活的教育，即最低限度的教育工具与基本知能，亦没有领受的机会。国家的基础与民族的前途，安放在大多数不会取得基本的教育的国民身上，国家的基础，如何能稳固？民族的前途，如何不危险？中国创办教育、设立学校，已数十年，其教育之内容如何，姑不具论，但对最大多数民众的教育，却没有准备。号称民国，而全国85%以上的人民不认识本国文字，没有最低限度的知识，这是一种极危险的现象。以中国人民之智慧能力，必具有无限的教育可能。然国家社会对于基本教育没有准备，缺少良好的办法，缺少得力的工具，缺少充实适当的教材。此最大多数的民众，竟不能发展其无限的可能，创造国家的新生命，这是最可惋惜的一件事。所以民众教育的一个基本任务，是使全国失学的人们，都能得到最低限度的教育。至少要认识本国基本文字，了解现代中国人所必须具有的基本知识。

---

* 本文系作者1934年应周佛海之约而写。国民政府社会部档案（十一）56。

最大多数的中国人究竟是住在农村里的农民。全国人民之生活于农村，以农业为主要职务的总在三万万以上。此三万万以上的农民，是国家的基础，是民族生命的源泉。但最缺乏教育的是这三万万以上的农民。由此可见，民众教育即以全国民众为对象，尤其要注重。至少就数量上说，民众教育的一个任务，就是要使全国农民取得适当的教育。这并不是说城市的民众不需要教育。但就数量上说，就国家建设的基础上说，就农民的生活的需要上说，应该使我们特别注意到农民的基本教育。农民所需要的是取得最低限度的教育工具，基本的知识技能，以改进其生活的教育，这是中国社会政治的现状下，教育的现状下的正宗的教育，不仅是补习的、附带的教育。

民众教育的主要对象应该是农民的教育。我们就受教育者一方面看，不外儿童、青年与成人三部分，农村里的儿童在适当的教育方法之下，应该取得与其身心发展相适宜，与国家社会的需要相连贯的教育，这是无容弛废的。就各方面看，最需要教育的是农村中的青年，而最缺乏教育机会的，也就是农村中的青年。民众教育的目的不仅在使受教育者消极地取得相当的教育，更要以教育的力量，培养一种新的力量，能够使所受的教育，在他们的行为活动上发生影响，从事本身生活的改进，从事农村的基本建设。就国家民族目前的危机说，更不能不从教育上使青年农民有国家民族的自觉，有自动建设的能力。年龄过大的成年人，虽然有指导青年的责任，但实际活动为建设立基础的，还要靠青年人。儿童年龄尚幼，在国家目前的情形下，要他们担负若干建设责任亦不可能。我们只有一方面力求农村儿童教育的改进，一面注重青年人的训练。青年有积极创进的勇气，是建设工作中的中坚分子，又是直接生产者。如其受得相当的教育，在有经验的成人指导之下，可以使整个社会移动，自动建设。

从民众教育的立场说，人人都应该受教育，但就中国的情形说，尤其要注重农民，更应该注重青年农民。约略的估计，自 14 岁至 25 岁的青年农民，至少有 8000 万。如其此 8000 万的青年农民，都取得中国民众所应受的教育，不但在教育上有重大的意义，即在国家基础建设，乃至于民众的国防训练下，都有其重大的意义。

民众教育的主要对象是农民，尤其是青年农民，这是中国现在时代下不能不注意的一点。不过这不是说教育在人之一生中，只占一个小段落。民众教育的一个任务，是对于人之一生都有其适当的教育。

教育的范围应该放宽，时间应该放长，自出生到老死，都在教育的活动之中。生活的过程应该就是教育的过程。民众教育应该顾到这一点。中国近百年来社会生活经历向来未有的急剧变化，现代的生活变动极速，教育的进展落在社会的、经济的、政治的进展之后。短时期的制度的教育，不能应付变化急剧的生活。为使民众能随时取得新知识技能起见，民众教育应该以不同的方式与办法，不断地实施教育，使能继续地应付生活的需要，要了解现代的状况，所以就教育的范围来说，民众教育的范围最广。要使广大的民众，能够不断地取得教育。

民众教育的主要的内容是什么？民众教育的重要，既如上述，则其任务当不仅是取得一些呆板的知识，学习一些于实际生活不发生影响的技术。民众教育必须真能达到生活化的目的。能够以教育的力量，解决生活的苦痛，然后才能达到以教育改造生活的目的。于是我们对于民众教育的内容的分析，即不能不从民众的生活的缺点上着想。

中国最大多数人民的生活，根据他们在生活上所呈现的困难，加以观察，加以分析，有四种基本缺点：一是愚，二是贫，三是弱，四是私。从事民众教育的，应当认清这四种缺点，研究一套适合于民众生活的教育的内容。

一、应当在文艺方面，以文字教育为出发点，从文学艺术着手培养人民文艺兴趣，发扬民族精神，培养增进科学头脑，以解决“愚”的问题。

二、应当从农业生产、农村经济、农村工艺各方面，授以科学方法、科学知识，增进其生产能力，改善其经济生活，以解决“贫”的问题。

三、应当在公共卫生方面，授以科学医药常识，养成卫生习惯，建设卫生环境，以解决“弱”的问题。

四、应当对民众施以良好公民训练，使他们有公共心团结力，有最低限度的公民常识，发展团结力量，启发民族自觉，训练自治能力，培养法治精神，以解决“私”的问题。这是根据生活需要生活缺点的教育内容。

前面已经提到民众教育应该注重农村，近来社会上教育界对于此点已有明了的认识，实际上在各方面努力的也不少。着眼于农村建设的同志，经过多年的经历，知道非从民众教育上着手，则缺少“人”的基础。努力民众教育的同志，亦知道非致力农村建设，则教育必致落空，不能达到改造生活的目的。近来许多主张民众教育目标“由乡村建设以复兴民族”的，这是近年来对于国家民族前途的一种进步的认识。民众教育与农村建设在通盘计划之下进行，不仅民众教育有了确定的对象，农村建设亦有了“人”的准备。如其全国各方面共同努力，不但教育上可以取得一种新力量、新生命，中华民族也可以开一条新路。

农民运动与民族自救*

诸位，今天兄弟来参加第三届乡村工作讨论会，使我不能不回想到去年在定县开会的情形，那时大家都感觉到，国家这样的危急，我们能够安然讨论民族自救和乡村改造的问题，这是很侥幸的。现在，国势更坏，国家破碎不堪，有血性的人，都非常心痛。

我们从事乡村工作者，爱国不敢后人，尤其是当此国家大难临头的今日，而我们不能对国家有所贡献，真是愧死痛死！此次参加会员来自十九省市，大家愿抛弃自己的工作，不远千里而来此，互相切磋，彼此砥砺，并将过去之酸甜苦辣，种种困难烦闷，借此机会互相诉述。这是本会精神所在，与普通会议性质迥然不同的地方。

从事乡村工作，原有鉴于国难严重，而希望对国家有所贡献，不过我们要问国家何以弄到如此境地？我们能不能有贡献？我们根据过去的经验和将来局面的推想，都指示我们确有贡献于国家的途径。现在国家所以弄到如此地步，主要的原因就是“忘本”，整个的国家，人口有四万万之众，可是一点力量没有，任何人可以侵入中国如入无人之境，妥协屈服，不知伊于胡底。我们要救亡图存，必先认清症结所在。“民为邦本”，而这虽是一句老生常谈，可

---

* 本文是作者1935年10月在无锡举行的第三次乡村工作讨论会上的演讲。选自《乡村建设实验》第三集，中华书局1937年2月版。

是我们不能因时间的变迁而抹杀其含有的真理。过去的政治经济文化之所以落后,就是因为设施没有着眼于民众;民众伟大的力量,非但从来没有运用过,而且根本没有发现过。现在我们就要抓着这伟大的潜势力,教育他们,训练他们,组织他们,发挥其应有的力量。乡村建设之使命,亦即在此。如果不从此下手,所谓民族自救,民族改造,恐怕皆是缘木求鱼。所以乡村建设运动的日标,在发现组织和训练民众伟大的力量。

不过任何一种运动,仅有伟大目标和不凡的抱负,还是不够的,我们要深入乡间从事实际工作。有人说,在这个时代应干工商业等工作,如何反向农村?殊不知我国所以弄到如此地步,就是没有抓着广大的民众。老实说,如果大多数民众在城市里,我们当然要到城市里去,所以我们从事乡村工作,并不是为乡村而到乡村的,为的是大多数民众是在乡村。也有人说。今日已是工业发达时代,单单提倡农业是不行的,其实我们从事乡村工作,并不是在专门提倡农业,而为的是大多数民众在农村,因为农村是伟大力量之所在地。我们绝不是说工业不重要,不过我们认为在这样一个时期,这样一个环境中,要有民本政治,非注重农村不可,尤其是在此破产中之农村,农民无接收力购买力,哪里谈得上工商?所以我们深信着这是最重要、最基本、最迫切的问题。

现在乡村建设运动,要以农民为对象,要发现这伟大力量,仅仅有这种抱负和目标是不够的,我们更要研究如何运用方法来培养民力。

个人眼看着国家每一次遭遇耻辱之后,有志之士必发起一种运动,但不久又消沉下去。这就是空有抱负、热血,而没有方法技术的缘故。现在大家很热烈地从事农村运动,如果知其然而不知其所以然，三五年至多十年以后，结果必定销声匿迹，和过去各种运动遭同样的命运。乡村建设，除运动之外，还要建设，所以目前乡村运动需要费许多时间、金钱、精力来研究实验。现在各地乡村工作为培养民力起见，有从合作入手的，有从政治教育着手的，因地制宜，因人而施。但至某阶段，往往感觉到单办一种事业的不足，而牵涉到他种事业，这是必然趋势。各种事业如果无相当研究，没有技术没有方法，也许初起入手时，兴趣特别浓厚，不过到某种阶段时，就感觉空虚。因为农民整个生活，是连带而有互相牵制的复杂关系，绝不是零碎的改善所能有济的。其次，觉得自己的才力不够兼办其他事业，乃是真正困难，并不是认不清问题，而是没有办法。

至于方法技术之研究实验，决非性急之事，非有真正的专家，且备有充分时间和相当经费不可。譬如现在提倡普及教育非常热烈，究竟普及什么教育？教育内容是什么？此项研究则非十年八年不为功，即是所谓教材教具的研究实验。又如现在义务教育激进声中，有一年短期小学的设立，在一年内究竟教些什么？救济失学儿童，也许可由小学而中学而大学，可是教育民众，决不能这样做，对这般又穷又忙的青年民众如何教法，教些什么？再有待研究实验。

总之，乡村建设不仅仅是一种运动，更要讲求内容、方法、技术，才可以达到培养民力民族自救之目的。大家不从科学立场来讲求教育、自治、卫生等，结果还是没有办法，因为这是空虚的东西，不能持久的。

参加此次乡村工作讨论会的诸君，我想都具有丰富的经验，互相截长补短，这是很好的，进一步说，处此民族存亡危急之秋，已不是承平之世、悠游自得、各做各的时候，事实上需要通盘筹划，实行分工。譬如中央重视科学研究，中央农业实验所用大量经费，聘请中外专家，解决一部分的农业问题；同时要把科学研究的结果带到民间去，与农民发生关系，养成农民运用科学的习惯，使农民生活科学化，实属迫切之图。如果把这般又勤又俭的农民科学化了，我想一切事情可以胜过天力。

现在，最可怜的就是大多数的民众还是迷信的头脑，怕神怕鬼的。在这种情形之下，如何可以克胜环境呢？所以现在要设法使农民的头脑科学化。不过单靠口头演讲还是不成的，务须以科学方法来改进农民生活。合作社绝不是仅仅为借钱而已，而是养成农民合作的观念、习惯和技能。如果中国四万万人都有科学头脑，都能运用农业上技术及合作精神，我敢说，就能百战百胜，要世界和平，世界决不得不和平。

我们研究实验必先估量某种地方适合某种研究，我们应全力帮助，促其成功，在通盘筹划下，分工合作，农业从哪几方面做，政治从哪几方面做，大家亦应全力帮助，彼此不分你我。我们要认清在此非常时期，有一天的自由一定要干，所谓做一天和尚撞一天钟，只要有钟可撞，如何研究实验，如何推广，如何训练人才，都需要整个计划的厘定，分工合作，使人力上物力上都经济无浪费，我们乡村工作就应在此下手。

总之，乡村运动是民本的，建设是包括科学的技术和内容，其次，要大规模地推广。已往以至今日下的乡村建设运动，还是在研究实验的阶段，如何将研究实验的东西推广出去，绝不是私人团体所能为力。现在是需要这一套乡村建设的办法，装入制度里去，大规模地推广出去，这就是从亲民政治的地方自治入手。县政权是真正老百姓的政治，现在就该从县政着眼，如何运用县单位制度的机构来运用乡村建设的方案。不过照现行县政组织仅仅是一躯壳，没有生命的，把乡村建设的方案加上去根本便不可能。所以在机构上非加改造不可，使变成一个推动乡村建设的机构。现在国内有实验县之实验，事实上自然已然有这种倾向，也可说是一种基本政治，现在要改造这机构的先决问题，要重新培养推动这新机构的人才；另一方面还要培养运用这新机构的行政人才。还有一点，是极关重要的，在上面有许多命令要推行，下面更要有足有手来帮助，所以要组织有训练的民众。因为由上而下的组织是不能推行的，由下而上的基本组织，即在有组织有训练的民众，这是宝塔式的建设，而不是头重足轻的建设。依着这种组织，政府方面要整个计划地推行，雷厉风行，必收事半功倍之效。我们乡村工作同仁，一面大家要研究推广，一面更要有总的集合与合作。外人讥笑我们："一个中国人是天下最聪明的人，两个中国人在一起，就是天下最愚笨的人。"我们乡村工作同志，首先对此引以为戒。推诚合作，政府要做我们的后盾，予以种种便利，在死里才可以求生，无法才可以有法。

中山先生遗嘱上说"唤起民众"，确是一句至理名言，尤其是在救亡图存的今日，的确要"唤起民众"。这句话好像说惯了觉得很平淡，本来有意义的而变成无意义了。但唤起民众，如何唤法？唤起之后又怎样办法？孙先生接着讲："必须联合世界上以平等待我之民族，共同奋斗。"孙先生所谓"唤起民众"，他是有步骤的，绝不是摇旗呐喊而要有方法与技术的。我们要救亡图存，第一步即在唤起民众，除此以外别无他法。其次联合全世界上以平等待我之民族，这也就是根本的外交政策。因为我们自己和美国联合和国联联合都不配，还不够资格，根本便没有什么友邦。举一实例讲吧，不久以前的苏俄，世界各国都鄙视他，排斥他，诟詈他，骂他是叛逆，视为不成东西的民族。曾几何时，把苏俄拉入国联，认为是最漂亮的一件事，这是为的什么？没有别的，苏俄五年计划的告成，各国敢不刮目相视。他们的计划就是受罪，有计划的受罪。而我们现在的受罪是无计划的，我们现在正需要有计划的受罪，有组织的吃苦，否则是无价值的，等于自杀。

“唤起民众”的工作非由乡村建设不能做到。现在我们正热烈地提倡，要朝于斯，夕于斯，十年二十年亦于斯。因为只有这个工作是值得我们干的。在此民族危急存亡之秋，如果我们不能参加一种有信仰的工作，还是自杀的好。因这种侵略耻辱委实忍受不住。诸位，时至今日，自杀易，自强难；求死易，谋生难。这几天我们相互讨论乡村工作，彼此推诚相与，互相砥砺，应处处以国家危亡为前提，分工合作，把握着现在努力的途径，不说空话，只有硬干，我相信中华民族一定可以自救。

定县实验区工作概略*

一、总说明

兹为报告定县县政实验之实际状况起见，不得不先就定县实验区之来历及背景做简单之说明。

定县实验区者，为河北县政建设研究院之一部，亦即为该院所在地。该院之法律上根据，系依照二十一年冬第二次全国内政会议之议决案，由省政府呈报中央备案。而其成立之日，则正当二十二年春华北兵兴热河沦陷之时。故定县实验区成立之重要意义，实以国难严重至此，东北沦亡之后，河北一省已成国家边境，亟须从人民训练组织上做一番救亡工作。欲求此种工作之有效与普遍，则必赖有健全之机构为之推动，而尤须使此种机构得有恒久不息之力量，然后救亡工作乃为自下而上的，乃为彻底的，乃为自动的，乃为继续不断的。

---

* 本文由晏阳初与陈筑山合撰，是向 1935 年 10 月在无锡召开的第三次乡村工作讨论会提交的书面报告。选自《乡村建设实验》第三集，中华书局 1937 年版。

二、机构

县政建设实验工作，以县政机构之拟制为其第一步。工欲善其事，必先利其器，理固然也。顾此拟制之新县政机构，固不可不注意县政府对于新政治要求之适应，而尤不可不注意全县人民之政治组织与政治动员，盖必须有此一副机构，然后县政建设之内容方有实现之可能也。

定县现行县政机构乃根据上述理论而制定者，其主要精神在以县民总动员为基础，而以效率最高之县政府为中枢。由分而合，由散而整，由下而上，务使其节节灵通，处处呼应，不能拆开，不能截断。

请言其最下层之组织：

全县人民之政治活动以公民服务团为基础。全县人民皆为公民服务团团员，但依其年龄而分现役、预备、后备之三种。其中以现役为基干，因从其年龄论，皆系少壮分子，既无稚气又敢于有所作为也。更依其在学校（含公民服务训练班在内）之组织与学习之所专而分政务、教育、经济、保健之四组（见定县县政建设机构图下段公民服务团之组织）。复依其组织之便利而分为若干分团（见同上公民服务组织图）。

公民服务团团员之义务有如下述：

（一）团员（在通常时期多为现役团员）有随时辅助各种建设工作进行之义务。

（二）团员有随时接受继续教育及特种训练之义务。

（三）服务团为有纪律的组织，团员有严守纪律之义务。

（四）服务团以本乡镇学校教师为指导员，在设计上技术上接受其指导。

（五）各组工作活动分别受该乡镇建设委员会之指挥监督。

由此以言，则公民服务团乃①以少壮分子为中坚，②以教育为基础，③以各种建设为工作内容，④以军队纪律为精神之一种政治初步组织也。培养民力，组织民力，运用民力，其效用全在于此。

必如此而后县行政机构乃落于踏实的基础上，而后农村建设以及以农村建设为中心之县政建设乃有着实进行之可能。

复次则请言乡镇建设委员会：

乡镇建设委员会者，实即所以代替地方自治组织中之乡镇执行机关所谓乡镇公所者也。已往之乡镇公所不能实践其责任，固不待言。在以公民服务团为基础之县行政机构中，此一层机关，上之接受县政府之政令，下之主持服务之工作，其职责尤为重要。参酌实际状况，于是定为乡镇建委会，设委员6人至12人，以容纳当地之有资望阅历者，而以本乡镇之小学教师为当然委员及秘书，以增其效率。委员会之正副主席一经选定，即由县政府加委为乡镇长副，以重其权。委员会之下分政务、教育、经济、保健四股，以与公民服务团之四组相应。乡镇建委会在目前之效用，为容纳年长之有力分子，以加强下级之自治组织。顾其流弊亦有不可不防者，则建委会之滥用职权也，于是乡镇公民大会之设尤不可少。

乡镇公民大会行使下列五种职权：

（一）选举乡镇建委会委员。

（二）罢免乡镇建委会委员。

（三）复决乡镇建委会之议案。

（四）提出创制案于乡镇建委会。

（五）议决乡镇建委会提出之预算及决算。

就此五种职权观之，可知乡镇建委会既受公民大会之限制，而不能滥用职权，同时公民服务团团员又在公民大会之立场上节制建委会，然对于建委会之指挥监督仍不得不服从。两相调节，当可解决乡镇地方习见之纠纷。

复次则请言县政府本身组织：

县政府组织之合理化，不仅在裁局改科集中事权而已，尤在能集合实际行政人才与学者专家于一堂以共策进行。顾我国县行政经费自来极少，即以定县而论，年亦不过一万三千余元，于此而欲求集合此两种人才，云何可得？其唯一救济之法，即须县政府设一县政委员会，于秘书长、科长等实际行政人员之外，另罗致一部分名誉职之学者专家，遇有要政兴革特请参与，盖必如是而后县府乃能得有高等学术人才之用，而又无其负担。今定县实验县政府之组织即如此也。抑县政委员会之组织于上述罗致学者专家之一作用而外，尚有其他之一作用亦不可忽，即委员会中可以相当容纳本县士绅足资消除隔阂是也。

县政委员会设委员 7 至 11 人，由县长商承研究院院长聘任之。此 11 人之中，1 人兼任秘书长，5 人分任各科科长，其余不管科委员 5 人。管科之委员，重在行政经验，不管科委员（为名誉职）重在专门学术，参与会议，提供计划，给予学术上技术上之辅助。

顾县政委员会之组织已健全矣，县政府之内容已充实矣，谓县之政令即可达之乡镇建委会，因而交付公民服务团立即实现乎？其势固不能如是之易也。其中有不可忽之困难在焉。盖乡镇建委会之实际所能究不过传达命令而已；以其知识能力，断难奉县政府之成案而指导服务团以实行也。县政府之实际所能亦不过制成方案而颁布之而已。以定县310乡之多，亦断难一一亲督之奉行如法也。此其间尤必有一种辅导员以负循环视导督促传达之责。

定县之农村建设辅导员，依地理之便利，设6至12人，其资格大抵为青年中学毕业生曾受辅导员训练者。除随时传达县政府之政策政令以督促训练农村办公人员外，并随时接受县政委员之学术训练，循环递转，训练农建技术人员，如此师生传习之间，方有上下一心首尾相应之妙用。

综上所述，制为定县县政建设机构图如下（见下页）。

下图为定县实验县现阶段之所适用者，实则全盘之拟制，尚不止此。就公民服务团而言，其组织不止于村。盖在村则应有甲团保团，与定县现行之分团相当，在区则有区团，在县则有总团，而县长为总团长，有指挥全县民众团体之权能焉。次就地方自卫而论，依吾人所准备实行之组织，恰与公民服务团之组织相同，即凡构成一甲团之各种团员，均为自卫队分队下班之队员，班之上有分队，与保卫团相当，此为村单位者，分队之上为区队，与区团相当，区队之上为大队，与总团相当，而县长即兼大队长，又与其为公民服务团总团长之精神相同，盖将使有民众武力在其支配中也。要之在全盘机构之中，县长实兼为政治社团军事三方面之领袖。倘能用得其人，复假以相当之时日，其必能推动一切，于教养卫三者皆有

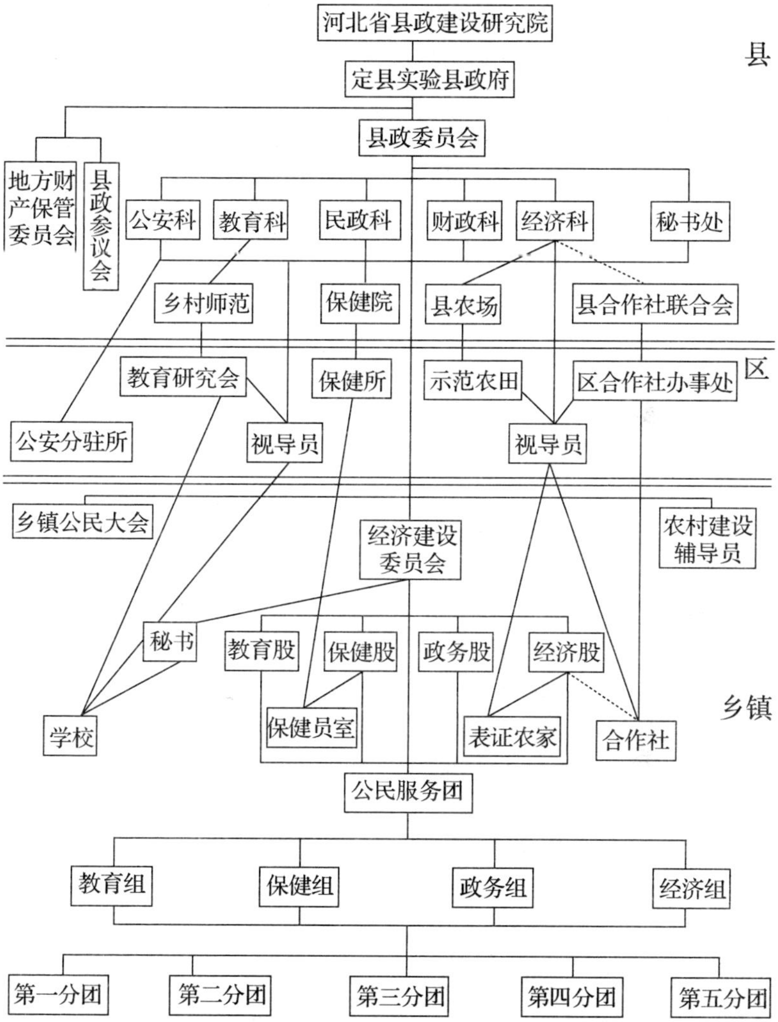

极长足之进步，可断言也。兹为便于明了起见，再制为县政建设机构全图如下（见下页）。

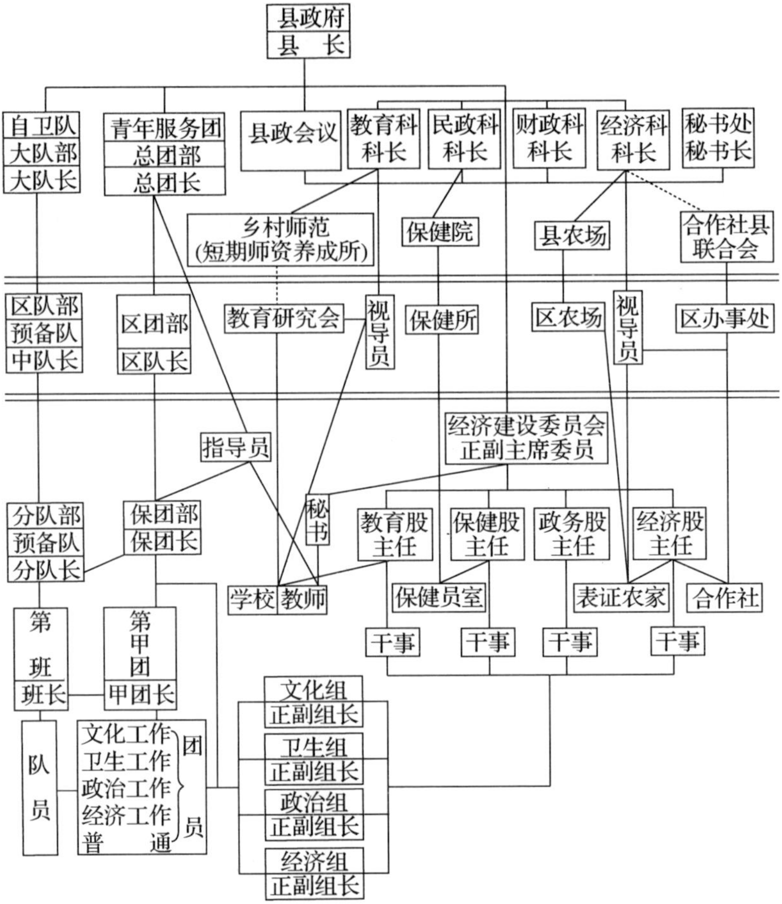

定县县政建设机构图与上图在组织及名称上均略有出入。以从定县现时之环境不得不如是也。又前后两图所列县府各科之管辖机关，如民政科之保健院、保健所、保健员室等，仅系举例以示县政建设之三单位做法而已，非限于此也。

三、机构实现之程序

（一）县政府之改组

县政建设机构之实现，第一步乃从改组县政府起，其改组要点，分述如下：

1．设县政委员会（已见前）。

2．裁局并科。

裁局并科办法及各科之职掌：裁原有公安、财政、教育、建设四局，并县政府原有两科，改设民政、财政、教育、经济、公安五科，各科职掌如下。

① 民政科掌管调查户口，编组保甲，辅导自治，整顿积谷，改良礼俗，拒毒，息讼，兴办保健及其他与民政有关事项。

② 财政科掌管土地陈报、丈量，整理税则税法，改善征收方法，及其他有关财政事项。

③ 教育科掌管教育调查，视导全县公私立学校，推行民众教育与义务教育，设立图书馆、科学馆，训练师资，组织教育研究会，办理职业教育及其他有关教育与文化事项。

④ 经济科掌管辅导合作事业，筹办仓库，推广农业改良，兴办水利，改进农村工艺，提倡种树造林，改良交通工具，经营县有营业，检定度量衡，主办经济调查及其他有关经济事项。

⑤ 公安科掌管户籍、警卫、消防、救灾、保护森林、渔猎及有关公安事项。

3. 合署办公

为贯彻裁局并科之主张,及促进裁局并科之效率计,实行合署办公。

(二) 农村建设辅导员之训练

农村建设辅导员在县政建设机构中,居极重要之位置,承上启下责任繁重,欲其实际任事之时胜任愉快,非在任命之先,予以一种切实之训练不为功。兹将训练实施办法,略述于后:

1. 资格　凡河北省人民,年在25岁以下,具有下列资格,志愿承受农村建设辅导员训练,得向河北省县政建设研究院请求审查,审查合格后听候训练。

① 中等以上学校毕业,有2年以上农村服务经验者,或曾任区长1年以上,办事具有成绩者;

② 对于农村建设具有成绩者;

③ 品行端正,身体健全能耐劳苦者。

2. 受训名额　应受训之名额,暂定为18人,合格人数逾额时,其去取以考试定之。

3. 受训期限　训练期间为六星期,但得延长之。

4. 训练课程　训练课程分下列三种:

① 精神训练　人格修养,遵守纪律,及服务社会等均属之。

② 知能训练　政治经济教育保健之知识技能,及中央省县有关之县政建设各种法规。

③ 服务实习　分别派往指定之乡镇参加建设委员会及公民服务团之组织,从事实习。

5．委任办法　训练期满后，依成绩顺序，由县政府照农村建设辅导员任用及职务章程委任之。

依照上列办法进行训练，报名者凡81人，审查结果，合格者60人，乃以考试办法，录取18人，受训期满，择其成绩最优者10人，由县政府委充辅导员，现已分赴各乡村实际工作矣。

（三）表证示范各村之成立

1．成立目的　以客观事实为根据，实验县政建设中地方自治组织之效能，表证主观之理想，做全县一般村庄之示范。

2．成立范围　选定总司屯、高头、尧方头、马家寨、牛村、西平朱谷、东合朱谷、西汶村、程家庄、大羊平、寺羊平、南角羊、小陈村、东建阳、西建阳、南齐、北齐、小溪河、大涨村、寨里、杨家庄，共21村。

3．成立步骤

① 设乡镇建设委员会筹备处。实验地方自治组织，系合乡镇建设委员会、公民服务团、公民大会三者所构成，在未成立建设委员会之先，设置建委会筹备处。

筹备处之组织，计主任委员1人，委员6人至12人（主任副主任在内），秘书1人（由学校教师兼任），主任副主任及委员，由县政府就各村德望素孚热心公益者委充之。

筹备处之工作，为举办公民训练、协助选民登记、改进学校、训练合作、保健等。

② 举办公民训练公民训练班，招收16岁以上之男女青年，给予公民应有知能之训练。公民训练班的组织——用大队制，设大

队长1人,中队长2人,队长8人至10人;政务、经济、教育、保健工作队员8人至10人。每队置队长1人,政务、经济、教育、保健工作队员各1人,每四队至五队为1中队,设中队长1人,合两中队为1大队。训练项目:计有自卫训练,农村建设概说,政治、经济、教育、保健等常识研究,工作讨论,唱歌及活动。训练期间:暂定为1个月,公民训练届满,即着手组织公民服务团。

③ 成立公民服务团

团员之区分:

A. 现役团员　受过相当教育或公民训练之16岁以上,35岁以下之本村男女青年任之。

B. 预备团员　受过相当教育而未满16岁之本村男女青年任之。

C. 后备团员　35岁以上之本村男女居民任之。

组织办法:

以保甲为单位,每甲设1甲团,每甲团设团长1人,又政务、经济、教育、保健工作团员各1人,余称为普通团员。每保设1保团,设保团长1人,秘书1人。保团甲团之间,得设中团长。

各甲之政务工作团员,须组成一政务组,公推正副组长各1人,兼任建委会政务股干事。各甲团经济、教育、保健工作团员同此办理。

保团长、秘书、各组正副组长,均用选举方法产生之,因表证示范各村,尚未举办保甲,故各村之公民服务团,暂时未按保甲组织,原称保团长为团长,甲团长为分团长,余仍旧。

（四）召集公民大会选举乡镇建设委员会委员

公民大会乃全村公民行使政权之组织，选举乡镇建设委员，自公民大会本身而言，是行使政权之第一声——选举权，同时自建设委员会方面视之，为成立建委会必经之阶段，成立建设委员会可分两个阶段：(1)筹备——即设置建委会筹备处。(2)选举。兹将选举过程，约言如下：

① 组织公民大会临时办事处，筹备一切选举事宜，如调查公民人数，补行公民宣誓登记，编写投票人名簿，分配选举会场上职务人员，做宣传，贴标语，布置会场，拟具标识章则，拟定选举时期，呈报县府，函各机关团体，预备选举票及应用表册等。

② 实行选举，届期鸣锣敲钟，通知公民到会选举，办事处职员，分别担任招待、开票、勘票、唱票、记票、收票、计算等。

③ 当选人开会议，选举主席、副主席，建设会乃正式成立。

（五）全县推广

定县县政建设机构之属于最下层者，现仅将表证示范村办理成立而已。其全县之推广，方在准备之中，兹略示其办法于次：

由县政府通令全县设立乡镇建设委员会筹备处（其组织及职责，详见前表证示范各村之成立项下），筹备期至长以五个月为限，其进行至可以正式成立乡镇建设委员会时，经农村建设辅导员之视察认可，即依照乡镇建设委员会组织大纲之规定，召开公民大会选举乡镇建设委员会委员呈报县政府。各乡镇建设委员会正式成立时，筹备处同时撤销，其公民训练办法如下：

1. 根据表证示范各村办理之结果，分别编制各种教材及政治农业合作卫生教育各方面之农村服务指导书。

2. 由县政府派农村建设辅导员分赴各村巡回视导。

3. 农村建设辅导员采传习办法，分期训练小学教师，再由小学教师襄助训练各该乡镇人民。

4. 此项训练以全县各乡镇建设委员会及公民服务团之成立，为初步训练之完成，此后仍由农村建设辅导员继续巡回，分期视导。

四、两年来几种重要之县政建设工作提要

以上所述，均系说明定县县政建设机构及其实现程序，吾人认为此一机构之建立，实为县政建设之根本前提，故言之特详。惟定县实验县之成立亦既两年，虽以种种不虞之波折，其成绩之表现，远不逮吾人之所预期，然事实上固亦有若干工作可举以告人者，兹特举其较重要者数端于次。

（一）调查工作（民国二十二年七月至二十四年元月）

1. 绘制定县实地测量地图　关于全县面积、地势及河流、道路、村落等之分布情形及其所占面积。

2. 全县土壤调查　全县各种土壤所占面积分布情形及其与农作物栽培之关系。

3. 全县农作物产量调查　全县耕地及非耕种地之面积，全县各种农作物分布情形，及各种农作物所占亩数，全年内各种农作物之产量及价值，全年内全县一切农产物之总量与总值。

4. 全县工业品之数量与价值调查　全年内全县各种工业品之总量与总值。

5. 全县土产运销调查　全年内各种土产交易之总值，各种土产交易总量中销售于定县境内者之数量与价值，各种土产交易总量中运出定县境外者之数量与价值（出口货），各种土产交易之主要地点，及各地点运销之数量与价值，各种土产输往县外之地点，包括最终地点及经过地点，各种土产运销之程序与方法，各种土产在运销程序中之各种费用，各种土产在运销程序中所发现之利弊及应改进之点。

6. 定县输入货物调查　各种输入并销售于定县境内各种货物之总量与总值，各种输入定县而又输出定县境外之货物数量与价值，各种货物原自何处运来及经过转运之地点，各种货物输入之程序与方法，各种输入货物运销之各种费用，各种货物在输入运销之程序中所发现之利弊及应改进之点，各种货物输入定县之原因。

7. 集市调查　县内各集市之地位，开市收市时间，赶集村数、人数、交易商人数目，征收税捐数目，各种货物交易之数量与价值，各种货物交易之手续，管理集市之组织与规则，各集市之历史发达与衰落之原因，各集市之利弊及应改进之点。

8. 借贷调查　县内借贷家数，借贷数量，借贷期限，担保品及利率，借贷原因及用途。

9. 物价调查　各种日用货品价格之涨落及原因。

10. 民众负担调查　定县民众负担之各种国税款额，各种省税款额，各种地方捐款额，其他负担。

11. 地方自治调查　定县地方自治组织，地方自治经费，地方自治人员，地方自治法令，地方自治进行实况，地方自治之障碍，现有地方结合之社会团体。

12. 全县户口调查　县政府于二十三年七月间召开调查户口筹备会议，议决组织调查户口委员会，招考调查员50名，受两星期之训练，制定表格四种，即住户调查表、商户调查表、寺庙调查表与机关调查表，自二十三年九月十日至次年二月十日凡五月调查完毕，共计78,657户441,590人，现一部材料已整理完毕，大部分详细材料尚在统计中。

（二）民众教育之实施

1. 除文盲工作

（1）除文盲工作要义

① 工作之演变　河北省县政建设研究院于前年赓续平民教育促进会研究识字教育之工作，举办县单位除文盲工作，由研究部与实验部合作主持，自是始步入政教合一之途径。

② 工作之目标　此项工作以青年失学之农民为对象，实为县政初步建设基本工作，故其目标有二：

A. 应用研究与实施相助为力之效能，以期获得政教合一之推行、制度与实施方法。

B. 应用最经济最基本之教育方法，训练一般青年农民，使获得接受农村建设之意识与能力。

③ 工作之趋向　二十二年度因政治教育初次合作，其设施之

趋向与本年度略有不同如下：

A. 二十二年度由教育的立场运用政治力量——即偏重研究。

B. 二十三年度由政治的立场运用教育力量——即偏重实施。

（2）除文盲工作办法

① 工作之组织　根据政府地方人士及学术专家三方合作政策，组织县除文盲运动委员会，为最高之集议机关。由县长任委员长，副委员长由研究院遴委专家充任，委员无定额。运动委员会下设执行委员会，为干部执行机关，更分四股，专任实施指导事项；委员人数二十二年度7人，二十三年度13人。

② 工作之内容　工作计划、民校课程、教材、训练标准及章则表册，均详见于县单位识字运动实施方案。

（3）除文盲运动之成效

民校成立概况两年度之运动因时间与趋向稍有差异，所得之实施成绩亦有不同如下：

① 二十二年度

A. 全县472村，成立民校者340村。

B. 民校共645所，计：初级605所，高级40所。

C. 班次共842班，计：初级799班（男506，女293），高级43班（男40，女3）。

D. 学生数共21,170名，计：初级男11,674名，女6927名，高级男2406名，女163名。

E. 毕业概况：

甲毕业班次共434班，计：初级393班（男259，女134），高级41班（男39，女2）。

乙毕业及格学生共7639名，计：初级6847名（男4518，女

2329），高级792名（男718，女74）。

② 二十三年度

A. 全县成立民校者338村。

B. 民校共508所，计：初级405所，高级103所。

C. 班次共642班，计：初级521班（男416，女105），高级121班（男108，女13）。

D. 学生数共10,891名，计：初级男7335名，女1624名，高级男1709名，女223名。

E. 毕业概况：正在陆续考试中，为便统计，截止到六月十五日计算，已经考试者2300余名。

附全县青年文盲与识字者之数目：

据调查部由局部调查之推算，全县14岁至25岁之青年约82,000人，民国二十三年六月底其男女文盲与识字者之数目与百分比如下：

全县青年共计	文盲32,500人	占39%
	识字49,450人	占61%
全县男青年共计	文盲4,406人	占10%
	识字39,054人	占90%
全县女青年共计	文盲28,144人	占73%
	识字10,396人	占27%

二十三年度终了男女青年文盲又可除去数千人，据此刻下因毕业学生尚未统计，推算全县青年男性文盲当已不多，今后努力当注意于妇女文盲之扫除也。

2. 青年农民之组织

民众学校学生毕业后，经过团体活动之经验，即进而组织民校毕业同学会。同学会之教育作用，一方面为继续受教育并参加各种教育活动，一方面为青年农民集团生活训练。民校毕业农民大多数为青年，应在实际活动，共同生活之中，养成青年农民之建设心理与活动力量，以为农村建设之中心分子，此乃最切实之公民训练。全县已成立者，凡138村，会员共计6983人，所从事之活动甚多，如修路、修桥、演剧、种痘、防疫、组织合作社……皆能表现良好成绩，最近为图此种组织范围扩大而更有意义起见，乃演进为公民服务团之组织，今后如能施以严格训练，并继续予以辅导，其于乡村建设工作必有甚大之助力，殆可必也。

（三）村单位教育建设

现行村单位之教育建设，当于下年度开始普及全县，惟刻仍只在示范村行之。兹计其事项如下：

1. 改进小学　过去因小学教育方法之不善，每教师1人，仅能教学生至多40名；又以学生年级之不同，实施教学与训管，每多顾此失彼，毫无效率可言；近年来又因经费拮据，二三百户之乡村亦只能聘教师1人，于是儿童失学者日众，此显然为农村中之一严重问题。自从各示范村小学改用中华平民教育促进会所实验之"组织教育"方法以来，教师1人所教学生人数每在100以上，而学生之精神及其学业进度，亦莫不大异于前。

2. 设传习处　学龄儿童之入学机会问题既已解决，而失学儿童之补习教育又成问题，于是广设"传习处"，以青年服务团团员及小学生之年级较高者为导生，使自招学生，自任教学，每日授课一小时半，每处平均有学生10人；一村有设至30处者。每处之开办及经常费用全年不过5角而已。

3. 设公民服务训练班　表证示范各村，选择村中曾在小学或平民学校毕业而又具有领袖才能及特殊资质者，予以政治的、军事的，及其他建设技术的训练，在成立公民服务团时即以之为干部。此种训练，于农闲时晚间举行之，由小学教师负指导之责。

4. 设幼童园　表证示范村初设幼童园一处，附属于妇女青年服务团。妇女青年服务训练班有两种专修科目：一为导生训练；一为保姆训练。此幼童园即保姆实习场所，其开办费至多不过十元。都市幼童园之设备，凡借以吸引学生者，在乡村中均无此需要。此种幼童园又可称为小保姆训练处，因所收学生资质较好，训练一年即可使在堂前院内或林间空地自设幼童园。农民多无暇照顾其子女，此种设置，在农村中实有其必要。

5. 试办广播无线电教育　表证示范各村，均有广播无线电收音机一具，由青年服务团轮流管理之；广播节目为国内外新闻商情市价，与农民有关之法令，公民训练讲话等。此实为社会教育最良好之工具。

6. 置报时钟　农村中无所谓"守时"教育之设施，因之深感不便；乃利用破庙之大钟，由小学值日生按时敲击。此种设备为实施乡村教育之所必有；且时间观念之养成，本身亦即教育。

乡村教育建设所需费用总以不超过固有之教育经费为原则，否则推行上必感困难。学校之讲桌，固不必一人一具，尽可轮流使用；授课亦不必全在课堂，每学生一人，有值二三百文之小木凳一个，亦未尝不可坐以听讲，一切只求实用，不重外表，则乡村教育之普及，自非难事矣。

（四）经济建设

关于定县之经济建设工作，已有相当成绩及正在进行或正在计划中者，项目繁多，为篇幅所限，势难一一详举。然归纳之后，不出乎农业改进与合作经济两类之范围，盖前者即所以促进农民之生产技能，后者即所以改良其经营方法与夫建立全县之经济制度是也。因此，属于经济方面之实施情况，亦可就此两类中之关系重要者略言于次：

1．农业改良推广

此项作物改良工作之进行，可分试验繁殖推广三步。试验工作，系由研究院经济研究指导员根据平教会历年研究之成绩，与该会合作继续进行；繁殖种子则由县农场负责；推广之事则由合作社办理之。

① 22 号改良大谷推广　按平教会生计教育部植物生产改进组研究结果，得到 22 号大谷，品质优良，可资推广。盖其优点有二：第一抗旱力强，经多年试验，从未灌溉，其收获之产量，尚比定县标准大谷增加 18% 以上；第二抵抗黑穗病之力强，历经试验，定县标准大谷受病害较 22 号大谷多 35%。故本年已利用旧存之种子推广于表证农家，同时并划定区域，繁殖新种，预计来年可以推广一万亩。至于推广方法，系召集农民前来换取该项改良 22 号谷种，既种该项大谷之村，任何农家不得再种其他谷种，以免混杂，收获后应将谷子全数交研究院指定之仓库代为保存。

② 棉花改良推广　棉花推广亦由表证入手，因经过表证，方足以使农民实地估计所推广之良种之价值，此种方法较之注入式之

宣传工作,事半功倍,收效甚速。二十三年表证之结果,平均比本地棉增收56%,每百斤能多轧皮花2斤。因其品质优良,每担皮花按去年天津市价,较之本地花多售4万元。此种成绩,经表证农家之口头宣传,结果全县棉区之棉农,无不知改良棉之功效,而于今春纷纷向县农场定购。为适应需要起见,今年拟继续繁殖,预计明年可推广至15,000亩,至民国二十六七年,则可完成定县全县之推广矣。

③ 小麦高粱之推广　小麦有72号改良白麦,高粱有3－3改良红高粱,今年均已经过表证,结果尚佳,明年均能做相当数量之推广。

④ 波支猪之推广　平教会对于猪种改良之研究,成绩甚佳,每头改良猪较之本地猪生长量增加18.6%,计值3.72元。经表证农家试验之结果,亦颇著成效,计表证15,959头,共增益58,367.48元,若能推广及于全县,则所增益可达40余万元。研究院实验部鉴于农村破产日趋严重,此种不增加农民负担所能提高其生产办法,实为目前救济之要图,又以定县共有本地母猪6500头,欲改良全县猪种,必须有90头纯种波支公猪,始敷交配之用,故决定自去年十月起用3600元购买平教会纯种波支公猪90头,于两年之中,推广全县,其推广规则列下:

A. 纯种波支猪之推广,由县农场负责管理之。

B. 各村合作社得请求县联合社向县农场领取纯种波支猪,每头缴饲养费40元,其付款办法如下:

甲、一次交清者40元。

乙、分两次交付,先交半数,其余半数于一年内交清,加收半数之利息,利率1分。

丙、所有款项交与合作社联合社转交县农场。

C. 推广区域由县农场规定之。

D. 合作社领得波支公猪后，应负全责保护，不得加以损伤或阉割，并须按照规定办法饲养之。

E. 合作社对于交配记录，应按照规定办法，切实遵行之。

F. 合作社所支出波支公猪之买价及饲养管理费用，统由各社于交配费及猪粪售价中收回之。

G. 合作社之波支公猪，非经县农场之许可，不得转售，其经许可转售者，所得售价不得超过原价 40 元，并不能售出定县境外。

H. 合作社之波支公猪，如有疾病损伤，死亡丧失，或其他重大事故，应即将其事据实详细报告县农场。

I. 合作社之波支公猪，其交配次数，每日不得超过一次。

J. 合作社所收猪之交配费，应按下列规定收取，不得格外需索。

甲、合作社社员之猪，每次收大洋二角。

乙、非合作社社员之猪，每次收大洋三角。

K. 凡一次未曾配准请求重配者，亦须照缴交配费。

L. 凡有波支公猪之合作社，每月月终应将各该月经过情形及交配表等呈县农场核阅一次。

M. 县农场有随时考察饲养管理及一切推广情形之权。

N. 本规则由河北省县政建设研究院实验区定县县政府制定施行。

县政府现已推广六头纯种波支公猪于六个合作社，此六头公猪每月平均皆有六元余之交配费收入，除开支饲料等费外，每月有溢利二元，照此推算，合作社于两年之内，可以偿清一头波支公猪之购价，而每头波支公猪可用七八年之久，故此种推广工作，不但使农民增加生产，裨益匪浅，同时合作社本身亦尚有赢利也。

2. 合作经济之推进

河北省县政建设研究院未成立之前，定县合作社仅有为研究实验而设者数处，自二十二年夏研究院成立，为推进合作事业计，乃先办自助社，以为合作社之预备组织，同时中国、金城、河北等银行，亦先后来定，设立仓库，办理社员之抵押借款，于是各村之人，渐觉便利，故一年之中，成立之自助社，几达300，占全县村庄3/4，复因农民对于合作之意义，逐渐明了，请求成立及改组者，日渐增多，因之合作社得以顺利进展。兹将实施情形，概述于次：

① 合作教育　定县合作社，系建立于教育之基础上，已往平民教育及社会教育，虽均给予以不少便利，然直接的合作教育，仍感不足，因此合作社成立之前，仍须以教育为重。进行以来，颇具成效，其实施程序，可分下列数段：

A. 初步教育——与村中领袖商洽，定期召集村民举行讲演会，利用图画书籍等，以说明合作之重要，并引起村民对合作之兴趣。主要目的在：甲、使村民了解合作社之大意及办法；乙、使之觉悟合作社对于本身之需要；丙、坚定其对于合作社成功之信仰；丁、使有实际经营之技术。所用教材可分七个单元：(1)合作大意，(2)社务指导，(3)信用组会计与经营，(4)购买组会计与经营，(5)生产组会计与经营，(6)运销组会计与经营，(7)仓库管理。所需时间计10小时。

B. 专门教育——集合村中优秀分子及合作社职员社员等，予以经营合作社之专门技术训练，例如合作簿记、经营方法、经营常识等，现在多数合作社所以能自动经营、清算账目者，胥赖合作教育之力也。

C. 继续教育——欲使合作社之效率高，进展速，则继续教育，殊为重要。其所用方法，则或为定期训练，或为互相参观，而最近则又用巡回文库介绍合作社书籍，以资社员参考，而培养其知识。

D. 合作社之指导组织——以上合作教育之实施，须有完密之组织及负责人员，故将全县划为三个经济区，每区置主任一人，指导员若干人，分任巡回指导工作，同时并谋合作事业之发展。在此提倡期中，合作事业基础未固，指导组织异常重要，故特别加以注意。

② 合作社组织系统　普通合作社之组织系统，大约为村区县三级制，定县合作社，为进行便利计，略加变更如下：

A. 村组织——据吾人工作经验，每村只能设一个同样性质之合作社，较小之村，则可联合其他小村合立一社，过大之村镇，至不得已时，亦可依自治区分成立两社，但仍以设立一社为原则。其所以如此主张者，一方面因村中领袖缺乏组织，不宜过于复杂；一方面借可促进村人之团结力量，并集中人才资金，以谋事业之发展也。至于兼营其他业务，亦宜斟酌情形办理，办理得法，不但人才可以利用，经费亦可节省；然初成立之合作社，以只办一种为最妥，故定县多数合作社，最初均系经营信用一种，遇特殊需要，始次第兼营其他业务焉。按章程规定，此项村合作社，必须组织健全时乃可加入县联合社。

B. 县区组织——县联合社自成立以来，尚称顺利，区联合社，则目前似无成立之必要，因组织复杂，事权最难统一，有时竟节外生枝，互相掣肘，以致效率不能增高。为工作便利起见，在距城较近之村镇，设立县联合社区办事处，用以联络村与县之关系，办事处受县联合社之指挥，办理该区内各社之事务。至于县联合社之职务，有下列数种：（甲）执行全县合作行政及合作教育。（乙）经理全县各社之运销购买事宜。（丙）办理各村社之储蓄借款事项。于此可知县联合社之地位颇为重要，虽合作社之基本组织在村，而其功用完成之机能则在于县联合社也。至关于各村社金融之周转，以及全县金融之运用，现在正有合作银行之拟议，成立之后，更可办理合作社各种业务借款，用以扶助合作事业之发展。

③ 合作社进行概况

A. 村合作社——村合作社为最基本之组织，大概均以信用合作为主，其有特殊需要者，则分别兼营一组或两组不等，而最近成立之合作社，则多为单营之信用合作社，兹将社数及业务分别列下：

甲、各种合作社社数及人数截至二十四年四月底，有信用合作社78社，此外尚有新成立及正在训练中者，均未列入，总计当在100社左右。而最近前来请求训练成立之村庄尤为踊跃，除信用合作社外，其由信用合作社受托兼营者有：

a. 兼营购买组者69社；

b. 兼营运销组者35社；此外尚有生产合作社10社；社员总数为2814人。

乙、资金及活动概况

a. 资金总额为7293.3元；

b. 借入款数为44,745.05元；

c. 信用社放款总数5143.81元；

d. 购买组营业量38,432.5元；

e. 棉花运销共计711包，计14,000斤；

f. 储蓄总数为 5398.76 元,社员平均每人存款 5.66 元。

B. 县联合社——县联合社业务较为繁杂,其最近情形如下:

甲、社员及资金活动

a. 社员 63 个;

b. 社股 64 个;

c. 资金已收者 2659 元;

d. 公积金(即上年度之盈余)644.05 元;

e. 对各社放款总数 16,497.225 元;

f. 社员及非社员存款 11,181.75 元。

乙、信用组活动

a. 由联合社与河北银行商定各社掘井贷款办法,每村暂以五井为限,其较大村庄,得酌量增加,每井借款以七成为限,现已借出 6634.80 元;

b. 去年办理棉运,于棉花运销期间,棉农急于用款,特于中国、金城两行商定借款,以七成为限,共计垫款 1093.03 元;

c. 棉运购买轧车款亦由中国金城两行办理,共计 977.04 元;

d. 由中国、金城两行及信用组共放款 36,040.18 元;

e. 购买组放款 10,054.78 元。

丙、联合社购买组活动

a. 二十三四年营业量 118,427.152 元;

b. 二十三四年利益共计 1400.747 元;

(五)保健工作

保健工作研究院根据中华平民教育促进会在定县研究实验之

保健制度，制订县单位卫生建设方案，实施县单位保健制度。其简单组织系统如下：

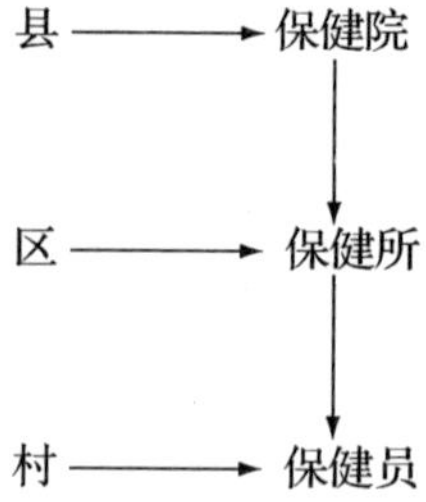

1. 保健员担任村单位卫生工作，由每村平民学校同学会自选会员一人充之，以热心服务忠实可靠身体健全而年龄在 20 岁以上 35 岁以下者为合格，保健员须先在保健所受初期技术上之训练十日，俾对于各项工作均能确实胜任。训练性质包括讲授与实习，由保健所医师担任之。保健员之工作范围有五：①宣传卫生常识，②报告出生死亡，③普遍种痘，④改良水井建筑，⑤简易救急医疗（关于疑难治疗病症，保健员应负责向保健所介绍）。保健员为施行简易医疗起见，设置保健药箱，包括药品十种，敷料器具十种，值洋 3 元，由村中购备。药品敷料之补充，每年需洋约 12 元。保健员工作系服务性质，不受薪给。

2. 保健所为区单位卫生机关，管理人口约 3 万之区域，保健所之人员有医师 1 人，护士 1 人，工役 1 人。保健所之职务有四：

①保健员之训练与监督；②逐日治疗；③学校卫生与卫生教育；④传染病预防。

3. 保健院为全县卫生之最高机关，其任务为管理全县卫生行政，实施卫生教育，计划全县卫生工作，训练卫生人员，疾病治疗传染病预防及研究工作等。院内附设病床 50 张，专供住院治疗。保健院人员，男女医师各 1 人，助理医师 2 人，护士 8 人，药剂士 1 人，检验士 1 人，事务书记及助理员 6 人。

定县全县现共有保健员 80 人，分全县为 8 个保健区，每区设一保健所，保健院设于县城内，兹录其分布图并附其最近一年来之工作于后：

1．医疗

保健院：

住院病人数	55,507
病人共住院天数	83
施行手术次数	201
出诊次数	103

保健所：

	治疗人数	新病人数
西建阳区	7501	1497
明月店区	5755	1622
东亭区	7425	1473
李亲顾区	6320	1834
城区	15,234	3051
西坂区	4371	1156
清风店区	7215	1981
马家寨区	3972	1005

保健员：

	用药次数
西建阳区（15 人）	24,645
明月店区（4 人）	10,340
东亭区（14 人）	6,389
李亲顾区（11 人）	20,744

续表

城区(10 人)	4857
西坂区(7 人)	3136
清风店区(4 人)	4806
马家寨区(4 人)	9135

2. 种痘

保健所				
年　度	人数			
	初种者	男	女	共
二十二年春季	756	1754	694	2448
二十三年秋季	9087	20,893	9817	30,710
总计	9843	22,647	10,511	33,158

3. 水井改良

西建阳区保健员改良水井 5 个；

马家寨区保健员改良水井 4 个；

李亲顾区保健员改良水井 12 个。

4. 小学卫生实验

学校数目	学生数目	卫生班次数	听讲人数	清洁检查次数	检查人数	体格检查人数
42	2805	996	49,349	996	49,349	3008

沙眼治疗次数	治愈人数	头癣治疗次数	治愈人数	牙齿检查人数	矫正牙疾人数	水井改良数目	厕所改良数目
95,570	285	26,162	268	1529	433	14	6

5. 训练工作

协和医学院	42 人
湘雅医学院	11 人
上海医学院	2 人
中央大学卫生教育科	6 人
农村访导员	4 人
农村助理员	6 人

关于实施保健制度之经费,每一保健员年需 15 元,每一保健所年需 1200 元,保健院年需 17,000 元。以定县目下所设置之 80 个保健员、8 个保健所、1 个保健院计,每年共需 27,800 元。据民国二十年调查,定县人民每年所用医药费约 12 万元,现保健制度实施之后其所需经费仅及前者 1/4(预计将来工作如再扩充每年所需经费约当前者 1/3——约需 4 万元),定县共有人口 40 万人,每人负担医药费 1 角即可使全县人民均可得有医药治疗之机会,盖亦极经济之办法也。然犹虑他县不易仿行,更制定一简易方案,各县先设一保健所以主持全县公共卫生,各村保健工作则仍植其基础于保健员也。

“误教”与“无教”*

我国人口占世界1/5，有几千年悠久的历史，数千万方里的土地，现在受人侵略，无法抵抗，人家的飞机大炮，如入无人之境，这是怎么一回事呢！华北紧急，全国动摇了。你们是有血气有思想的青年，试想一想，中国为什么到如此田地？我以为根本的原因是“误教”与“无教”。何谓“误教”与“无教”呢？中国现在受教育的人很少，而所受的教育，又多是不切实用的。所以有“教育误人”、“教育杀人”的这种说法，这就是“误教”的意思。四万万人口中有80%没有受过教育，这就叫做“无教”。中国数千年来的旧教育，现在已经整个的推翻了，可是新教育尚未产生。现在所谓“新教育”，并不是新的产物，实在是从东西洋抄袭来的东西。日本留学生回来办日本的教育；英美留学生回来办英美的教育。试问中国人在中国办外国教育，还有什么意义？各国教育，有各国的制度和精神，各有它的空间性与时间性，万不能乱七八糟地拿来借用。现在的学生是在学日、学美、学英，弄得一塌糊涂。学非所用，用非所学，所以许多大学生都在失业，而国家复闹人才缺乏的恐慌。人找不着事，事找不着人，这是充分去模仿外国的结果，整个教育因此

---

* 本文是作者于1936年10月17日在湖南衡山乡村师范学校的演讲词。原载《民间》第3卷第14期，1936年11月。

破产。

中国人办教育不知道中国的情形，随便把外洋的东西搬进来，好像一个人害病，不问他的病源，任意给他吃药，一定要弄坏的。所以教育办了几十年，对于中国本身没有发生什么好的影响。你若去问一个统计学家，中国现在有多少人口，他一定回答说大约是四万万罢！有的说三万万五千万，有的又说四万万五千万，其间差了这样大的一个数目，全没有确实的调查。譬如人家问你家里有几口人，你都不能回答，这岂不是一件最耻辱的事。中国人不知道日本的事，不知道苏俄的事，犹情有可原；中国人而不知道中国的事，这真是罪无可恕了。中国现在的金矿有多少，煤矿铁矿有多少，耕地有多少，森林有多少，有人知道吗？但是日本人会知道，美国人也会知道，说起来是如何的痛心啊！为教育而教育，为学校而学校，学生毕了业，就不管他失业不失业了。甲校如是，乙校亦如是。大家不知道为什么去办学校，不明了社会上的问题，去根据问题而定方针。只晓得照样画葫芦，人家怎样做，我们就怎样做。甚至有人为饭碗而办学校，这更是不堪闻问了。

中国人的大毛病，是说而不干。你看有好多人只管在那里说，“教育误人”，“教育杀人”，闹得声彻云霄，而无人实地去改造，更有谁能认真吃苦，到乡村去！大家具一种得过且过的心理，以为别人不去，我何必去呢？得过且过，已经过了四千多年。须知时至今日，已不是“得过且过”的时期，乃是求得过亦不能得过的时候了。我们敌人的枪口，一天一天向我们迫近，我们怎样还不觉悟，还是偷闲躲懒，不肯去干。我们常见有人写文章，骂教育，结果还是空论一场。我们怎样说就要怎样做，要怎样做，就要先认识中国情形，认识社会情形，亲身到社会里去体验。

中国教育堕落到这种地步，如何得了？所幸误教尚少，假如误教普及了的话，那只有坐以待毙。现在还有80%的“无教”者，正待我们去普教，故中国前途尚有可为。我们不应当再拿外国教育去教他们，要创造一种中国教育，要用中国药来医治中国病，且要看清病源然后再去下药。

今后新教育的途径是：不要再模仿别人，要自尊自信，自己创造。外国的科学我们要学，外国的教育，自有他们的背景，我们如何能够毫无目的地盲目抄袭呢？

个人的行动，也是随时代而变迁的，现在你若仍不出户门，坐在家里读书，那是不成功的。中国人最低限度要明了中国的情形。想明了中国的情形，不是要去调查南京、上海、天津、北平这样的大都市，是要深入农村。因为中国四万万人不是完全住在都市，有80%以上的人口住在农村。从前说“秀才不出门，能知天下事”，读书人自作聪明，所以演成了现在的状况。“闭门造车”、“纸上谈兵”的空计划，绝对不可靠。明了事实，才能发现问题，发现了问题的因果，才能计划改造的方案。

要想知道民间实况和疾苦，没有数字作根据，便不知从何处下手，所以要有调查统计的工作。现在说到诸位同学来到这里预备将来去做建设农村、复兴民族的工作，各位要知道教育的基本不在大学和专门学校，是在小学。比如建筑房屋，没有坚固的基础，就不能筑成一座崇楼高阁。没有好的小学，又从哪里去得到好的大学生和专门学生？小学的目的是为教育这广大的民众的，所以很重要。留学生从外国回来，他们心目中成了一个做大事、做大官的观念，谁还顾及得到小学教育。所以有人说中国人忘本，本就是基础。我们把基础教育称做小学教育，所以人人以为它小，便不愿去干。孙中山先生曾经说，中国人与西洋人不同的地方从很小的事情上就可以看得出来。譬如建筑房子，外国人行奠基礼的时候，非常隆重；中国人却要到上梁的时候，才大行庆贺。从这一点就可以看出中国人只重外表，不重基础。

“师范教育”这个名词倒是很好的。“师范”二字的意义，是说既可为师，又能做范。有许多做先生的不见得就能够做人的模范，能够做人模范的，却都可以做人的先生，希望你们能够做人的先生又能做人的模范，真正负起乡村师范教育的使命来。去教育那广大的平民与农村中的大多数的儿童，这种责任是何等的重大！

我们能够去教育那么大的民众，“无教”也就要变成“有教”了。但是我们怎样去教他们？这却是一个重大的问题。中国社会需要什么，我们就应当去教他们什么。要明白现在已经是20世纪了，不是“日出而作，日入而息”的时代了。现在是飞机、大炮、毒瓦斯的时代了！我们要做一个“现代人”，一方面要不忘本，换句话说，就是不要忘记我们是中国人；一方面要应用欧美的科学，要有驾驭自然的本领，一扫从前那种靠天吃饭、信赖命运的行为，换上一副创造新天地的气魄，这才能有办法。不然，你就不配在这20世纪生存。

但是怎样才能使你做一个现代的人呢？唯一的办法，就是“吃苦”两个字。你能吃苦，一切都能如你的愿。我国有句俗语：“吃得苦中苦，方为人上人。”这句话确含有真理。美国有句话说：“总统出自茅庐。”我希望你们努力吃苦，在教师指导之下而去苦干，去造就自己，把自己造就成一个民族的仆人，大众的仆人！

苏俄在十几年前，世界上没有一个国家理它，不许它加入国联。可是现在还不到二十年，各国都把它当做嘉宾，先后同它复交,国联也很恭敬地请它加入,给它一个常任理事席,使濒将破产的国联,因它得以支持,这是何等的荣耀?可是苏联在这十几年内的苦也真吃够了,全国人民节衣缩食,为的是国家的建设,因此才有今日。所以,我们要下决心:洗尽从前那种"万般皆下品,唯有读书高"的心理。这种念头在前一两百年或者还可以,到了20世纪的今日,是不可能的。要知道,在你我的生命范围内,都没有享福的希望!

在我国今日这种民穷财尽、天灾人祸交逼的时候,人民真是不能说不算吃苦,但是这种吃苦能算是有目的、有意义的吃苦吗?我们要效法苏联那种有计划、有目的、有意义的吃苦。

衡山省立乡村师范在湖南是很重要的一个乡村师范学校,今后基础教育的奠定,全在各位的身上,所以希望你们能够去吃苦。德国之所以能有今日,虽在他精强的兵力,但是,根本的原因,是在师范教育办得好。就是我国现在各处实验县的中心工作,也是在普及平民教育,造就干部人才;而干部人才,又多半是出自乡村师范的,因为乡村师范的学生都是有志改进乡村的。村政弄好了,县政当然也要随之而好,省政、国政自然整个地就会上了轨道。这样方能安邦强国抵御外侮,这样我们方能生存于20世纪!

最后我希望各位的有两点:(一)对于学问的追求:学问的重要,是人人都知道的,无论做什么事,都非有学问不可。别的且莫讲,就以你们本身而言,你们为了要改造社会,建设乡村,就得认识社会的整个面目,至少也要知道湖南衡山这一个小圈子,一方面还得明白些做人的道理,多有些常识才行。(二)对于人格的修养:中国能通中西古今有学问的人也不少,可是他们的学问尽管好,若是没有人格,恐怕他们的学问越好,他越能够卖国。有许多什么日本通、美国通、苏俄通……根本就通错了，这是什么缘故呢，缘故是没有人格的修养。所以我觉得学问还在其次，人格却最要紧，我们要有“富贵不能淫，贫贱不能移，威武不能屈”的操守！

各位同学，国难已到这样不可收拾的地步，我们若再不努力，就只有灭亡一途。国家亡了，就是要爱国也无国可爱，到那时可就悔之晚了。希望各位同学永远不要忘记我今天所讲的话。

三桩基本建设*

——对长沙雅礼(Yale)学校学生的讲话

各位同学！贵校是中国的Yale,兄弟在美国Yale读过书,对于贵校不无一点关系。民国十年,兄弟到长沙办理平民教育运动的时候,到贵校讲演过,现在我的家庭已经搬到长沙来,我的子弟在贵校读书,我的不少老朋友在贵校做事,我和贵校有了更多的关系,所以今天到贵校来讲演,非常高兴,非常快活。

今天和各位要说的话,就是每个中国人,在现在的局面之下不能不注意的一件事。那是什么？那就是当前的国难问题。在这个时候,除开国难问题之外,不能说什么;除了救国工作之外,也不应该做什么。国民要针对国难说话,要针对国难做事,学生也应该针对着国难求学。今天我要说的话,不出乎这个范围。

在国难期间,最重要的,就是国防工作。说到国防工作,一般人认为基本的,就是军事准备、军事建设。这一方面,我可不说。为什么？有两个原因:第一,因为在国难时期需要军事准备、军事建设,一般人都已认为不成问题,自不必我再来说;第二,关于军事,兄弟本是外行,也无从说。因此,今天要说的,乃是在国防另一

* 原载《民间》第4卷第2期,1937年5月25日。

方面为人家所不大注意，而是我可以说、能够说、必须说的话。现在一般人士都集中精神到军事建设，却忽略了一个很根本而且非常迫切的事情，使我感觉骨鲠在喉，不得不一吐为快。我认为在整个的国防计划之下，除了军事建设之外，更有三桩建设，非赶紧做起来不可。

第一是教育建设 教育建设这句话，诚是非常空洞，茫无边际。具体地说：小学教育，中学教育，大学教育，民众教育，都是教育，也都需要建设。可是在国难状况之下，我们须了解两桩很重要的事：第一是国防工作，应该做的事情太多，因此，我们只能够拣最基本最重要的事情做；第二，在国难状况之下，时间急迫，一切都有来不及的情势，不能不做最迫切最需要的事。教育建设，项目既多，什么是最基本最迫切的事呢？据我看来，民众教育最迫切，最基本。中国有句古语："民为邦本，本固邦宁。"人民是国家的基本，基本没有巩固，国家就不得安宁。中国有三亿以上的人不识中国文字，没有受过教育，这是中国的莫大耻辱，是国防上莫大的危险。文字是什么？是受教育求知识的工具。人类文明和野蛮的分别，民族的兴亡盛衰，根本就在知识之有无、高低。文明人识字，有求知识的工具，野蛮人没有。所以文明人的生存力，自卫力，超越了野蛮人或是无知识的人。中国现在有三亿以上的人，连最起码的求知识工具都没有，过着类乎原人时代的生活，大家想一想，在这知识竞争的今日，危险不危险？中国枉有了四千年文明，到今天还是文盲遍地，耻辱不耻辱？世界上没有无知识的强国，也没有知识高深的弱者，知识高的得胜利，知识低的就非失败不可。中国有三亿以上的人，无知无识，不知国家是什么，不知国难是什么，国防是什么，还谈什么国防！仅仅靠了几百架飞机，几千万的枪炮，那不能算是国防！全国民众连国防最低限度的知识都没有，哪里够得上担当国防！仅仅靠的民族竞争，不是人多人少的问题，而是民心振作与否的问题。中国三亿人无知无识，谈什么国防，谈什么总动员！我不是说，谈国防无需飞机枪炮，我是说，飞机枪炮之外，更需要有知识、有组织、爱国家、爱民族的民众。这是一般讲国防者所不很注意而不可不注意的基本工作之一。普及民众教育，建立国防知识技能。

第二是经济建设 经济建设四个字似乎也非常空泛。报纸上常常看到它，演讲里常常听到它，究竟经济建设是什么，仍是漫无边际的含糊说法。什么是今日最低限度的最迫切的经济建设？就先要问中国的经济基础在什么地方。在北平吗？不是。在上海吗？不是。在南京吗？都不是。中国的经济基础在农村。中国人穿的衣，吃的饭，住的屋子，甚至走的路，都是乡下老百姓出了力气织成、种熟、造起来的。没有了乡下人，就没有了米、麦、棉花、木料，也没有人来盖房修路。乡下人是中国的重要分子，农村经济就是国家的经济基础。现在怎么样？这里天灾，那里匪祸，老百姓苦极了，做到筋疲力尽，还是不得一饱。到处破碎颠连，生机垂绝。农村破了产，国家还得存在吗？所以在现时谈国防，非把农村经济复兴起来不可！农村经济不建立，国防就失了后方，国家势非崩溃不可！俄国在大战时候，前方的兵力，不是不够，枪炮不是不精，只因为后方人民没有面包吃，闹起革命来，使前方军队不能不后退，俄皇不能不去位。这种事例多得很，一般人谈国防，只顾买飞机买大炮，却忘了要巩固国防的经济基础。经济基础在日本在英国是工业，在中国是农村。不复兴农村，谈什么国防！

第三是政治建设 政治建设这句话，也是很空洞而无边际。

中国的政治基础在哪里？在中央吗？在省政府吗？不是。中央政府重要，却不是政治的基础。省政府也重要，但也不是政治的基础。政治的基础在哪里？在县。县才是中国真正的政治基础。中国有二千县，四亿人生息在这二千个县里。县长治理县政，直接影响人民生活。省政府委员的张来李去，与老百姓无直接痛痒关系，中央政府的纵横改组，与老百姓无直接关系，唯有县长的更替，和老百姓关系最密切。县长好，老百姓沾光；县长坏，老百姓遭殃，县长与老百姓的关系太大了。诸位都是从乡下来，必定听到过家乡父老的话，偶尔碰到一个清官，哪一个不喜出望外！一个县长，每月的薪俸不过是二三百块钱，可是他一年要赚到几万或几十万块钱。他的钱从哪里来，不是剥削老百姓是什么？中国的政治基础，如果那样黑暗贪污，还谈什么国防！

总结起来说：在国难状况之下，除了军事建设之外，第一要注意教育建设，具体地说，就是要建立国防的知识基础；第二要复兴农村，完成国防的经济基础；第三要改革亲民的地方政治，建立国防的政治基础。

要达到这三件建设工作，应该怎么做呢？现在就我所知道的做法，介绍给各位。这种做法，不是外国书本上抄袭来的，是许多学者亲自在乡间研究实验出来的，不是空洞的理论而是实际的工作。兄弟与这个工作，有密切的关系，也有相当的心得，相当的经验。这就是中华平民教育促进会的工作。中华平民教育促进会，成立于民国十二年。这个学术团体的成立，是根据了欧洲大战时候的教育工作经验。欧战时，中国有 20 万工人参加工作，那时有人从事战地华工教育，兄弟就是其中之一员。在工作里，感觉到中国的立国基础之所在以及平民教育的重要。回国后，便决心做这个工作。今天没有时间可以报告中华平民教育促进会的历史,只能把会里15年来所研究实验的工作,简要地提出三件来说一说。

第一是民众教育 民国十一年兄弟就到长沙来做过平民教育运动,规模很大,参加的群众极多。在十五年前干平民教育,民众教育,而且是大规模的提倡,那是历史上所没有的事。平教会不仅提倡平民教育,并且还注意到三个问题,就是:民众教育应该教什么?怎样教?谁去教?第一是内容问题,第二是方法问题,第三是人才问题。因为提倡是空洞的表面的工作,没有继续性,没有实际性。一个运动,要有实际的表现,必须要有内容,有方法,有人才才行。诸位都知道民众教育的主要教材是《千字课》,《千字课》便是中华平民教育促进会所研究创编。现在同性质的千字课,不知有多少种。在十五年前,却是一桩空前的事。

第二是经济建设 平教会认定中国的民众在农村,中国的经济基础也是在农村,所以在十年前,就有40多位学者,选定了河北定县,撇了都市生活、大学生活、政治生活,自己住到乡村里去做平民教育的研究实验。农村经济的改造,是工作内容之一。现在各地都有了农村建设实验区,做多方面的实验,可见这种办法,已经是普遍的要求了。然而,在十年前做这种工作,也还是空前所未有的事。

第三是县政改革 也是中华平民教育促进会所注重的工作。刚才说过,县政是政治的基础。县政府向来以催科听讼为本职。县长的称职不称职,以催征赋税多少作考成。成绩好的便擢升高官或另调优缺。所谓优缺,就是地方富庶、容易搜刮的县份。这种办法,无异是奖励贪污。其实催科听讼不过是县政的一端,县长只管搜刮,还有什么工夫办真正的县政。平教会同仁,认为复兴民族，澄清吏治，必须改革县政，所以有办实验县的计划，衡山是平教会协助湖南省政府所办的实验县。

我介绍了国防的具体工作之后，现在要谈一谈谁去做这个工作。我说，做这个工作的人应当就是全国的学生，就是各位。中国成千万的农村，谁去复兴？二千个县份，谁去改革？三亿以上无知无识的民众，谁去教育？这些工作，不是有知识的青年担当，谁去担当？我说应该去，不就是能够去。应该不应该是一件事，能够不能够又是一件事。我说你们应该，也希望你们能够。中国为什么有三亿以上的人不识字？为什么有四千年历史的国家，农村破产到这地步？为什么四千年来的政治，腐败到如此？就是几千年来的知识分子，没有能够去教育民众，建设农村，改革县政。诸位是中学生，已不是无知无识的民众，就应该担起这个责任来！今后中国民众教育能否普及，看青年能否去教育农民；今后中国农村能否复兴，看青年能否去建设农村；今后中国县政能否清明，看青年能否去改革县政。青年在这个时代，单是自己读书，自己受军事训练，还不够，因为还有三亿以上的民众问题没有解决。怎么样就能够做这些工作呢？第一，得把事情的本身加以分析，认识清楚。要干乡村工作，就得自己跑到乡里去，先给自己一种训练工夫，把问题认识清楚。不然，对象不明白，那就是盲干、瞎干，没有用处。第二，问题认识清楚之后，就要有恒心去做。天下的事情，没有一做就成的事，没有恒心，绝做不成事业。第三，要“死心塌地”地去做，为事业牺牲，不达目的不止。把自己认识的问题，用持久的精神去干，自己愿意为它干到死。困难是事业必须经过的历程，许多人碰到了困难便自杀，这样的死是容易的痛快的事。可是死了事业依然没有成功，死有什么意义？最难的是把死的精神做生的工作，和困难奋斗，到死方休。

诸位，国难已经临头，国防非常迫切，国防不是单靠飞机大炮所能巩固。除了武备以外，还有更重要迫切的三桩工作要做。做这种工作的人，不是别人，是有志的青年。做这事的方法，是要认识问题，用决心死心去做。兄弟十多年来，所有的工夫，都用在这上面。有发财的机会，也有做官的机会，我都不去干，知道我的人，都知道这些事。在工作上所遇的困难，不知有多少，我还是继续地做下去。我服膺"富贵不能淫，贫贱不能移，威武不能屈"的教训，决心献身于国，至死不变。中国能认识问题的人很多，下决心的也有，但是能死生以至一直做下去的，却不多见。有的知难而退，有的升官发财，中途变节，为富贵所淫。中国的一切不进步，以至临到了沦亡线，症结全在于此。

兄弟求学于美国 Yale 大学，今年在这中国的 Yale 演讲，我要告诉诸位一个故事，那就是 Yale 的精神。在美国 Yale 大学礼堂里，有一个"内森·黑尔铜像"，两只手被捆绑受死刑，一点没有怕死的神气。他留下的名言是"I am sorry, I have only one life to give my country"。意思是"我很遗憾，我只有一条命献给我的国家"。诸位！内森·黑尔是为他祖国争自由而死，他自恨没有两条性命可以多为祖国奋斗。这种精神，我是十分感动的。在留学时代虽然受了许多教授的益处，这个铜像给我的影响却尤为深刻。今日的中国，比起当年的美国，情形不知坏多少倍，因而需要内森·黑尔这样的人物，迫切程度也不知高了多少倍！Yale 的学生们啊，我们要认识问题，要抱"Yale"精神，为祖国努力！为祖国牺牲！

困难中的新都实验*

在国难严重到了极度的今日，无论朝野上下哪一个人，必须站在国难的立场来思想，来行动。讲一句话，都应针对着国难而言；做一件事，都应瞄准着国难而进攻。撇开了国难的工作，不是工作；忘却了国难的国民，不是国民。

现在我们必须全国一致来负荷，来促成国防建设的伟大工程。但是国防建设的大题目之下，应做的事太多了，应准备的条项太繁赜了，一件一件慢慢地去做，不但为时间所不容，金钱所不许，而且枝枝节节，也必致焦头烂额，徒劳无功。值此一发千钧之际，自非抓住最迫切最基本而又最核心的关头，才能一针见血，起死回生。

国防的工作，人人都张大着眼，注意到军事武器，买飞机，造枪炮。这些，固然都很重要。然而现代20世纪的战争，需要整个民族的总动员，需要亢奋的民气和充实的民力，尤其是中国，军事科学不如人，武器财力不如人，更非赖四万万民众能个个胜任为勇壮强韧百折不挠的斗士，不能和兵精粮足的敌人做持久的奋斗。所以现在谈国防建设，除掉人人所注意的军事准备而外，更须立刻推动国防上最基本最扼要的工作，那便是表面看不出的、无形的武

---

* 原载《新都实验县县政周刊》第1—21期合订本，1937年5月。

备——民众力量的造成。

和民发生直接关系，而为培养民力、运动民力的机构者，舍县政莫属。县政是全国政治的下层基础，中央政府为笼罩全国的中枢，但政治基础不在那里，省政府为统筹全省的机轴，但政治基础也不在那里。发号施令的大本营，固然在高层，而实实在在执行政令，推动民众的枢机，却在基本的县政。若果县政腐败窳弱，中央的大计，尽管法良意美，省府的严令，尽管三令五申，都一齐到了县府而活活地埋葬，白白地磨灭！所以没有健全的县政，便不容易有健全的省政，没有健全的省政，也就很难显出健全的国政了。

自古称县长为亲民之官，为民父母，在一不健全的父母卵翼下，休想产出健全的子女，在腐朽紊乱的家庭内，休想培养成强壮聪颖的儿童。如果政治基本机构——县——朽腐无能，如果运用这机构的人，颟顸无用，那使整个的民众力量，都给他毁掉，一切的建设工作，都无从做起；人民将不知什么是国防，什么是国难，甚至不知什么是国家。这样想，达到国力的充实，达到民族的复兴，那真等于缘木求鱼，而且危亡立待！所以民力充实为国防的重心，而亲民的县政又实为培养及运用民力的重心。

因此，中国目前最紧急的第一步工作，端在确立健全的县政，革新其机构，整饬其官吏，并推进各种建设，使其毋忝为民力培养及运用的完善枢机，庶国防的根本工程予以完固。实验县的设置，便适应这个迫切的需求。实验县岂是若干学者拿来做实验的消遣品？亦岂是执政当局拿来撑门面的粉饰物！它具有极深刻极严重的意义，负着极严肃极神圣的使命！它是要开拓和带领着所有基本政治机构，都走上吏治澄清，机轴灵活，建设事业猛力推进的大路；它是替国防工程，奠定最根本最坚实的下层基础；它是要养成民众力量，以捍卫祖国，抗御强敌，重建一族新的中国与环球！

四川——已被全国人士、中央及地方当局，公认为吾国民族复兴的最后根据地。“最后”的后面，更不容再有“最后”，这是我中华民族生死存亡最后一口呼吸的所在，更非拼命确立国防中心工作不可。在这个命根的地方，而尚建设不起国防中心工作，中国民族的命运，复何忍言！复何堪问！

川省当局有鉴于此，刻意想把国防基本工作推动于全省，故先设置实验县于新都，期望从这里着手，革新县政机构，促进地方建设，而后渐渐推及于其他各县，使全川150余县，成为健全而强有力的基本政治机构的联合核心，可以推动及陶成7000万民众个个为国防阵线上最遒劲的战斗员。新都实验县设立的使命在此。负起使命的一班专门县政学者，舍许多权位荣名于不顾，完全为了国难的深重，痛民族之垂危，遂下绝大决心，甘愿献身于下层的政治工作，冀望将研究实验中的基本建设方案，克日完成，以贡献于宗邦，推行于全国。天职所在，矢志不渝！

现在新都实验工作，发轫伊始，这是民族复兴最后根据地，也即是最后国防线建筑上的头一块奠基石。作始也简，将毕也钜。任重道远，如临深渊。当局及邦人君子，扶掖而督其成功，吾川幸甚！吾国幸甚！

关于非常时代中国青年应有的精神的讲话*

我们中国，在这非常的时代，应该做些非常的事业，应该产生不少非常的人物，具有非常的精神，非常的能力，来完成非常的事业。如果在非常的时代，还不能产生出非常人物，就便有了非常的机会，还是不能成功非常的事业，结果，整个民族非灭亡不可。今天给各位讲一讲在非常时代要负起非常责任的青年，应具有的人格，应有的态度，应有的精神。

第一，我们如要在非常时代有造就，能负起非常的责任，首先要抓住真理，把握真理。中国人所表现的一切思想、行为，都像小孩子，幼稚不堪，浅薄不堪。有一个英国人到中国观察之后，在他的报告书上说，中国人还没有成年，还在小孩时代。一个研究学问的，稍有所得，大家就尊之为专家。某某专家、某某专家，在国内到处都是，滥到极点。其实真正配称专家的人，国内并不多。一个人读了几部汉文佛教经典，人家就称之为佛学家，照我所知，研究佛学，至少要懂得三种文字，汉文、印文、藏文，因为佛学所有的书籍，都是用这三种文字写成的，仅仅读几部中国文字的佛经就算是佛

---

* 中华平民教育促进会档案（二三六）134。此件系作者1937年对农民抗战教育团团员的讲话。

学家,这只有中国才可有这样说法。一个留学生,刚从外国学校毕业回来,马上就做教授;在外国,连一个助教的资格都不够。中国虽大学林立,但全国大学所有的人来办一个大学,还不能和伦敦、柏林等大学比拟。这都是浅显的例子。

中国社会是一个造就人才的社会,但也是毁人的熔炉。一个留学生回到日本,可以有发明,回到中国,就一无成就。稍微在思想上有一点见解,大家就称誉他了不得,自己也就老实不客气地以了不得自居,这样哪里还会抓得住真理。耶稣说:"要自由,只有真理教你有自由。"中国人从没抓住过真理,只有屈服于真理。雷能打死人,雷有力量,就尊雷为神,做他的奴隶。外国人抓住真理,寻求真理,知道雷是电的现象。因为懂得真理,所以能运用真理,就叫电做工,造福人类,使做人的服役。"真理教人得自由"。若只一知半解,绝对不能征服自然,克服环境,反而为环境所克服,做环境的奴隶。中国的天灾人祸这样多,都是不去寻求真理的结果。

孙中山先生说:"人类有一种是先知先觉,一种是后知后觉,一种是不知不觉。"先知先觉最好,后知后觉,不知不觉都可以受教育;最坏的是又有另外一种人,就是半知半觉。你说他知道,他实在不知道,你说他不知道,他却知道一点皮毛。这种人,中国社会上最多,不求深解,不求深入,不求进步,相率以此为满足。这种人最可怕,他是害群之马。中国办新教育已四五十年,没有一点成就,一切都不如人,都是因于此。我们如在这个非常时期要有所为,救国救民,造成新时代,就非寻求真理,抓住真理不可。

第二,是要把握着生命。生命从哪里来?从生活里来。中国人做事总是贪舒服,骛表面,不肯向实际里钻。研究学问的,纸上谈兵;做"官"的,往上层爬。什么是事实,全不去管。秀才不出门,能知天下事,这就是不注重事实的解嘲。近年有一部分人算是觉悟了,往往用调查方法来搜寻事实,而所要调查的,仍是闭了眼睛乱填的表格。真正的实际生活是什么东西,谁也不管。大学教授关上课堂门教他的书,青年学生关在校舍里读他的书,大家在书本上用工夫,究竟生活是怎样一回事,根本不问不闻。平教会十多年来的工作,打破社会上传统的习惯,自己钻到实际生活里头去,就生活的事实研究其所以然。我们不是登天,而是入地。耶稣说:"一粒麦子放在桌子上永远是一粒麦,放到泥里去,他就有了生命,得到发展,化生出许多粒麦子。"研究学问,须往生活里钻,才会得到有生命的学问。不肯往下层钻,这是中华民族的致命伤。不务实际,决不能认识生活、抓住生命,在这非常时代,也就不能有所贡献。

第三,是把握信仰。中国人自命为最文明的人,而行为上却是模棱两可,或此或彼,左右进退,无所不可,任何方面都能妥协。做一件事,他可以知难而退。从历史上看中国几千年来没有起过宗教战争,好像这个民族很漂亮,这实在是没有信仰的缘故。没有信仰,所以什么都可,什么都无可无不可。所以在一个重要的会议里,遇到一个议案,先问有没有什么,如果没有什么,许多人就会说:这提案没有什么,可以通过。假如真正有什么,恐怕就未必能通过了。所以一般中国人是很随便,不必刀架在脖子上就可以屈服的。那种"李秀成部下十万人,聚众自焚而不降"的精神,是历史上稀有的奇迹。"民无信不立",一个民族如果没有信仰,哪有不亡?英国人有一句话,一个国家如果没有一种信仰的事业,教青年能为了它去奋斗,就是这个国家灭亡的起头。假使举国青年都成了无可无不可的灰色人,这个国家还有什么生命可说!

我今天举出三点来供各位思考。如果要中国再生，就得抓住真理、生命、信仰三种东西来努力，不然，整个的民族就完了，没有希望了。这三件事不是说几句话，听一次讲就能明白，就能实现的。印度人崇拜牛为神，牛在工作忙的时候，把食物吞下肚子去，以后在躺下的时候来细细咀嚼。我们现在非常忙碌，没有思索咀嚼的时间，但是食而不化，非常危险。咀嚼是必要的工夫，讲习会时间因为很短促，所要讲的，挤在一起，希望各位以后慢慢咀嚼。尤其今晨所提出的这三件事，是鞭策我们，惕励我们的原动力，切望各位加以慎思明辨，而将自己所生的反应、感想，用书面送给我。听着，在这非常时代，一个青年如果不抓住真理，把握生命，坚定信仰，决不能有所成就，决不能有所贡献，决不能做得出点子事业出来，他只有给时代的洪涛打下去，归于淘汰！

关于我们为何发起农民抗战教育的广播稿*

一、全面与全民

两千多年以前，我们的先哲说过一句很警辟很肯定的话："以不教民战，是谓弃之！"可是几千年来，中国历史上何尝有过"教民战"的政治？中国的人民何尝受过"战"的教育？中国人——尤其是农民——始终一贯的宿命论："靠天吃饭"，把生存、自由、独立的人权，完全推给老天爷，任听其支配，从无自动争得的要求。西洋人的独立、自由是从拼命争斗而得来的。例如法国的人民、美国的人民，不知流了多少血，经了多少次的战争，而后换得民族的自由和国家的独立。中国人从来不知，也从来不被教知：自由须流鲜血去买，独立和解放，须从战争的血路打出来。他们是一向被"弃"了的人民！

火盖终于揭开了，惊天动地的战歌，喊彻了神州的每一个角

* 中华平民教育促进会档案（二三六）148。此件是作者1937年在长沙广播电台的讲话稿。

落！我们这一次战争，实在是我国开史以来所未有。这是整个民族求生存，谋解放，争自由独立的一个神圣战争！这战争应该能把几千年的宿命论粉碎，叫整个民族抬头，叫每一个黄帝子孙，无论男女老幼，都能意识着流血是自由的代价，斗争是独立解放的长城，而都能充任实行捍卫祖国的英勇战士！

敌人已在东南西北各区域里对我们开战，我们非亦在东南西北各区域里的民众都能抗战不可。敌机不但轰炸前方的军队，而且飞越到辽远的后方来炸平民，轰家屋。他们随地都可以对我们作战，我们就也应随地有民众去应战。现在既已展开了巨大的全面战争，国内都认识到这种全面抗战不是某一方面可以独揽，某一部分可以包办，要取得最后的胜利，非集合全民的力量，大家来共同担负整个民族争生存的伟业不可。真能把全国民众动员起来，激发全民抗战的意识，培养全民抗战的能力，敌人——充其量全国不过六千万人，能征发的军队不过三百万人——倒是对我们愈全面，愈于我们有利，愈把战线延长，愈自速其覆灭。所以问题的焦点，完全归结到我们的"全民"两字。

二、"全民"的分析

全民抗战对于这一次全面战争的关系，既是这样重要而急迫，然而现在我们试把所谓全民的目前事实来分析一下，实在叫人痛心！前方作战将士的英勇壮烈，举世皆为钦崇，但是我方作战的机密，或陆军，或空军，都常被汉奸卖给敌方。我们的军器已不如人，全凭血肉和精神来搏战，而还要遭蒙汉奸泄漏军机的大害，以致节节失利，这是何等可痛愤的事！为何在罗店敌人竟能登陆？汉奸！为何在太湖敌人竟能偷入？汉奸！为何在许多险要的地域敌人的轻兵竟能袭取？在许多军事地点、工业中心敌人的炸弹竟能命中？都是汉奸！汉奸何尝不原是我们自己的民众，应该是帮助自己军队来作战，但因为无教育，无训练，无组织，便反送给敌人去利用！我们自己没有组织自己的民众，训练自己的民众，而敌人却有计划地有规模地来训练我们的民众，组织我们的民众，使成为大批的汉奸群，供其驱使，而甘为走狗！这种大规模的汉奸运动，不但可以摧毁我们的军事，实足以破灭整个的我国民族！本来我们的"人力"，所谓 man power——我们的武力不如人，大家知道，我们的军器不如人，大家知道——却举世皆知为甲于天下而为任何民族所望尘莫及的，乃竟始终没有去教育他们，组织他们，运用他们，现在倒过来反供给敌人去利用，去恶用，用来自己害自己，自己灭自己，天下羞愤之事，伤痛之事，孰有更甚于此乎！

然而更有可痛心者：我们的民众，无论男女老幼，在前线或在后方，固有常被运动变作汉奸的事实，而在已被敌人占领的地方，我们的壮丁，更被驱为敌军的急先锋和敢死队。现在火线上来打我们的，不是敌兵，而是我国自己的壮丁、民众。我们去搏了命而打死的，不是仇寇，而是我们自己的骨肉同胞！眼看这种残惨的悲剧，能不魂丧心寒！然而，比那被诱的汉奸被胁的先锋队敢死队更进一步可哀的现象是做日寇的"顺民"！只因我们的民众，平时没有受教育——不但"战"的教育，连最起码的国民教育、识字教育都没有机会受到。而给日本人饵他们一点极小的小惠，便"抚我则后"地做了他最驯服的顺民。做了亡国奴而感觉到自己是亡国奴的时候，还可望其为义勇军，为游击队，长期不断地和敌人扭打；最可怕最可胆寒的是做敌人的顺民。本来是无知无识,不辨什么是中国,什么是日本,不曾有些微国家观念的一群民众,一受到敌人的小小好处,岂有不服服帖帖地垂耳低头,永远麻醉下去,代代为其驯畜！言念及此,真叫人冷汗浃背,骨髓寒战！

三、民众不是不可教而是无教

虽然如此,我们绝不应该为了目前所产生的汉奸、走狗、顺民等许多事实而灰心失望,我们的民众是大有希望而亦大有能力的。只因我们不注意他们,不去教育和发展他们,才弄到有这类怪象发生。试一环顾淞沪应战的万千战士,那种浴血吞弹的神勇,那种杀身成仁的英烈,不但声撼山岳,义泣鬼神,不但引起全国人的敬拜,也实激动了敌人赞叹与敬佩之忱,不但开辟中国战史上的新纪元,也实为欧美有战争以来所罕见。国际视听之转移,九国公约会议之奔集,未始不由于这千万神勇战士之精神感召。这些忠仁壮烈的战士,本来还不就是我们的民众？闸北孤军的八百是中国人！南口的罗团、宝山的姚营,也都是中国人,并不有半个外国人;而同时成群的汉奸,也都是道地的中国人。同为中国人,而为何一则粉身碎骨以卫国,一则徇私贪利以卖国？这分别在哪里？无他,战士们是受了训练,受了教育,展开了民族意识,愿赴汤蹈火而为民族争生存,汉奸们却因没有受训练,没有受教育的缘故,所以我们不要因有汉奸而怀疑我国民众素质的不良,况且汉奸毕竟居最少数,民众仍居绝对大多数。无论从量言,或从质言,我们的民众都是大有可为,淞沪之战便展示着铁般的明证。一加以训练,一加以组织，立可化亿万民众为卫国的健儿，立可发挥每一个人所潜伏着的伟大神力。所以民众不是不可教而是无教。只要给他们一点受教育的机会，便涌现出无限力量来，这实在是我们十余年来从事民众教育或农村建设工作同仁所最亲切感受的实际经验。

所可惜者，这一二十年来，政府及社会多只着眼于上层的大计划、大方针，而根本不注重下层的基本工作。所用于民众教育和民众训练的经费，不过占全国预算的极小极小部分。国费如遇节减的时候，首先殃及的便是民教经费，甚至全被取消。整个的社会态度，对民众不是漠视，便是蔑视，大家把民众教育看做不急之务，可有可无。堂皇的教育巨子之辈，目中亦不见有民众教育，偶睨及之，自亦不屑去干。有许多地方或民教机关，虽在举办民训工作，但亦只做到口头上、纸面上、墙角上的民训而已，何尝切切实实地打到民众的心坎，何尝真能把民众们训练和组织起来！直到现在，大祸临头，失掉了上千上万里的土地，死掉了成千成万的壮士，大家才稍稍感觉着培养民力、组织民力、运用民力的重要性与迫切性。太原的沦陷，上海的退却，大家才认识前方是有限而后方是无穷，非赖后方不断地去补充人力与物力，前方终竟会倒坍下来，乃始惶惶然求有事于民众。真所谓大难不临到头，不知有难；火不烧至眉睫，不知有火！直到今天才开始谈训练民众、组织民众，实太不成话了！

不过觉悟总比不觉悟的好。只要从今天起，大家真正觉悟过来，从已往的种种错误中，取得教训，痛自忏悔地、大彻大悟地、有决心有魄力地来大干民众教育、民众训练组织的工夫，犹不失为亡羊补牢的最后一举。我常说：中国这回战争，不怕败，只怕崩。尽管敌人武器优越，军力强横，我们只要做到全民动员起来，结成最巩固的持久的无限雄浑、无限绵远的长城，无穷无尽地去补充前方的兵员，接济前方的粮饷，使前方永远可以作战，则纵有一地一时的失利，但最后的胜算，一定仍操在我们手中。这是一个比火犹明的真理。

四、农民在全民中的地位

一谈到"全民"两字，就不能不想到农民。十个中国人里面，至少农民占有八个。四万万同胞内，三万万以上都是农民。所以不言全民抗战则已，一言全民抗战，实在即等于"农民抗战"。如欲争取抗战的胜利，而不将80%以上的农民训练组织起来，教他们战，则更凭什么来保障抗战的成功？中国农民不但在"量"上占全国民众的最大多数，而且在"质"上，更是一国的基本队伍，具着无限可能性的潜伏力。他们是中国真正的唯一的生产分子。衣、食、住、行，都由他们而得，吃靠他们耕作，穿着靠他们纺织，房子靠他们造，公路靠他们修。平时既靠他们养命，战时更靠他们救命。前方作战的将士不也是农民吗？后方源源补充上去的，不也都是农民吗？所以整个民族生活，都依存于这班劳苦的农民大众。而且中国历史上的伟人，亦多半来自田舍。就从最近的历史看：我们的民族英雄孙中山先生，便是一个农夫的儿子！所以无论从任何方面而论，农民是全国民众的最大重心，是民族的维系者与整个国家的依存者。农民能动起来，整个国家便蓬勃起来，农民能一齐抗战，整个民族便可解放而得独立自由！

现在我们发起农民抗战教育运动，一方面是因为我们同仁十多年来朝于斯、夕于斯做建设农村教育的工作，深刻地认识，亦坚决地信仰：今后中国民族的复兴，非开发这广大的农民潜伏力不可；他方面又因到了今天，大家虽已认知全民抗战的重要性，但对于全民 80% 以上的农民，更有特别提出来的必要。须知动员民众，训练民众，决不当仅仅在都市里呐喊，非实实在在地深入农村，遍入农村不可。而这个工作，我们认为在国家危急存亡的今日，有责无旁贷的内心要求。所以我们在承平的时候，志在启发农民的智能，培养农民的力量，以建设农村，建设国家。今天到了非常的时候，便针对着民族生存，国防大计去提高农民的民族意识，加强他们的生产和精神力量，助成政府全民动员计划，以达到最后胜利。国家今天需要每一个国民参加抗战，有力量者应该出力，有钱者应该出钱，有知识者应该出知识，有经验者应该出经验。我们从事农村工作的人，够不上谈出力，更够不上谈出钱。但自信十多年来在农民教育的内容上、方法上，和整个农村社会的组织上、改造上，不无一得之愚。现在正是应该出我们的知识，出我们经验的时候，所以不量绵力，不揣浅薄，受责任心的驱使，倾其所有来从事于这个农民抗战教育运动。

五、怎样才能做到农民抗战

但是要教农民抗战谈何容易！训练与组织农民，无疑地应该火速去做，然而要怎么做？便是极大困难的问题。训练——训练什么？怎样训练？谁去训练？近年中国有两个很普遍的现象：一就是整个地麻木不动，一就是忽地惊悟、饥不择食地不研究其应如何动，而立刻乱动盲动。不动的害处固深，乱动的害处尤烈！从鸦片之战以至甲午，从甲午以至“九一八”、“一・二八”，这八九十年来，变法啦，立宪啦，新文化运动啦，开公路啦，办保甲啦……无时不在动，以至于组织和训练民众，也急急地在动。然而不研究内容，不研究方法，张皇地匆促地动了起来，不但弄得农民鸡犬不宁，更有许多借了训练农民的美名，实行剥削农民、敲诈农民的勾当！

我们要有热烈的感情，同时要有冷静的头脑。民众应该立刻组织训练，自不待言，但尤应先把这个问题来分析一下：它的困难在什么地方？它的成功条件应该是什么？消极地说：哪些是农民教育的障碍？非全力祛除不可；积极地说：哪些是农民教育的基本条件？非尽量调查造成不可。兹请先从第一类说起。

在平时，农民所担负的田赋，已超出他们能力以上。我们靠他们穿吃住，还要征召他们掮米带粮地来修公路。一旦政府举办什么新事业，钱，立刻就在他们身上要！什么捐，什么税，名目如毛，种类百十！正赋而外，而有附加，附加重重，超过正税数倍。有的像四川等省，田赋甚至预征到民国七十年。战事发生，救国公债的摊派，又压在老百姓的头上。地方上还有土豪劣绅，从中渔利、盘剥、榨取、欺骗、压迫，叫你冤无所伸，苦无可诉。一般人以为“土劣”一词，多半由办党办宣传的人所捏造，其实从我们多年办村工作的经验，在乡间目击身亲，豪绅那种气焰和权势，真比纸面上所说的还更厉害百倍！除了苛税诛求、土豪剥削而外，兼以水旱蝗疫的天灾，贪官污吏的人祸。在重重灾祸压迫之下，平时既要他们出钱，战时还要他们出钱，而且出钱不已，还要出力；征工不已，还要征兵。一点仅有的血汗钱，既捧将出去，半条苦瘠的苦性命又送将上来！试想，在这种情况之下的农民，怎能感觉到国家之可爱！在这种高沸度煎熬的险迫情势下，不“民变”已算侥幸极了，还讲什么“民训”！政府将为其仇雠，国家将为其地狱，更如何唤起他们爱国的情怀与民族意识，更如何劝导他们去为国家拼命啊！

今后倘不先将上述种种障碍全部铲除，洗心革面地来向农民痛自忏悔，根本无谈训练农民、组织农民的可能，农民教育的障碍物排除而后，才可进求如何着手这组训农民的大业。而要这大业的成功，又必具备下列诸条件：

第一，要朝野上下一致对于全民抗战——农民抗战这一件大事业，不但有深刻的认识，而且有坚韧不拔的信念，甚至要建立一种宗教式的信念，认定如做不到这事就必须亡国灭种。

第二，要大刀阔斧地改革地方政治，使亲民的县政机构臻于健全，行政人员十分充实，换言之，非办到县政机构国防化不可。县政是全国的基层政治，是直接与农民相见、直接发号施令的策源地，如果这个发动机不抗战化，叫农民做抗战是绝不可能的。

第三，要有钱的真能出钱，为开发这广大的雄潜的农民宝藏而出钱。国中一种很奇特的心理，好像训练军队非用钱不可，而训练民众则不必用钱；好像办大学或高等教育可以用几千百万，而办民众教育则不必用半文。这种错误观念，应当从根矫正。农民所占全国的地位既如此广大而重要，那为农民所用的钱，也必应正比例地为之筹拨，这是天公地道的事。钱的来源，自然不外两途：一是举外债，一是国内自捐。许多有钱的人，打错了算盘，不肯在这时出钱为国，等到国破，家亦随亡，子孙代代为人奴隶，守财奴又到哪里去守财！你们的财，仗打败了，固不能守；仗打赢了，更不能守，一班出了力出了命的人们，那时不来和你们算总账吗？

第四，要全国有知识有热血的千万青年志愿献身农村工作，做组织农民训练农民的干部，大规模、有计划、有程序地深入民间，去提高农民的民族意识，加强农民的力量，使整个农村国防化起来。这回中华平民教育促进会发起组织农民抗战教育团，亦因有鉴于各地有志青年学生不愿再过承平时代的读书生活，要溅热血于抗战、于国家，而恨请缨无路，效命无门，为此我们第一期先征集青年50人，编制为6个农民抗战教育分团，给予两星期的讲练，两星期的实习，便分派到湖南省的12县去，以3个月为期，要辗转训练600万的农民，使受国防精神教育和战时技能的教导。这只是第一届，是开头，以后只要抗战一天，我们誓必继续做抗战教育一天，再接再厉，矢志不渝！

我们这回开办农民抗战教育工作，主要目的是在发动和倡导全民战时教育，希望在短时期内，这工作就为全国上下所公认而普遍化、而深切化，庶几整个的后方诸省皆组成伟大雄厚的堡垒，每一个农民都是争先恐后奋起杀敌的生力军，甚至每一个村妪或农儿，都是卫士，保国揭竿抗敌的战士，则不但战争的最后胜利绝对属于我们，而全国量与质皆占最高分数的农民大众，经此番发扬蹈厉的教育——“战”的教育，争得解放、独立、自由、人权的教育，而后，整个的民族就立刻焕发着一种蓬勃生动、激扬亢爽的光辉。新中国的宏远基础也便于此奠定，太平洋集体和平与人类文化的伟大进展，也将于此奏出钧天壮穆的歌声！

十年来的中国乡村建设*

一、乡建运动的渊源

自从国民政府在南京成立以来，距今已整整十年了。在这十年内的中国，内忧外患交迫而至，几无日不陷于纷争凌乱的漩涡中。在这纷争凌乱的时期以谋建设，实有许多阻碍和困难，然而在国人的共同要求下，建设事业在这十年来，虽未见有其整个计划，但也零零碎碎地有一点进步的活跃的气象。乡村建设便是一个最明显的例子。最初由一二团体发起的实验工作，渐渐地雨后春笋般簇生于全国。十年来苦干的经过，无论在质与量方面都有其进展的事实可为一言。

乡村建设运动当然不是偶然产生的，它的发生完全由于民族自觉及文化自觉的心理所推迫而出。所谓民族自觉就是自力更生的觉悟。一切高呼打倒帝国主义或帝国资本主义曾经狂热一时的目标，都变成了胰子泡样的空虚口号，在民族自身没有力量之前，

* 选自《十年来的中国》，商务印书馆 1937 年版。

一切的一切都是废话。涨红了脸吹破了胰子泡以后，沉下心来反求诸己，觉得非在自己身上想办法，非靠自己的力量谋更生不可。这就是所谓自力更生的觉悟。乡村建设更是这个觉悟的产儿。因为一回头来想到自己，就发现中国的大多数人是农民，而他们的生活基础（Cultural Base）是乡村，民族的基本力量都蕴藏在这大多数人——农民——的身上，所以要谋自力更生必须在农民身上想办法。而自力更生的途径也必须走乡建的一条路。其他方面，中国近百年来因与西洋文化接触，反映出自己文化的落后，事事都不如人，同时国内的社会秩序、政治制度、礼俗习惯，所有一切的生活方式都发生变化。固有文化既失去其统裁力，而新的生活方式又未能建立起来，因而形成文化的青黄不接，思想上更呈混乱分歧的状态。有的主张复古以挽救已动摇的局面，有的主张追步西方的现代途径，更积极一点便唱全盘西化。到了现在，无疑地，新文化已在中国人的生活上和思想上都具有极明显的影响，然而传统文化的积力仍然把每个中国人牵引着不容易往前走。这种文化失调的现象实有从根本上求创应（Creative Adaptation）的必要。这样就想到"人"及其生活基础的改造。而中国的"人"的基础是农民，其生活的基础在乡村，所以结果也就逼上乡建的一条路。

二、中国问题的认识与解决的着手

中国今日之所以有问题，可以说完全由外来势力所激起，假如中国没有外力进门，环境不变，或者还会沉沉地长睡下去。自外力闯入以后所发生的剧烈变化，使中国整个的国家日陷于不宁和纷乱的状态,而受祸最烈的莫若乡村。诚如梁漱溟先生所说:“中国社会是以乡村为基础,并以乡村为主体的。所有文化多半是从乡村而来,又为乡村而设——法制、礼俗、工商业等莫不如是。在近百年中,帝国主义的侵略,固然直接间接都在破坏乡村,即中国人所作所为,一切维新革命民族自救,亦无非是破坏乡村……”中国人因鉴于乡村之破坏乃起而有救济之举,更因为乡村无限止地破坏,迫得不能不自救,乃再进而有乡村积极建设的要求,于是乡村救济运动就成为积极的乡村建设运动。且更进而有重建一新社会构造的要求,认为中国问题为整个的社会结构问题,所以“乡村建设,实非建设乡村,而意在整个中国社会之建设。”(具见梁漱溟著《乡村建设理论》)

还有,中国的社会结构问题也就牵连到具体的“人”的问题。因了文化失调的高度而陷社会结构于纷崩,因了池湖积水的污浊和溷乱,而益萎竭了鱼的生命。中国人——尤其是大多数的农民——的衰老、腐朽、钝滞、麻木和种种的退化现象,更叫中国整个社会的问题,严重到不可收拾。实在可以说,社会的各种问题,不自发生,自“人”而生。发生问题的是“人”,解决问题的也该是“人”,故遇着有问题不能解决的时候,应该想及:其障碍不在问题的自身,而在惹出此问题的人。所以中国四万万民众共有各种问题,欲根本上求解决的方法,还非从四万万民众身上去求不可。在这种认识之下,民众教育——或者简直农民教育的工作,可以得到一种有意义的看法,因为问题既在人的身上,所以从事“人的改造”的教育工作,成为解决中国整个社会问题的根本关键。定县的四大教育因而有其积极的建设的意义。所谓四大教育就是针对着多数民众的四大病象——愚、穷、弱、私——而设立。我们从农民教育的试验中，认识了培养他们的知识力、生产力、健强力和团结力的必要，而这些力量，是从组织而来。要造成组织，唯有从组织的教育下手。教育是组织的基础。没有教育——没有组织教育，组织是不可能的，即使具组织的形式，那是凑合的而不是真正的、自动的、内发的组织。只有自动的组织才能有力量。所以我们要培养力量，还得从教育起始。有教育才能自动组织，有组织才能有自己的力量，才能有共同的力量，才能应付困难问题，创立新的生活方式，建设新的社会结构。

认识了这个具体的问题，在实际上求解决的方法，在邹平则有乡农学校，较明细一点就是乡学村学。这个乡学村学的办法，原则上就是教育民众以组织的能力。诚然，乡村问题的解决，一定要靠乡村里的人；如果乡村里的人自己不动，等待人家来替他解决问题，是没有这回事情的。乡村问题的解决，天然要靠乡村人为主力。我们组织乡村的意思，就是要形成这解决问题的主力。但是有了乡村人为解决问题的主力就够了吗？不够！单是乡村人解决不了乡村问题，因为乡村人对于问题只能直觉地感觉到，而对于问题的来源，他们不能了解认识……所以乡村问题的解决，第一固然要靠乡村人为主力；第二亦必须靠有知识、有眼光、有新方法、有新技术（这些都是乡村人所没有的）的人与他们合起来，方能解决问题。近十年来知识界“到民间去”呼声的远震，便根据着这种需要而来。

三、实验运动的阶段

上面已经说过，乡村建设之产生是由民族自觉与文化自觉的心理所推动，故其发生与鸦片战后先后发生的太平天国运动、戊戌新政运动、辛亥革命、五四的新文化运动、民国十五年的国民革命，有同一的要求和同一的心理背景。不过每一次所表现的形式颇有不同，乡村建设所表现的形式是各地实际社会中的实验工作，希望从一县或一区甚至一村之中，做出相当具体的事业来，或在实验的工作中，希望求出解决中国问题的原则来，更进而重新建设社会的机构。这个实验的工作，或称实验运动，拿来比较鸦片战争以来的五次大运动或革命，论范围，是一次比一次扩大；论意义，是一次比一次深沉；论对于挽救危亡的目的，是一次比一次地接近。虽然危亡的征象也一天比一天地增加和暴露。至于每次的性质，大抵是补足前次的缺陷，第一次（指太平天国运动）是比较破坏的和武力的；第二次（指新政运动）便比较改良的和平的；第三次（指辛亥革命）兼有一、二次的性质而仍是比较破坏的和武力的；第四次（指五四新文化运动）兼有一、二、三次的性质而仍是比较改良的和和平的；第五次（指国民革命运动）兼有一、二、三、四次的性质而仍是比较破坏的和武力的。这样的一个“比较破坏”，一个“比较和平”的演进，好像一、三、五次的运动都是比较破坏的，而二、四次的运动比较和平。即是每一次破坏之后即有较和平的改良运动。乡村建设是继国民革命运动之后发生的，这也是一个和平的建设运动。这个运动最少可以补救前五次的缺陷：第一，它注意及大多数人的教育问题；第二，它使国家的建设注意到求大众化的问题，而使国内人人都能相当享受国家的权利；第三，它注意到一切政令、法律、制度，如何与人民生活相扣的问题，使人民把国家的政令、法律、制度看成他们自己生活的一部分。以上三点虽未完全实现，但这个运动实含有此三种意义。

实验运动若果止于实验工作,那也就毫无意义了。它往后一定要有进一步的发展,而引到另一阶段去,始有它的功用和价值。回顾到我们研究实验的阶段,好似只是纯学术的研究,其实在这些学术的研究中,处处顾到实际化和推广化,就是要从学术的研究引到政学合一的新境。现在已经走上这一个阶段。随便举几个例,定县在民国二十一年后的工作,就感觉到使学术政治化、政治学术化的必要。邹平也是一样,可用梁漱溟先生的话来说:“我们的乡村组织,在最初的意思,很想用教育的力量提倡一种风气,从事实上去组织乡村,眼前不与政府的法令抵触,末后冀得政府的承认。原来的意思是如此,邹平过去的做法也是如此。可是现在不然了,现在自已操政权,自已可以改订法令,仿佛是两个系统(文化运动团体系统与现政权系统)合成一个。这样的方式,就全国大局说是不曾如此的。邹平既合成了一个,所以不能不想法子将行政机关教育机关化——自已操政权又做社会运动,故不能不将行政机关变成教育机关的样子。”(见《乡村建设概论》)所谓行政机关教育机关化,也就是政治学术化的意思。这个政学合一的主旨,仍为研究实验上取得一种方便,其结果将引到一阶段去,这又一阶段就是政府推展的阶段。

政府推展的阶段在今日虽尚未成立,但这个趋势是可以看出来的,在江西省政府方面的乡村建设工作就有类乎推广性质的工作,只要研究实验方面有了具体的办法,即可以在政治统一的局面下推展出来。乡建的实验运动到了这个阶段才能完全付诸实施,而见更重大的功用。

四、乡建运动的具体化

乡村建设运动已如上述，并不是偶然的发生者，它是由于全国各地的实验工作，大家从实际的追求中所体验出来的共同要求下产生的一个富有建设意义的运动。中华平民教育促进会在定县，山东乡建研究院在邹平，中华职业教育社在徐公桥，燕京大学在清河及其他学术团体的实验工作都是一样地向实际追求。结果使学术与实际工作得以联合。

从前中国的读书人只是读书写文章而已，一向的风尚都是不注重实际的工作的。实际的工作只让农、工、商各界的人做去，与读书人不发生密切关系，于是中国的读书人就成为一种特殊阶级。可是今日的读书人不是这样，他们认识了学问若果与实际生活不发生关系，必定陷入空虚，是“死”学问而不是“活”的。全国各地的实验工作就足以表明今日读书人的态度，即是要在实际的工作中去研究学问和获得学问。这样的学术与实际工作联合，结果学术上就有其实际的价值，而实际事业亦因研究实验得以改进，以后，在工作不能没有学术的研究，在研究不能没有实际的对象。这个转变对于中国整个社会将有很深远而重大的影响。

学术与实际工作联合的表现就是各地的实验工作。小规模的研究与实验，结果就有其广大的波澜。如定县的工作，不过从一个村开始，渐渐地请得学者下乡研究，开学者下乡之风气，再而扩大范围由村而区，再后成立县单位的实验。邹平的工作也一样地取研究实验的态度。燕京大学在清河镇的实验更是富有学术意味。

这样的各方面的试验，从毫没有经验的试验中，正如探险家的探险一样在乡村社会中试探，到试探有了头绪，得到相当经验，进而有实验的计划与工作；在实验工作中更获得了办法；在获得办法之后更谋进一步的发展工作，积极地来训练人才与扩大实验区域。所以乡村建设各方面的研究实验，虽以片段分割，但都有其连贯的关系，都是顾到全般生活的。

五、乡建工作的各方面

乡村建设是整个新社会结构的建设，并非是头痛医头、脚痛医脚的事，而是从根本上谋整个的建设事业，所有文化、教育、农业、经济、自卫等各方面工作都是互相连贯的，是由整个的乡建目的下分出来的，各方面工作的发展，合起来就是整个乡建事业的发展。现在为便利起见，把它们分别地来略说一下：

（一）文化教育方面——教育的设施，在乡村建设的过程中，实有其深刻的意义。教育者不仅是对农民为知识的灌输和技能的训练，同时要注意到使一般农民即知即行而运用其知识技能以谋农村的建设。农村以教育的力量谋建设，即是教育的结果成为农村建设的力量；建设的推演，成为农村教育的环境；互为因果，以推进一切而促进新民社会的实现。这种方式，小言之，是一种以教育为经、建设为纬之文化方式；大而言之，是一种以教育为手段、建国为目的之政治方式。

乡村建设最基本的条件，是在有组织有训练的民众，有了组织和经过训练的民众，才有力量，才可以去建设乡村。乡村学校，是乡村文化的政治的中心;青年农民是乡村社会的唯一支持者。以教育的方式去组织民众,训练民众,实在是最适宜的场合。

因此,我们认定,在目前欲求"民族再造"之使命的实现与"乡村建设"条件之造成,须力谋政治与教育的调协。一面用政治力量去推动建设工作,一面运用教育力量造成建设的条件,并做些建设的事业,如此,则乡村建设工作的完成,并不是无办法的事。

乡村建设既必须通过教育这个阶段,那么,实施乡村建设教育的标准,必须:(1)以全体村民为教育的对象;(2)以整个乡村为教育的场所;(3)以民族再造与建设乡村为教育的目标;(4)以适应实际生活、改良实际生活、创造实际生活为教育内容;(5)以大队组织运用导生办法完成综合活动——实现乡村建设为教育的方法;(6)以家庭、学校、社会合一之综合方式为施教的方式。

以上是定县教育实验的一个认识的实录。邹平的"乡农学校"、"村学乡学",在形式及进行上,就是一种教育工作。此外,晓庄所注意的儿童教育,结果产生了今日布满全国的乡村师范学校。今日各地所实行的青年训练,所应用的组织教育的方式或原则,皆可以表现乡村建设的教育方面的工作。

(二)农业方面——在积极方面则有产品之质的改良,及产量增进之研究或介绍良好品种与科学的生产方法。在华北,以棉种的改良为最有效。在消极方面则有杜绝害虫方法之研究与介绍。此外,家畜的改良,饲养方法的指示,都是为增高农民的收入,间接提高其生活程度。目前,定县、邹平、青岛、金陵大学、江西及其他如山西、广东各地的农场,即皆从事此种工作。这些事业,已经有其广大而明显的影响。行政院农村复兴委员会曾因此拟定许多草案,出有专书,名曰《中国农业之改进》。最近中央有促进乡村建设一案,由行政、立法、考试三院,共同拟定办法,将以选适用农业技术人才为中心条项。此外全国经济委员会赞助成立的江西省农业院,更有具体的规模。这都是乡建的农业方面。

(三)经济方面——农村经济与农业改良发生极密切的关系。改良农业,就要注意到经济组织的改进以谋适应。所有农业产品的生产、运销,货物的购买,农民的消费,一定要有新的组织,生活始能适应,于是合作社的办法就介绍入乡村。这方面的工作,要算华洋义赈会提倡最力。最近,闻华洋义赈会已将救灾的工作交回政府办理而专致力于乡村建设,尤以合作事业、训练合作事业人才为要(见《大公报》本年三月十日消息)。中国的合作事业,自民国八年创造以来,突飞猛进,至十年底,全国已登记之合作社,计达26,224社,社员1,004,402人,其他未登记及近两年来新增加者,尚不在内。合作事业之突飞猛进,是近十年来的事,与乡村建设运动有密切的关系。

农村经济问题中最严重的,莫如土地问题。这个问题,近来已引起国人的深切注意。前月,地政学会在青岛开的年会,也就讨论这个问题。此外,报章杂志中,亦间有文章讨论。山西曾经有过关于土地的改革试验,可是不见成功。这桩根本工作,似应由政府出来毅力解决。

(四)自卫方面——自卫工作,以镇平为最早知名,其次菏泽也曾驰誉一时,但在今日民众训练的自卫工作,已为大众所认识而且普遍全国。最近绥远抗敌之成功,得力于民众者甚多,可知自卫工作之重要。江西因为防匪患,亦努力于此种工作有年。所谓管、教、养、卫四原则之中,"卫"占着很重要的地位。青岛市的民众训练,尤见积极。此外,江宁、兰溪各地方都有。广西全省的民团训练,更为国人所称誉,其"三自三寓"政策,也几以自卫为中心。邹平也因历史关系,对于民众自卫训练,另有一套办法,系参酌瑞士民兵制度之方式,及中国古乡约之遗意;同时寓教育于军事,寄军令于内政,不仅在消极的自卫,而尤在积极的自强,其训练自卫要旨:"在团体纪律,民族意识,思想陶冶,知识灌输,务期兵农不分,文武并进,以成人教育为精神,以军事训练为骨干,以普及教育为前提,以推进建设为归宿。"这更含有教育意义,与教育合并而有广大的目的。

(五)其他方面——教育、农业、经济、自卫而外,还有卫生方面的工作,这就是保健制度的应用:本由定县开始实验,而今江西省、江宁县的卫生工作,都是应用此办法。虽名称略有改变而原则都是一样。今日江宁县的乡村卫生事业,尤见成绩。保健制度是一种有计划的有组织的介绍新医药人乡村,叫农民自具保健的力量。在政治方面,有县政机构的改良与实验,使行政效率增进,得尽民众服务的能事。可是现在仍在实验的阶段,未有普遍的影响。如江宁、兰溪、邹平各有其成就,湖南的衡山与四川的新都,则在开始实验中。再如交通方面,公路的建筑,使内地交通便利,城市与乡村之间,得以沟通,这也算乡村建设事业之一。道路建设一事,社会团体中,以华洋义赈会贡献为最大,其经手新筑及修补的道路,在四年前已有四千余英里。近年来,政府方面,对于筑路工程,尤多努力猛进。中央与省府合力经营的,有江西省的公路设施。广西的公路也很发达。广东的公路,里数最大,湖南则以坚平著。其他东西南北诸省份,都正在积极开辟。四川可以通湖南。陕西、甘肃都比以前多辟了道路。此外,以开辟道路为开发乡村之利器者,应推青岛的设施为最见成效。

总之，上述各方面事业的发展，合起来就是整个的乡村建设的推进。在“乡村建设”及“复兴民族”的目标下，谋这各方面事业的发展，才有其整个的主义与力量。

六、乡村运动的影响

数年来，乡建运动的进展，无论在意义上或实际的工作上，都有其广大而深厚的影响。兹从三方面来探讨一下：

（一）政府方面——在中央政府方面最显著的，就是行政院成立的农村复兴委员会，最近虽已撤销，但行政、立法、教育三机关联合拟定的促进乡村建设一案，是一个重视乡建的老大明证。全国经济委员会所赞助的江西省乡村建设事业，也可表示中央积极态度之一。省政府方面，如最近广东省乡村建设三年计划的开始；江西省由中央协助成立的农村事业委员会；绥远省的民众训练及乡村建设事业。其他如四川、湖南、广西、云南、福建、浙江、江苏、安徽、湖北各省份，虽无全省的整个计划，但也片段地有不少乡村建设工作。山东省的乡建事业，因有山东乡村建设研究院的规划经营，更不必说了。且因其历史较久，所以给外界的影响也较大。其实乡建事业是交光互影，共为感应的，各方面有各方面的成就，合起来，形成整个的乡建的波澜。县政府方面所受的影响，更为切近，甚至因乡建的推行而影响到县政机构，故进而有县政建设的普遍呼声。近年各地实验县的成立，如江宁（现才结束）、兰溪、邹平、定县、衡山、新都，都是为了改革县政以谋建设乡村的加速化和优胜化。总之，在这些事实影响的背后，指示着政府态度的转移，也算是难能可贵的了。

（二）社会方面——乡建运动给社会方面的影响，最大的是社会意识。它使社会人士认识了乡建的意义，无形中成为了一种风气，使一班学者，渐渐趋向实际工作，一班学生也能认真苦干。看近几次的学生运动，竟然深入乡陬从事宣传，甚或进一步加入实际的乡村建设工作。各地大小规模的实验工作，各学校的竞设实验区，都是一时风气所尚。再其次是一种舆论的造成，认为建设乡村是复兴民族的根本工作，是国防建设中最基础的阵线。这种空气，不但助成政府发生力量，使建设事业，易收效果，而且激起一班人士，回过头来，注意到乡土的研究和调查，着眼于广大遥远的内地区域，致力于社会科学和农业改良，养成了大众化和生产化的显明意识：这是中国社会改造上沛然莫御的一大鲸波。同时在外国方面，也有它相当的影响。自力更生与下层做起的沉静为国，使外国人对中国近年的努力有较清楚的了解与佩赏。各国人对于我们乡建事业的同情与赞助，也不能不说是乡建事业发展之一大助力。

（三）教育方面——乡建运动之影响教育，在形式与内容两方面，都很重大。就一般教育而言，如各地云兴霞蔚的平民学校或民众学校。乡村师范学校注重乡村教育方面的设施及训练乡村建设人才的工作。内容则趋向实际，与乡村社会合拍。定县的小学组织教育，影响所及的地方很多：如河南、绥远、江西、浙江、安徽、湖北、云南、贵州等省，各有采用其原则或办法之处。至于大学教育方面，最具体的表现，是去年成立的华北农村建设协进会，由协和、南开、燕京、清华、金陵及平教会六个学术团体组合而成，以济宁及定县实验区供给大学生及研究生实地研究之用。大学教育已具体地与乡村建设发生连锁关系了。

乡建运动的影响，大概已如上述，其他枝节的地方，不遑覼计。还有许多间接的影响和副作用，则更不胜尽举。而且，反过来，受影响的各方面，其对于乡村建设事业上，也有其贡献与影响。这样的交相影响，互为因果，才能促进社会的进步。换言之，乡村建设运动在今日，其影响已及于政府、社会、教育各方面，到了这几方面都注意乡村建设，而且共同致力于乡村建设，则乡村建设的力量愈增雄厚，而有其无限的前程。

七、前瞻

乡村建设运动在过去十年来的努力，其工作的表现与影响，已大略加以说明。今后，全国统一的局面已日见巩固，政治已渐渐上了轨道，国家的建设，正可以在整个的具体的计划之下，计日成功地迈进。乡村建设的大业，在这个时候，希望由政府加以提倡和督促，把它放在整个的建设计划之中，求其贯彻。他方面，乡建运动者，也应从整个国家的建设计划上着眼，依据其积年研究实验所得之基础，进一层寻求问题，做更深的研究实验。使乡村建设的学术方案与实施机构，很和谐地配合于整个的建国方案与体系之中。同时乡建运动的最近将来，必须盛行培养乡村建设工作上各种行政或技术人才，以供全国各地的急需。这人才的训练与方案的研究，有如车之两轮，交相为用。人才愈多，则研究的效果显著；研究愈著，则训练的内容愈丰。

新社会构造自然非一朝一夕所能奏功，“人”的改造，尤非一蹴可就。乡村建设运动此后的任务，在抓住几个要点，认真地切实做去,才能较大贡献于新中国的创成。例如农民青年训练,确是乡建工作的基石。现在各国,尤其法、意、俄、日都是注重这一点。农民青年训练,要顾到两个条件:一是教育的制度,怎样使教育成为培养青年的有效动力而不落空,使个个青年,不但都有出路,而且成为新社会构造中的基本分子;同样,政治方面,应给予助力,来促成这种青年训练工作,所以有县政建设的要求,使每一县份,都能有适宜于促进青年训练工作的政治机构。这就是说:我们要集中于青年力量的培养及政治机构的建设。如此,用政治力量,助成教育的设施,用教育的力量来训练和组织青年,使成为新社会的核心与示范。这样做下去,必定可以达到建成新中国,创出新文化的最高目的。乡村建设运动的目标在此,十年来所努力的意义和希望也在此。

多难兴邦必须训练民众*

自从湖南省民训工作开始以后，大家都非常忙，都在连日连夜干，没有时间召集周会。后天又不得不到江西一行，故乘今天把几件重要的事和同仁一谈。

大家知道：民众训练，时至今日，已属迫不及待！这么多年来，大家都只在口头嚷嚷，而真正的民众训练，却没有做。一切政治、教育，都是照常地拖下去。就是有一点民众教育，也不过是普通的办法，大家没有加以重视。所谓唤醒民众，只见标语贴得甚多！少数壮丁的军事训练又都偏于一方面，对于民族意识、政治教育等等，差不多完全没有。一直到现在，因为战争这样的厉害，大家方感到单靠有限的军队去抗战，绝对不够。我们的常备军队，至多不过一二百万，我们的武器又不如人，所以非靠整个民众起来作战不可。但最痛心的事是：自己的民众却和自己的军队不合作，反造成了普遍的汉奸运动！这都是以往没有切实做民训工作的结果。民众非经过一番训练和启发，谁都不愿意去当兵。即使强迫去当兵，这种兵士也不能组成好的军队。现在军事当局，都觉悟到这一点，以为如果民众力量不与军队配合起来，要取得胜利，殊不可能。现

* 原载《平讯》第2卷第21期，系作者1938年1月17日上午在长沙办事处的报告，原题为《第八次周会记录》。

在朝野上下,都感觉到,除了继续不断训练军队之外,最重要的工作,就是训练民众。虽然现在开始来做训练,已来不及,可是不做更不得了,虽嫌太迟,还是要做。所以各方面对于民众训练,都在急起直追。本省张文自主席对于这个工作,尤其热心。

平教运动做了这么多年,天天大声疾呼主张训练民众,天天研究训练民众的内容、方法、制度,好像半空中的孤雁长鸣,无人应和,就是有,也是力量很微,现在朝野四方都觉悟了,并且知道非和有实际经验的人合作不可,军政当局都很尊重我们平教运动同仁的经验。湖南方面,张主席对于平教运动认识很深,关于民众训练切需我们协助,这是同仁的大好机会。平教运动做了十多年,为的是什么?到了今天国家危急存亡的时候,我们岂能无所贡献?现在把这工作经过的大概情形说一说。

湖南全省民众训练,除设有民训指导处,指导行政而外,还有设计、编审两个委员会。本会一部分同仁,参与编审工作,民训所用课本及参考材料,都是委托本会编辑。本会所编农民抗战丛书,全省采用至 30 万册之多,这样大量的供给,在本会还是第一次。同仁所编的抗战传习片,也要印 1000 万份,同时担任《战时民训》半月刊的编辑工作,由孙伏园同志主编,它是一种供给 4000 受训青年流通声气、解答问题的刊物;当局还希望每个公务人员都有一份,而且将来发动五万知识分子,这半月刊,同时也是他们的读物。这样,这刊物的重要性不言而喻!本来文字工作,是本会历史最久的一部分,多年希望着有大规模行用的一天,现在方有机会实现了这希望。在人才训练方面,我们也参加他们的干部训练工作。其中教职员组,本来规定到衡山去实习,乃因近来交通困难,二三百人,在车站上等了一天一晚没有等到车,才作罢论。所以本会所有一切，在这一次民训工作中，都已充分的应用。“九一八”以来，我们希望就我们的得失经验，能够应用到国家民族争生存这方面去，可是始终没有痛快地做。今天国中大规模有系统地发动民众训练者，当以湖南为首。而且能深刻地认识平教工作，充分地与平教会合作。湖南的地位，现在已不是后方了，它已居于前方后方之间。湖南如果不守，四川、云南、贵州、广西，必大受威胁。因为湖南是这几省的屏障。要守得住川、滇、黔、桂，必先要保卫湖南。所以湖南具有关系整个中国存亡的地位。有眼光有抱负的人们，非与湖南共生死不可。设不幸湖南为敌所据，敌机在几分钟之内，就可到川、滇、黔去轰炸。平教工作是救国工作，平教会是救国的机关，如果没有人理我们，我们当然不能坐着等死，只得到另一个地方去找一个可以为国奋斗的凭借地。现在我们一切研究实验之所得，一切人才学术，都有尽量应用的机会。省主席中，如文白主席对同仁这样诚恳，希望得这样迫切，而对于政治的敢于负责、革新，真是凤毛麟角。他一方面是军人，一方面是教育家，在中央军校做教育长，造就的学生，到处都是。同时还是一个乡村工作者，在巢县黄山办过乡村师范。所以他是夙有抱负的人，现在自己当政，就非实现他的抱负不可。国家到了今天，人人可以奋起抗战，樊篱尽撤，活跃无忌。既有可以大干的机会，为什么不干？干得不好，不怕，君子只要不二过，能接受教训，哪有干不好的道理。在苏俄的五年计划中，决定要把农民的耕牛农马宰掉，立刻就宰；农民反对，不管，办得不对，另想办法，一次二次地碰，一次二次地改，终于把五年计划实现了。我们如决定干，就不要怕错，不干，连所以错的原因都不知道。这次湖南民训干部训练，4000 人中要是有 1000 人成功，就算是很好的成绩。湖南青年，烦闷了这么多年，自从这工作发动以后，立刻有4000知识分子走到乡下去，这是何等气象！不但青年个个有事做，就是政府机关也同时活跃起来，整日整夜地忙。不然，上上下下忙搬家、忙逃难，士无斗志，还谈什么抵抗！而且4000知识分子的训练并不就此完事，接着便要训练五万人。要把大批的知识分子，分发到乡下去，充实保甲力量，灌输新血，使地方自卫做到真能名副其实。这样由下而上的健全机构，才不致头重脚轻，形成只有组织没有事业的现象。过去在几十万人民的县份，负全县公安的，是一个毫无实力的公安局，管理几万人的区公所，办事的只有区长、助理、区丁三个人，单叫他做些公文承转工作，已忙得可以，还有什么工夫真正地去实行地方自治。因为保甲不能名副其实，所以全国动员，就成了哄人骗人的事。全民动员，非健全这基层机构不可，张主席对此有很深刻的认识，这认识与我们的认识完全相同。第二期的五万人训练计划正在根据第一期的得失经验，以及预定目标，切实筹划，张主席甚望平教同仁都参加这工作，我们不要辜负这种期望才好。

现在说会里的工作，“农民抗战”丛书第一集50种，已经出版，第二集50种，也要赶快编起来，以应目前的需要。

在全省教育改革中，教材的供给十分需要。小学教材，本会已略有准备，中学课程，尚未着手，这些都要赶紧做。

湖南工作正在紧张进行中，江西、贵州两省当局又是接连地电报催促前去。四川方面也急待积极进行，昨天筑山同志来了两个电报，说平教运动者所多年希望的省单位建设，贵州就有这个机会。并且有封很长的信说，像吴主席那样的精明强干而且信仰平教之深者甚少，贵州平民教育的推广，实在不容再缓。江西现在几成前方，熊主席要我们对于整个的地方政治机构、乡村组织，给它很大的改革,所以非去一趟不可。在承平时候,我们这省那省地忙,现在更忙。有这样大好的努力机会,大家自非努力一番不可。努力本职,加强工作,兼程并进,多难兴邦。这样才对得起中华民国,对得起平教会,对得起后世子孙!

开辟培养实用人才的教育新路*

今天周会有几件事报告：

第一是关于湖南省地方行政干部学校。这学校由湖南省政府主办，它的组织大纲，早已拟定，不日省府会议可以提出通过，内容大概不致有多大变动，因为在起草的时候，接连经过四次讨论研究，方才定稿，本会同仁亦参与这草拟及讨论的工作。

干部学校的组织，大概是这样：在校长之下，设校务委员会，主持全校事务，校长由省政府张主席兼任；校务委员会设常委三人，由张主席文白、陶秘书长益生和我三人担任。设立这学校的目的是为造就全省各市县地方行政人员和建设技术人员。在常务务委员会之下，分设三部：(1)教授部；(2)训练部；(3)指导委员会。教授部之下设民政、财政、教育、建设四系。

这个学校，为训练两种时代所要求的人员。在目前，为适应国家战时的需要，设立种种短期训练班；同时凭实际所得的种种经验，准备今后的长期训练，造就积极为全省谋建设的人才。换一句话说，这个学校分两部分，一方面是为造就改革行政需要的人才，他方面是为培养奠定今后国家建设基础的地方干部人员。

---

* 原载《平讯》1938 年第 2 卷第 24 期，原题为《第九次周会记录——2 月 21 日干事长在长沙办事处之报告》。

因为全省造就应用人才，就不能撇开这一省的政治建设计划而空谈训练。这学校是完全根据政治建设各方面的需要而开办的，民政方面需要多少人，建设方面需要多少人，教育方面需要多少人，财政方面需要多少人，于是干部学校就各训练某种人才多少人。主持全省政治的机关，在省府之内就是四厅，所以教授部分设四系，而四系的主任，就是四厅的厅长。训练和行政扣合，行政方面有什么计划，学校方面就是什么训练，主持训练的教授就是主持行政的长官，他们知道有某种需要，才有某种训练，这就叫做"计划训练"。原来本会农村建设育才院，就是"计划训练"下的产物，训练目的，本在为县政府准备科长科员人才。但本会是学术机关，自己没有政权，就只能做到计划训练的前半段而不能把受训练的人分发派定工作。现在由省政府根据本省民财教建各方面的需要来做适应需要的训练，训练出来的人，个个可以派定职务，一个钉子一个眼，处处扣合，处处不落空。所以民政系的主任，即是民政厅长，他今日在校里怎样教，将来便在厅里怎样派。各厅需要的人才不同，学校里就开办不同的学系。直接就行政所得的经验，来训练行政需要的人才。并不像普通的学校一样，由纯粹的学者主持，只有学理的讨论，没有经验的凭借，这是最大的不同点。但是学系虽然分开，而训练方针仍是统一的连锁的与整个的省政治扣合，并且由有职权有经验的人来训练，所以训练的结果不落空，不至于受训练的人没有事做，全省的政治、经济、文化建设等等计划，都可以有适当人才来实现。这四系设立的本旨在此。我国过去一般通病是：人才训练无计划，事情却又处处喊人才之难得，以至事找不到人，人找不到事。湖南省干部学校的成立，首先做有计划的训练，把政治与教育真正地联合起来，可以说是开辟了中国教育的新路径,指出了教育的新方向。这是值得注意的,也是平教会多年来所希望而企图的。

这个学校除了基本的四系之外,有短期的各种训练班,训练各种人才,来应目前急迫的需要。现已开始登记知识分子,招收学员4500人,分为县政督导员班、技术辅导员班(又分教育、调查、农业、工矿、卫生、经济六种)、政治训练员班、乡镇长班、妇女训练员班五种。这五种人员,经短期训练后,即分发各县去充实行政机构。总括起来说,这个地方行政干部学校,最重要的精神有三点:

一、是计划的训练,不是漫无目的地造就人才;

二、是统一的训练,不是各干各的来训练;

三、这不仅是为应付目前需要,而更是筹及将来;一方面顾到目前,一方面要奠定今后的一切建设基础。

教授部之外有训练部,掌司学员生活,采用军事管理,将由有军事素养的人来担任,对于学员施行最低限度的军事教育。

指导委员会有两个作用:在训练期间,负训育的责任;在服务期间,负视导的责任。一个受训人员,不但在校时受指导,出校以后仍继续不断地给予指导,把教育与工作连贯起来,不是出了学校,学校就与受训人员断绝声气。不但是指导工作,并且注意到各人实际的服务成绩,拔选领袖人才,陆续调回来做进一步的训练,使才能格外充实。

现在,校务委员会委员人选已有决定,除省政府全体委员外,再加地方上重要领袖等,共19人。本会方面,瞿菊农同志和我,都是校务委员,预定于三月十日开学。所训练的,除前面说过的六班学员4500人之外,还要分别在各县办保长训练班,全省约共45,000人,所以事务的繁重,不言可知。处理校务的,虽然有三个常委，但张主席希望我们要多负一点责任。教授部的工作，非常重要，除开泗厅长兼四系主任外，教授部主任，张主席一定要我担任，事实上，我的时间精力都不够，但因为张主席认识平教运动的深刻，认为我们已往有许多经验可贡献，而且有同仁帮助，所以非叫我兼任不可。我自己事实上不能专顾一方，因此特荐瞿先生担任教授部副主任。

干部学校的成败，关系全省政治的成败太大，我们着手计划的时候，非常审慎，所以考虑再三，采用校务委员会和常务委员制度，希望大家分担责任，因为本会的工作，不仅在湖南、江西、四川，甚至贵州，我们都不能不去帮忙，因此万难把全部精神放在一个地方。但是从国家的立场来看，湖南是整个的国家争生存的重要地带，人民的素质很优秀，物力也相当雄厚，现在且已成为后方前方间的重要地，如果湖南失守，其他广西、四川、贵州等省，都失了屏障，定受敌人的威胁，所以湖南工作，十分重要。无论为私为公，为平教运动，为国家前途，我们必须竭尽心力来帮助建设新湖南的成功。我们虽人力才力感觉不够，仍非破釜沉舟，兼程并进不可。

干部学校工作，现已非正式开始，办公厅主任一席，拟请杨宙康先生担任。杨先生精明强干，是很有能力的人，原在民训指导处任副教育长，一俟那边交代，即开始干部学校工作。校址尚未决定，不是在临时大学遗址，就是借用清华新建的校舍。目下办公厅临时办事处，暂设本会。

在这项新工作之下，大家都非常忙。会里任何一部分，都将为干部学校忙。不但长沙方面如此，就是衡山方面，或其他方面，凡是可以调来的人员，都将一齐动员。

会中最近的将来，将要做一种工作检讨，教每个人都能尽其才。工作上需要的人这样多，不得不设法使一人能做二人的事。这一个工作，已指定谢扶雅先生、孙恩三先生、瞿菊农先生负责，务使人尽其才，物尽其用，人人有贡献，人人能胜任。

同时，在会里负责做直接责任的人，早无所谓星期休假，工作紧逼着人，要休息固然不能，也不愿意。从现在起，全会同仁，希望都是如此，至少星期日上午要照常工作，如果还是来不及，即使在晚间，也得照常办公。

现在是民国二十七年的开始，全会经费、人才、事业等问题，照理要有一番打算，决不能有一天过一天地过日子，必须往远处着眼，从近处下手。会中最初时期，每年经费不过3000元，我就做会务扩充到需用10,000元时候的准备，做第一年工作时，就准备三年五年后的支出。所以十多年来，会务进行毫无顿挫，同仁生活不受影响，都是得力于此。自从卢沟桥事变以来，全国各机关经费都异常困难，本会虽也一度紧缩，但在目前看起来，仍不能维持多少时候。战事结束，为时尚早，愈拖得长，胜利才愈有把握。长期抗战，不仅须有长期的决心，更需有长期的经费，否则徒有决心，无济于事。平教运动，也必须在经费上准备长期奋斗的基础。准备的方法，不外开源与节流两法。近来会务太忙，尚无余力计划开源，节流方面，除节流事务费外，同仁目前，拟自本年一月起，实行下列办法：

一、在39元以下者，仍按8折；

二、自40元至99元者，按7.5折；

三、自100元至149元者，按7折；

四、150元以上者，按6.5折。

另外有件事要报告的，本会人员太少，而湖南、江西、四川、贵州,各方面都迫切地要我们去帮忙。为适应这种需要,我们决定发起战时地方政治研究委员会,罗致实际有经验的人才,统筹兼顾,把四省共通的需要与平教运动沟通,所有四省共通的问题,都可由这委员会来研究办理。委员会计划大纲,已经起草,正在向各方接洽。这计划照理不难实现,因为委员会中的人员就是各省需要的人员,委员会的工作,就是各省要求本会去帮忙的工作。川贵两省,已由陈筑山先生去接洽;湘赣方面,则由我负责进行。

农村建设要义*

一、为什么要讲农村建设

各位将来出去所担任的事情是地方行政。地方行政的主要对象是农民，主要工作是农村建设，所以各学员对于农村建设一课，必须注意研究。干部学校设有六种班级，按照各学员将来担任的不同职务，分班研究各别的特殊问题，然而各别研究有一基本的共同目的，便是农村建设。必须对于农村建设问题有全面的认识，而后各别的问题才得到真正解决。

本校分班的缘故，是因为职务的不同，无所谓地位的高低。在整个农村建设的立场看来，责任同样重要，都需要先就农村建设的全部理论研究清楚，才能分工合作，而把整个的农村建设起来。若是只研究自身职务方面的问题，所见必致偏而不全。正像认识一个人一样，只是看了面部而没有注意颈背，或是看了左侧而忽略其右侧，见到一部分，不曾认识全体，就不能真正地认识这个人。医

---

* 此系作者 1938 年 4 月在湖南省地方行政干部学校的讲词。中华平民教育促进会档案(二三六)。

药有内科、外科和其他各科的分别，学内科的有内科的专门研究，学外科的有外科的专门技术，这是各别的问题。而他们的共通基础学科是人体生理，这一学科，不论是习内科、习外科，或习其他各科，都须学习。学习基本科目而后，对于专业科目，才有入手之处。

农村建设要义，可以说是笼罩本校全部课程的学科。

县政人员班学员将来出来负全县的行政责任，对于全县的问题，自然当有一个全局的看法，然后才能运用自如，这个原则，非常重要。目前大多数公务人员或从事社会工作的人员，每不注意全局的大问题，而在小处用功夫，因为如此，费力虽多，所成就的至多是几个小问题的解决，与国计民生无大关系。所谓无关宏旨，这种现象，随处可见。农村建设要义，目的在提出几个农村的重要问题，和大家商讨，县行政人员不能不注意这根本问题。

县政督导员班学员，将来的职务是在佐助县长，推行县政，勤求民隐，沟通上下，对于这一方面的问题，自应有精深的研究。但在这本行本业的督导而外，对于农村建设各方面的问题，也应当有水平线上的知识，而后推行政令，沟通上下，才有把握。例如推广农业，必须了解推广农业的政治机构与技术问题，这些问题如果不认识，实施上遇到障碍，便难解答。这样，也就不能算是一个好的督导员。好的督导员，必须是对于整个农村问题有通盘的认识，了解其相互关系，这样推进工作，才能分别缓急轻重，加以调整，运用圆熟，恰到好处。

技术辅导员的工作与农民的生活关系最密切，进行得法，可以立刻改变农村状况，改善农民生活。技术辅导员有社会调查、教育、经济、农业、工矿、卫生等的不同，无论专攻的是哪一科，在应用他们学的专门技能的时候，其他有关系的问题，也应该顾到。例如，有了好稻种、好棉种，要把它大量地推广到民间去，这就不仅是一个农业科学的本身问题，连带的成为农业教育问题——农民有没有接受这种改良种子的知识；同时也是一个政治问题——这大量的种子，由谁去推广，是县政府吗？是乡镇公所吗？还是另一套机构？究竟采用哪一种方法为最有效？有了改良种子，有了能够接受新知识、新方法的农民，如果没有健全的推广制度，农业问题还是不能解决。一个做卫生工作的人，要设法使全县人民种痘，也不仅只是有种痘技术的人所能办到的，必须在推广制度上、民众教育上有办法；所以卫生工作人员同时须明了政治、经济、教育等等农村问题。这些都是农村工作者的常识，有了这种常识而后，才配执行自己担任的工作。

乡镇长是整个政治系统中的基层公务员，要真正叫农村建设能够实现，非有一班明了农村建设内容、方法、制度的健全的乡镇长不可。尤其是在废除区制、扩并乡镇之后，乡镇长的职权提高，责任加重，如果不明白农村建设是什么，那么，中央的复兴农村政策，省政府的农村建设计划，无论如何完美，也丝毫不能兑现。

政治训练员、妇女训练员，各有其特殊的专业研究，各有其所负的特殊责任，但走入农村去工作而不认识全盘农村问题，必定不能了解自身任务的价值与成功的条件，更不能与其他人员在工作上取得紧密的联系。

总之，农村问题包含政治、经济、文化各部门，要解决农村问题，推进农村建设，必须彻底了解这有关系各部门在农村社会中的状况。一个社会问题的发生与存在，决不能用孤立的眼光来看它，社会中也没有一个问题是孤立的。某一问题的解决，要把与这个问题有关的其他各问题都解决，才算真正的解决。政治问题的解决，非把教育问题、经济问题同时解决不可；教育问题的解决，非把政治问题、经济问题同时解决不可；经济问题的解决也是如此，非要同时进行政治问题、教育问题的解决不可。因为它们互有关系，分拆不开。问题的真相，在问题本身上很难看得周全，只注意于问题的一面，而忽略其相关方面，枝枝节节的探讨，不会有多大用处。

农村建设要义，全校各班都有这门课程，就是因为它与全校各班的专业研究有共同关系，它是整个的农村政治、经济、文化各问题的综合讨论。

干部学校的根本精神，即在实干，所以训练必置重实际；加以各班的训练时期都很短促，没有工夫讲多少理论。因此，学校当局在延请讲师时，有一个原则，就是教这一科的讲师，必须是对于这一科不仅有理论的高深研究，而且有实际的工作经验，由这种有实际经验的人来讲授，才会把他的真知灼见告诉我们，最低限度也能告诉我们一个失败的经验。这样才所学即是所用，所用就是所学。

农村建设工作，我自从在欧洲战地教育 20 万华工起，直到现在，20 年来，都是干的这桩事情。农村建设，10 年前，还很少有人注意，那时如果有人提出这问题来，社会皆认为不必要。我却很早想到这个问题，而且实际去干。从积年的实干当中，获得若干心得。这不是从东洋的、西洋的书本上抄来的，而是从一点一滴的实际工作中得出的。

各位：农村问题，现在已十分严重，不是消极地救济就能解决，必须要积极地建设才能复兴。干部学校全部学员，将来的工作都是去复兴农村，这是令人非常兴奋的事，所以我愿把本人 20 年来的得失经验，坦白地告诉各位。

二、为什么要建设农村

农村建设是目前最迫切的问题。为什么要建设农村？我举三个重要的理由来说明：

第一，中国经济的基础在农村。“以农立国”是常说的一句话，什么叫“以农立国”？就是离开了农业、农村、农民，国家就不能存在。过去几千年的中国如此，现在还是如此。我们吃的、住的、穿的，甚至走的路都是由农而来。做衣服的棉、麻、丝、毛，做食料的米、麦、豆、蔬，盖造房屋的木料，便利交通的公路，哪一样不是农田里的生产？哪一种不靠农村中的劳力？没有了农村，衣食住行以及一切人生需要，立刻就生问题。可以说，整个的中国经济基础在于农村。这不但在闭关以前的中国是如此，一直到现在西洋文化侵入，还是如此。试看今日与经济关系最显著的银行家，他们向来藐视——至少也是漠视农民。他们在大都市里居住，在大都市里经营，他们活动的对象是工商业，放款给工厂，借钱给商人。善于经营的，一面办银行，一面办工厂。然而近年来，这些工厂商家，成群成批地倒闭，银行吃了不少倒账，使银行家大生戒心，不敢对工商业任意放款，宁愿把资本压在银行里。有人说笑话：钱放在银行里烂了！银行家为什么宁愿白白地把钱烂在银行里？因为工商业不景气，不能保证投资者获得利润，不但不能保证，甚至无法收回资本。进一步追究：工商业怎么会不景气？因为生产的商品，除了极少数的一部分运销国外市场外，最大的顾客还是全中国三万万以上的农民。却不料现在农村破产，农民失了购买力，工厂的货物没有销路，逼得只有关门的一法。银行家看清楚了这一点，于是不得不改变营业策略，翻然主张对农村放款。试问：农村这样穷，银行家为什么愿意到农村去放款呢？难道是银行家看破了本身利益，远虑到国家福利，慧眼窥破了中国的经济基础在农村，所以主张对农村放款帮助农民吗？不是，如果用这种眼光来看银行家，那也太高远了。他们为什么到农村去放款？为的是自己有了钱无处放，银行要关门，不到农村做买卖，就没有路子。他们高唱农村放款，可以说完全是自身利害关系，为了自己的生命，才希望农村繁荣起来。真正觉悟到中国经济基础在农村，银行业务应该以扶植农村建设为首要的，恐是极少数的凤毛麟角罢了，多数银行家是没有这种远见的。然而银行家虽不明白这一点，而事实的逼迫，使他们不能不转到农村这一方面去，这一点是以证明中国的经济基础不在都市而在农村，资本家不得不迁就农民，迁就生产的主力军，这样，连他们自己才有出路。除非大家愿意一齐饿死冻死，才不管农民死活，不想建设农村！

第二，中国的政治基础在农村。中国的基础政治，应当是农村政治，不把这个基础抓住，仅仅做一点表面工作，政治是不会上轨道的。中国政治的基础不在中央，也不在省，中央政府与省政府都是政治的上层机构，与农民的关系是间接的，中央政府各部院长官的调动，很少能引起农民的注意。“日出而作，日入而息，凿井而饮，耕田而食，帝力何有于我？”是最真切的农民对中央的态度。省政府委员或厅长的进退，农民也很少去关心。试到乡间去问一下，恐怕知道省政府这名词的就不多。然而县长的更调以及贤与不肖，农民就很注意了。这县长是一个正人君子吗？是一个贪污小人吗？大家都很关心，因为县长的廉洁与否，直接影响到老百姓的生活。区长乡长的好不好，这一区一乡的人更关心，因为与他们的生活更有切肤关系。我国向来轻看县长地位，名之曰“小吏”，稍稍有学问的人，都不肯委身县政，以为只要中央政治有办法，国家基础就稳固。他们一向忽略了与民休戚直接相关的地方政治。哪知县政乡政才是政治的真正基础，要有了好的乡政，才会有好的区政，有了好的区政，才会有好的县政，有了好的县政，才会有好的省政，有了好的省政，才会有好的国政。若是只注重上层政治而忽略下层政治，手足俱不健全，单有一个健全的头脑，究有何用？就本省湖南说，纵使有廉洁的省政府，若是75县的县政是贪污的，省政府的廉洁也是徒然。因为省政府是为75县政府而设立，不是为它本身。县政府不健全，省政府、中央政府不能独自健全。中国政治的出路，必须是从建设最基层的农村政治起。农村不清明，四万万人永不能见天日，中国政治将永是个黑暗政治。

第三，人的基础在农村。这一个理由，比上述两点更重要，构成国家的三要素是土地、主权与人民。如果有人问：这三要素比较起来哪一个最重要？我的回答是“人民”。自古以来，不问中国、外国，历史上割地求和丧失主权，是常有的事，只要有“人”，失地可以收回，主权可以恢复。如果没有人，土地谁去开发？主权谁去维护？所以土地、主权、人民三者，虽然都是立国的要素，而“人”更是要素的要素。没有人，土地何所用？主权何所寄？中国人民号称四万万，农民占了80%，所以，真能代表中国的，不是上海的买办，不是天津的富户，也不是长沙市上的居民，而是居住在两千个县中无数农村里的三万万二千万的乡下佬，因为乡下人占全人口的绝大多数。就是这些富户、买办以至于达官贵人，也不是世居城市的市民，他们的祖先，十九都是乡下人，所以不但代表中国国民的应该是农民,连中国的人种也是出于农村。中国人的基础在农村,原属毫无疑义,可是一般人向来就没有注意到这问题。讲政治只讲上层政治,而不注意农村政治;讲教育只讲大学、中学、小学教育,而不讲农民教育;讲经济只讲国际贸易、国家经济,而不讲农村经济。人是立国的根本,我们却忘掉了根本,当前放着成千成万的农民,固国强国的雄厚力量,无人去运用。让农民无知无识到底,不给予教育机会,甚至连他们的生死存亡都不管。我常说:中国之所以贫弱,主要的原因是“忘本”。“本”是什么?“本”就是“民”,“民为邦本”,因为“忘本”,所以快要“亡国”。中国这样忽略根本的培养,如果中国真有亡的一天,绝不是日本亡我,日本一个小国,有什么力量够得上亡中国?亡中国的不是别人,还是我们自己,自己毁灭自己的基础,自己放弃自己的基础,如何不亡国!不从这根本问题着眼,而高谈救国,必定是枝枝节节,不得要领。现在唯一的办法是强固基础,坚固根本,“本固”然后“邦宁”。农村建设就是固本工作。中国今日唯一出路是要把广大人力开发起来,把这衰老的民族振作起来,把这散漫的民众组织起来,把这无知无识的人民教育起来,方可成为一个现代有力的新国家。所以复兴民族,首当建设农村,首当建设农村的人。

三、为什么没有建设农村

农村建设,既然这样重要,为什么不去建设呢?原因很复杂,现在提出三个要点:

第一,没有认识问题所在。我们中国自从鸦片战争失败以后,上自政府当局，下至志士仁人，一致认为中国政治非改革不可，于是有变法维新，有民族革命，前仆后继，八九十年来，改革已非一次。可是所有改革，都不是着眼于人民生活的需要，都是根据自我的主观思想，把自己的抱负当作人民的需要，鼓其如簧之舌，耸人听闻，因为说得好听，风靡一时，但等不了好久，潮流一过，就无人再问了。过去每有不少盛极一时的运动，转眼云散烟消，都由于真正的基础问题没有抓住，只是求在制度上体系上翻花样，而运动的背后缺少力量，运动的本身自然没有生命，终致人存政举，人亡政息。此外还有更浅薄不足道的改革运动，为了潮流所趋，不得不改革，而自己既不愿改革，也不能改革，于是就弄表面文章，挂招牌、换招牌而已。今天君主，明天共和，今天立宪，明天专制，名目有变化，实体是一个，换汤不换药。

第二，受了西洋文化的影响。西洋文化是工业文化，工业文化集中于城市。中国许多留学生，到西洋去搬回来的，就是这一套。工业文化不注重农村，它的对象是工业、工厂、工人，这些都在城市里。中国虽是农业国，因为受了西洋文化的影响，也就以城市为重，放款不以农村为主，教育不以农民为主，政治、经济、文化，一切建设，都以城市为中心，就无所谓农村建设。

第三，中国士大夫的麻木。十年以来，“到民间去”的口号，喊得何等响亮！究竟有几人到了民间去？去了又多久？做了什么事？到民间去休息休息，所谓休养休养，那倒是常见的。到农村去了把农村大骂一场，也大有其人。真正到民间去为农村谋一点建设，为农民谋一点福利，这样的人却太少了。十年前，若有人提倡农村建设，是挨骂的，以为这是失意政客、落伍学者的玩意儿，因为自己无出路，不得已才往农村跑。旧的士大夫，自居四民之首，不辨菽麦，不务稼穑，“村夫”、“农夫”成了他们骂人的口头禅！新的士大夫呢？从东西洋回来，一样地不屑讲农村建设，斥农民为“麻木不仁”。他们讲政治、讲教育、讲经济都不及于农村，瞧不起农民，抹杀了中国的基本问题，眼红着西洋的繁荣，高唱工业化，抛弃了现实。政费，农民负担；劳力，农民供给，一切建设却不向农村去。取之于民而不用之于民，这与其说是天下的大怪事，毋宁说是新士大夫的“麻木”与“不仁”。

湖南省这一次开办干部学校，设了种种班次，培植种种人才，为的是组训民众，改进政治，以加强抗日自卫力量。抗日不是一年二年的事，因为抗日不仅是战争，战争无论如何持久，总有结束之一日，但中国民族对日本的抵抗是永远的百年大计。组训民众，改进政治，不过是手段，培养力量以自卫抗战，才是根本要图。中国的力量，无疑地在于农村，所以改进政治，应当是改进农村政治，组训民众应当是组训农民。综括言之，就是农村建设。县长做什么？不是为做他的县长。督导员做什么？不是为做他的督导员。技术辅导员做什么？不是为做他的技术辅导员。乡镇长、政治训练员、妇女训练员，都是一样，职务虽各不同，目的只有一个，就是建设农村，培养民力。整个的干部学校，一切的讲授训练，都是针对着农村建设的目标，所以各位应当都是农村建设的斗士，培养民力的保姆。要造成雄伟的民力，民族才得到自由，才得见民族再造。

四、农村建设的内容

农村建设就是民族再造，前面已经讨论过。现在要说的是农村建设的内容，换句话说，农村应该建设些什么？很简单，一个字就可以答复，农村建设就是“人”，因为农村建设不是少数人或政府的几纸公文所能办到，也不是少数学者的提倡就能成功，必须农村中的人全体负起这个伟大的责任来，然后工作才会继续不断，才会在当地生根。换言之，农村建设应该由农民自动起来建设，否则，仍是和过去一样，在某一时代，有某一位名高望重的人出来提倡一种运动，社会上就风靡一时地随着动起来，等到时过境迁，当年的蓬勃热闹，也就消沉下去。为什么？因为运动的发动，不合人民的需要，不能在民众身上立基础，没有生根，自然不能生长，不能永存。

德国在巴黎和会中受了很大的压迫，负担巨大的赔款，销毁卫国的武器，失去资源与殖民地，大家都以为德国将永远不能复兴了，可是不到20年，现在德国又成一个列强不敢轻视的国家，瞬已恢复原来的强国地位。为什么这样容易？这不能归功于希特勒的领导，而应该归功于日耳曼民众的力量。日耳曼民族的知识力、生产力，以至体格、民族观念，一般的比其他民族高，因为有这样健全的民众，所以才有惊人的进步。我们怎么样？去年十一月，平教会组织农民抗战教育团下乡，实施抗战教育，四个月之后，团员们回来报告，都说我们的农村和十年二十年前的差不多，仍是淳朴浑噩，不知国家为何物，抗战为何事！这样的民众，怎样可以在现代世界上争生存？然而这些无知无识的农民，并不是不可教，从我在欧战中教育华工起，到去年的农民抗战教育团，凡是曾经下乡做过几个月工作的，都觉得我们的民众太可爱，只要稍稍给他一点教育，他立刻成为另外一个人。所以“人”的建设，并非不能办，而且已经有方法。过去中国的教育，所用的教材、教法、制度，都是从东西洋抄来,不合国情,不切需要,只成为少数人的专有品,与大部分人民无关,所以全国三万万以上的民众到今天还是无教无养,不能表现出力量来。现在我们既然看清楚了建设农村首在培养民力,要把广大民众蕴藏的伟大力量开发出来。那么,究竟从哪些方面做起呢?最低限度,需要培养他们四种力量。

第一,知识力。西洋有一句流行语,叫作"知识就是力量"。一切建设都需要力,也就是需要知识,人民没有知识,任何方案、任何计划、任何政策,只能见之于纸笔,不能实现于民间。一个人要获得知识,有种种路线,耳目与工作,都可以得到知识,最简单的方法就是读书,要读书必先识字,所以文字教育是培养知识力的一个重要方法,人类文明与野蛮的分野就在文字的有无。我国有很好的文字,可惜为少数人所占有,自成一个阶级,把文字当作护身符,以读书识字为职业,而且,自居于四民之首,所谓"士"。因为读书识字成了专门的东西,所以真正的生产者农工分子,一向就没有读书识字的机会,而成为"文盲"。在农民本身,也有三个不识字的原因:第一是太忙,因为忙所以没有工夫读书;第二是太穷,因为穷,所以没有钱读书;第三是太难,因为文字多,文体不通俗,读起来不容易,所以没有法子读书。文字既是培养知识力的重要工具,所以必须把文盲的农工商改造成"士农"、"士工"、"士商",而后才算教育普及,这三大难就必须设法解决。

关于"忙难"的解决,可精造教材,研究教法,利用农民早上或晚间的休息时间,使读书与休息融合,冬季的闲时更可利用。这一点,人人都想得到,可以不必多说。

关于"钱难"的解决,可减低书籍价目,民众教育的书籍,定价都只几分钱,原因在此。有的可由公家购买赠送,这也是容易解决的事情。

关于“文难”的解决稍觉费事。中华平民教育促进会在民国十一年起，就注意到这个问题。它的解决，经过了三个阶段：

一、汉字的选择。这是民国十一二年做的工作。平常以为废除文言，采用白话，便足以解决文难，这对于忙难的民众，仍不能算解决。因为作文若不限制用字，中国字有40,000多，如何都能教给民众？事实上，作文常用的汉文字不过二三千，说话常用的不过1000多。我们用科学方法，寻出最常用的1300字来，作为教育民众编辑教材的根据，这就是基本字表。一个农民，认识了这1300字，便能看粗浅的书报，这是不得已的办法，正如一个穷人，吃不起白米，有一点红薯小米吃，比没有吃的总好得多了。根据我们的经验，受过四个月文字教育的平民，认识了基本汉字以后，他们的求知欲已大大的旺盛。不久就能识得更多的汉字。

二、注音符号的应用。这是更进一步的方法。因为中国字的读音全靠死记，在字的本身上没有音标，即使有音标，读音也各地不同，一个字可以读出种种不同的音，例如“白”这个字普通读作bái、有的地方又读作bé等等不同，在字上既无音标，同一形状的字又有几种读法，这都是基本教育的阻碍。注音符号笔画简单，一共只有40个字母，比基本汉字数目还要少，学习起来格外容易。认识了注音符号，读物只要字字注音，就可以字字发出正确的音，念得下去。所以我们民国二十年以后出版的平民读物《农民报》等，都全部注音。现在，教育部已定为法令，小学及民众读物，一律须用注音汉字印刷，这不但是学术影响政治的实例也是中国基本教育的大进步。

三、词类分书。汉字注音以后，文难仍不算彻底解决，只能念得下去,但未必一念就懂。因为还有一种困难存在,没有解决,例如:“农村建设的目的是民族再造”这句话,如果读成了“农村建 设的目 的是民 族再 造”,便一点没有意义,不能了解,尤其是读书经验很少的平民。这个困难的解决,于汉字注音之外,同时把句子用分词的形式印成,如“农村 建设 的 目的 是 民族 再造”,这样,读起来一目了然,不至误解。这种办法,了解的人还很少,书店里还少见词类分书的出版物。

培养知识力,并不是毫无困难,上述的种种办法,处处是为民族设想,用这种简之又简、易之又易的办法来扫除文盲,在工具上,在方法上,似已毫无问题,然而全国文盲依然尚未扫除,原因固尚有所在。推行这种办法的政治机构,需要建立起来,这是今后应当努力的问题。这是培养知识力的一种方法。

培养知识力的第二个方法就是“图书担”。一个民众学校学生,毕业后要不给他机会继续受教育,他认识的字,求得的知识,不但不会增多,不能扩充,不能应用,而且还要遗忘,这种人我们叫他“轮回文盲”。要使识字民众不变为轮回文盲,图书担是方法之一。图书担是送教育上门,谁有工夫,谁就可以立刻读书。我记得英美烟草公司最初到中国推销纸烟,用的就是送上门的方法。家家赠送,人人可吸,今日送,明日送,让你不费一文,不费一力,白吸纸烟。结果如何?纸烟的味儿民众尝到了,而且吸成了瘾,非吸不可。这时,英美烟草公司赚钱的机会到了。图书担的用意也是如此。一副担子装着合于民众需要的几百本读物,由一个较有知识的农民挑着在村子里到处跑,民众随时可以向他借书看,有不懂的他可随时指导,一旦读书兴趣养成,农民训练已寓于送图书上门的图书担中了。

培养知识力的第三个有效方法是戏剧。这是普通人，甚至戏剧专家所不注意的。大家认为唱戏听戏是公子哥儿的事，旧戏如《封神榜》一类，神出鬼没，毫无教育作用。新的什么文明剧，演的是佳人才子的恋爱，思想卑鄙，毫无足道，殊不知戏剧具有很大的吸引力、感化力，比读书听演讲，效力大得多。它能使人潜移默化，这种不自觉的教育，不勉强的教育，是最理想的教育方法。培养知识力而能利用戏剧，更可以打破文字障碍。所以如能使教育娱乐化，把教育做到雅俗共赏，这是戏剧的新生命。旧戏京腔，有它的艺术价值，但没有平民化的教育价值，因为没有培养民力的作用。不仅京腔旧戏如此，世界的戏剧也是如此。民国十二年，我在北平遇见熊佛西先生。他那时在国立艺术学校当戏剧教授，钩心斗角和旧戏竞争。我和他说，戏剧家应该到民间去教育民众，不应该在城市里给人娱乐，供人娱乐，这样没有生命，把民间疾苦、愿望搬上戏台，才有意义。他很受我的感动，就穿起蓝布大褂到定县农村里去，把书本上的知识拿到乡间去应用，把农民的真实生活搬上舞台。熊先生经过几年的研究，写出了不少有生命的戏剧，教农民演给农民自己看。像《屠户》，像《过渡》，农民固然受戏剧的感动，许多大城市里的人，有的从南京来，有的从北平去，在定县看了这些戏，也没有不被感动的。因为戏剧的内容是农民的生活、农村的问题，演戏的就是农民自己，所以出演成绩格外好，有血有肉，教人不能不感动。有一天，定县农民正在村子里演《过渡》，美国耶鲁大学艺术院戏剧教授丁英(A. Dean)参观之后，写了文章在美国报上发表。他说：他自己主持耶鲁、哈佛各大学的戏剧讲习 23 年，曾经到俄国去考察戏剧 3 次，从没有看见过像定县那样的农民戏剧。技术、方法、设备都很简单，然而充满生气，有力量，尤其是农民自己演给自己看。这种伟大的戏剧,在世界上还没有看到第二处。美国有一个提倡文化事业的团体,叫洛氏教育基金会,打电报来请熊先生到美国去讲学。四川省政府已拨款筹设省立剧院,也要请熊先生主持这戏剧教育工作。戏剧教育化,教育戏剧化,这是培养知识力的一个捷径。

培养知识力的第四个方法是图画。图画的教育力量也非常大,可惜向来图画也是士大夫的欣赏品,不是教育的工具。但是有许多知识不是文字所能表达的,用图画表示,反觉明显。从前国立北京艺术学校校长郑锦先生,本来是专攻普通的所谓艺术,因为我的劝告,他就放弃了校长地位,到定县乡间去研究平民艺术,他在这方面有不少贡献。

第二,生产力。这个问题有两方面:一方面是科学化生产技术的推广,改良种子,改进农村工艺,使生产增加;一方面是合作经济组织的建立,使利润分配合理,使农民真正享受增加生产所得的利益。这是一个问题的两面,必须同时并进。中国自张之洞提倡农业科学以来,至少已有60多年。为农业改良,不知费了多少钱,而农业科学自农业科学,农民自农民,双方到今天还没有见面。自来在外国学农业的,回来并没有去种田,和学政治经济的一样,不是教书,就是做官,最好的是到农业学校去教书,已经算是学以致用了。至于田间、乡村,农学者就从来没有去过。所以农民真正需要的是什么?实际状况是什么?因为,书上没有记载,他们也没有想到。农业科学下乡,那是近五六年来的事。民国十二年,我在南京遇见一位东南大学农学院的教授,他留美八年,又在意大利国际农业院研究,得了四种学位,回国后一连教了12年的书,却没有见过一个农夫,没有度过一天农村生活。他听见定县有一班人在乡下做实地工作，觉得天天在大学里教书没有意义，也愿意到定县去干一下。我常说，留学生在外国镀了金回来，不到乡下去涂土，只是一个科学贩子而已，没有活的生命。这位农学博士，到了定县，第一年种的白菜，就没有农民种的成绩好，他才觉悟到老农老圃亦自有其擅长。因此他自己穿起青布衣，把道貌岸然的学者，一变而为田家，天天与老农老圃为伍，悉心地观察研究。如是三年，他种的白菜才胜过了农夫，他的农业科学，才真实地发挥了作用。镀金的必定还要涂土，说来好像一句笑话，实在倒是真理。因为在外国学习几年，装了一肚子学问，何曾消化得？不回到自己的乡间去，出其所学，实地运用，又如何会变作自己的血肉。印度人最崇拜牛，我以为研究学问的人，必须要有牛的精神，既吃了一肚子草，应当伏在一个地方，细细地去咀嚼反刍，而后才能摄取养料。农业学者如果只有科学的头脑，没有农夫的身手，如何可以应用他的学问？

实地获得了改良种子的成绩，进一步想法推广到民间去，这又是一层困难。科学的研究与科学的推广是两件事。在研究实验的时候，设备尽管复杂，手续尽可麻烦，待到要推广，就须力求设备经济，方法简单，又通俗，又实用，然后才能普及到民间去。根据这种经验，研究出一套推广制度，叫做“生计巡回训练”。生计巡回训练的办法，是划全县为几个巡回区，由这区里平民学校的毕业生，出来受生计训练。训练方法，都是实地教学。例如在种白菜时，教种白菜的方法，在收获白菜时，教白菜的贮藏与运销的方法，这样即学即用，农业科学才能在他的生活里发生功能。一个受训学生，成为一个表证农家以后，在其门首钉一块牌子以便训练员巡回视导。表证农家的任务：第一，必须遵守训练员的指导；第二，必须把收获的种子推广给邻近农民，并负责指导；第三，每期表证完毕，必须报告表证成绩。这些表证农家,满布在生计巡回训练区内,他们的环境与普通农家无大差别,表证的结果如果满意,不必我们宣传,农民早已看在眼里,自动地去模仿、取法。这时候的表证农家,就不期然而然地担负了附近农家的视导责任。如此推广,不仅可以推广改良种植的方法,其余如猪、鸡,以至合作社等,都可顺利进行。这是一套科学下乡的制度,是增加生产力的实际方法。

第三,健强力。这是一种强种教育。中国因为医药卫生的不普及,农民连最低限度的卫生常识都没有,一旦疫病蔓生,立即死亡枕藉,每年冤死的人,达600万之多。中国人的平均年龄在30至35岁之间,正当年富力强的时候,已到了生命的尽头,与外国人的平均年龄50到60岁来比较,相差多远!若不普及医药卫生知识,不但是个人寿命的屈冤,也是国力的莫大损失。年轻的人,经验薄弱,不能对国家社会有多少贡献,等到年富力强、知识成熟,正对国家社会大为得力的时候,却又忽然夺了他的命,这不是国家的大损失而何?

过去我国的卫生医药状况,有两大病:第一,所有医生,所有医院,都设在大城市里,乡间没有医院,农民无处求医;第二,医院收费昂贵,农民非弄到没有办法不使病人入医院,甚至竟至将死而亦不能住进医院!小病不敢求医,大病即求医而医已束手,死亡率的增高,自属意中事。中国有名的医学院,培植一个医学生,每年教育费需5万元,费了25万元才能栽培成一个高等医生。医学人才在中国,何等宝贵。哪知毕业后,并不为真正的民众服务,都跑到北平、天津、南京、上海、广州那些大都市里去行医,给有钱的人治病,企图发财。在有钱的人生病,只要治得好病,反正不在乎,即使一针索价250元,也不见得不愿意出。请想想,25万元栽培成的国手，与倡优一样地侍奉达官贵人，这是何等的可惜可怜！

医药专家陈志潜博士，是美国有名的哈佛大学的留学生，本在中央卫生署任技正。我把中国的医药状况告诉他，劝他与其在大城市里做无意义的工作，不如下乡去为农民服务。第一次谈话，没有得到他的同情，隔了几个月，在南京又遇见了他，做第二次谈话，他答应到定县来考察两天。哪知他到定县后，住了一星期之久，觉得定县的环境值得供他研究实验。他在定县工作六年，产生了一套保健制度。这个制度，不但已经被中央卫生署采用，其他如印度、菲律宾、捷克等国也都仿行。这个制度是由下而上的。每一百家左右的村子，公推平民学校毕业生一人做保健员，受一星期的保健训练，如公共卫生、传染病预防、种痘、保健箱的用法等，受训练后就回村执行保健工作，为民众治疗轻微疾病，介绍病人入保健所等。保健箱里有 18 种常用药品及简单用具。药品的选择，根据当地卫生状况而定，可治最常见的疾病。这些药都是药性平和，即偶然误用，亦无危险，而又价格低廉，计算的结果，100 家的大村庄，每年所花的医药费不过 3 块钱而已。每 5 万人为一区，设立保健所，所中有医生 1 人，助手 2 人，及最低必要的医药设备。保健所的职务是指导保健员，治疗保健员所不能治的病。每年经费约 1000 元。至于县城则设一较完备的保健院，主持全县的卫生行政，疾病治疗，每年经费约 18,000 元。一个 40 万人口的县份，实行这保健制度，全年共约 27,000 多元，每人每年负担只约 7 分钱。中国现在是人财两空的时候，民穷财尽，医生缺乏，巧妇虽不能做无米之炊，却不能不想出一个少米之炊的办法来。世界医药费用的统计，美国是每人每年 3 元，每次 1 角 5 分，但我们现在这个制度，每人每年不过 7 分钱而已。而且这个制度很富有伸缩性，如果实在没有钱的时候，可先训练保健员，从一村做起，而后渐进地成立区保健所，以至慢慢成立全县保健院。一个村子里有一个保健员，虽不能起死回生，却也能防患未然，至少流行的天花可以扑灭。定县保健制度实验结果，陈医师向中国医学会提出论文，因此，传布到了外国去，有很多国家写信到定县来问这个制度，国际联盟请陈先生到欧洲各国去演讲，去年暑期才回国。可是这制度虽已传到了外国，中国自己却还没有普及。

第四，团结力。假使农民的知识已经培养起来了，生产技术也改良了，科学化了，体格也强健了，要是没有团结力，所谓民力培养，完全失去目的，也是枉然！培养团结力的方法就是公民教育。公民教育的任务，在养成民众的公共心、合作精神，提高其道德生活与团体生活水平。我们一方面要在社会的基础上培养民众的团结力、公共心，使他们在任何团体中皆能努力做一个忠实而有效能的分子；一方面要在人类普遍共有的良心上，发达国民的判断力、正义感，使之有自决自信、公是公非的主张。“平校同学会”与“公民服务团”的做法，可以代表这意义。

农村建设的内容，大要如是。怎样做法，也粗疏地说到一点。当然，实施的详细办法，不是几个钟头所讲得了。中国近 20 年来，改革的声浪很高，在嘴上，到处可以听到；在墙上，到处可以看到；在纸上，也到处都有文章。然而实事求是的建设却不多见。以上种种，虽似无甚高论，不过都是经我们在定县实地研究实验，通过点点滴滴的血汗而结成的果实、形成的制度、铸成的方案。

定县实验，做了六年半工作，得了不少适合本国情形的农村建设方法与技术，国内国外采取定县方法的，为数甚多。国内如四川、湖南、江西、广东、广西、河南、绥远等省，国外如菲律宾、土耳其、印度、捷克等国，他们都常和我们通信，或来考察实习，或由我们直接派员协助。所有定县各种实验，都是站在农民的立场，找出如何解决农村问题和训练农民的整套制度。这些经验，足以供干部学校各班同学的参考。因为干部学校的目的是健全地方行政机构，培养民力，具体地说，就是建设农村。近来流行的政治口号"管、教、养、卫"，据我所知，最有成绩的县政，也不过只做到了"管"，如户籍登记、保甲编制、土地清丈、赋税整理，这些都是"管"的工夫；讲到"教、养、卫"的建设，尚不多见，至于专在形式上做工夫，修几条马路，盖几座图书馆，辟几个公园，办几所救济机关，虽不是不必要，却不是最必要；因为民力没有培养起来，马路、公园、图书馆，只可供少数人的利用，无关国计民生。我们目前所急迫需要的农村建设，是要为普遍的农民大众，求得生存，给他们机会发展四种基本力量，而成就为一个"人"。

五、农村建设的推动

上次所讲是农村建设的内容，但"建设"一个名词，或者不免有点笼统。我们说农村建设是培养民力，而"民力"也还是个空洞的名词。所以应该将"民力"的含义，分析清楚，培养的方法、制度，明白解释，而后才知道培养的民力是什么。

知识力的培养是大规模的民众教育工作。培养生产力是全国经济复兴工作，尤其注重的是农村经济：在生产商，一方面改良动植物的品种；一方面改良耕种技术；又加以改良农村工艺，在经济组织上使之现代化。

培养强健力，是普及卫生知识，强健体格。团结力的培养是对内维持安宁，对外抵御暴寇；提高国民道德，发扬民族精神。

那么，怎样推动这些工作呢？这是很重要也是很困难的问题，这一讲在讨论用什么机构去推动培养民力的工作。

在研究实验的时候，要从小规模做起，一个村，一个乡，至多是一个县。以村、乡或县作单位，范围较小，施工可以加密，观察可以周详。而且县是一个广义的共同生活区域，由多少小的共同生活区域所构成，小的共同区域，就是村、乡、区。在研究方面，不论政治、经济、文化、警卫，以县作单位，都可有独立的资格，实验的结果，可以构成一套制度。

但在实施时，规模要大，否则推行太费时日。大规模的实施就离不了政治，最起码的范围就是县。所以县地方政治又是推动农村建设的基层机构。

推动建设，必先健全县地方政治。消极地说，需要肃清贪污，澄清县政，解决民众痛苦；积极地说，需要充实县政机构，发动民众力量。否则，今天说组训民众，明天说运用民力，都是纸上谈兵，绝对不能实现。县政与民众的关系最直接。县以上其他各级政治机构，与民众的关系都是间接的。县政是亲民之政，如果要推动民众教育，培养人民知识力，把教育普及到乡间去，非有健全的县教育科不可：在督导方面，要有人推进；在技术方面，要有人到乡间设计指导；对男女民众，要有人宣传启迪，使他们乐于入学。如此全体动员，通力合作，民众教育才能做到全县实行。能够全体动，合力做，这就是健全的机构，如果不健全，必致推而不动，动而不相配合，甚至背道而驰，成为“乱动”或“盲动”，因而两个动力恰恰相消。所以要能够在民间真正培养民力，知识力也好，生产力也好，健强力也好,团结力也好,非有健全的县政机构不可。健全行政机构,是培养民力、组织民力、运用民力的先决条件。

凡是一个健全的行政机构,应该在“治法”、“治人”、经费三方面都有办法。有“治法”无“治人”不足以推动建设;有“治人”无“治法”也不足以推动建设;有“治人”、“治法”而无足用的经费,仍不足以推动建设。

旧的县政机构只有两种作用:一是“催科”,管人民的纳粮上税,县政府成了收税机关;一是“听讼”,为人民判案折狱,县政府成了司法机关。什么办教育,办生产事业,都是向所未有。“与民休息”是最好不过的从政原则。什么叫与民休息,就是上下都不做事,所以县政府除了催科、听讼以外,再没有别的事情了。如果催科不贪污,听讼不苛索,人民就认为这是好县长。不过这种清官是极难遇见的,利用催科、听讼以作发财捷径,这倒是正常。清廉却是例外,上级政府常以税收多少作吏治考成标准,在公的方面,要税款报解得多,在私的方面要对上司孝敬得多,这个县长就是能吏,就可不次擢升,迁调“优缺”。什么叫优缺?就是地方富饶,弄钱容易的官职,又叫做“肥缺”。肥缺、优缺应该是一个不好的名词,而在中国,却不但出之于口,而且用作奖励的字面,无形中大家一致承认贪污是正当行为。简直贪污公开,相率成风,不但不蒙制裁,不受惩罚,而且发财与升官呵成一气,这是中国政治上的大污点。有此种原因,自爱之士,稍有抱负的,都不愿意去做地方官。这样的政治,如何可以担当民族复兴的使命?

中国自鸦片战争后,有不少法良义美的政治改革,然而推行不见成效,对于国家并无多少补益,省县政府都在纸上忙,中央行文到省,省行文到县,县行文到区,区行文到乡,乡长把令文往桌上一搁,万事大吉。大家忙了一阵工作化为"具文",上以是欺下,下以是罔上,上下蒙蔽,自欺欺人!这只是一个小小例子,证明旧机构断不能推行新政治。

"管、教、养、卫"是近年来政治改革的理想,而朝着这方面去干的,至多不过做到一个"管"。保甲编得好,户口调查得清楚,土地整理得有条理,那已是了不得的政绩,那真是现代的能吏。因为保甲户口土地的行政上了轨道,可以要钱,钱有出处;要人,人有来路。至于教、养、卫的县政,茫茫全宇,哪里去找啊!即使国中近年公认为有成绩的极少数的几处实验县,仍然只有"管"而无"教",无"养",无"卫",所以县政改革的理想依然尚未完全实现。所谓"管"就是统制,只是把人民统制得好,今天可以要他的钱,明天要他的命,只有所取,没有所予,取之无厌,仍然是免不了民穷财尽。

近年县政改革问题,诚已引起国内不少人的注意。有的人在理论上用工夫,东洋怎样,西洋怎样,自己虽是中国人,生于乡下不必长于乡下,长篇大论的县政改革论,毫无事实的根据。另有一批人,抱着"我不入地狱谁入地狱"的态度,自己钻到乡下去,亲自体验。县政贪污,究竟怎样贪污,机构不健全,究竟怎样不健全,不取道听途说而要实践研究。这就是近年来各地实验县的由来。

回忆民国二十一年,内政部为了第二次全国内政会议,事前特派员赴各省视察,搜集问题,赴华北各省的是内政次长甘乃光先生。他到定县视察,参观平教会农村建设工作,本来预定一天,因为愈看愈有兴趣,竟在定县住了四天。他深以定县工作为可取,觉得这是真正的县政内容,而实施这种工作,绝不是由机构所能胜任。就在那一年冬天,县政会议开会,出席的有各省民政厅长、保安处长,以及少数有实地工作经验的学者,共300多人,我也被邀出席。这次会议的中心议案就是县政改革案，全体一致通过，内分两项：一、各省设立县政建设研究院；二、如人才经费都有困难时，各省可先设县政建设实验区。

第一个县政建设研究院，便设于河北省定县，民国二十一年冬季内政会议通过的议案，民国二十二年五月就实现了。成立的日期正是热河失陷后三天，这是一个很有意义的日子。河北省县政建设研究院院长，系内政部及河北省政府所聘任。研究方面与平教会做学术的合作。研究院成立后的第一件工作，就是鉴于热河失陷，河北成为国家第一道防线，所以草成了在一年内全省训练三百万青年的方案，可惜这个方案省政府迄未实行。去年才有人叹息：如果早能实施训练，卢沟桥事起，至少不至于平津失得这样快！

接着山东省乡村建设研究院，也根据法令改称县政建设研究院；江宁、兰溪各实验县也相继成立。实验县的县长、科长，都是国内知名之士，职权也比普通县稍大，经费也较充裕。实验县的成立，在国内发生三种影响：

一、因为做县长的都是有学问有能力的人，所以引起国人注意，重视县政，县长地位因之提高。

二、自实验县成立后，大家知道县政府并不是催科、听讼，而是建设农村为人民服务的机关，一般对于县政的观念为之改正。

三、因为实验县的成立，产生了许多实际改革方案，如财政、教育、民政，各种新制度为中央及各省所采用。

现在国内有两大潮流，也就是我们15年来所努力的工作，这两大潮流，可以说是一件事情的两方面，一个是民众训练，一个是政治改革。我们抵抗暴日侵略，发动全民抗战，因为全面，不能不全民，因为全民，不能不训练民众。我们武器不如人，军械不如人，只靠无穷的广大民力和武力配合起来，抗战才能取得最后胜利；所以为了抗战，必须培养民力，为了培养民力，必须健全地方政治机构，两件事实在就是一件事。

从中日开战到南京失守，一班学政治经济的朋友，眼看国家垂危，束手无策，以为只有武装同志可以捍卫国家，文人所学毫无用处，深悔学错了东西，有的甚至愤而自杀。现在看起来，这话只有一部分正确，因为单靠武力，并不能完成救国使命。训练民兵，培养民力，一样是正当而且急迫的救国之道。

干部学校就是应这个需要而成立的。今后国家战事胜利，要训练民众，培养民力，建设农村，才能恢复元气；战事失利，更要训练民众，增强实力，以期取得最后胜利。无论战争胜败，训练民众，都是一百二十分需要，培养民力是绝对不可省的立国根本大计。除非不要“国”，便不要“民”！

湖南在这一方面已定有整个计划，且经逐步实施。如“湖南省施政纲要”与“组训民众，改进政治加强抗日自卫力量”两大方案的颁行，行政机构与建设内容也已确定，这是“治法”的准备。干部学校训练人才，这是“治人”的准备。在经费方面，为了改革机构，充实人才，举办建设，省政府已决定分别补助，一等县每月补助700元，二等县每月补助600元，三等县每月补助500元；这是经费的准备。刚才说过：健全的行政机构，应该在治法、治人、经费三方面都有办法，湖南省正在实现这个理想。

湖南的政治革新，还在起头，干部学校出去的各种人才，还不过是下乡施政的干部。以下还应有不少助手，陆续训练出来。必须如军队一样，组织队伍，有一班可以指挥作战的人，配合各种人才，一队一队地下乡，才能全局推动。不过省方预备的人才，只到乡镇长为止，要工作顺利，乡镇长以下的保甲长，也须要训练，然后才能登高一呼，万山响应。这是今后应该继续进行的工作。

各位学员：现在是国家危急存亡之秋，大家不能再有所争，所争的只有一件事，就是中华民族的生存。如果中华民族不能生存，一切都要同归于尽，皮之不存，毛将焉附，覆巢之下，宁有完卵！我不是中国国民党党员，但是我所代表的运动，我20年来所做的工作，与三民主义的精神完全一致；志在改造民族，培养民力，与三民主义如同一辙。前几年，我对中央军校演讲整个农村建设实施办法，讲了两点钟。蒋先生做结束报告，又说了三刻钟，大致是说：实现三民主义，要紧的是有办法，今天所讲的农村建设办法，我们应该赶紧地推行到全国去。到了今天，国家已如一叶孤舟，颠沛于狂涛骇浪之中，我们同船的人，还能为小问题而自争吗？我们唯一的天职，只有共同奋斗，至少不要让敌人跨进湖南这一块干净土，不使杀戮壮丁、蹂躏妇孺、灭绝人道的行为重演于湖南。我们训练干部，训练民众，都是为此。农村是国家的堡垒，农民是抗战的铁军。去年十二月十六日委员长颁发告国民书，就说到“最后决胜之中心，不但不在南京，抑且不在各大都市，而实寄于全国之乡村与广大强固之民心”。在今天，应该忘记小我，放远眼光，有一份力，为国家尽一份力，才算得堂堂的一个中国人；况且这千载一时的机会，正是有志男儿建功立业的时候，我们怎好辜负了这大时代！

平教事业在抗战救国中的芹献*

我们已经有许多时候未开周会，今天把本会工作的几个重要方面简单地报告一下。

一、关于国民参政会

国民参政会是国家最近的一件大事。本来，中央在卢沟桥战事发生后，就成立最高国防会议参议会，邀请在野各党各派及社会学术团体领袖加入，共同计划全国总动员。最初参加的共有16人，代表16个政治社会文化运动，以后增加到24人。因为最高国防参议会对于中央各方面有相当贡献，能亲切地合作，所以中央当局在南京时就有意思把参议会扩大，人数增加到100人，名称虽没有定，但已从事筹备。到今年夏天，决定人数增加为150人，后来为了要充分集合各方面有力量的人才，共负抗战建国的重任起见，

---

* 中华平民教育促进会档案（三三六）56。该文写于1938年8月，前有平教会秘书处加的按语："干事长这篇讲词，包括本会各方面的工作，可以作为民国二十六年度本会年鉴的缩图，亦可以略见民国二十七年度本会工作的动向。所以特地将它印作单行小本，分寄同仁。"

又从150人增为200人，名称确定为“国民参政会”。本人从参加最高国防会议参议会到国民参政会，始终不是以个人为立场，乃是代表平教运动；也可以说是以乡村建设运动的立场，代表国内乡村建设运动。

这次开会的经过，非常圆满。议决的案件，都很重要，就是再过一二年，仍然有价值，不会变成明日黄花。

国民参政会的目的是在集合国内各方面的领袖，共赴国难，共商国是，这一点，确已一百二十分的做到。参政会开会之前，有的以为这种会并无多大价值，因为参政员中，大部分是国民党党员。可是在开会期中，会场空气好到实在出乎意料之外。……会中的一切都表现得非常真诚、恳挚，由此可以想象到会场的空气和精神怎样的美满了。

讨论的问题，内政、外交、军事、国防、财政各方面都有，一部分是政府自己提出的，一部分是参政员提出的。讨论的方式，先分组审查，各参政员就自己的兴趣或性之所近，认定一组，如内政、外交等，一切提案先由秘书处分送有关各组审查，即以审查结果报告大会，进行讨论程序。本人参加的是内政组，因为内政包含一切教育经济等问题，整个的和乡村建设运动相关。其中有两个议案，更是乡村工作的基本条件，而这次都热烈通过了的。

第一是地方政治机构的改善　县以下一直到区乡保甲，全国一致的呼声是有改进的必要。中央提出“改善各级行政机构案”，参政员也提出了同性质的议案三四起。通过的改善办法，十分之八九都是与湖南全省现在所行的相同，也可以说是参照了我们素来研究实验提倡的办法。例如废区问题，在中央各种会议中都争执得很厉害，一向没有适当的解决，湖南毅然实行废区，实施督导制度,参政会也如此决定。还有技术辅导制度的加入、乡镇公所的充实、职权及待遇的提高、区域的扩并,都与我们的素来主张大致相同。因此可见得一种研究实验,只要有真正的价值,不怕别人不接受,这一次地方政治制度的改善,就是一个具体证明。

第二是民意机关的设立　这个议案也是我们所特别注意的。我们天天谈民主政治,却没有工具给民众,没有机会给民众,教他运用民权,那就是空谈民主政治,一点没有用处。实现民主政治,一方面固然是知识问题,一方面也是机会问题,有机会给民众锻炼自治能力,民主政治才会实现。我们希望一个不会骑自行车的人会骑自行车,增加他的行动效力,当然要给他自行车,更要给他实习的机会。而且倾跌磕碰,更是难免的事。然而要他真能骑自行车:我们至多只能教他少跌,却不能防护到他绝对不跌。要知骑自行车的能力是在几次三番的倾跌失误中学成的。所以不谈民主政治则已,要谈民主政治,就不能以民众缺乏自治能力为借口,不给他们自治的机会、自治的工具。这一次参政会提出这种议案的,也有五六起。这议案修改得很多,结果,省与县将来都要成立临时参议会。各级参议员的产生方法,一方面参照中央参政会参政员的产生方法,由中央及省政府指定,一方面由地方法团加倍推举,由省政府圈定。在整个国家没有演进到宪政阶段的时候,这种指定与圈定办法,实在是一个过渡的桥梁。各级参议会都规定应有妇女参加,省临时参议会为5%—10%;县临时参议会未规定成数。这一点当时也很有争议,有的人以为这百分比太小,有的却嫌这数目太大,无论如何,妇女的地位已为政府及一般人所重视了。

县临时参议会,是做基层政治工作的同志所特别注意的。县参议员由各乡镇首事会、县法团及专员与县长之会商,各推举全额

1/3 的三倍人数，由省政府圈定。首事会是乡镇中的决议及设计机关，由各乡镇推举正派士绅担任，只有义务，没有权利。在新的乡镇机构中，它的作用和我们从前在定县所行的乡镇建设委员会相同。

以上两个议案非常重要，有了第一案，才能澄清及健全地方政治；有了第二案，地方上的人对地方上的事，才多少能说几句话。我们从事平教运动，一向主张培养民力。怎样培养民力？这就是具体的路子：一方面用健全的行政机构去推动建设，一方面教民众有参加地方政治的机会。现在虽暂是指定圈定，官民合治，将来民间教育程度提高，就可以更进一步，更民主化。

议案通过以后，究竟能发生多大效力，这个权力属之于最高国防会议，因此，有人说参政会没有多大力量。其实现时整个的国家已入于战争状态中，战时政治，在欧美最民主的国家也都是集权的。我国却在战时新设民意机关，这不能不说是一个特色。国难严重至此，非集思广益、全民共济不可。参政员的产生虽不是直接的由国民推举，但他们来自民间，无论如何所代表的是民意。参政员坐在议场里，也觉得是主人，政府的报告，仿佛真是对人民的报告。报告后的质问与答复，双方均极纯诚。这种热心团结的精神，是保护抗战必胜的铁券。

况且，参政会实在并不是毫无力量。例如通过拥护抗战建国纲领一案时，全场十分热烈，并决议为求迅速实现起见，请各部院就自已职权所及，定一进度表，逐步实现抗战建国纲领的规定，要每三个月报告一次。参政会就以进度为根据，检讨各部院的工作。不能执行的事情，政府可以提出困难之所在，共同商讨解决；如果能做而不做，那就责有攸归，主管部院，不能脱卸责任。再者，议案的决定权虽属之于最高国防会议，但一个议案如果是不正当或不必要的，第一关参政会本身就通不过；如果参政会既已郑重通过，最高国防会议就不能随随便便地把它搁置不理。最高国防会议如果接受了参政会的议案而政府不执行，那参政会就可正式提出弹劾案，政府不能不顾虑。何况参政员都是有头脑的人，有能力的人，一个人的力量也许没有什么了不得，整个参政会所通过所支持的议案，决不易抛却于虚无缥缈的九霄！

总结起来说：

第一，国民参政会的召集，是为新中国树立千年不拔的民主政治的初基，这是在国难严重时期，中央最有眼光的一件大事。从前议会中飞墨盒，肆笑骂，是常有的事，而这次参政会会议中，却充满着严肃、诚恳、亲爱的空气。有了好风气，破坏便不容易，民主政治的基础，现在已树立了起来。

第二，从政府方面说，国家危亡到这地步，不应该听由人民只管批评，不负责任。现在有这么一个机关来作政府的后盾，作援助，在作战精神上、道德上，得到了绝大的力量，不啻平添了五百万军队！

第三，一个政府欲如何便如何，万事由己，这是最不健全的机构；如果设有监督建议等联立制度，就不容易随便废弛了。为政府的健康打算，不能不有这样一个机关。就抗战说，要这样才能增加抗战的雄厚力量；就建国说，要这样才能奠定建国的宏固基础。

二、推广工作

现在要说到与平教运动有密切关系的工作。

湖南方面：

第一是省立衡山乡村师范的工作　乡师工作，已有相当的成就，这种做法的哲学与精神，已为中央教育当局所认识，且予一部分的采纳。这工作再继续一年，第一班毕业学生就可以冲到社会的前线去做改造的工夫。

第二是衡山实验县的工作　前几天同卢作孚次长到衡山视察，觉得民、财、建、教各方面，都有很重要、很有意义、很着实的成就。但是从实验县成立到现在，这许多很有意义的工作，外界知道的人很少，自己又只顾埋头工作，只觉得有多少计划未实现，有多少目的未达到，而已实现已达到的种种工作，却不向外界公布。例如，全县的财政整理、教育改造、农业推广、合作社的发展、卫生工作的推行，外界人很少知道。这就是因为我们只顾按照计划去实施，而没有注意到宣传这一方面。孙廉泉同志就任第五区行政督察专员后，到区内各县视察，他说，衡山实在有许多工作，可供各县参考。在教育方面、在民训方面、在经济方面、在财政整理方面，甚至在秘书方面的档案整理、人事管理等，都有为该区内任何县所不及之处。孙同志的这种看法，好像是一种新发现，因为他才从外省来，初入芝兰之室，而且他本是干乡村建设运动的专家，一件乡村工作的优劣，自难逃他的法眼。当然，孙同志的意思我们不能误解为衡山县政一切都已很好，不必更求进步；这不过是说我们一天忙到晚，自己忙到不知究竟，经过了他的视察，我们才正确认识了衡山的现状。但是，离我们的实验目标还很远，要改进的地方很多，还待我们努力。

第三是第五行政督察区的工作　孙廉泉同志本来在山东担任乡村建设研究院副院长、第二行政督察区专员，及山东乡村建设研究院菏泽分院院长，对于乡村建设及地方政治研究很深，经验很富，他自从主持湖南省第五行政督察区工作以后，即到区内各县考察，提出了整个的地方政治、财政、教育、保甲等非常有价值的具体意见，省政府均已采纳，并指定由第五行政区做起。现已着手筹备，其中大部分材料，都是参照衡山实验县已有的成绩。全区县政，并由林式增同志继续考察研究，他有丰富的地方政治实际经验，将来考察所得，对于今后全省干部训练，一定是很好的参考资料。

第四是干部学校的工作湖南省地方行政干部学校，第一、二两期训练，共结业3700余人。湖南全省连衡山在内，共有75县市，训练了这3000多公务人员，全省政治的初步改革，有80%以上的公务人员是受训的新人物了。全省政治改革的实施，尚未遭遇大的困难。这种大规模的做法，实在需要大的气魄，大的决心。张主席真是有勇气、有决心、有眼光、有魄力，所以能在短期间内把湖南焕然一新。国家危急到这种地步，地方政治非有这种天翻地覆迅雷捷电的改造，不能造成新风气。那种绣花式的挑针理线工夫，环境已不许可。现在改造各县政治机构，打入新血，发扬朝气，这些起码的政治改革条件，已经做到。同时，张主席对于平教运动，有甚深的认识，要求我们对于湖南的建设多加协助。七月二十五日，干部学校第二期结业的那天晚上，张主席以校长地位，公宴全校教职员,说了许多非常兴奋的话,今天不必重说。主要的意思,是希望本会对省政府继续不断的帮忙。干部学校从九月起,训练全省保长四万人,以行政督察区为单位,动员下层知识分子。从十月起,开始干部人员第三期训练,补充各县所不足的人数。各县现有各种工作人员,一方面是原来就不敷分配,一方面是工作中的自然淘汰作用,凡志不在此与成绩不良的,都会自动地或被动地汰去,所以这一期的训练重质不重量,时间加长,方法加严,这是应有的改进步骤。第一步注重量,做法不妨稍粗,着眼于重大处;进一步就应该注重质,做法就应该细密,着眼于深远处;最后是质量并重,臻于上乘。

江西方面:

地方政治讲习院原设编审及地方政治研究两委员会。现在两委员会已合而为一,总称为江西省地方政治研究会,直隶于省政府。熊主席自兼主任,霍俪白同志任书记长。工作分两部,一部分是编审,一部分是研究。研究会已选定遂川县为研究区,由梁振超同志出任县长,不用实验县的名义,而做研究实验县的工作。梁同志在定县在四川,都有很好的工作表现,将来一定能为江西地方政治建立基础。此间将有不少同仁,配合起来,调去帮忙。

四川方面:

大家知道,设计委员会已经暂告结束,新都实验县则继续办理,省政府并继续拨补助费半年。新都的实验工作,无论在民、财、建、教、警、卫、秘书各方面的成绩,中外各界人士,凡曾到新都参观的,没有不加以赞扬。最近,三、四两科科长改由陈治民、田锡三两同志担任,并由李秀峰、吴寅木、张福民、杨乘风等同志加入工作,陈、田等同志,都是本会的干将,更有黎季纯同志到新都去做学术工夫,加强四川方面的教育工作。新都经过这一次调整,分子更形健全,在各同志努力之下,前途一定无量。

关于戏剧方面,自从熊佛西同志领导抗战剧团入川后,所表现的成绩颇有可观。熊同志长于创作,在戏剧上的表现,有口皆碑,全川的戏剧空气,为之改良不少。今年儿童节所表演的"儿童世界"群众剧,更为教育当局所注意,引起他们对于戏剧的教育作用的深刻认识,决定请熊同志创办省立戏剧教育实验学校,培植戏剧教育人才。戏剧不仅是娱乐工具,也是抗战的武器,这一方面的发展,与四川人力物力的动员,当有很大的影响。

还有四川全省唯一的省立师范学校,教育当局决定请陈行可同志去主持,如果把培养师资的方策加以改革,采取衡山乡师的做法,培养出来的人才不仅能胜任小学教育工作,同时能为乡村建设服务,这个学校与四川的前途就有很大的关系。

最近,陈筑山同志受命为四川省政府委员兼秘书长,这事经过很久的考虑。平教运动任何人不能有单独行动,不能以自己的高兴不高兴做工作的取舍。譬如陈如民同志,我想他最高兴的是在衡山继续做他的第三科科长。那里经过了他两年的苦心经营,一切已有基础,何必跋涉长途,到另一个地方再去从头做起。但以平教运动整个的立场,需要他到新都去,他就不能不去。四川地位的重要性到如何程度,只消看抗战一年来已失去了多少省份,此后继续抗战的资源,人力物力的供给,究竟从哪里来,就可以明白。敌人一天一天逼近来,到哪里去动员人力物力?我们不能眼看国家沦亡,在复兴民族上只要我们有能做的工作,赴汤蹈火,在所不辞。这次在汉口晤见四川王治易主席,他说,旧的东西决不能适合新时代的要求,非有新的朋友帮助他不可。关于政治改进与建设人才的训练，希望我们有整个的计划去协助他。筑山同志本人诚不愿意出任川省秘书长，但中央方面，以为四川地位太重要，非多有几个有头脑、有才、具爱国爱民精神的人去工作不可。我个人对于筑山同志的出任艰巨，初亦不甚赞成，因为他身体近来烦劳太过，四川千头万绪，做起事来，困难恐怕要十倍于湖南，二十倍于江西。况他现任贵州省政府委员，吴达铨主席还希望平教运动发展到贵州去，可是陈同志事实上却天天在四川，就是因为整个的平教运动发展，不能不常在成都，连贵州省府的一个委员都顾不过来，哪里有工夫出任繁剧的省府的秘书长？但是，中央的主张如此坚决，这也是无可如何的事。大家要知道四川这省份，太重要了，我们如果能帮忙把四川弄好一分，实实在在就是为整个民族的抗战力量加强一分。我们站在救国建国的立场，不能不让筑山同志勉力去担任。就是站在本会的立场，以四川地位的重要，平教运动倘若今后能增进对于政府的贡献，尽我们抗战的责任，也不能不让筑山同志去勉为其难。

三、研究及训练

最后说一说本会自身今后的基本工作。本会现在与湖南、江西、四川三省的关系甚密，国家破碎到今日，我们的工作和责任，只有一天一天地加重。因为本会的推广工作日益发展，我们更须注意学术的充实与人才的培养，这样才能深固平教运动本身纯正的基础，这是一个最重要的方针。

从前，我们在河北省有定县实验区做大本营，集合大批人才，做了多年研究,才有今天所用的种种推广材料。现在做的工作,推广方面多,研究方面少。做育人才事,一向就没有正规地好好地做过。现在则因时局关系,差不多完全停止。定县多年苦心的研究实验,刚刚树立了平教运动的设置,并略微做了一点训练,而今全部已为敌人破坏。今后,本会应该树立一个比定县规模更大的研究实验场所与人才训练机关。这个场所究竟在何处,尚在调查考察中。这个场所建立了以后,现在各地的推广实验,便可以有集中的机会,做深一层的研究实验。同仁如果长此散在各地,分别帮忙,只能对于目前的事有帮助,不能有什么独到的建树。在各地实施推广,经验所得虽多,如果不能把这些经验加以学术化、系统化,便不能有多大用处。

关于人才训练,现在着手筹设"中国乡村建设学院",把各方面的学术经验,汇集在学院里,作培育实际人才的资料。出去工作的同仁,经过一些时间,也可回到研究所来做一番整理批导的工夫。同时就是学院里的导师,本其实地经验心得,指导学生,提携后进。如此,研究、训练、推广三者,真正的联为一体,这是平教运动的真正作风,达到我们终极目标的基本方法。今后要切实的本此做法,庶几我们对国家对社会会有更多的贡献。

抗战建国的基本问题*

兄弟与贵校有多年的历史关系，在南京有一个时期，常到贵校演讲，后来因为到北方办平民教育，才少相见。今天又有机会得在四川同各位谈话，觉得非常高兴。今天要同各位研究一个本人认为非常基本的问题，凡是有思想的人，都应该研究这问题，因为它关系抗战建国的前途太大了！

这一次抗战，是我们民族绝续存亡的关头，这样大规模的战争，是我们民族几千年来所未有也是从来所未听到的。牺牲的巨大，不可以也不能用言语来形容，因此，这一次战争给了我们民族一个空前未有的重大意义与价值，而我们也实在应该自觉地从其中取得宝贵的教训，与若干复兴民族的条件。否则，这一场重大残酷的牺牲，将白白地虚耗的了。

究竟我们得到的教训是什么？复兴的条件是什么？这问题很严重，我们应该深加考虑。如果不想通它，把根本问题认识清楚，假使这一次侥幸不亡国，将来还是会亡国。这一次战争，我们到今日之所以还能有个国家，是因为：第一，我们的祖先气魄雄伟，眼光远大，留给我们很广大的土地，到今天虽然沦陷了许多省份，还有

---

* 本文是作者 1939 年 4 月 10 日在成都金陵女子文理学院的讲话稿。根据作者提供的讲稿誊印件整理。

许多土地可以供我们抗战。要是祖宗的基业不大,恐怕我们早就做了阿比西尼亚。第二是因为日本强盗太笨太小气,他在占领区域,奸淫烧杀,无所不为,无恶不作,把深仇大恨,深深地种入我们民众脑子里,使民众不得不恨他。这是强盗自见弃于民众。因为强盗的做法不高明,精神上不能使我们的民众被征服,所以国家不至于一下就灭亡了。这是两个侥幸得来的条件,不要以为有了这两个条件,国家就决不会亡。这两个条件不是永远存在的,它可以不存在。因为日本鬼子不是永远的笨,祖宗留下的土地不是无穷大。敌人假使换一换手段,变烧毁为欺骗,恐怕驯服在日本强盗膝下的就不少了。从土地方面说,抗战不到两年,已经给敌人侵占了江山半壁,甚至在半壁江山以上。诸位想想,抗战建国,我们的凭借,究竟在哪里?

我们自民国以来,一直到现在,一切建设,实在没有注意到对外,就是很肤浅的。真正把财力精力用在对外准备上,实在很少。到了卢沟桥事变前二年,才稍稍有一点,因此就引起了日本鬼子的恐忌,急亟发动战争,把我们的建设,破坏无余。以往,对外有一点认识的人,他们总认为准备武力为最紧要。那时若有人说"民众重于军队",必然无人理会。一直到了今天,吃了几年战争的大亏,全国上下对于这一点才开始有点警觉。这是好的倾向。首先是前方将士痛切地发现了一个问题,民众若与武力不能配合,武力不能发挥充分的效能,甚至有民力不能做武力的补充,反而给敌人利用的,那当然是更痛心的事!因此大家觉悟:要抗战继续,非把民众的力量与武力配合不可。民众的力量如果能为抗战运用,那是何等伟大的力量。军队是有限的,有限的武力须得无穷的民众作后备,武力才可无穷,胜利才有保障。而且敌人愈深入,民众的力量愈重要，那时，种种作战方式都失去效用，只有游击战可以发挥极大威力。游击战是以这国民的力量为必要条件的，所以素来不注意民力培养的惟武力论者，现在也觉悟过来。现在的标语口号就与开战之初不同了，研究社会科学的，不可不注意这个改变。现在都说，“后方重于前方”，“政治重于军事”，“民众重于军队”，这几句话，不是随便说的，是打了一年多的仗所换得来的。

打了一年多的仗，证明了“政治重于军事”，军事的胜利，不仅靠兵精粮足，尤其要有老百姓的帮助。如果政治黑暗，把民众与军事分离，县长、区长、保长层层欺侮老百姓，压迫老百姓，政治使老百姓怨，政治使老百姓恨，民不聊生，怨声载道，军民自然永远不会合作，军队成为孤军，胜利变为失败，所以政治不良，就谈不到军事。

打了一年多的仗，证明了“后方重于前方”。后方是无穷的，前方是有限的，后方是前方的泉源。我们的决胜点，不在城市，而在广大的乡村，把后方无限的人力、物力开发出来，前方才有无限的力量可以发挥。兄弟觉得这种新看法是抗战一年来最大的收获。通常有一句话叫“差之毫厘，谬以千里”，一个人如果看法错了，做法就不容易对。学校对于学生最要紧的指导，就是怎样使学生对于事理有一个正确的看法，并且有一种做法去实现他的看法。任何事情的做错，都是因为看错了，看错了才会做错。看法就是一个人的哲学。一个民族的看法，如果看错了一点，做的就会大错特错。我们对于国家民族的看法，以往都是注重上层，没有看到基础方面去。办教育，着重于高等中等教育，讲政治，着重于国政、省政，眼光都放在上层，基础问题全不注意，因此造成了今日的局面。这样一个大战，为整个民族求生存，而民众自己却多数还睡在梦里。中国与外国的重大区别,这也是一例。外国人造屋,注意在基础,奠基要行隆重的仪式,中国人做屋重在上层,上梁要行隆重的仪式,这就是中外思想不同的表现,然而抗战所得的教训,使我们进了一步,注意到了国家的基础。

打了一年多仗,证明了"民众重于军队"。大家知道,抗战需要人力、物力。人力在哪里?在乡下。物力在哪里?还是在乡下。人力是农民的血,物力是农民的汗。战争必需的飞机、大炮、战车,也还不是用农产的桐油、茶叶换来的。没有农民流着汗,种桐种茶,军队早就没有武器可用了。至于一批一批送到前线去的壮丁,这更是显而易见的,最多数量是从农村中来。所以抗战建国的基本力量,完全寄托于民众身上。民众是抗战建国的根本,我们不能忘本,忘了本就要忘国。我们平时穿的、吃的靠农民。战时前方的血、后方的汗,还是靠农民。民众实在比军队重要得多。

打了一年多仗,把看法改好了,明白了民众重于军队。然而翻过来,就想一切取自于民,既要他的血,也要他的汗,用尽方法把老百姓榨。这无异于一个人有了一只鸡,不但要它生蛋,更要它生得多,又要生得大,却不去喂鸡。现在既要老百姓的钱,又要老百姓的命,却不见去教民养民,这何异于杀鸡求卵的自杀政策。我们既认识了民众的重要,便应爱护老百姓,去教育,去培养,而后有民力可用。有人说这种教育功夫,现在已来不及做了。其实这不是来得及来不及的问题,是应该不应该的问题,如果应该,就是来不及也应当去做!

现在谈新政治的人,说是以"管、教、养、卫"四字为目标,而国内比较有成绩的几个县,事实上仍未能做到把这几个字完全实现,至多把管字做到了。把老百姓管得服服帖帖,要命就有命,要钱就有钱，并没有做到教、养、卫。正当的“管”，应该是为教而管，为养而管，为卫而管，却不是为管而管。如果为管而管，这个管就是压迫，就是暴政。这样下去，就是日本鬼子不来侵略，老百姓自己也要起来说话，到物极必反，不平则鸣的一天。中国民力的无限可能，大家已认识了，他们潜伏着的无限隐患，也希望有人认识。水可载舟，也可覆舟，因为民众不是永远笨下去，我们平时靠他吃，靠他穿，靠他住，战时又要靠他的钱，他的命，他总有觉悟的一天，那时还是载舟还是覆舟，就看我们是否认识这问题的严重性，及其处理的方法对不对。

兄弟代表一个机关，叫做中华平民教育促进会。各位也许知道，我们有几百个同志，努力于这问题的探讨，到现在已有15年的历史。在20年前，兄弟在法国与参加欧战的20万华工朝夕相处，得到他们的教训不少。他们帮助我认识了真正的中国，真正的中国国民。中国人在中国看中国，不容易看得清楚，就是因为他生于斯，长于斯，习以为常的缘故。尤其是在学校求学的学生，往来的都是知识分子，以为中国人个个都和我们自己一样，不知道在学校世界之外，有更大的世界，知识分子之外，有更多的无知无识的劳苦大众。在校是往来无白丁，出校也不见得去和苦力与农夫接近，为他们服务，给他们教育。中国民众的真面目，从未看清楚过，我如此，大多数的学者也是如此。到了法国，因为天天与20万来自本国的苦力接触，于是认识了他们的生活，他们的本质。知道苦力的苦，真是苦，天天过的是牛马生活，受的是牛马待遇。苦力的力，真是有力，在欧战中立了多少战功，而且只受了4个月粗浅的教育，就能看报写信。自命为优秀分子的，不出学校，唯我是尊，看不起农夫苦力，不知农夫苦力只要给他们机会，就能读能写，蕴藏的能力,就马上能发展起来。学校把我们包围住了,古人说坐井观天,不知道天高地厚,我们可以说,坐校观人,一样是看不清楚。我与20万华工,朝夕往来,看到了苦力的苦,也认识了苦力的力,从此兄弟毅然决然,立志回国办苦力教育、平民教育。因为国内还有三万万以上的人和20万华工一样苦,也一样有力,需要给他们教养。我们十五年来研究实验,培养民力的学术,多少有一点成就。我们认为中国的三万万以上的农民,应当给他知识力、生产力、团结力,我们在河北定县、湖南衡山、四川新都有各方面的实验,找出了民力培养的方法与内容。这些内容与方法不是凭空的杜撰,是几百个国内国外的大学生,躬亲田舍,以民众生活为对象,做了种种实验而得。科长应该怎样做?县长应该怎样做?民众应该怎样管?怎样教?怎样养?怎样卫?从真实的生活上去实验,这就是人所共知实验好的做法,这是本会所倡始,十多年来的研究实验,失败的地方虽然有,成功的地方也不少。这种培养民力的一套学术,已推行于河北、广西、江西、四川、湖南各省,尤以最近在湖南训练地方行政干部四万多人为最大规模。本会协助湖南省政府开办湖南省地方行政干部学校,训练县长、科长、乡镇长、保甲长,半年之内,全省75县县长都换了曾受训练的人,这是与抗战建国极有关系的工作。

同时,干部学校内,设有妇女训练员班,训练了妇女工作员五万多人,分派到各县去动员妇女参加抗战。妇女工作在国内,这也比较算规模大一点的做法。

现在中国处在一个伟大的时代,任何人若自己没有伟大的觉悟,改变自己的思想、生活,在这时代中尽他的责任,那是不配做一个现代的中国人的。抗战是一个大潮流,社会组织与文化,将来一定有巨大的进步，那是真正的革命。我们要领导，至少是参加这革命，否则就为革命怒潮所吞没。各位是国内极少数的知识分子，所负的责任更重。中国有二万万人的力量——妇女大众，一向为人所忽视，需要各位先进分子去唤醒、促进、培养她们的力量，同负这伟大的抗战建国工程。现在虽然有不少人认识了民众的力量，但女子的力量仍然没有被重视，觉悟仍然不够深刻，这种重大的责任，须由各位担起来，无可诿卸的。

筹备中国乡村建设学院的意见*

今天讨论关于中国乡村建设学院问题，现在先把几个月来筹备的经过，简单地报告一下，然后请大家发表意见。

一、学院名称问题。经过多次的讨论，有些同仁以为不必用“乡村建设”这四个字，主张创一个新的名称。第一，我们觉得乡村建设是本会20年来所努力的工作。20年前，大家并不十分注意，自从抗战开始，全国人士，对于乡村才重视起来，对于农民大众才感觉到他们的重要地位。乡村建设，已深印到一般人的脑海中了，今天反把有20年历史朝斯夕斯努力的工作，不明白标识出来，未免太对不起一班乡村工作人员的辛勤血汗了。第二，办学院，必须向当局接洽，请求立案。我们如果另用一个名称，恐怕要费事些。就用一向所沿用所从事的“乡村建设”四字，这是表明我们在继续20年来所努力的工作，容易得人明了。第三，与学院有关的一些历史事实，也不可不知道。过去本会设有育才院，现在开办乡村建设学院，就本会立场说，不过是育才院的扩大。其次，就全国乡建运动立场说，本来有中国乡村建设学会，现在组织学院，是把各方面的人才、经验汇合起来，集中努力，这多少和今日西北、西南等地的

---

* 中华平民教育促进会档案（二三六）63。本文根据作者1939年在中国乡村建设学院筹备会上的谈话整理而成。

联合大学相类似。20年前,我们就认为乡村建设是民族复兴的基础工作,到了今天,不但我们的认识没有错,而且赢得了全国人士对此的觉悟与重视。所谓抗战,所谓建国,大家都认为应立基于乡村建设之上。所以我们现在举办学院,更不能随便抛弃我们几十年的奋斗的历史,轻易用别的字眼命名。

二、学院与大学问题。有人以为用学院名义而不用大学名义,规模似乎太小。这问题考虑得很久,我们感觉得在现阶段所以用学院方式,不是我们不能办大学,如果不能比一般的大学更精彩、更实在、更有力量,则又何必再多一个平常的大学。我们理想中的大学,就现有的人力物力来看,还不够,所以决定由小而大,由近及远,先办一个学院,先就内容做充实功夫。

三、学院院址问题。院址有人主张在成都附近,有人主张在江西,也有人主张在重庆,最后决定是重庆。理由是:第一,我们办的学院是全国性的,成都的交通,不如重庆,如果院址设在成都,就不免带有地方性。第二,罗致教授人才,招考学生,我们希望能够不限一隅,要想这样做,重庆似乎比成都方便。第三,从广义的乡村建设来说,不是机械地以农业等等的建设为限。工业建设,仍是乡村建设工作之一,工学院还是要办。既是有这种看法,学院与工业有关系的团体,应取得密切联络,重庆是工业比较发达的地方,所以乡建学院,以办在重庆附近为适宜。第四,乡建学院是全国性的,刚才已经提到,目前重庆是全国政治经济交通的中心。就是在最近几年内,战事即使结束,重庆仍不失其全国的重要性。将来如有必要,可以在适当地点设分院,或者将重庆院址改为分院,而在另一更合适地点设院本部。有这四个原因,院址决定设在重庆。至于设在重庆附近何处,有三个地方我们都去看过。看的时候,根据三个原则,(一)交通,(二)治安,(三)农村环境,而附近有市镇。就这三个条件查勘后,觉得北碚附近的歇马场高坑岩,颇为相当。此地离重庆有60公里,离歇马场三公里,是一片尚未经营的处女地。高坑岩有长宽各约十丈的瀑布,可以利用发电,电力足供两万盏电灯之用。有河流通北碚,运输很便利,将来可在该处以学院为中心,辟文化村,现已设法进行收买土地等事。

学校的建筑以简单、适用、卫生为原则,最好能乡村化。为生活用的房舍,如住宅、宿舍等,愈简单朴素愈好;学术研究用的房舍应该带点宏壮雄伟,不失其伟大性,如图书馆一类是,但不是说要费许多钱。

四、组织筹备委员会,设立办事处。学院的正式成立,因购地建筑等事,还须有相当时期。为进行这些工作,决定在重庆设一通讯处;在重庆近郊觅一宽大可容数十人的房屋,设筹备处。指定瞿菊农、谢扶雅、陈志潜、马博庵、赵步霞、姚石庵、陈行可、黎季纯、陈筑山、孙伏园、孙廉泉、熊佛西、汪德亮、陈开泗、孙恩三、杨导之等16人为筹备委员,由干事长兼主任委员,六月一日开始办公。又指定瞿菊农(兼办事处主任)、谢扶雅、陈志潜、陈行可、马博庵、姚石庵为筹备委员会常务委员,由主任委员兼主任常务委员。

办好乡建学院的意义与要求*

各位同志：本院每当学期开始的时候，照例请院会同仁有一次聚会，今天借着这个机会向大家说几句话。

一、本会办育才院的意义

一桩事愈做愈清楚，愈能了解其中意义。本会在国内将近二十年的历史，以往工作主要的是侧重农村改造、农村再造整套技术方法的研究实验，现在为什么转而注重训练工作？原因是：几年来协助湘赣各省政府从事地方建设、县政府改革的工作，深深感到纵然有良好的实施方案，而无实行计划的人才，致使我们多年辛苦研究实验的宝贵经验不能大规模推广实施，实为莫大憾事！我们目前唯有一方面继续充实学术上之研究，随着时代潮流、社会需要来努力改进，一方面更要把我们以往研究实验的宝贵经验、心得，传授给一班有为有志肯牺牲服务于农民的青年们，使能对改造农村、复兴国家的基本工作有所贡献。本会根据此种认识，遂毅然将此

---

* 中国乡村建设学院档案(二三七)17。本文是作者1943年10月15日在开学时举行的教职员茶会上的讲话，题目是编者所加。

任务放在自己肩上。去年在轰炸摧残与阻碍中,建成了这个培育人才的场所——育才院。我们今日办学校绝不是办普通的学校,而是要办一个有新的校风、教风、作风的学校,并要有一中心的目标,努力做去。这也是由于时代的需要,迫使我们不能不对国家社会尽一分努力,有一分贡献。这件繁重的任务已经放在我们的肩上。

二、希望参加育才院工作同仁注意三点

(一)要做。我们不仅到图书馆去,更要钻到农民生活里面去,研究、认识、解决农民本身的问题。从前在定县时就是一个真的研究室,这才称得起从做上去学,本会十几年来的作风就是如此。不从做里去学是空学问,是死的观念。目前我们先由歇马场做精细客观的研究,以为教学生的活教材,所以做实在占极重要的地位。

(二)要教。要把本会多年辛苦经营所得的办法、方案传授给学生,要"教时不忘勤学"、"做时不忘研究"。要使自己的经验能系统化、科学化、学术化,再传给一班有志的青年。一般学校的教员最大的毛病是教而不学,做而不研究。所以第二点希望大家平素要有研究的精神与修养。

(三)要导。我们做教师的不仅是教,还要导。要培育、锻炼、陶冶这一班学生,应该"做"、"教"、"导"并进,才能收效。国内一般办教育者不能成功,就是因为只知做而不教,只知教而不导。希望大家都要注意这三点,负起自己的责任来,影响学生,领导学生,

更不要专靠训导方面几个人。如两千年前的耶稣,就是全赖感化影响他的门徒,进而影响到整个世界,他并没有遗留下著作,他最大的成功是做到做、教、导三点。大家公认四川为民族复兴根据地,学风窳败已到极点,说起来实在令人痛心。我们除负责去培养建设农村复兴中国的后起青年,更要树立优良的校风,以免此败坏之风气。曾有友人引中山先生语:"我们不要希望做大官,要希望做大事。"这两句话实在可为我们做人的榜样。尤其在今天,我们更要都抱着努力做事的精神,负起我们的责任来,才对得起国家。所以大家应在做、教、导合一的口号下,一致向前迈进!

我近来有不少的感触,得到许多安慰与兴奋,以往我的理想有点过高,我近来和几位做实际工作的同仁谈话,得到益处很多,他们在工作当中遇到了苦与困难,他们都能够自己想办法解决。我听了,实在受了感动。至于学生方面更使人感到可爱,近来公布几项规则,居然能够严格遵守。上期学生有考取中大者,但本院开学时均已返校,足以表明本院对学生影响之深刻。本期招收学生不多,但均系素质优秀、志愿乡村工作的青年。我们招收学生少,是因为我们人力财力尚未准备充分,但绝不滥收学生,滥收学生是误人,是残害青年;待我们各种条件准备完成,再大批招收训练,我们应当确定校风来陶炼他们。关于同仁方面,暑期中精神有些疏散,但自开学后精神都很振作,如早晨升旗、晨会都能守时参加,使我非常兴奋。

其次,近来有人担心本会经费问题。根据本会以往的历史来向大家分析一下。就知道我们的工作是能引起社会信仰的,是能继续下来的,因为:

工作重质。我们的工作向来是重质不重量,金刚石不在小,而在质精。平教会存在到今天是因为有质。现在国内办卫生工作、办地方政治的计划之事，大半都是平教会研究的结果。如识字教育，除影响国内外，国外如印度、菲律宾推行识字教育的课本，都是仿照《平民千字课》来编的，可以说国内国外都受到平教工作的影响。政府做事是重量不重质，希望能速效，但改造太难。平教会是站在时代前端来研究探讨与创造，能维持到今天，就靠着有质。因为如此，才可：(1)罗致国内外豪杰人士；(2)可以博得国内外经济的援助；(3)可吸引天下英才来工作，努力解除苦力的苦，发挥苦力的力，走上解决农民生活的路线。本会工作从1920年起至今日为止，基金虽不多，但从未欠同仁一天薪金，由此可知经费是不成问题，只要有成绩表现，一定可以得到国际国内同道的赞助。因为社会是公道的，所以完全在己而不在他。本人对今年院中的工作，抱着很大的期望与乐观。

抗战建国大业是多方面的，我们要负起建国的责任。明末清初时，河北容城孙霞峰先生曾因反清遭忌，但言“为人立世，只问有愧无愧，不论有祸无祸”，何等壮烈！我们在这抗战进入胜利的今天，每一个人都要以作战的精神，尽到我们的职责。要知抗战的精神是紧张的、振作的，此外还要有必死和必胜的信仰。我们不能在前方流血，留在后方做事，无作战的精神，实该愧死。最近沈宗翰夫人骊英女士在实验室内殉职，真可为我们的模范！本人20年从事乡村工作，虽然时时感到能力不够，时局不定，但随时具有作战的精神，从未敢稍懈一时，这是本会老同志全知道的。今天披肝沥胆地向各位说这一席话，望互相黾勉，共同负起这个艰巨的任务。

战后乡建工作努力的方向*

中国人的毛病，祸不临头，不知有祸；火不燃到眉尖，不知预为之计。处在大时代的当今，这种劣根性是非去掉不可的。我国抗战已有了四年，现在国际间的局势如何？中国应站一个怎样的地位？是值得我们研究的。中国战前无准备，战后应当有计划，否则便无存在可言。

战后的世界，不仅中国已想到，英美各国人士亦在时时注意，想今后的世界应如何方可称为"人的世界"。第一次世界大战德国失败了，后来和议订立了《凡尔赛和约》，这个和约的订立，全是根据英法野心政治家的意见，他们以胜利者自居，想把德国压抑得永不翻身，来维持欧洲的和平。可是结果呢？不到20年，第二次世界大战又爆发了，并且来得更凶猛。我们只要一分析这次大战的原因，便知道它是凡尔赛不平等条约的产儿。受了上次和议的教训，现在大家都觉悟了，认为今后的新世界，不论谁胜谁败，和议的立场必须是友谊的、平等的，各得相安，才可以避免第三次的大战。此次大战刚爆发六个月，美国人民便举行了一次全体投票，测验今后和议的方式，结果是全体反对单打倒希特勒，要知道只是希特勒

* 中国乡村建设学院档案(二三七)59。本文是作者在乡村建设育才院民国三十年度第二学期纪念周会上的讲话，题目是编者所拟。

倒了,是无用的;希特勒倒了,第二个希特勒又可以起来,于事还是无补。再如又有人主张整顿军备,用以保障安全,维护和平。这也是不中用的。我们只要看美国便是一个明显的例子。美国自1938年起,屡次通过庞大的国防预算而终究不能逃脱战祸,便能给军备论者一个有力的答复。因此事实告诉我们,要求得和平,唯一的办法便是实现民治、民有、民享的民主政治。有美国人著书建议欧美民主国家,如英、美、加拿大等15国应首先联合起来,作为核心,渐渐吸收其他国家,共同组成一个世界民主大同盟。先由英美等国发起组织的原因:(1)各民族语言简单;(2)交通便利;(3)各国在15年以内无战事,百年以来常维持友好的关系。

世界民主大同盟第一要做到的是统一政府、统一军备、统一通商、统一金融、统一交通,以消弭国与国间之冲突,其他如内政等则各任自由。大同盟政府的组织,设参、众两议院及执行委员会,参议院每国代表2名;众议院议员共227名,平均每百万人约有1名。执行委员会设委员5名;3人由人民选举,其余2人由参众院互选,总管一切事务。末后,他分析到大同盟国的力量,目前共有15国,人口有三万万,财富黄金占全世界黄金总额98%,几乎全部占有;军舰占全世界军舰总吨数2/3;贸易额占全世界贸易总额之3/4。财富充足,武力雄厚,均足以执世界的牛耳。财富多便不用侵人,武力强则人不敢欺侮,由此即可以维持世界长久的和平,实现理想的"人的世界"。

上面这个伟大的计划,我们不能不佩服英美人士有思想有远见。可是15国之内有没有中国呢?没有!中国虽说是参加了同盟国的阵容,如还不振作,即使同盟国得到胜利,其他国家会不会把中国放在眼里呢?要知道尽管宣传说得好,人家有他的冷算盘。

第一次世界大战,中国也是参战国之一,而巴黎和会的情形,便可以做我们的殷鉴,“取得胜利易,取得和议难”,这句话是有它的真义的。

世界民主大同盟,目前的15国之中没有中国,不是他们不欢迎我们参加,大同盟是民主的集团,只要符合它的条件,谁都能参加的。它的条件是要参加的国家确是一个民主的国家,至少要有言论、出版、信仰的自由。中国现在到了生死存亡的时期,不参加这个大的集团,是不能生存的,然而中国社会的情形还是一团糟,是没有资格加入的。我们要求能够加入,便只有大家都负起责任来共同努力了。中华平民教育促进会是一个具有20多年历史的团体,当然是要当仁不让尽其所能,为国家为人民谋幸福的,今后我们努力的方向便有三点:

第一,实现民主政治的广义的教育。民主政治主要的关键不在民享、民有,基本的还是民治。无民治,谈民享,你不配;谈民有,不给你。若是真能民治,他敢不让你享,敢不让你有吗?因此我们要研究,子子孙孙地研究,寻求实施民治的方案,教育民众,达到民治的目的。

第二,培养领导民治的领袖人才。

第三,要在国内、国际造起民主政治的运动。

早几天王芸生先生在《大公报》发表一篇文章,题目《为国家惧,为青年忧》,有内容,大家都值得看看。上面引有费希特一句话:“现在什么都完了,唯有教育才能救我们。”现在的中国与当时的德国差不了多远,也唯教育才能救我们。平民教育即是平民的政治教育,也唯平民教育,教育全国的人民自己管理自己的事情,才能救中国。故我们应该抱有“但问耕耘,不问收获”的态度,努力推广普及平民教育。

平教会的工作也就是平社会的不平，平天下之不平，这是简单的真理——真理都是简单的，而且上帝的真理也需要人为的实现。希望大家从小做起，稳扎稳打，40多个同学一个都不打折扣！更要不忘记“富贵不能淫，贫贱不能移，威武不能屈”这三句话！

乡村建设育才院的宗旨与今后的使命*

为什么要办育才院呢？育才院就是造就适应时代的合于社会要求的建设乡村的有用的人才。大家知道中国闹人才荒的今天，有些机关找不到人，有些人却找不到事，并且有时还要争起来抢夺人才，彼抢此夺，抢得一塌糊涂。所以中国弄不好，并不是说没有钱，有的是外债、公债及发行的纸币；也不是没有计划，国民政府里的计划多得很。那么中国成问题的是什么呢？中国就是没有得其所用的人才，所以我们今天来办育才院，就是要解决人才荒的问题。

至于说到人才，我可把他分成几种人才：

第一种是庸才。只要跑到旁的大学里或中学里去看，还有好多学生耍嫖耍赌的，说不定甚至还有抽大烟的。在他们的眼中，并没有什么民众和抗战及国家观念，他们只知糊糊涂涂能够享受目前的快乐。

第二种是奴才。这种才比庸才要厉害些，一个受过教育的人，没有气节，要当汉奸，你看成什么才呢？但是你们受了教育后，切不要去当奴才。当然，现在你们没有地位，没有权势，要去卖国也

* 中国乡村建设学院档案(二三七)59。本文是作者1942年对乡建育才院学生的讲话记录。

不够格，但到将来够格的时候，或者在三四十年后，也要明白奴才是出卖国家的，这不是人做的事。

第三种是天才。在中国的天才实在是凤毛麟角。何谓天才呢？这里有一个这样的定义：科学家爱迪生真是个天才，有一天人称赞他是天才，他说："你如果承认我对天才的解释，我很诚意地接受你的批评。我以为天才只有1%的才气，加上99%的血汗。"要知道爱迪生的成功，并不是偶然的，每天他要做15个钟头的工作，只睡3个钟头的觉。我在美国还亲眼看到一位钢琴家，他从7岁起已学会了弹钢琴，到现在已是白发蓬蓬的80岁的老翁了，他每天还要练习8小时，他担心落伍。所以只要他到哪个地方去弹琴的时候，听他弹琴的人，总是争先恐后地拥挤着。现在我们要做天才的话，就要像爱迪生一样，每天要做15个钟头的工作，到年老的时候，也要像那位钢琴家那样，每天要练习8个钟头，这样，才会成功你们的天才，要不然不配称天才，只叫他作怪物。

第四种人才是中平之才，比上不足，比下有余。这类的人，只要有教育给他，可为国家所倚重的人，所以我们要培养的，也就是这种人。

现在再讲本院训练人才的六大目标。

一、劳动者的体力

中国过去读书的人，脸大都是白色的，因不讲求体育，故有"白面书生"的美名。现在呢？也差不多，一般学校的体育，则只有少数学生夺锦标为荣的体育，大多数学生，则不求实在的体育。前些时，根据某医生统计的结果，10个大学之中的学生，70%患有肺病的嫌疑，而他们自己却不知道。中国人平均的寿命只有35岁，和西洋人比较起来，真是相差得太远了，西洋人平均的寿命约有60岁，比我们差不多要多一倍的寿年。法国的克里梦梭，外号叫做“老虎”，七十八岁的时候，他还主持巴黎和议，把威尔逊民族看作小孩子一样，世界的权威都操在他一人手里。西洋人有句话说我们中国是一个“孩子的国家”，这话我们受得了吗？一个人非讲求体力不可，体力不好，则容易悲观、消极。单求体力还不行，我们还要能够劳动，千万不要以为劳动有损于你们的人格，有损于你们的体面。普遍的运动一定要做，但是夺锦标的少数人的运动我不主张，我们主张对于同学的运动要平常化普遍化，因为你们平时对于体育太不注重了，所以特别提出几点要告诉你们。

（一）本院环境真是锻炼体格的一个好场所，在这战时要找到这样的大好自然的美丽的地方，实在是一件不容易的事，你看这样好的水，好的山，如果不知道去利用她，那真是糟蹋了。美国的大学里，如果不学会浮水，就不准毕业。我们的学校里，既然围绕着这样一条清流的溪水，希望同学都去学会浮水，但不要误被水溺了。

（二）最没有卫生习惯的就是中国人，明明知道别人有沙眼，有传染病，他偏要洗别人的手巾，把传染病惹到自己的身上来，自己的性命都不晓得去保全，这是何等的愚蠢啊！所以希望诸位同学要有最低限度的卫生常识、卫生的习惯。

（三）要特别注意思想的健康。思想不健康，就是因为胡思乱想。所以西洋人的进步，对于疾病不讲治疗，只讲预防，他们的机关里，如果有一种病，可以预防而不预防的人，就要开除他。他们并更进一步的由身体的预防而为精神的预防。所以对你们要谈思想的治疗，要预防你们思想的毛病，使你们的思想日益健康。

二、专门家的知能

我们有了强健的体力，还要有专家的知能，所谓一技之长，否则就成为无知无识粗野的大力士样。我们知道，现在是科学的世界，你们看科学的发达，每天有新的发明、新的进步。例如在耳科方面的医治，现在已分成几个很精细的部门了，每部门成为一个很重要的专科了。所以我们生存在现代的世界里，非有专家的知识不可。有了知识还不够，还要能运用知识，因“知”与“能”，是不可分的一件东西。

三、教育者的态度

中国有句古语：“人皆可以为尧舜。”这是一句教育至理的名言。因为“人皆可以为尧舜”使得做人师的才有“教人不倦”的精神，使得乐意于学业的才有“学而不厌”的精神。20年来的平教工作，我深刻地认识中国的民众，尤其是大多数农民，不是不可教而是无教。一般的人，都以为带兵的人，不要用教育者的态度对待士兵，其实不然，没有教育的民众，怎么能去打仗呢？所以从前有“以不教民战，是谓弃之”的话。由此，我们知道带兵的人，要有教育者的精神，才能有作战的士兵。并从中国行政方面说，各部门的负责人,对部属,尤其对农民,均没有教育者的态度,所以很多建设工作,不是农民自动自觉参加的缘故,办不起来。虽然堂皇的有督导两个字,其实大部分负责行政的人,只是督而不是导的态度去对付部属和民众。农业科学从张之洞先生提倡起,到现在已有好几十年了,然而今日乡村的农夫还是用原始的方法在耕种,农业科学只是关在大学里,关在图书馆里,没有和农民发生一点关系。这就是因为提倡农业的人和指导农业、改善农业的人,没有教育者的态度缘故。所以你们无论学习哪一科,必须要有教育者的态度。

四、科学家的头脑

我们中国人,有一个不好的传统,就是遇事"马虎",只注重皮毛,不求深刻的了解。我们要我们的民族,能生存到这样科学的世界里,我们就要有追求真理的精神。西洋人的特点,就是求真欲最强,因为求真欲强,才有许多科学上的发明,才能克服自然,才能利用自然。欧战后,德国对于科学的研究,真有惊人的进步,这次大战的时候,在战场上英国兵找不到德国兵,因德军尽是些精奥的机械部队。在中国见某小孩说谎,反而称赞他是聪明的,而西洋人骂人才用这句话!中国人骂人总是一些卑鄙的下流的无耻的牲话!西洋人骂这一句"你是一个说谎者",就不得了啦!西洋求真的美德,普遍深入民间,科学因之有进步。所以我们要革除马虎的撒谎的坏习气,要向追求真理的道路迈进。

五、创造者的气魄

中国人最爱享现成的福，自己却缺乏创造的精神，墨守成规，不求进步。德国人和日本人就不然，德国因感到物质的缺乏，就用各种方法制造各种各样各式的代用品，日本因为国内多火山，所以无时无刻不在艰苦中挣扎，创造国家民族的新生命。我们的祖先是有伟大的创造气魄的，然而现代的中国人，只有接受这种传统的观念。我们有广大的版图，是我们的祖先用脚步、用骑马来开拓的，比之我们坐汽车、坐飞机要艰难得多，伟大得多了。中国的青年们，不要再做享福的梦了，不要等到南京、上海收复后去享福了，决没有那样美丽的事实到来。今后的中国，只有罪可受，没有福可享。我们要新的中国诞生，只有更加坚忍痛苦，正如一个母亲生产新的小孩一样，必须要受到阵痛的苦难，中国才有前途的光明。

六、宗教家的精神

我们做一件事，必须要有相当的忍耐力，钉子愈碰得多，愈不要灰心，在中途不变节，只要有坚忍力，总会成功的。像我们的国父孙中山先生，在伦敦蒙难，就是临大难而处之泰然。这就是他平日有坚定的信仰，有宗教家的精神。耶稣救世，被人钉死在十字架上；释迦牟尼普救众生，自身受难。惟有这种精神，才能使事业成功。所以看一人的事业成功，不要看他的表面，我们要看到背后的原动力。宗教家的精神,就是一个事业成功的原动力。

同学们:从前左文襄公说过这样的一句话,“乱中国者不在盗贼,而在无人才”,今天我要告诉你们:“亡中国者不在日寇,而在无人才!”

改造中国要从基层建设抓起*

今晨借着纪念周的机会,报告我六、七周在渝工作情形,将上次的演讲做一个结束,然后再请汪先生给你们讲话。

在五通桥参观黄海化学研究社以后,即去嘉定参观武汉大学,武大没有新的大的建筑,它的校舍大都是利用庙宇或民房,非常的零散,只有电机方面的设备,尚觉十分的完备,其他的方面就不行了。不给教授预备房子,学生的生活也非常的清苦,学生宿舍很和轮船的通舱情形相像,总之教师苦,学生更苦,但是他们的校风非常的好,学校严格执行纪律,学生严守纪律,师生都非常合作努力,表现着蓬勃的朝气。参观完毕,即返回重庆。

在重庆还有一件事值得向大家报告:一位新从华北回来的朋友,他是被监察院派在华北工作的,在华北共有四年之久,当中有两年在定县,所以他知道定县的情形很多,他不厌其烦三次去访我,终于在桂花街客寓里见着了。那时正是下午八点钟,一直谈到十一点,大家还有余兴。这位客人过去曾为人误会,被监禁一年有半,真是冤枉。他说:"我过去久仰晏先生,尤其在定县工作两年后,才知道平教会工作的伟大。我奉命为专员,在华北工作。现在

---

* 中国乡村建设学院档案(二三七)59。本文为作者 1942 年在乡村建设学院纪念周上的讲话。范培正记录。

华北，尤其在河北做游击干部的青年，大都是定县人，占的比例数字很大，大约有十分之八九。”所以一切的事业的成功与否，不要看当时情形，也定要把眼光放大向远处看，当时的轰轰烈烈也许不久后即就消沉，或者是人存政举，人亡政息。鹿主席在深泽县开欢迎大会时，有一个演讲最好的是一个女子，这一位就是定县来的，而且又是平校的学生。现在定县有游击队三万人和敌人拼命，有人说这是共产党活动的结果，是因为共产党在别处也有这样的成绩。但主要是过去平民教育生了根。所以曾先生一再地说很希望我能和中央方面把这平教大量的推行。一切的成就须在平时做起，然后在大难临头才有表现。教育本是很苦的工作，尤其平民教育更苦，国家没有大的报酬给我们，只要从农民身上能有进步的表现，那我们就心满意足了，所以我们要坚定信念，做此重要建国大业。

参政会闭幕后，留在重庆顺便访晤十中全会的朋友，他们是远道而来，大家的工作的情形都是互相要知道的。

十中全会的情形，十一月二十八日《大公报》所载，总目标实行国家实业计划，完成地方自治，这是今后努力的总目标。今后要建国复国不必我们去负责，完成地方自治非我们大部分负责不可。平教会深思熟虑，认为中国之广大，人口之繁多，民众生活水准之低，非把握重点不足确定中心，非着重基层不足求实效。实行国家实业计划为今后一切总目标，各级政治与经济，发动民力以建设乡村，使乡村民众在集中劳动之下增加地方生产。必须基层建设确有基础，而国家力量方面有寄托。简言之，即能有地方政治与经济之基础，以劳动创造资本，开发土地以造成国防民生，以达民生之宏愿，前事伟大，以便改变过去空虚无当积习，与迷恋都市的心理，而痛下刻苦切实从基层努力之决心，非为此不能成功也。此次十中全会宣言,是抓着痒处,也抓着基本点。虽然在抗战期间,百政待举,可以说他们的眼光已从上层移到下层,这样才不会落空。所以,以劳力开发土地,以劳力开发资本,合我们四万万人劳力来创造新中国,要痛下决心,从基层去苦干。抗战六年,改变了国策,着重了基层。我们学院叫乡村建设学院,我们在20年前就认识平民教育的重要,在十年前平民教育也就盛极一时,就是抗战开始也没有销声敛迹,现在更加重了它的重要性。除非是你的工作着眼点不是高处,你的工作认识不是深处,要是的话,不是暴风大浪能压下去的。平教会工作20年如一日没有间断,我们的生计、卫生、组织等教育,都是从基层着手的,办基础工作要有内容,要有办法。我们有20年的经验,我们不比人家智,亦不比人家愚,但是所多的是20年的经验。生计、卫生、公民等教育,我们都有一种看法,都亲自试验过,我们总有一得之愚,要贡献于国家,至于功名利禄,我们没有企图,但是对学术研究确有野心。

试问基层建设的基层在哪里呢?就是在乡村,本院也就是为培养基层干部而设,农业同水利是基础建设,可能的还有水产,是水利附属的部分。我们为什么不办大学而办专科,因为百般待举,一定要在短时期赶上,因时事迫切需要,大批有志的青年急需工作。我们初办水利不是碰巧的,而是花费了心血建设而成的。本院的先生早已丢去了功名富贵,而来此苦干。我们为了建国才办学,所以重质不重量。

我说话的机会很少,所以要说一回是一回。我们不能满足现况,天天在想怎样改进学校,培养你们成为有为的青年男女。本省张主席说,省方一段及中层一段都很好,唯独基层一段缺乏干部,希望你们要负起基层的责任。

中央近来对学生劳动纪律有新的指示，要利用课假开辟田园，建设道路、沟渠，进行种植等，于实际生活中使学生操作不假手于技工和校役，使之劳动化、纪律化。

这次十中全会的目标建设注重基层正和平教会方向相同，我是一则以喜，一则以惧，喜的是目标相同，惧的是今后我们的责任重大。

人家说定县民教运动极盛时期是民国二十三年，我说是现在民众和日本做生死斗的时候。由此可见我们的教育是生根的，我们的教育是由下而上不是由上而下，教育是播种，播种才能有圆满的收获！

平民教育与中国的抗战及国家建设*

雷特先生，女士们，先生们：

大约八个月前，我离开中国到美国、英国等国研究战后建设问题。我没有奢望有访问古巴——这个安地列斯群岛的珍珠——的机会，由于雷特先生代表哈瓦那大学的邀请，由于我的老朋友、华人牧师李博士夫妇的邀请，由于J. P. 麦可埃沃先生夫妇以及伯克·黑杰夫人的邀请，我居然来到了古巴。从冰天雪地的华盛顿来到了明媚温暖的哈瓦那，朝发夕至，两地对比鲜明。我感到了这里的魅力。在哈瓦那这块土地上，我感到了她温和的、爽快的和好客的气氛。这点在其他地方是感觉不到的。我可以告诉你们，我在中国一年的努力失败了，但是在两周时间里，我却在这儿获得了成功！我的体重增加了35磅，所以当我说，我是真正高兴地并以非常荣幸的心情，在这个晚会上给如此多卓越的听众，讲述“平民教育与中国的抗战及国家建设”这个题目，我想你们是会理解我的。

平民教育运动最深远的意义，并不在于到今天有多少平民被教会识字，而在于发明一个实用的和有效的扫盲体系，而且国家开

* 这是作者1944年2月6日在哈瓦那大学讲演的节录。原英文讲题：Mass Education and China's War of Resistance and National Reconstruction.

始认识到扫盲的紧迫性并下决心去完成扫盲工作。目前,战争结束后,我深信中国在十年之内可以在她的土地上扫除文盲!

我预料,许多人会满足于和停留于完成普及识字的任务。我们知道,识字是重要的和基础的工作,但这仅仅是第一步。为了发挥识字的最大效用,必须随之有一个实用的、基本的、综合的能够改进生活的计划。识字仅仅是教育的一种手段,而不是教育的全部内容。“无教”有时强于“误教”,所以问题是应当给刚会识字的平民大众什么样的教育。我认为,这种教育应该能够以必要的知识和技术武装他们,以健康的精神习染他们,从而改变他们自己的生活以及建设他们自己的家园。如果我们要开发出一种为了人民的教育,则我们必须首先了解人民。人民在哪里?他们散居于千万个乡村里,因为大约80%以上的人口在农村。如果我们想要了解他们,则我们必须到他们中间去。

化学家有他们的化学实验室,物理学家有他们的物理实验室,所以,作为旨在研究平民、研究他们的问题和特质的我们,也必须有我们自己的实验室。定县就成了我们的“社会实验室”。在定县,我们运用科学的方法彻底地研究了平民遇到的社会、经济和政治问题。我们首先是作为一个受教育者,作为学生到了那里。当我们了解到平民的问题,并制订出解决某些问题的计划之后,而且只是到了现在,我们才变成了他们的老师。当我们离开我们的总部所在地——美丽的北京城,而进入满目灰尘和泥泞的县城、乡村的时候,有60多人同我一道前往。他们之中许多人都曾在旧中国的正规学校里受过教育,而且其中大多数在海外留过学,分别受到教育的、政治的、经济的、公共卫生以及农业方面的专业训练。他们中的大多数人是教授,三位是大学校长,其余的人则是从政府部门或从大学辞职的行政人员。他们加入了我们的队伍，去寻求新教育的途径。他们不只是为了适应生活，而是要改造生活。

现在让我概述一下我们在定县"社会实验室"所发现的一些问题，以及我们为解决这些问题所创造的一些方法。在定县，我们所发现的问题是复杂多样的，但是它们可以概括为四个基本问题，即文盲、贫穷、疾病、恶政。通过几年时间的集中研究，我们制订出了一套相关联的改造生活的基本方法，即平民的教育、平民的生计、平民的健康、平民的政府，目的是要解决四大祸根——愚、穷、弱、私。

在处理上述问题的时候，应当指出的一个非常重要的方面是，我们不是采取孤立的和片面的方法去解决问题。简单地来说，是因为生活是一个有机的整体。另一方面，教育、经济的改善，公共卫生和地方政治的建设是有内在联系的。一件事情的成功有待于另一件事情的成功，这是基本的原理之一，这是从事一切乡村改造项目的最基本的认识。

我先谈谈识字教育。我们具有在城市里和军队中从事这项工作的相当成熟的经验，但是这种方法不一定适宜于乡村区域，于是，我们建立起若干适应乡村需要的实验学校。实验学校成功之后，我们又建立了几所"示范学校"，将最有效的方法向乡村平民示范。他们目睹了这些方法的实用性后，我们又劝导他们办自己的"平民学校"，就没有遇到什么太大的困难了。于是，在这个县472个乡村之中，每个村都办了一个"平民学校"，而且所有的平校都由乡民们自己办。有一件事有必要特别指出来，即平民在他们的学校里完成了他们的学业之后，他们自动地组织了"同学会"。"同学会”在中国农民中有巨大吸引力。

多少个世纪以来，中国农民渴望习得文化，成为有知识的人，但是他们都空怀大志，壮心难酬。现在，对他们来说，能成为“同学会”里的成员是一个巨大的鼓励。在定县，“同学会”有八万以上的青年男女会员。该会有两个目的，首先是继续学习；其二是组织起来，服务社会，改造环境。大量的识字农民继续学习和参加高级班。我们要求所有的同学在课后都回到他们自己各自的地方去，教其他不识字的人，这就是“导生制”的由来。教平民阅读是一件工作，给平民提供正确的读物则完全是另外一件工作。中国具有丰富的文学遗产，但那只能为学者知识阶层所欣赏。现在我们必须用基础汉字编写“平民文学”，这对于我们同仁来说是一个新课题。我们必须学习和尝试为刚学会识字的平民大众，写一些通俗的、有趣的文学作品。一个学识渊博的人，也许可以写出为知识阶层阅读的作品，但是不一定能够写出供普通人、刚刚摘掉文盲帽子的人所看得懂或感兴趣的文学作品。我们在这个领域里开始开拓，编成了一系列小册子，这就是“平民图书馆”的开端。同学会负责出版了《新农民》周刊，令人感到惊异的事，是周刊大约2/3的篇幅是同学会员们自己写的稿件。他们还创设了自己的无线电节目，经营起他们的“读书会”，以及他们自己的“戏剧社”。所有的这些活动都旨在开放人们的精神生活，以及传播普通的知识和信息。同学会中的青年男女们，构成了最有力的社会力量，也同时成了全县各村的核心，通过他们，我们现在已经看到，县一级的社会建设和经济建设，是可以实现的。

其次，说到贫穷和经济改善问题。在世界上，农民是最讲实际的人民，不像我们这些读书太多的人非常讲究理论。他们开始的想法是:“现在我已经能够读书了,但是读书对我自己的生活来说带来些什么?王大哥目不识丁,而我识字,我仍然和他一样贫困。”读书激起了农民对美好生活的渴望,但是单纯地读书不可能满足这种美好的希望。于是在实施教育计划之后,我们又开始研究改善经济的工作。用另一句话说,就是我们必须将识字和文化教育,与改进经济的工作有机地结合起来。因为中国的主要产业是农业,我们就着手做改进农业的工作。这里,让我举一个农业方面的实例来说明问题:定县是一个很大的棉花生产基地,在我们改良棉种之后,我们就向平民宣布,我们只将改良的种子分发给有文化的公民(即同学会成员),让他们去推行。然后,我们又从他们之中挑选出许多聪明的农民,到“生计巡回训练学校”接受训练,教给他们怎样种植改良的棉种。在“生计巡回训练学校”完成了训练之后,这些参与训练的农民被颁发了结业证书,证书证明这些农民是“表证农家”。当我们的农业专家在农业基地获得棉花生产的成功之后,农民们没有特别注意,但是当他们自己中的某一成员、某一“表证农家”,开始获得较好的棉花收成和优质棉花之后,他们便大感兴趣并立即被激发起来。一个“表证农家”是最有效果的宣传员,因为眼见为实。这就是我们农业科学的推广方式。

但是,当识字和经过技术培训的农民,在棉花生产中产量和质量提高之后,他们的经济收入没有按比例地增长。丰收季节,一般是他们缺钱花的时候,于是,农民们被迫廉价销售自己的棉花给棉花商。换句话说,农民们作为一个生产好手增加的收入,又由他们自己作为一个蹩脚的商人将丰收的成果付之东流。于是,我们又培训农民,组织信用合作社和销售合作社。当这个县的其他农民获悉信用合作社有低息借贷时,他们便都想加入进来。但是我们告诉他们说,只有会读会写的同学会会员,才能够加入信用合作社。这样,如你可以想象的那样,极大地刺激了那些文盲,重实际的农民便来到了平民学校学习。通常一个合作组织,约有 60 或者 70 名社员,但其中只有 1 至 2 人能够读和写。他们宣读一些规章制度和管理账目。这种情况对较有文化知识的人有很大的诱惑。在定县合作活动中,不仅每一个人是识字的成员,而且他们都是同学会会员,都经受了同样的组织合作社的培训。

没有剥削,没有尔虞我诈。当我们最初开展棉花生产项目时,农民们总经营额有 12 万元,而三年之后,则增长到 1800 万元。这点的意义并不囿于农民增加了如此多的收入,当然这点很重要,更重要的是农民们一方面受到了科学的生产技术培训,另一方面又受到了合作社经济组织的培训。科学生产训练有利于改变农民们传统迷信心态——靠天吃饭,从而过渡到建立起可以征服自然的科学心理。在开展合作运动的训练中,乡民们学到了现代公民教育的本质东西,即"合作"二字。

朋友们,中国农民的灵巧和勤劳是举世皆知的。如果我们给三亿中国农民提供这种科学生产和合作经济组织的综合经济培训,那么,我们就为建立起伟大的现代国家打下了坚实的基础。

在经济改良之后,接下来是我们所面临的疾病问题,也就是人民的健康问题。在处理这个问题的时候,特别是在中国农村,我们面临着两大难题。第一个难题是人民无法负担一个开支昂贵的保健费用;第二个难题是即使有了足够的钱,但缺乏训练有素的医疗人员。在中国,数量极少的正规医疗人员,通常都集中于少数大城市和沿海一带,很少有人到乡村去工作。如果我们打算和人民的疾病做斗争和增进人民的健康水平，我们必须建立一个在人民的经济收入允许的范围内的最低限度的医疗和保健系统。我们经过一年时间的研究和实验，所建立起来的保健系统可以简略地说明如下：

中国的县可以划分为三部分：县城、区、村。村是基础单位。为了节省人才，我们在三级行政单位的基础上建立了三级卫生服务：村一级设保健员，区一级设保健站，县一级设保健中心。为了节约医疗人员和费用，同时为了激发人们的责任感和自助精神，我们在乡村中广泛地使用普通人作为我们卫生系统的基础。让我先谈谈村里的保健员吧。在农业运动和合作运动中均可以看到，我们起用了同学会的会员。村保健员由村中长辈推荐，并参加区保健站的基本卫生知识速成班培训，要求他们在乡村中做如下三件事情：(1)在本村登记出生与死亡情况。政府官员常被村民们怀疑是为征税或征兵进行调查的，所以常常得不到真实的情况；而一个保健员既是同学会会员，又可能是亲戚，所以很容易得到真实的情况。(2)种牛痘防止天花。(3)利用一个装有16种常用药和安全药（诸如治沙眼的软膏、消毒剂和消毒纱布等以及卫生教育的招贴画）的保健箱，以提供简单的医疗和卫生宣传。保健员带着保健箱可以减轻人们身体上的不必要痛苦和预防病情恶化。第二是区保健站，那里配备有一个医师和一个护士。区保健站还担负着监督区内大约10—20个村保健员的工作的任务，并负责治疗各村保健员转交上来的病人。第三是县一级的保健中心，它包括自己的医院和实验室。村保健员无法医治的病人须送到区保健站，同样的，区保健站无法治疗的病人须送到县保健中心。县保健中心具有较好的医疗设备及配有合格的正规工作人员。这样，你们可以发现我们对医务人才使用的效益。正规的医生仅仅只负责照顾那些最严重的病人,而一些简单的疾病则由聪明的受过简单训练的村保健员处理。

从经济上考虑,一个村担负不起一个医生的费用,然而却可以担负一个或者数个保健员。因为这些保健员是农民们自己中一分子,并且是志愿工作者。由许多村合作支持的区保健站就可以担负得起一个正规的医生;由全县支持的县保健中心则可由全县提供资金。通过这个社会保健系统,这个县的 40 万人民有了最低限度的医药医疗和卫生保健,总共费用约四万元,每人平均负担一角钱。我们动员那些受过训练的聪明的普通人,即同学会的会员作为公共卫生的基本力量。在两年时间里,这个县防治了那些可以预防的疾病,如天花、沙眼以及破伤风。这个保健系统有成效地且很好地适应了农村人民的现实条件,以致不久之后,这个办法由公共卫生部长的推荐被中国中央政府采纳。这个保健系统已在中国后方的所有省份运用。举例说来,四川省(战时是陪都重庆所在省)的现任公共卫生专员(他是我的同事,在定县时期负责卫生工作),三年前我们推荐他到政府部门担任这项工作,他以 20 万元的预算开始了他的工作。到现在,由于他主持的卫生工作有了很大的发展,他的总预算已增加到 2000 万元。这个例子可以说明这个卫生项目在中国扩展得是如此迅速,又何况处于战争破坏的严重时期。

现在,我讲讲恶政与人民的政府问题。在我们正在推行我们的教育计划、经济改良和公共卫生的时候,我们遇到了也许是所有工作中最难以应付的问题,即“恶政”问题。在中国,县一级政府是最重要的,因为它是我们国家的基础政府。这个政府直接影响着人民的生活。农民们不太关心内阁总理是谁，甚至于不会关心省级政府官员是谁，但是他们则非常关心该县的县长是谁，因为县一级政府与他们有着密切的关系。县长通常被人们称作“父母官”。但是实际状况呢？县长经常是那里的“暴君”，而不是所谓“父母”。

多少世纪以来，县级政府的主要功能在于：(1)收税；(2)处理官司；(3)维持治安。所以，这种政府机构是过时的。除非我们重新组织县政府给其注入新的生命，我们将不可能完成我们这个县的社会和经济改造任务。

当我们改革县政工作开始的时期，我们实际上是走上了一条危险的道路。因为县政改革不同于拿豚鼠做实验。我们先人有句古话：“不入虎穴，焉得虎子。”我经常批评我们县政府是不称职者或甚至是不老实的。但是我们对于他们有真正的了解吗？如果他们不称职，那是什么原因呢？详细情况你是否了解？如果他们不诚实，有什么办法可以解决呢？

我告诉我们的同仁，除非我们进入到实际的县政府工作中去当个什么县长或者局长，面对那些公务亲自接触一下实际问题，我们将永远只能是隔靴搔痒。除非我们搞清楚了县政中恶政的根源，我们将不可能对症下药地对县政进行改革与改善。于是，虽然我们面对县政问题面有难色，但我们仍然决定通过我们自己的成员加入县政府之中来展开县政实验。那么，我们如何合法地管理县政府呢？在这个时候，我们幸运地获得了国民政府对于我们平民教育运动的忠诚支持。我南下南京（那时是我们的首都）去面谒政府官员，我对他说：“我们现在已经发展了一个很可观的人民教育、人民健康、人民生计的项目，但是我们现在还需要有一个方面来完成整个计划,这就是需要有一个人民的政府。如果你能帮助我们获得一个管理全县的合法权力,我们就可以实施一个完整的、相关联的社会与政治建设计划。"在进行了大量讨论和意见交换后,他们表示同意给予我们以帮助。简单说来,就是决定在首都召开一个全国内政会议。出席这个会议的是省长及行政官员们以及一些著名的学者。会议的中心议题是"县政改革"。大会通过了县政改革方案,后来获得中央政治会议通过就成了法律。由于有了这个法律,我们便在河北省建立了"县政改革研究院",国民政府指定我为这个研究院的院长。定县成了这个县政改革的实施基地。这样,由于我是中华平民教育促进会的领导人以及同时是这个研究院的院长,我就有了合法的权力,来重新组织我们工作所在地的定县政府。研究院院长具有推荐县政府的县长的权利,县长又有权指定他所有的部下。因此,我就可以提出我的最有力的同事去做县长和将其他有经验的同事作为教育、财政、公共卫生以及经济改良各局的局长。后来,我们在重组县政府和重新训练政府工作人员中双获成功。于是几世纪以来只管收税和打官司的官僚衙门,被改变成了实施平民的教育、平民的生计、平民的健康以及平民的政府四大综合项目的办事机构。

这个社会与政治改造的实验引起了全国许多高级政府官员以及其他许多著名人士的兴趣。每年我们都要接待数以千计的访问参观者,包括内阁部长、省级官员、学校教师和教堂里的牧师。大量的参观访问者是来学习的,通常在这里住一段时间,以仔细研究实验工作,然后返回到他们所在的省份,按照定县实验的榜样建立起他们的实验中心。

在其他几个方面,定县实验的影响有两点值得指出来,一方面是它影响了大学教育，另一方面则是它对中国省政的影响。在我国有五所名列前茅的大学对定县实验感兴趣，给了我们以很大的鼓舞。他们感兴趣的是我们对社会政治问题的“社会实验室”观点。正如我以前说过的那样，化学有化学实验室，物理学有物理实验室，所以社会科学亦应有其“社会实验室”，基于这种原因，我们在这里建立了这个带着实际问题的人的实验室。这种新鲜的有创造力的观点，对于大学教育不仅是一个巨大的冲击，而且是一个挑战。另外使他们感兴趣的是我们对于青年人进行教育与培训的方法。不是只在课堂中讲课，而是课堂讲课与现场实习相配合、理论与实践相结合的教学方法。作为一个成果，平教会与实际参与平民教育促进会工作的五所大学，联合建立了华北乡村建设协进会。它有两个具体目标：(1)改革大学课程，以使它们更能够适合中国实际的需要；(2)给予学生综合的训练，将理论教学与现场实习结合起来。这就是在中国重新组织和赋予大学教育以活力的运动的开始。定县实验对国家的另一影响是其对全国政府和对省级政府的影响。有两个县按中央政府的指示，模仿定县建立成实验县，一些省一级的政府也邀请我们协助他们制订计划和进行培训，以使他们能在各自的地方开展类似的社会政治建设。我和我的同事们均成了这些政府部门的“政府门诊部”。

定县实验完成了其三个重要的功能：(1)作为在社会与政治建设方面的研究人的社会实验室；(2)作为对学生和技术人员进行培训和实习的基地；(3)作为中国其他县的榜样和示范中心。

1930 年，国家政治稳步前进，同时，又有我们这个从基层建设中国的平民教育和社会政治建设的运动，使一个基础巩固的现代中国正在建立起来。

那么,战争爆发之后又发生了什么变化呢?平民教育与政治建设工作是否都被毁灭了?没有,情况恰恰相反!最明显的是,由于战争,要求对敌进行有力的抵抗以及加速生产的发展,我们的国家较之以前更敏锐地意识到推进群众教育和社会政治建设的紧迫性和重要性。自从中国爆发战争之后,在敌人的毁坏和狂轰滥炸之中,270 万人民接受了识字教育。正如我刚才提及的那样,一个省的卫生计划在三年中预算从 20 万元发展到 2000 万元。多年以来,自从定县在社会、政治方面的改革被证明是一个实用的计划后,我们一直希望在一个省中运用它,而不只是在一个县中运用它。但是一直没有机会,因为一般人民和政府一样是保守的,都懒得进行社会和政治改革。后来战争爆发了,这就第一次给予我们一个机会运用以县为单位的定县计划于一个省,这个省就是拥有 3000 万人口的湖南省。这里我就讲一讲关于在湖南省推行这个计划的梗概。

位于中国腹地的湖南(湖南有中国的"金钵"之誉),变成军事上重地之后,政府指定张将军(上海战区的著名指挥官)①作为这个重要省份的省长(当时称"省主席")。凑巧,张将军是数千名访问定县者之一,并且多年来是我们这个运动的朋友,因此,他对中华平民教育促进会的工作和宗旨很熟悉。不久,张即走马上任,他来看我并对我说:"现在我受政府的委托,负责动员这个省的全体人民去抵抗日本人的入侵。你和你的同事们长期以来投身于平民教育事业,请你不吝指教,我们应该做些什么事情?这是很紧迫的问

① 系指张治中将军。

题!”我对他说:“如果你希望发动人民,则你必须首先取得他们的信任,为了获得他们的信任,你必须首先给他们一个诚实的有效率的县政府。为了达到这个目的,我们必须做两件事情:首先,重组县政府,以便于其最好地适应推行工作,包括一方面为人民谋福利的社会经济之民政工作,一方面有效地与省内军队合作。第二,为了改组的政府有合格的人才,我们必须重新教育和训练整个省内的公职人员,保留那些胜任工作的人,开除那些不能胜任工作的人。”张将军以我必须主持这个计划为条件,热诚地采纳了我的这个建议。

为了推行这个计划,一所选择、训练县长、局长和其他公职人员的行政干部学校建立起来。正在这时,我们注意到流亡到这个省的数千名学者、大学生以及教师,在这些人中,我们选用了500名作为该省75个县政部门的高级单位的候选人。然后,我们使他们接受了乡村建设四个方面(包括平民的教育、平民的生计、平民的健康以及平民的县政)的快速课程训练,同时还有如何发动群众从事抵抗和生产的实用技术,这种训练与现在美国陆军和海军之中实施的“快速训练”非常相似。除了这500名高级公职人员之外,我们还训练了30,000名村级干部。无须疑问,这是该省甚至是中国有史以来极具胆识和彻底精神的社会和政治建设计划。

你们大抵已经获悉,关于在湖南北部中国人数次击败日本人的消息。湖南,正如我已经说过的那样,是非常重要的兵家必争之地。日本人企图不惜一切代价夺取它,但是每次都可耻地失败了。参加了这些军事会战的中方指挥官们在聚首重庆汇报战果的报告中，几乎毫无例外地强调了县政府和人民群众在配合军事行动方面的重要意义。朋友们，像中国这样一个国家，一个非常困窘而尤缺乏军事装备的国家，人民的合作就显得极其重要。人民群众从战争的废墟之中，从战争的悲剧和痛苦之中新生了！在中国历史上第一次，她的人民，数以百万计的人民在前线、在后方，被召唤起来去战斗，为了祖国的自由、独立而战斗！正像苏联一样，在中国的战争也变成了一场人民战争。这次战争对我们的人民是一次巨大的教育和巨大的解放，它教给了人民通过其他途径难以学到的许多东西。战争解放了他们的思想，同时注入给他们一种新的责任感和自尊心。在六年半的抗战中，我们向全世界已经证明：中国人民具有坚定的信心和巨大的力量去获得自由。为了自由，他们可以赴汤蹈火而决不会向敌人投降！

我缺乏丰富的关于古巴历史的知识，但从已经读到的资料中，我对古巴人民感到衷心的钦佩，尤其是你们为了自由的事业所从事的英勇而壮丽的斗争，令我感动不已！前几天，我从外交部长阿玛特里奥·桑托文尼亚先生处，获知中国人在古巴人民争取自由而进行的伟大斗争中所充任的角色时，我心中充满了自豪和兴奋。他说，历史表明，没有一个中国人成为叛徒，他们都全心全意地为自由而斗争。朋友们，这就是中国人民的性格！他们之中有许多人不会写信，甚至目不识丁，但是他们具有民主的传统，具有对于自由与和平的执着追求。对他们来说，民主就像肌肉和血液一样重要，他们将为此不惜做出巨大的牺牲，甚至不惜牺牲生命。

我已高兴地获悉，在你们争取独立的战争之后，在你们的总统大选中已经意识到我们的同胞对于你们获得独立的帮助。你们已对全国宣布，除了古巴公民之外，中国人亦可作为古巴总统的候选人。你们将不会忘记，不论肤色和人种，你们在战斗和困难的时候，他们都可以成为你们的同志。我越是更多地接触到古巴和古巴人的历史，更多地呼吸哈瓦那的空气，我就更多地看到中国人民与古巴人民之间共通的东西。你们的好客，你们的礼貌，你们个人的尊严以及你们对于自由的热爱是空前而举世公认的。全世界也深知中国人民也同样具有这些美德。这些美德具有无上的价值。这次战争之后，如果我们希望和谐地生活在一起，则这种美德是世界人民所不可缺少的。

如果说这次战争教给了我们一些事情，那么至少有两个教训。第一，除非有整体的安全，否则无安全可言。今天的欧战首先是在亚洲发生的，更确切地说是在中国的满洲。世界上有些人开始以为那只不过是在中国发生的一件微不足道的"中国事件"，是一件中国内部的事情。但是现在对这个问题的看法就清楚了。第二，在确定哪些人是同盟者，哪些人是"敌人"这个问题上，肤色和种族都不是重要的原因。否则的话，中国人就和日本人结成同盟，美国人就和德国人结成同盟了。

可以这么说吧，战争能够成为一种罪恶，也能够成为一种变革。这次战争将成为一种罪恶吗？我想上帝决不允许！我们大家，所有的同盟者，全体一致，不惜牺牲一切，甚至于不惜牺牲自己的生命和尊严，一定要使这次战争变成一场变革运动，一场为了以世界民主与和平为目的的变革运动。在这个变革运动中，亲爱的朋友们，你们将获得中国人民的充分合作与支持。中国人民在战争中是坚韧不拔的，在和平时期也将同样地坚韧不拔！

（夏辉映译　晏振东校）

关于在美工作简单情况的报告*

各位同学，各位同事，我今天想把我在美的工作简单地和各位谈谈。

我在美国的工作，就等于是在前方的工作，会院的工作就等于是在后方的工作。前方与后方是相等的重要，二者是互相依赖的，相依为命的。院中在三年来，各方面都有进步，这里我要感谢瞿先生及各位同事的努力。

这个学院的开办，各方面都很顺利地进行，近改为完全学院，这证明了国家是在进步，国家正式地承认了乡村建设为正宗的教育。我国各大学都是抄袭欧美各国的教育，而忽略了本国自己所需要的教育。中国是以 80% 为农民的人民所组成的国家，所以大多数的人民还是平民，故平民教育应该是国本位的教育。但是这在过去为主持教育的人所忽略。今天乡村建设学院就是走这条路，国家今天承认了乡村建设学院，即表示正式地承认它为国家正宗教育之一，这是使我感到非常兴奋的一桩事情。

其次使我感到兴奋的事情，就是前几天你们所演的戏《万世师表》，剧本选择很好，各个参加工作的同志都很努力，由始至终没有

---

* 中国乡村建设学院农二甲学生陈克记录，存全国慰劳总会档案（二八四②）21。

使精神松懈过一分钟。中国今天不是无钱的问题,而是看有没有百折不挠的精神,是否有为国家而奋斗的精神。

中国今天的老百姓是被少数人所利用,用掉头颅来奠定自己的地位。老百姓是太无能,无组织了。今天最重要的是如何将他们的力量组织起来,不为这班坏蛋所利用,最要紧的是一班青年及领导的人是否有这种精神,如演戏的那种精神。

其次我要谈到我在美国的工作,在头一年的工作是做国民外交的工作,是把我的主张讲给他们听。当时美国朝野人士对中国的舆论可说是最坏的时候,尤其是贪污的事情,我的工作是要使他们不只是看到中国坏的地方,应该明了中国的老百姓的伟大,那种八年来刻苦耐劳为国家牺牲流血的精神。我一方面到处演讲和写文章,一方面与各方面领袖接见与会谈。

最后一年多是为了平教工作而在各方面活动。初八个月是使他们明了平教工作的重要与将来的计划,我把平教会廿多年来的工作告诉他们,使他们非常之感动,这不只是平教会廿年如一日的精神使他们感动,同时使他们感到这种运动不单是与中国有关,而且与世界也有关。

此次在美国,除在物质上得到许多帮助之外,在精神上也得到不少的帮助,使我们得到许多忠实于平教运动的同志。今后平教运动工作的武器有三:

(一)文学方面:除办平民学校,使平民认识字外,还要创办平民所看的报纸,让他们能明了国内及整个世界的情形。印刷报纸的机器,年底即可以运到。

(二)电影方面:电影所起的教育作用是非常之大,今后我们要办大的电影院及摄影场,多拍关于平民教育的片子给老百姓看,用电影来教育他们。

（三）广播方面：这方面的工作一时还没法进行，因为中国的老百姓知识落后，对科学无法了解，同时老百姓很穷，无此购买收音机之能力，除要增加老百姓之科学知识后才能普遍地应用，这是卅年以后之事。今后最重要的除去过去“表证区”和“实验区”还要继续的工作而外，培养人才也是首要的工作，本院的扩充很值得注意，不单是应增加系列，还得在教授、图书、仪器方面加以补充。

以下要向各位介绍几位在美国的忠实于平教工作的同志。

（一）Marshall Field：是一位富家子弟，祖父是很穷苦的，其财产全靠他祖父刻苦耐劳地经营而得。到他父亲一代，认为财产不应为自己所私有，不应只是为自己打算，应为社会所有。他贡献出自己的力量来，从事于提高农工知识水准的工作，他办了一个报纸叫《芝加哥太阳报》和三个电台，专门用来抱不平，为农工之利益而讲话，真所谓是不平之鸣。所以他能把美国有志之士结合起来，在这方面努力地工作。他成为农工方面强有力的代表者，现在他的年龄才40岁。我是在一年半前经朋友的介绍而认识他的。和他谈话后，他亦认为平教会所做的工作与他是一致的，因此也参加到平教运动中来，成为一位忠实的同志。

（二）Dewitt Wallace 及夫人 Lila：Dewitt Wallace 是牧师的儿子。家境贫寒，他是一位苦学生，当时在每周礼拜日的祷告都是由牧师来讲解，一年有50多礼拜，都要讲不同的题目，很感材料之不易得，因此他就创办一种杂志，专门为每礼拜日的讲稿拟一内容，将这杂志给牧师们看，使他们感到方便不少。

在1921年，他把各方面的好杂志中的好文章摘出，而出一种杂志叫 *Reading' s Digest*，即《读者文摘》，销行很畅，现在销行到1000

万份以上，有八国文字的版本，下月即发行日文本，此为世界上最大的杂志。他们夫妻两位都在做编辑，一年半前对中国的印象很坏，不时有反对的文章，经我与他们及该杂志中主要人物谈话之后，他们对中国人民是一天天地认识，对平教工作亦很赞同，在《读者文摘》上，曾有一篇很长的介绍平教工作的文章。

（三）Walder Rellther：现年32岁，是美国工党的领袖。罗斯福之能得到第三任之大总统和杜鲁门之当选，得他的力量很大。他是一位苦学生，他两兄弟曾徒步到各地民间去，与农工们生活，想从农工们的生活中而得到对他们的了解，曾到欧洲及中国与农工们生活三年。此长途的旅行都是徒步的，他们可说是徒步走遍了世界。回国去之后，即加入了工党，他成为美国工人的领袖。他经朋友的介绍与我认识，在一起谈话之后，了解到美国农工的前途是与中国农工前途同命运的，农工不识字，为少部分人所利用。中国的农工组织起来与美国农工的进步是有关的，要认识到农工之地位要高，应该世界亦同进步才行。今后我们要合作，共同地努力，为农工而工作。他亦是忠实于平教工作的同志。

（四）Eleanor Roosevelt（罗斯福总统夫人）：我不愿意称她为罗斯福总统夫人，因为她的成功并不是依靠她丈夫而得，她有她的主张和见解，她的家庭很好，有四个儿子和一个女儿，罗斯福之成功得她帮助不少。罗斯福在得瘫病后，还不因此打击而隐退，更努力地竞选，乃为其夫人在旁不断地鼓励而使他更向前进。

有一次我到她住的旅馆去会她，照她约定的时间早到了五分钟，我请门房打电话通知她，她立刻请我上楼去。她是住在29层楼，当我走出电梯时，她已经在电梯门前等候我了，使我非常的感动。当她同我谈话，谈到中国的留学生时，很为中国的青年担忧。

她说曾经问到过一位中国的留学生，是一位要人的儿子，她问他在美国学的什么，他说是在学英国 17 世纪的文学史，而没研究与中国有关的东西。中国青年假若都如此的话，还有什么办法可讲。罗斯福总统夫人有四个儿子，全都在前方作战。

中国之列为四强之一，全为罗斯福之坚决主张，他认为中国不列为四强之一，则东亚无法安定，但是要中国自身努力，才能维持四强的地位。

罗斯福总统夫人对平教会的工作很赞同，于是她加入了平教会在美国的委员会。

（五）William O. Douglas：他是在美国西部一个很小的独立学院毕业的，后做到耶鲁大学的法学院长，在罗斯福时代曾派他整顿美国的财阀，这些财阀全是凭自己的金钱势力来剥削平民，他把美国大财阀关了 30 年，最后当选美国最高法院的法官。当时有九位法官，以他为最小，有人叫他 Baby Judger。

原子弹发明之后，将世界缩得很小。平民教育为复兴中国的道路，亦即是复兴世界的道路。

在四月十二日，美国广播是有关平民教育的，在最后五分钟是让我来广播，当时我因为忙着上船，就托我的助手代我广播，前天接到来信据说很受欢迎。

美国最近开了一个会，是有关平教运动的会，当时 Douglas 也参加，还有发明原子弹的两位科学家，曾发表了一个宣言，现已带来给大家看。

平民教育运动简史*

胚胎、试验与奠基时期

第一讲　平民教育的肇端

中国平民教育运动，已有20多年的历史了。这种开发中国80%以上平民"脑矿"的大运动，是胚胎于第一次世界大战（1914—1918年的欧战）时期。

1917年（民六），中国和美国都加入协约国方面，成为参战国之一，那时中国一切落后，不能派兵前往作战。但在英法等国，青年多拥上前线，而其后方生产以及运输勤务处处急需人力的当儿，派遣了20万华工，远渡重洋，去为他们修路、挖战壕、搬运物资……担任种种极辛劳的"苦力"工作。

这些华工，多数是山东、直隶（今河北）一带的平民，他们虽具

---

* 本文是作者1946年在重庆北碚歇马场中国乡村建设学院新生训练周的讲稿，题名为《平民教育运动的回顾与前瞻》。1948年璧山民教主任训练班曾以《平教运动简史》为题铅印单行本。现采用"平民教育运动简史"为题。

有刻苦耐劳的精神与义正豪爽的性格,但是他们都没有受过教育,不识字,无知识。一旦到了欧陆,又因语言不通,风俗殊异,举止行动常显得粗鄙。当时英法的军官们,对待华工,视如牛马,鞭打斥骂,无以复加,奴役虐待,倍极残酷。

欧战时,我正在美国耶鲁大学读书,那时美国有“军事青年会”的组织,为了安定华工情绪,提高工作效率,并解决华工管理的困难起见,乃招聘中国留美学生,到欧洲战场从事华工服务工作。当时应召的仅有3人,我是其中之一。由美至欧,航途鱼雷满布,敌舰出没。我们乘轮前后的舰船,多有被击沉的,危险异常。

到欧洲后,先在英国受短期训练,后即派赴法国北部白朗华工营工作,那里有华工5000。每天的工作是替英法军官当翻译,并指导华工生活,提倡正当娱乐。那时华工异邦客居,念乡心切。不得不给他们代写家信;又因地临前线,营中谣言流传,还要每天和他们讲说新闻。日子一久,我想,与其天天替他们写几十封信——甚至100多封信,天天抽时间给他们讲说新闻,何如教会他们识字写字,叫他们自己写信,自己看报呢,这样,我就决心开办识字班。

兼之,那时华工行动太不检点,有一次一个华工偷罐头来吃,被英国军官发现,拿鞭子抽打,这边一面打,那边一面吃,我看了这种景象,心里实在难过。英国人法国人是看不起中国人的,他们把华工叫做“Coolie Corpse”(苦力,死尸)用来侮辱。我受刺激很大,我想,如果华工都受过良好的教育,他们根本不会有那种粗鄙的举动,同时,定会组织起来,发挥团结力量,用号召罢工等方法,去抵抗一切的侮辱与欺压的。于是,更坚定了我从事华工教育的信心。

我先开办了一个汉文班,因为华工尚没有深刻的认识,第一个汉文班只招了40个学生。为了这40个学生,我自己编印教材,自己亲自讲授。当时华工的要求是会写信能看报,教材就以这种切实需要为内容,一扫"为编而编"的毛病。在教学中,我更得到很多宝贵的教训和启示。有一天晚上,上课快完的时候,一个工人问我:"汉文班完了,我能不能马上回去?"我问他有什么要紧的事,他说:"因为今天下工较晚,恐怕脱了汉文班,所以没有吃晚饭,就赶来上课了,我要告退,回去吃晚饭。"这种渴望求知的心情,何等急迫!这种发愤忘食的精神,何等动人!哪个教育工作者,不愿意把自己的全副精力和时间花费在他们身上!

三个多月后,举行毕业考试,试题一为写一封简单家信,一为读一段简单新闻。结果40个学生中有36个都考得及格。我兴奋极了,就继续为他们编写新闻壁报,读过汉文班的学生,都争先阅读。这种具体的成绩,大大地影响了其他华工。以后汉文班就一天天发展起来了。第二班招生时,就有二三百人报名,第三班时报名者竟达1000多人。

有一个主持20万华工战地服务工作的英国人,来白朗视察,住了两天。在晚上,他听到华工营中到处是琅琅书声,他看到很多华工都在手不释卷地专心攻读,大受感动,以为所有华工,都应受这种教育。他回到巴黎后,即电邀我到巴黎主持20万华工的教育工作。于是我就邀集了当时所有中国在法国的留学生,先开了一个讨论会,除报告我在白朗教育苦力的得失经验外,并策划推行华工教育的办法。大家都非常热烈,愿意去从事此种教育苦力的工作。讨论会后,即分头去各华工营办汉文班,20万华工,都有了识字受教育的机会。

后来为了编刊补充读物,扩大教育影响,我就在巴黎正式创办白话《驻法华工周报》，巴黎没有汉文印刷厂，我们采用照相影印的办法。这个报纸，除一般评论新闻外，尤多中国消息及华工乡情报导，是当时华工的精神食粮，极为华工所欢迎。营门口，战壕旁，成群的华工，常看到他们拿着这份新闻报在念，在听，在看，在讲，大家都津津有味。

有一天我接到一封信，是曾经受过我的教育的一位苦力写的，信上这样写着："晏大人，自从你办了周报后，天下大事我都知道了，但这个报价太便宜，我知道你们经费不多，恐怕不久要关门。现在我寄上365个法郎，这是我到法国后所有的积蓄，愿意都捐给你！"我读了这封信，心中有说不出的感激和兴奋，同时更使我认清了中国人不是不可教，而是无教。教育确实可以发掘受教育者的潜在力量。一个苦力，得到了一点好处，就愿意把血汗所得的积蓄，牛马样所换来的金钱，全部地捐出来帮助教育工作，假如中国三万万以上的苦力，都受了教育，那所贡献的力量，该是何等伟大！

我当时到法国去参加华工服务工作，原为去帮忙华工，去教育华工。谁知倒是华工教育了我，华工使我认识到苦力的"苦"，使我认识到苦力的"力"，从而也使我真正认识了拥有三万万以上苦力的中国。每一个有志的中国知识青年都应该献身于三万万以上无知无识的民众，去从事苦力教育平民教育的工作，解除苦力的"苦"，开发苦力的"力"，然后中国才能有办法，中国人才能不受外国人的欺侮与鄙视。

欧战结束，巴黎和会开会时，英、法、美等战胜国代表，都报告他们在战争的贡献，他们都具体地举出历次战功，军民死伤人数，物资损害情形，企图获得应有的权利、应得的代价。中国代表席次竟和极无名的小国在一起，轮到中国代表报告，苦无实际材料可资报告,当时王正廷代表找到了我,叫我搜集材料。我就把华工由于工作勤劳所得奖品、奖状、战地伤亡的记载与照片一以及几次当英法军队危急的时候赖华工组织起来冲上前线,终于打退德军而得到的大批铁十字章,一大堆材料,交给王正廷先生。那天,王先生在和会席上才理直气壮,列举事实,振振有词,博得全场称佩,顿改各国代表对中国的观感。会议结果,中国才能多少得回了一些权利。由此可知,第一次世界大战后,中国在巴黎和会的地位,不是靠外交家的辞令换来的,而是仰仗20万华工——20万被中国人轻视被外国人践踏的苦力争来的。

20多年前争取国际地位是靠苦力,这次对日抗战还是靠苦力,所以,我们应该献身于苦力教育。我自第一次欧战时从事华工教育工作起,即立志终身干平民教育工作,数十年如一日,平民教育肇端于我,我决心贡献毕生的精力,促其发展,促其成功!

第二讲　发动全国平民识字运动

我在美国是学政治经济的,到法国后华工教育了我,使我认识到了苦力的力量,全中国人80%以上都是苦力,仅有少数人不是苦力,但这少数人仍是靠苦力来穿衣吃饭的!我觉悟到政治经济的基础是人民,如果这大多数苦力的苦不解除,苦力的力不开发,政治不会上轨道,经济不可能发展,国家是没有办法的。所谓"民为邦本,本固邦宁"就是这个意思。

认识问题并不等于就解决问题,要解决问题还得脚踏实地去干。当我认识了苦力的力以后,就决定不干政治工作,要许身于三万万五千万的劳苦民众,而从事平民教育事业。因为这三万万五千万人，正如20万的华工一样，是无知无识的苦力。从民国七年起直到今天，二十几年来，成就虽不算多，但坚守岗位，未曾变节，数十年如一日，这一点是值得自慰的。

1920年（民国九年）回国，甫抵国门，就又碰到一桩欺虐苦力的事件。当我在上海下船后，雇了一辆洋车拖运行囊，洋车前面走着一辆洋人的马车，那个洋人神气十足，非常威风。当洋车夫从旁边经过时，那个洋人竟无理用鞭子抽打洋车夫。中国的苦力，在中国的上海仍然在遭受践踏，我看后更坚定了自己从事平民教育的信念。

回国后，满腔热血，但茫茫海宇，真不知要从何处着手。当时中国已掀起"五四"运动，"科学"与"民主"被提到第一等地位，国民教育已开始被人注意，但只是零星的慈善性的，以儿童为范围，像贫儿学校一类的设施。有组织有系统用科学方法去研究实验而以一般苦力为对象的平民教育，尚一点也没有。所以要想找到一个能从事苦力教育的机构，去参加工作，实在不容易。

碰巧遇到余日章先生，余先生那时任中华基督教青年会全国协会总干事。我们会谈时，余先生问我回国后有什么抱负，我向余先生畅论平民教育的重要并说明自己要献身于三万万五千万苦力的决心。余先生极表赞同，特在青年会创办平民教育科，邀我主持。我觉得那时青年会是对中国社会事业最有贡献的一个团体，青年会在中国各大城市多设有分会，会里的干部人才，有500多位，又有余日章先生这样英明能干的领袖，所以我当即允诺。

我主持青年会平民教育科工作，是以"用科学方法研究问题解决问题，以实用目标编写教材进行教学"为方针。首先对当时各地零散的贫民学校、工读学校等，予以精密的调查，详细考察其实施情形。我发现办平民教育有三大困难:第一是:“穷难”——因为他们穷,一天到晚忙于生计,无暇接受教育;第二是“忙难”——他们终日忙碌,没有多余时间上学;第三是“文难”——中国文字太难学习。要解决这三种困难,必须使平民教育成为经济的(以最少的金钱、收最大的效果)、简单的(以最短的时间,获得充分的知识)、基础的(授予最合实用的知能,像看报写字等)苦力教育,才能易于执行。同时,我觉得当时中国80%的国民,连“最低限度”的本国文字都不识,遑论其他应兴应革的大事!因之平教运动第一阶段工作,即以识字运动的姿态而出现。

要使识字教育合于经济的、简单的、基础的三个条件,就得从事“选字”工作。选字时我们尽量搜集民众日用的文件以及中国白话文的书刊,如小说、戏剧、民歌、账簿、文契、告示甚至街名、商店、招牌等。前后动员50余人,一共搜集了150万字的材料。后即统计各个字发现的次数,以发现次数多的字,选为常用字。并将选字结果与当时有关文献(如陈鹤琴等编之语体文常用字汇)相互参证,最后选定最常用的1000多字,用来编写教材,这就编成了《平民千字课》。编教材是最困难的,不但要留心用字,而且需要注重内容的精炼,犹如烹调一样,要使菜做得适口而富营养,殊非易事。我那时亲自来编,先编两本,亟欲试用一下,除在上海试教一般工人及车夫小贩外,并拟在全国选定地区试用。

第一个选定的地区,是湖南的长沙。1922年(民国十一年)春抵长工作进行步骤是:第一件事是分别拜访各界领袖、社会贤达,说明来意,请求赞助。当时湘省长为赵恒惕,慨捐1000元,各方群起响应,解囊相助。其次是扩大宣传,发动全城大中学校学生举行游行宣传,张贴宣传图画,散发说明传单,意在使识字的与不识字的一齐觉醒。另外每一游行队伍利用口头喊话方法，直接向民众宣传。如游行队伍齐向街旁群众喊话："你们识字不识字？""不识字就是瞎子！""我们办平民学校是医瞎子的！"简单明了，收效极大。游行后第二天就去招生，招生方法不是贴广告，因为不识字的民众不会去看招生广告。"招生"乃是"找生"，是我们去找学生，我们把长沙全城分为52段，分门沿户去劝说。当时的希望是做到"1000人认1000字"，孰料三个下午就招了1300多人。学生有了，接着找校舍，就去商借行会、机关、寺庙、住户的空房子，问题亦告解决。最后是去请教师，计共需教师150人，乃召开了一个全城中小学教师会议，请求协助。同时雅礼大学学生也愿合作。一切问题解决，50多处的平民教育班，就一齐办起来了。

凡是新的事业，一定为旧势力所反对；凡是民众所欢迎的东西，一定被顽固的人所痛恶。我们编的千字课为了经济学习时间，减少识字困难，课文是白话，难写的字并采用简笔字，这样曾惹起若干报纸的冷嘲热骂，攻击诋毁。但因民众欢迎我们，一班人士赞助我们，顽固的人并不能阻止我们的工作。

《平民千字课》当时只编出两本，尚须续编，后由友人帮忙，共成四本，复经多次修订才成为以后平教会所编行的《平民千字课》。这风行全国的四本《平民千字课》，编写的经过，是不平凡的，里面包含有中国不少知名教育家的心血，像朱经农、陶行知、瞿菊农、孙伏园……诸先生，均曾先后参与其事。

长沙的平民学校4个月毕业，第一期毕业的学生计956人，学生年龄从14岁到58岁，代表着52种不同的职业。举行毕业典礼时，由赵主席恒惕发授文凭，"打赤脚"的民众，能够走进学校的礼堂，接受这好比中了秀才的文凭，在当时中国恐怕还是开新纪元。

走一步留一脚印，到一处生一处根，长沙的平民教育工作，经过这次宣传运动后，随即产生了长沙平民教育促进会的组织，继续推行平教工作。几年后，长沙一地的平民受过识字教育的，有20万之多。

在初期的识字运动中，我愿意再谈一谈当时在烟台、嘉兴、武汉三地工作的情形，因为这三个地方的工作，对于平教运动，都有着值得纪念的事件。

1923年春，山东烟台青年会电邀我去推动平教工作，由于地方人士已在半年前成立了平民教育促进会。推动机构已臻健全，加以我有长沙工作的经验，所以抵烟台后，工作进行较为顺利。先组织宣传游行，参加者50余团体15,000人。招收学生2000多人，开100多班，聘请义务教师100人，是年七月底结业，毕业学生1500人，八月一日举行毕业典礼时，请熊朱其慧女士莅临演讲。熊夫人很感慨地说："今天这个毕业典礼，我从未看见过，毕业学生中有64岁的老婆，有10岁的小孩，有成百的家庭妇女，破衣的赤足的，男的女的。……这才是真正的平民教育。"熊夫人于激昂的演说结语时，说出了她的心愿，她说："今后我要发一个大愿，一个从事平民教育的大愿。"熊夫人从那时起，献身平民教育工作，在中华平民教育促进会总会成立时，尽力尤多，直到逝世时，犹以平教工作为念。

嘉兴的平教工作同志，创造了新的教学工具——幻灯，新的教学法——群众教学法，对于以后平教方式的采用与士兵教育园地的开辟，极有关系。

武汉三镇识字教育的推动，是我和熊夫人一同前往，先去会见督军肖耀南，时肖某染有僻嗜，我们在会客室等了四个多钟头才被接见，熊夫人先则极端忍耐，见肖某后则旁责之，并请求其发动武汉三镇平教工作，肖为熊夫人义正词严所动，允即协助并捐款 1 万元。招生时学生多达 2 万余人，因之教师大成问题，由陈时先生（时任中华大学校长）等协助，柬约武汉中小学教师，假中华大学礼堂，举行会议，估计至多能到 400 人，结果开会时坐满礼堂，到会达 1200 人，平民学校实需教师 800 人，当说明要聘请义务教师后，请自愿接受平民学校教员的约请的站起来，出人意料，竟全体立起，教师问题就这样解决了。武汉的工作倍极热烈，更轰动了全国。

由于上述各地工作的试验与倡导，给予其他各地平教工作以很大影响。加以全国青年会各地分会的推动与各界人士——尤其是教育界同志——的赞助和参与，曾不两年各地平教工作，风起云涌，在华中、华北、华南各大都市，均掀起轰轰烈烈扫除文盲的识字运动，并多组织了平民教育促进会一类的推动机构。

第三讲　新的英雄、新的创造、新的园地

我们知道，一种新的社会事业，它肇端的时候，常常有着极困难的遭遇，这种艰辛的任务，须要新的英雄来承担。

初期的平教工作，也出现了不少的新的英雄。

第一阶段肇端时期的英雄是苦力，是 1917 年欧战时侨法的华工。没有他们被外人的虐待践踏，平民教育的问题或者还不能那样早就被提出；没有他们的热心学习，以及受过教育后那种动人的表现，伟大的苦力的“力”就无人去注意，更谈不到去发掘。他们教育了当时的留学生，尤其是教育了我，使我立下了终身从事平民教育的宏愿。我最初到法国去为华工服务，不过是由于士大夫阶级的慈善心情而去的。后来他们不特使我认识了苦力的苦，更使我

认识了苦力的力，中国的基础是苦力，这种潜在的伟大的“力矿”一旦被掘发，将会把人类带入一个新的时代。

第二阶段回国倡导时期的英雄是余日章先生。余先生眼光远大，学识渊博，在美国哈佛大学读书时英文成绩为全校之冠。回国后充任黎元洪的英文秘书，黎氏就任总统时，曾请余先生做教育总长。余先生为了能真正做些服务人民的事业，没有去做官，而就任了青年会总干事职。当我回国苦于平教工作无从着手的时候，余先生即很有远见地在青年会内设平民教育科，邀我主持。余先生忠于社会事业，而且常以在野的身份，为中国为民族尽其国民天职。欧战后美总统在华盛顿召开九国会议，先生亦为中国代表之一和蒋梦麟氏等出席会议，各国代表对先生人格极为崇敬。因之会内所缔条约，亦对中国较为有利，回国时，备受欢迎。但“九一八”后，先生复以国事日急，抱病再度赴美，期美国朝野能真正认识中国，俾得友好互助，共同制日。曾拜会罗斯福总统，请求美国援助中国，半年努力，竟旧疾转剧，卧不能起。病后返国时，各方人士对之颇为冷淡，除家人及一二知己外，无人前往欢迎，世态炎凉，一至于此。当先生垂危的时候，我前往探视，先生仍以平教工作为念，我当时即面告先生，自己愿终身继续先生的工作，借以安慰此平民教育工作的新的英雄。

第三阶段试验时期的英雄是熊夫人朱其慧女士。夫人字淑雅，江苏宝山人，熊希龄先生之元配，生平热心社会慈善事业，对教育工作尤多赞助。民国十二年春，夫人与陶行知先生同抵嘉兴参观平民教育之试验，深致赞许。嗣即筹组中华平民教育促进会，以尽倡导之责。是年八月烟台平民学校举行毕业典礼，夫人莅会发给证书，目睹成千上百男女老少的平民，都变为不瞎、不聋、能读、能写的学生，即发下宏愿，誓为平民教育事业终其晚年。翌年至武汉发动平民教育工作，督军肖耀南亦为所感动，夫人的卓绝人格于此可见。夫人虽为旧礼教下的妇女，然其思想周密，驭事审慎以及眼光远大，实中国之伟大女性。夫人对平民教育促进会总会之筹备与总会成立后工作的筹划与推运极尽心力。夫人为缠足妇女，当筹备会在上海举行时，夫人登台演讲历数小时不倦，与会者多知名之士，如胡适之、陶行知、袁观澜诸先生，对之莫不钦敬。不幸夫人竟于民国十九年与世长辞。逝世前几日，犹在病中为平教会筹募基金。平教运动失此领导人才，殊堪悼惜！吾人为纪念夫人，除于总会设景慧堂外，并在实验地区设景慧学校，永留纪念。熊夫人的气魄、人格和抛弃个人享受全力为平教工作奔走的精神，实在值得我们敬佩！本校女同学都应以熊夫人为模范。

青年们，中国今后需要的是牺牲自己为国家为人民为民族的人，而不是政治家、军事家。青年们要认识一个民族的复兴，须要有像余日章先生、熊夫人这样伟大的人物。

平教工作，是基于平民需要的创造工作，当在华中、华北、华南各大都市试验推行期间，由于成百成千的男女平民涌进学校，一方面迫使我们补编或改编课本，一方面亦迫使我们创造新的教学工具，新的教学方法。浙江嘉兴香山中学的同志，首先创造了新的教具——幻灯，并试行群众教学法。这种教学法是利用幻灯，先用画片，次为课文，最后教学单字。如一家人吃饭的教材，则先画全家吃饭图，教师先问学生画面所表示的人物与活动，后映“一家人口有男的有女的有老的有少的一同吃饭”的课文进行教学，最后再识单字，等于复习，为时约 15 分钟，即可完毕教学过程，由已知到未知，极合教育原理。每班学生可多至 200 人。幻灯教学后，灯光复亮，教师再行领导学生复习，每课教学约40分钟即全都完毕，实为一种经济有效的新教育方法。熊夫人及陶行知先生均偕往参观，极加赞扬。时中华教育改进社所主办之《新教育》杂志，亦著文介绍，各地采用的颇多。

凭着这种新的工具新的方法，我们又开辟了平民教育的新园地，那就是士兵教育。当平教运动由关内各城市影响到东三省时，张作霖、张学良父子特约前往东北推动士兵教育。我们同意去，因为士兵是有组织的民众，过着集体的生活，进行教学，更为方便。去前准备了100架幻灯，并费了三个月时间，预备教学灯片，共装了75大箱运往备用。到后，先在26、27两旅进行，时26旅旅长为张学良，27旅旅长为郭松龄，均为东北之劲旅。工作办法是：选350个军官做导师，以连为教学单位，约150人。教学进行时，张学良、郭松龄都亲自参加。读书声充满整个北大营，两个月后2万人都读完4册《平民千字课》。因士兵平时生活枯燥，故对学习识字颇感兴趣。嗣后该两旅即组织编辑委员会，发行士兵月刊，士兵均能阅读该刊，营房风气为之一变，大大地改善了官兵的关系。营长连长不是军官而变为先生，士兵不是下属而变为学生，官兵成了师生关系，大家一团和气，从前官对兵打骂鄙视的风气，很少再有了。后来，包头冯玉祥先生、汉口李德邻先生都请我们去推行士兵教育，士兵教育成为平教运动的一个新园地。并且由于士兵识字后，意识觉醒，随后27旅及冯玉祥军的革命行动，与此不无关系。因之事实的教训，我们应当重视民众，他们实藏有无限的可能，如果鄙视他们，就不能教育他们。

第四讲　总的领导机构的建立

1923年(民国十二年)5月,正当烟台、嘉兴等城市继长沙后,热烈推行平教工作之际,熊夫人等亲临嘉兴等地参观,确认平民教育至为重要,乃在上海召开中华平民教育促进会筹备会,我被推为筹备会干事之一。大家当时认为最迫切的工作,是充实教材,改编《平民千字课》。全国性的领导机构,能在各都市地方性的推动团体多有设立后,组织更较合宜。

到了八月,筹备会方正式召开全国平民教育大会于北京帝王庙,赴会者四百余人。大会由熊夫人朱其慧主持,于演讲报告后通过简章,此全国平民教育总的领导机构——中华平民教育促进会总会遂于八月二十六日正式成立。

总会董事会推熊夫人为董事长,并聘我为总干事。1924年(民国十三年)我就辞去青年会职务,到平教会工作。会所系借熊夫人住宅之一部分,仅三间小房。全年经费3500元,驻会人员除总干事外,另有半个书记(兼任)、半个工友(熊宅工役),一切工作,几全由我一人兼办。但是我仍然很高兴,因为我视平民教育工作为生命,只要能从事平教工作,什么艰苦都不怕的。因为天下事决不能一蹴而成,一步登天。一个运动需要数十年如一日的继续做下去,才能谈到成就。不过一个运动能够几十年无时不一日千里地蓬勃发展,尤其在兵荒马乱的中国,实在不容易。回想当年平教会初成立时经费困难,领取用费几等于高等工人,我是留学生,如果和中国一般士大夫一样,而没有坚定的信念,是很难长期忍受的,因为受苦易,受气难,任劳易,任怨难。

由于当时政治环境的关系，我的工作曾经被人误解过，有人以为我是借平教会来传教的，也有人怀疑我与苏联有着什么关系。记得有一天熊夫人和陶行知二人来到会所，要审阅全部工作文件。原来他们得到会内打字员的报告（该青年为陶行知外侄），说是我寄外国信件中有“俄罗斯”字样，其实是那个打字青年之误认，后经熊夫人侄儿将所有英文信件全都译为中文，误会始告冰释。我当时想“士可杀而不可辱”，打算马上辞职，后经熊夫人的鼓励与自己的慎重考虑，为了平教工作，决定仍忍气吞声地干下去。我与熊夫人，是两个时代的人物而相处共事，由于对平教工作的共同信念，一个“肝胆照日月”的青年，终于被熊夫人了解了。

虽然在极端困难的情形下，平教会的工作，仍然有突飞猛进的发展。赖总会的领导与推动，短期内中国已有半数以上的省份成立了省区平民教育促进会。几十个大的城市都先后建立起推动平教的组织，尤以湖南一省更在各县乡成立平民教育促进会各地分会。

这时并开始注意三万万五千万农民的教育工作。会内设乡村教育部，延请傅葆琛先生主持，划定京兆、保定区为实验区，积极推动，由城市到乡村，这是平民运动工作范围的扩大。

自侨法华工教育工作起，至平教会总会成立止，是平教运动的胚胎、试验与奠基时期，总结这一时期的工作，有下列两点值得申述：

第一，我们所提倡的平民教育与过去的平民教育有显著之不同。已往的平民教育，多是“贫儿”教育，如贫儿学校、半日学校、夜课学校等。都是带有慈善性质的设施，课本的选用也较随便。我们的工作与他们相比完全两样：（1）是科学的——如字汇、教材、编法、教法,都是经过科学研究,并根据教育原理的。(2)是实践的——不论教材、教具,一定要经过实验,看其是否选用。我们不仅在一地实验,而且要在华中、华南、华东、华北以及华西去实验,以求全国各地都能运用。(3)是正宗的——我们把平民教育当成正宗教育:从事平教工作,不是慈善性的附带性的时办时辍的,而是以平教事业为专业,为终身职志。

回顾中国自所谓新教育兴办以来,留学生从外国带来的教育制度——由幼稚园而小学、中学、大学的教育制度,真是依样画葫芦,毫不问其适用与否。对中国的特殊教育需要,三万万五千万的全民教育问题,却视而弗睹,听而不闻。孙中山先生一再提出对内要"唤起民众",国民党却没有去从事民众教育工作,尤其是使民众自觉的教育工作。中山先生逝世后,国民党所注意的,是关起门来训练干部,其实比训练干部更迫切更基本的事业,是三万万五千万的平民教育事业。平教会近20多年所努力的,就是此种最迫切最基本的工作,也就是中山先生的"唤起民众"工作。

第二,当时我们的工作,对国内发生了很大的影响。(1)知识分子——许多知识分子尤其是中小学教员,都义务充当平民学校的教师,约计有30万人之多,他们过去与民众毫无关联,因为参加平教工作,接近民众,也就是认识了民众。(2)出版界——如商务、中华等书馆,也各在编行《千字课》,计有50多种,但都以《平民千字课》为蓝本。更为适应全国识字运动的新需要,各书商对民众读物,也都争先恐后的大量编行。(3)大学教授——开始从事成人平民教育的研究。(4)宗教方面——教会也开始注重民众教育,不过教会的民众学校实是教友学校,目的在使教友能看经典,基督教是如此,佛教也是如此。(5)政府方面——国民党政府成立后，曾定识字运动为七大运动之一，并举办各种民众教育事业。若干重要设施，多有平教会参加协助，如在苏州创办的民众教育学校，就是平教会同志去筹办的，这个学校即现在江苏省立教育学院的前身。

第五讲　檀岛华侨的赞助与总会的扩大

1925年（民国十四年），有九个国家的国民代表要在檀香山联开一个“太平洋国交讨论会”，目的在提倡国民外交，借以增强各国人民的联系、认识与谅解，并讨论有关各国间之问题，俾能促进太平洋沿岸国家的安全与和平。中国有12个代表，我也是代表之一。当时平教会总会经费困难，诸多牵连不便分身，兼之出国旅费也成问题，后幸得朱成章先生之助，借得5000元，会内经费得以短期维持，始安心赴会。会期历时两周，举凡政治、经济、文化、教育等问题，均有讨论，不下60余项。最后由各国代表演讲，中国计有三位代表演讲，我是其中之一。我演讲时，就把自1920年至1925年努力平教工作的情形做一报告，为时仅20分钟。我报告完后，全体对这种工作极表赞佩，起立鼓掌，挥巾，历久不止。主席威尔伯博士也起立致辞，略谓中国的平教运动，与太平洋各国的关系至为重要。中国人民最多，大半未受过教育，因此平教工作，是启发太平洋沿岸国家绝大多数人民智能之急切工作，正与本会目标相合。中国人民受过教育之伟大力量，一定是世界和平的重要支柱。我们亟应重视中国之平民教育运动。威氏词毕，全体复一致起立，表示拥护。

事后，美国和其他各国报纸，多刊载了威尔伯和我的演讲词以及与会代表对平教运动的热诚与重视的报道。这无异于把平教会的工作,做了一次国际宣传。当地报纸登载更较详细,华侨看了,至为兴奋。当即有侨胞代表来要求我留住较长的时间,对华侨做平民教育演讲。我答应留住两星期,共计讲演 40 多次,听讲的团体,小的仅 20 人,大的有几千人。

檀岛侨胞对平教工作有了进一步的认识,大家都很想帮平教工作,使平教运动能有发展。于是就发起募捐运动,为平教工作筹募基金。组织了妇女队、学生队、银行队、牙医队等若干劝募队,分街分段进行募捐。当时不少人是停工停业而来参加募捐工作的,用了三个下午的功夫,一共捐了 2 万美金。

在募捐进行时,有一件小事情值得一提。侨胞中有个叫叶浦的,在檀岛经营蔬菜业,原系小贩,时已巨富,但颇吝啬。募捐队长,要我亲自去拜会他,当面请他捐助,或有希望。我就去了,经过介绍后,我们谈起来。他说:“昨天听了你的演讲,我非常感动,我现在还是一个不识字的瞎子,深知不识字的痛苦。所以我回来后,就决心尽力帮助你这个运动,我愿意捐款帮助国内同胞识字,使他们不再像我一样是个不识字的瞎子。”结果他慨然捐了 1000 元美金。这说明了什么?这说明在近代化的社会中,不识字的人,是怎样地感到痛苦,怎样地在渴望获得教育。

当我离檀香山回国的那一天,去向檀香山总督辞行。他是我耶鲁大学时的同学,据他谈称:渠在檀香山六年以来,从未见过有如此热烈的募捐运动。“你的募捐成绩,真是空前的。由此可知你的事业的伟大,同时也可证明中国人民的伟大。”是的,开发三万万五千万人的“脑矿”、“力矿”的工作,应该是伟大的。不过伟大的工作,仍须靠无数人的努力才能成功的。

檀香山华侨的平民教育运动，并未因我返国而终止。当地中国大学学生会会长黄福民氏及其他同志，仍继续倡导，并发起组织檀香山平民教育委员会，积极鼓动。侨胞各界，都极表赞同，实为华侨平民教育之一基础。

我从檀香山带回 2 万美金的捐款后，除偿还朱成章先生借款 5000 元外，乃用之扩展工作。在 1926（民国十五）及 1927（民国十六）两年中，我罗致了大批人才，如瞿菊农、孙伏园、陈筑山、熊佛西等先生，都是那时参加平教会工作的。国际友人也有参加者，如甘博先生等。

由于事实需要，不得不把平教会总会组织予以扩张，内部包括推行、研究、育才三个方面。推行方面设四部，除乡村、城市、军队教育部门外，更增设华侨教育部，借以推动檀香山及其他各地的华侨教育工作。研究方面，设研究调查、平民文学、视导训练等科组，从事各种研究事项。育才方面，则拟创设平民教育研究院，下属平民教育育才院、平民教育师范院等，开始注重人才的培育。

第六讲　富贵不能淫，威武不能屈

1926 年及 1927 年，是中国政治上大变革的时期，平教会也在这个时期大量罗致人才，积极开展工作。蓬勃的平教运动成为一支不可忽视的社会力量。于是问题就发生了：当时北京政府，很想利用这个力量。有一天一个在北京政府军政方面颇有地位的朋友，约我谈话，希望我跳上政治舞台从事政党活动，组织一个大的政党。以教育事业非靠政治力量不能推动为辞，说平教运动应与政治配合，并表示愿拿出 800 万元做组党经费，要我就在他的房内，即时考虑，当面答复。我向他说明，这件事十分重大，须与会内同志商谈后方能决定，约于次日再作答复。

回到会所就召集同仁开会商讨，多方分析详加研究，直至午夜，始行散会。结果大家一致赞成平教会应保持独立、超党派与学术自由的立场，拒绝参加某方之组党活动。第二天，我去拜会那位要我组党的先生，除对他关心平教会事业表示感激外，对组党一事婉言拒绝。我向他说："你可以在上层政治军事方面去努力，我愿在下层文化教育方面去努力，大家干十年后有了基础再来合作。"他当时尚认为有道理，但他左右的人，却大不以为然。威胁利诱不成，继之而来的就是危害与破坏。

当时我准备再度赴美，到天津去办护照。谁知当我离开北京的那一天，平教会就被军队包围并捕去职员多人。我在天津尚不知道，回北京的那一天，有同事数人在车站接我，说会所及我的住宅都有侦探包围，叫我暂勿回去，另想对策。我就到欧美同学会去住，以同学会作活动根据地，与旧同志商量办法。

熊佛西等先生把当时经过的情形告诉我：几天前突有200多手枪队将平教会包围，率领者到会里声称奉命要找干事长。那时干事长职务是由陈筑山先生代理。陈先生14岁中秀才，后到东京，中山先生劝入同盟会，未允。后加入梁启超之进步党，袁世凯实行帝制，被迫避居港沪，曾几次被捕，均得逃脱。嗣历任北京法学院院长、上海公学校长等职。我由檀岛返回，与陈先生畅谈平民教育运动后，陈先生才加入平教会工作。陈先生过去曾主持《民权报》笔政，即感做纸面工作，无大用处。与我谈话后，深觉平教会"除文盲，作新民"的工作是基本工作，乃毅然加入。今日我们所唱的平教会歌，就是陈先生所作。陈先生告诉他们说："晏阳初先生不在会,我是代理干事长。”于是陈先生及其在会内的同志,就全被捕去了。

我们商谈的结果,是找与当局有关的朋友协助解决。我用电话先邀请一位先生来欧美同学会,我和他同去会见警备司令陈兴亚。见到陈司令后,原来陈司令也是我前在东北推行士兵教育时参加人之一。我大发雷霆责骂他们说:“我们手无寸铁,全力从事教育工作,你们不该凭着枪杆随便来捕我们。请即释放被捕人员。如果一定要关人,请释放别人,关我好了,我是平教会干事长。”陈推系上峰有命令,自己不能做主,须电上峰请示后,方能决定。不得已,只得到他请示上峰收到回电再说。那时他的上峰正在河南作战,到第二天上午才复电允即释放。我马上亲到监牢里去接陈先生等出狱。到时看见陈先生衣着汗褂,正在向牢内二个人讲平民教育问题,向他们进行平民教育工作。我走进去先喊了他一声,他见我来了,就说:“你来做什么?我在这里你何必再来呢?”我告以“问题已解决,特来接你们的”。当陈先生离开监牢时,那两个牢人,竟依恋不舍,为之泣下。

平教会同志是以平教工作为生命为宗教的,随时随地都在进行平教工作,这是平教会同志的精神。天地之大,无处不能工作,此处不能做,到别处去做,只要一天生命存在,就要为平民教育工作下去。会内同志像瞿菊农、熊佛西、陈筑山诸先生,都抛弃了高贵的都市生活,而来从事平民教育工作,就是因为他们都具有这种精神。

当时平教会经费有限,同仁待遇菲薄,有人要送我们800万元,我们不为所动,拒绝接受,把我们的同志捕去送入牢狱,也丝毫不能改变我们对平教工作的信心。要成功一件事业,一定要具有

“贫贱不能移，富贵不能淫，威武不能屈”的精神。

第七讲　在美国——从事国际宣传

1928年（民国十七年），是平教运动史上新的一页。

1926年至1927年两年来，因工作扩大经费时感拮据，兼之环境恶劣，困难层出，虽靠会内同志“贫贱不能移，富贵不能淫，威武不能屈”的伟大精神及一颗“红心”得以支撑，但正到了山穷水尽的时候，须要我们去做新的奋斗。

就在这一年，母校耶鲁大学拍来电报，说董事会决定要在本年校庆日授我以名誉博士学位（本年是我从事平教工作十周年）。接阅电报后，喜惧交集，喜的是：母校已认识了我的工作，来鼓励我鞭策我；惧的是：十年努力，成就不大，无甚成绩告人。兼之当时平教会正处于环境威胁经费困难之际，我实无法脱身出国。后来终于借到一笔款，才得成行。

到美后，参加耶鲁本届毕业典礼，那天和我一同接受名誉学位的，都是大学问家大发明家，心里着实有点战战兢兢。我的年纪又远较他们年轻，更感觉不安。

接受名誉学位后，应邀到各处演讲，听众异常热烈，因即引起募捐动机，想请他们能实际来帮助平教运动。适遇Carter（卡特）先生，他是九国国交讨论会中之秘书长，欧战时曾任美国军事青年会总干事职，极愿来帮助我进行募捐工作，商定要建立一个组织，要柬请各界领袖参加演讲会。每次演讲会后即进行募捐。有一次集会上，我演讲完了时，一个青年名叫Field（菲尔德）的，向Carter说：“我愿意帮助晏先生工作，不知晏先生需要书记一类的职员否，不过我要到欧洲考察的船位已定了，我再考虑一下，明天我再来做决定。”第二天，这位青年朋友来了，他毅然地说：“如果我不抛弃一切来追随晏先生，我就是一个大傻瓜。”他是哈佛大学毕业生，精明能干，每天随待我办理一些杂事，形同佣仆，因之我更把他视如兄弟，他敬重我，我爱护他。他在我募捐期间极辛劳。

在纽约筹备了一个大会，到会的有各界领袖600多人，晚餐后演讲。当晚讲话的有中国驻美大使施肇基及伍朝枢，还有美银行家莱氏等。最后由我演讲，时已近午夜，我做了简短的演讲，说明中国整个民族受了现代教育后对今后世界的贡献。讲后全体起立鼓掌，至为热烈。那天集会，大家认为非常圆满，觉得要他们捐款，必无问题，认捐信发出后，回信捐款者却不多。

过了半年未捐够5000元，心里有点失望，我就决定改变作风。拟亲自与各界领袖交接，因个人访问，可以建立友谊，由人与人的感情，而伸出援助的手。后即和Field同到西部各重要城市。有一天到了芝加哥，召集了一个几千人的大会，演讲后我只选定一二十位各界领袖，分别亲去访问他们。适有美全国律师总会长，前曾在纽约听我演讲，现回芝加哥特约我便餐，并邀他的一二十位朋友相陪，介绍后我简短地讲了一刻钟的话。饭后散别时，有一位名叫Avery的向我说：“晏先生，我可以向你说一分钟话吗？”我说：“当然可以。”他说：“我听了你的演讲，觉得你这个工作，不仅关系整个中国，而且关系整个世界，我愿意帮助你。”这位青年商人，据别人说他是相当吝啬的。第二天我去拜访他时，他问我工作的困难在哪里。我把政治方向、教育方面的种种困难说给他听，并未提到经济方面，还是他自己提出问我，在经济上有无困难，暗示愿意在经济方面帮助我，并慨然写了1万美金的捐款，签名为：“我是你的崇拜者。”临别时，还从25层楼上送我下来，并且说：“你的工作很伟大，我的帮助太微小，但愿以后能多多帮助你，祝你成功！”你看，这种通过事业而建立起的友谊是何等的伟大！

那次在美国8个月，一面从事平民教育国际宣传工作，一面进行筹募平教会基金，结果还算圆满，奠定了自那时起平教工作的10年经济基础。

平教工作24年来，始终保持学术独立思想自由的立场，在中国的政治情况下，实在是不容易。我们20多年的工作都是在内战、洪水、旱灾、饥馑的情况下进行的，直到今天，我们还没有安定的工作环境。只是靠了努力，靠了挣扎，靠了国际友人的帮助，才得有今日。但我们决不接受任何有条件的捐款，1926年在美时，曾有一富翁愿捐10万元请我在中国做节育的工作，我一方面认为节育不能解决中国的问题，一方面因为他是有条件的捐款，就拒绝接受。我们募捐，并非仅让别人出几个钱完事，而一定要他们认识我们的工作，而自愿的用他们的力量——经济力量，参加我们的工作，如此，200人捐款，就等于200人参加了平教工作。

我们今后要“茫茫海宇找同志”，今日交通便利，国际范围缩小，天下变成一家。我们的工作，不但要具有全民性，而且要具有国际性。可能在国内真能认定全民教育事业的重要而努力以赴的人太少，很多人不能维护事业，而要摧残事业。今后我们大家，要对全民教育有深刻的认识，以贫贱不移，威武不屈的精神去奋斗，成千成万的人都能这样做，中国才有办法。

由识字教育到乡村建设

第八讲　定县的实验

1929 年，我们集中人力物力来到定县从事定县的实验工作。

中国的社会是：假如你落在后面，一般人都瞧不起你；你走在前头，他不了解你，误会你；如果你能搔着痛处痒处，就要打击你，摧残你；最好是同他们站在一条线上同流合污。所以我们在定县的创造工作在进行中也受了不少的阻碍，今天我要把经过的情形告诉你们，叫你们能够彻底地了解。

1928 年（民国十七年）我从美国回来后，经济上已经有了基础，就研讨如何进行我们的工作，我们为的是全民都受到教育，但全民教育的对象在哪里？无疑的，不是平、津、沪、汉几个大都市，而是广大的乡村。我们以平民教育来号召，对中国 80% 以上的农民大众尽力多少？大多数的平民既然都在乡村，所以我们决定到民间去，但深入民间要从何处着手呢？我们想先选一个能代表华北大多数县份的一个县，到那里去向农民认老师，因为我们已经所受的教育与农民太隔膜了，我们要重新教育自己，要先农民化，才配化农民。当时有 20 多个县份都要我们去，最后我们选在定县。

定县有个翟城村，村人有姓米的两位兄弟曾留学日本，回到家里后，想把村子改革好，可是他们的作风太激进了（如捣毁庙宇等），因之引起村人的反感。他俩一腔热血，经此打击，乃渐渐消沉堕落，后来竟抽起鸦片来。米氏弟兄听说我们要做这种工作，欢迎我们去。我们去了以后，对村中好的事提倡，坏的事改革，渐渐得到村人的信任，于是我们决定全体同仁都到定县去。

定县离北平300余里，可以与都市的学术文化工作取得联系。而又是一个淳朴的乡村，人口有40万，恰好代表1‰的中国人口。所以大家都决心去，连家眷都带了去。这等于出家去向农民学习，佛经上有一句话："我不入地狱，谁入地狱！"我们都是抱了这种精神！

到定县后，第一桩事就是衣、食、住的问题，我们的衣服都是自动地穿蓝布长衫。我们住的地方，绝不另修房子，利用民间的房屋，散居民间，以期与农民的生活打成一片。中国侨民在外国都自己成一个范围，与外国社会隔离，外国人称为"中国城"，这种作风是不好的。又如传教士的精神，我最佩服，但是我最不赞成他们自己筑大洋房，住在里面与老百姓隔离起来。我们当时是一律住在农家，我们特别一点的是把房子墙上开一个个的洞，使光线空气能够流通，当时只要看墙上有洞的房子都是平教会同仁住的。

过了一个时期，因为乡村生活的清苦，就有人渐渐感觉得受不了，有的同仁即请假他去。北方土厚，春秋季"刮土"时，弄得一身都是土，所以，我们的同仁不但要能吃苦，还得要吃土。有些先生虽然受得了，而太太受不了，于是也就辞职。到民间去实在是不容易的一件事，但是大部分的同仁，仍是坚定不移，继续留在定县。

初到定县在工作方面有一部分有"作之君"的味道，有的人则以为应该要循循善诱才是教育。我们平常喊改造农村，改造生活，什么是改造？改就是改革，造就是创造，改是消极的破坏的，造是积极的建设的，乡村中哪里应该改，改多少，哪一部分应该保留？造——造什么？如何去造？这些都是大问题。当时在定县像一个小的中国，问题之复杂，实在不是容易梳理容易认识的事！有一个美国留学姓韩的同学，他满腔热血愿意来定县工作。到定县后，他不愿住在考棚（考棚是我们在城里的办事处），愿意钻到村子里去。他干了两年，因为对问题认识不清楚，找不出一个头绪来，没有一点工作成绩。后来他跑到城里流着泪对我说："两年来我没有一点成绩，我现在请求辞职，待以后有了经验再来。"当时我也感动得掉着泪准他辞职，现在这位韩先生仍在大学中做教授。其余留下来的同仁，因为时间久了，慢慢对问题有了认识，对工作因而感到兴趣。

我们从工作当中，认识到要培养农民自己的自发的力量，唯一的途径就是办教育，否则是表面的粉饰的不能生根的。所以首先要唤醒民众，使其自觉，但这种基础的工作，是一桩最艰难的事，正如在一块满布着石头瓦砾，荆棘丛中建造房屋一样，需要先做彻底的清除工作，一点一滴地做工夫。

在民国十七、十八年以前的时候，还没有所谓实验区、实验县的工作。自从定县实验工作开始以后，政府及其他各学术团体也都在提倡，不过一般人对这个工作有误解，认为实验县就是模范县，许多地方受这个风气的影响办实验区或实验县，初办的时候都很热烈，渐渐因为做法的不对，而消沉下去。有些实验区和实验县的办法，并不是我们的做法，如造马路、修洋房，或热心士绅及富贵而归田里的人，乃办一两所学校，修一两条路，认为这就是实验县或实验区的工作，其实这都是错误的，因此提倡的人一不在，即告瓦解。

我们1928年集中人力财力到定县，我们的目标是在人，不是在物。我们的基本认识：即国家社会的基础是人民，大部分的人民在广大的乡村，所以要到乡村去，我们的工作不是烘托、粉饰，供人欣赏、参观。主要是把我们对象的“人”能使他们自觉，由自觉进而知道自己改革，自己创造，自己建设。但仅有教育上的刺激，只有理想而没有能力实现自己理想的希望是不行的，我们还得给他们以智能，否则将得到一个反面的结果，养成人们对社会的不满，而没有能力去改造。我们要能够做到人民本身要有自觉心，同时要使他们有智能去达到他们的理想与改造的目的。

中国伟大的力量是农民，这种伟大的基础和潜伏的力量，还没有开发，我们要开发出来，才有力量。我们不是办慈善事业，一般办慈善事业是消极的，“人存政举，人亡政息”。一班志士仁人见到社会的黑暗，提笔写文章以表达其不平之气。但文章自文章，光写不做不能解决社会的问题。真正好的做法，是要深入民间，想方法如何叫一般老百姓有“智”与“能”，使他们能自觉地解决自己的问题、社会上的问题。平教会所研究的内容方面，是要使千百万人民有自觉心，使他们自觉地知道问题，去改造社会，改造自己的生活。

欧美的教育是求“适应生活”，是可以的，因为他们一般的文化水准、生活程度都相当的高。但是我们中国百孔千疮，社会腐败黑暗，专靠适应生活是否可行？不，我们要改造社会，要把这黑暗肮脏贪污的社会改造，要改造人民的生活，这是中国有思想的教育家应有的哲学和应有的精神。但这种工作是艰巨的，不是少数人的力量所能担当的，要培养多数人的力量。我们看看印度，它是一个有几千年历史的古国，也出了像泰戈尔、甘地等大人杰，然而他们还是过着穷愚的奴隶生活。由此可知，专靠少数人是不行的，少数人的出类拔萃，而大多数人依然是愚昧、无知，社会是没有法子进步的。我们那时看清了这一点，我们真正地深入民间，去认识乡村问题，我们是要具体地、科学地研究成一套为全民而有用的新兴教育，但如何做法，是先向农民当学生。中国一般的学者，很少自己有自己的一套对问题的看法与做法，大都是东拼西凑，而没有把中西的学问融化在一起，应用到人民生活中去，为中国政治教育创一条新生的路。我曾说："创造兴邦，享乐亡国。"我们要有独立性，学英国美国都可以，但先要有选择，我们只能参考别人的长处，针对自己的社会来创造。光把鲜花插在花瓶里是不能生长的，所以在民国十七年，我们就有一种大的抱负，这是一桩艰苦的工作。但是我们要对它有希望，有信心，语云："哀莫大于心死"，我们假如没有这种抱负和希望，我们的民族国家不会有希望的。我们要坚决地不断地干下去。

所以我们这一班秀才、博士、学者到定县后，即潜心地向老百姓学习，从学习中去认识问题，研究问题，解决问题，我们要使定县成为一个"社会的实验室。"

在欧美做儿童教育、成人教育，也曾办了少数的实验学校，但他们仅限学校范围的小规模的实验。我们觉得这种做法不够，因为它所影响的仅仅是家庭学校和某一特殊地区的小圈子里。因为社会是综合性的，人们的生活是集体的，一个社会中的问题常常是与另一个问题有关联的。所以用机械的方式孤立地做是不行的，我们要拿一个县作为整个社会问题的研究。这种做法是中外教育史上所没有的。这种做法因而也影响了欧美的学者。一部分自然科学的实验方法可以用，但另一部分是不能用的。社会的问题不一定像自然科学那样 H_2O 一定是水，那样具体，那样单纯。

中国一般的知识分子常常不能摆脱脑子里一套与实际问题距离甚远的旧的观念，好比戴上有颜色的眼镜去看老百姓，是看不清楚的，使得知识分子和老百姓中间有了一条鸿沟。今天中国所需要的是搭一座知识分子与老百姓之间的桥梁，使这个鸿沟不会再存在。那么，就必须要能够做到：

一、基础化——天下事应该学的太多，老百姓不能样样学到，你得把最需要的基础东西给他，使他们能树立根基而求发展自己。我们做工作的人，要做炼丹的功夫，把老百姓应该学的东西先精炼。好比维他命丸，使他们服一点就有很大的用处，学一点就能用上一点，我们这些学者、研究者就该负起这个责任来。

二、简单化——要能深入浅出，像陈筑山、瞿菊农两位先生，要作文章是下笔千言，但初到定县时，编平民学校用的千字课就感到困难，不是像作文章那么容易了，深入易，浅出难，把教材的内容和教学的方法弄简单，学的人学起来自然就容易。

三、经济化——时间上要经济，因为老百姓终年忙碌，没有充分的时间来受教育，千字课就是适应这个条件来编制的，而且在经费上也要很经济，否则不容易推广。

内容上基础化了，方法上简单化、经济化了，然后才能够普遍化！

要做到这几点是千难万难的事，但这是我们基本的作风，希望你们能领略。

中国的人民潜伏着无限的力量等待开发，在今天的世界是唯力是视的世界，非培养有力的民族不可！什么是力？英文说得好：

1. Knowledge is power.（知识就是力量。）

2. Production is power.（生产就是力量。）

3. Health is power.（健康就是力量。）

4. Union is power.（团结就是力量。）

以上四种基本力量它的反面就是“愚”、“穷”、“弱”、“私”。我们要从基本的四方面，使中国这个弱的民族变成为有力的民族，那么我们就需要有这样一套教育去培养人民的“力”。我们这种看法是以教育观点来看，不是从政治立场来看。否则登高一呼，万山默然，人民没有自觉，内在的力量不会发出来，什么主义都会变成无用。中国少数人的作威作福，就因为大多数人没有知识，你想一个国家，多数人都是聋子、哑巴、瞎子，少数人如何不猖狂、为非作恶，少数的坏蛋当然要趁此机会浑水摸鱼。如果全中国四万万五千万的人都吼起来，试问什么力量能够征服他们！平教会同仁认识到这一问题的严重性，而后发出责任心而潜心学习，努力工作。

中国这个弱的民族需要的是力的教育，而后才能在这唯力是视的世界里谋生存。

1. 因为中国人愚昧，所以要培养知识力来攻愚，这就需要——文艺教育。

2. 因为中国人贫穷，所以要培养生产力来攻穷，这就需要——生计教育。

3. 因为中国人多病，所以要培养健康力来攻弱，这就需要——卫生教育。

4. 因为中国人散漫自私，所以要培养团结力来攻私，这就需要——公民教育。

在这里，我要特别请你们注意，并非我们有了计划以后才到定县去工作，而不管那个计划能不能扣得上。我们原来是抱学习态度，学习认识问题，解决问题，所以我们不是去“扣”而是去学习，使潜伏的伟大民力得以开发出来，来求改造人民的生活。所以我们绝不是适应。

1929—1937年,因我们实际钻到乡间,钻到农民的生活里去研究。从研究实验中,我们体验出来,发现出来中国人民的四大问题——愚、穷、弱、私与改造的方式——四大教育。四大教育是连锁的,不是孤立的,要培养人民的知识力,就不能不培植其生产力、健康力和团结力,这四种东西是相依为命,不是单刀直入所能达到目的。不能专门单独解决一个问题,例如教育方面:他们如果没有饭吃,如何能有心情来读书。反之,他们为什么弄得没有饭吃?因为他们生产方式生产技术的落后。而要改良生产,就得有农业科学的知识与健康的身体。但生产力增加后,政治黑暗,贪污横行,人民还是不能得到幸福,因之要能有觉悟有团结来改革政治,所以我说这四种力的培养是连锁的。自从我到南美洲和印度看了之后,更觉得应该如此。英国人在印度提倡卫生已经200多年,到现在仍是遍地肮脏,提倡教育也有200多年,而大多数印度人到现在仍是字都认不得。这是英国的做法只是片面的孤立的,办卫生专办卫生,办教育专办教育,证明是不会有大的效果。即使稍有成就,也只能进展到一定阶段就不能再往前进。所以我说四种教育在研究时应该分别去研究,但在实施的时候,要连锁实施,才能收到效果。我这种认识,是在实际工作中向人民学来的,不是凭空捏造和闭门造车。

一、文艺教育

现在给你们讲四大教育的内容,第一先讲培养知识的——文艺教育。

我们工作的对象是人,所以要拿人当人,不要拿人当牛马,要有方法开发他们的力量。第一步工作就是办教育,因为中国的国情不同,假如在南美洲,第一步可以不从教育入手,而是先办卫生,再办生计,然后才办教育就可以了。原因是南美的人大多数是农奴,他们多患肠虫病,应该先针对这个问题先办卫生,而后才能进行其他的工作。可是在我们中国,对农民应该先从教育方面开始,因为中国人有读书的优良传统,一般的平民自己虽没有读书的机会,然而大家总都觉得读书好。我们在乡下可以看到,家家户户神龛上面供奉着“天地君亲师”的牌位,师与天地并列,这是中国人的优点。可知人人都有读书好和读书重要的看法,但因政治的不良和生活的压迫,都自己认为不能读书。我们在东亭村开办一个平民学校,第一次招生报名的不过20几个人,就是受了这个观念的影响。这20几个人读了七八天以后,渐渐能识字了,一两个月以后就能写了,于是一般农民知道自己是可以读书的。慢慢地得到他们的信任,读书的人就天天在加多了。乡村人的保守性很重,要他们相信你,必须实际做给他们看。俗话说“百闻不如一见”就是这个道理。我们在定县先设6个表证学校,但地方人士受了影响,自动的就办了472个。

关于平民学校教材方面,我们是煞费心思,因为不能用小学用的课本,更不能教他们念四书五经,所以我们研究编《千字课》,使他们对教材的内容有渴望,有要求,有口味,因之所用的方法,要基本的,简单的,经济的,普遍的,用最少的时间精力做普及的工作。时间是每日一小时,因此,解决了乡村农民的“忙难”。1300个生字解决了“文难”,3分钱一本《千字课》解决了“钱难”。所以农民能自觉地自动地创办了472个平校,你们今后到民间去,要认识上面的几个基本原则。

我们学术团体的经费很有限,平教会用钱是做“炼丹”用的,要用最少的时间与最少的经费办最不可少的教育,使其能够推广,能够普及。

学术团体应该站在时代的前端,来研究,来提倡。政府多半是保守的,这基本研究的工作不能靠政府,但我们因人力经费的限制,只能做到研究实验这一段工夫,大规模的推广,应该由政府去干。我们研究的这一套办法,已经影响了政府,政府当局已有了一点觉悟,但觉悟到什么程度,实在不敢说,政府拿了老百姓的钱,是应该用在老百姓的身上,为老百姓做一点事!

中国不识字的人多得很。谚云:“打蛇打七寸。”做事你得有目标有策略,抓着问题的所在,不能盲目去干。最理想的当然是叫三万万五千万的人能够识字读书,我们一时虽办不到,但我们要抓着最迫切需要受教育的一段先干。这三万万五千万人其中有老的太老已经来不及,小的太小还够不上。只好先就14岁以上35岁以下的这一段继往开来的男女青年。潜伏着无限力量的无疑的是青年。我常说中国人不是不可教的,而是“无教”,中国少数受过教育的是“误教”,无教比误教好,不过得给无教的以有教。中国14岁以上35岁以下的青年有8000万,比德国和日本的人口还多,这些人才是救国救民的生力军,要把握着他们,有计划有步骤有内容地去训练他们!

定县当时有8万农民青年,6.5万是男的,1.5万是妇女,这蓬蓬勃勃的青年,就是改造定县、建设定县的生力军。改造定县并不是我们,我们不过发现他们本身的力量,给这8万青年以知识技能,培养他们的改造能力。那么书同文,车同轨,就为做全国的示范和参考,总比从欧美拿来的那一套,要适合国情些。所以定县的社会实验室和示范场,不是空谈的,而是要有事实可以看的。

定县在抗战期中虽然曾被敌人占领毁坏,然而敌人只能毁坏我们的房屋、农场……但是不能毁坏我们的方法和制度。

定县40万人民的社会实验室，我们是要寻求一个教育的内容和制度。

上面所教的这8万青年毕业后，就组织“平民学校毕业同学会”，在地方上曾发生了很大的力量，这是在我们没有到乡村里来以前所梦想不到的。以往农民平时只有以家族为单位的组织，集合各族各姓来组织的团体是没有的，自从有了平民学校同学会，青年们自己组织起来了，这个组织不是以家族为基础，而是建筑在共同教育的背景上，打破了每族每家的隔膜，这是一个破天荒的创举。

平民学校同学会的目标是：（一）继续不断地求知识；（二）团结起来改造乡村。所以平民学校的每个学生，在村单位社会中是唯一的有知识有团结的分子。在一个村子里，男女青年有了组织，在村子里不能不发生力量，大家团结起来改造乡村，意义甚为重大。你们想定县全县有400多个村庄，每一个村都有一个同学会，这种力量是如何的伟大啊！

各村同学会成立后，我们为了满足他们的求知及组织与活动的欲望，我们于是乎又忙起来，我们又得从事“炼丹”的工作，乃设立了平民文学部，编印初高级平民学校课本和平民读物。孙伏园先生那时正在北大教课，他是留法的学生，文章写得很好，但那时一般文人写文艺作品，不过是文人借此互相标榜，互相炫耀，专供少数人的欣赏，对一般知识落后的农民没有什么关系。我找到孙先生跟他说：“你应该到乡村去学习去创作，为老百姓写文章，让老百姓做你的读者。”孙先生于是就加入了我们的工作，主持平民文学部。他们花了很大的工夫搜集民间文学，曾从事定县秧歌的研究,后来编成一本50余万字的《秧歌选》。既然要为一般农民写读物,就非到民间去搜集材料,学习民间话的文学不可！渐渐编了600多种平民读物,到1937年编成的将近1000本。又成立了巡回文库,供给各村同学会会员阅读,使每村的同学会都有“平民角”的设置,巡回文库每两周换书一次,他们那种读书的兴趣和渴望新书的心情,有如大旱之望云霓。

再谈艺术方面,艺术是直观教育唯一的利器,主持的是郑裳先生。郑先生在袁世凯时代即任北京艺术专门学校校长,我因为乡久慕其名,特别去拜访他。见到他家里的画很多,墙壁上架子上摆的琳琅满目,但所画的皆是些富贵图、美人图一类专供王公大人们欣赏的画。他是广东人,我到他家里吃了好几次广东菜。我有一次饭后和他谈,我说:“裳兄,你的画画得真好,可惜欣赏你的画的人太少了,何如到定县去把艺术平民化。我们在定县办平民教育,单是文字还不够力量,希望你能到定县去为他们作画。”后来他辞掉校长到定县来工作。到定县后,他住在两间破房子里,可是布置得真艺术,他是用洋油木箱子来做家具,上面铺着定县织的土布,布置得素雅美观。从此他不再画杨贵妃一类的美人图了,而画新爱人——老农老圃。他跑到乡下观察老百姓的生活,他看到农家贴的门神、灶神,又钻到定县有名的塔上——唐开元塔,去研究塔里的壁画,专门从事这些民间艺术的研究。后来很多位画家也到定县参加我们的工作了,于是大文学家、大艺术家都到乡村从事平民文学、平民艺术的研究了。

无线电广播——我们进而又研究无线电广播教育,但广播内容要哪些东西,又需要研究。广播内容应该包括农业常识和农民四季疾病预防等现实需要的东西。

广播的稿子,先由文学部用人写好,再请本地方人修改,然后由本地方人用方言来广播。初做的时候也是先从六个表证平民学校村子做起,由六个村子中同学会会员来负责这个工作。如管理收音机,把收音机装在村子里的戏台上,广播时鸣锣通知村子里的民众来听,又如广播出平教同志歌或其他歌曲,旁边就由同学会会员领导大家学习,大家唱……后来我们自己研究制造无线电广播机和收音机,于是慢慢全县各村都有了收音机,外边到我们这里订购的也很多。

平民戏剧——这个工作是由熊佛西先生主持。有一次我在北平协和医学院大礼堂看到他上演自己编的剧本,后来我对他说:"你的剧本写得很好,可是离不了爱情、古代的历史剧等,而看的人,也不过是一般达官贵人,你岂不是和梅兰芳一样,变成了一般有闲阶级的享乐品,他们这一般人早就享受得够了,而我们三万万多的农民终日胼手胝足,一年到头有什么娱乐?正应当给他们点娱乐,为什么不到乡间去把中国的魂抓着,找活的材料做剧本?"熊先生是一位满腔热血的人,听了我的话很受感动,当时他答应考虑考虑,后来经我五顾茅庐,六个月后,他摆脱一切到定县来了。他初到定县不能即编剧本,对乡村要先有认识,他遂跑到乡间,和老百姓为伍。他越看才越了解自己对农民的问题知道得太少,因之越不敢写东西,经过了一年半的实地观察体验,他渐渐地了解了,于是才情不自禁不能自已地写起来了,一写就果然好得很。中国在外国学戏剧的人第一个为农民写剧本的只有熊佛西先生。观察了老王老李的事情写出来的剧本,也由老王老李自己来演出,这更是一个别开生面的作风。如《过渡》一剧,就是由平民学校的学生扮演的,台上台下打成一片,演出时,观众有一万多人。美国一位朋友正好在乡间看到这幕剧，他是耶鲁大学戏剧系主任，他看完这个剧本就写了一封信给美国洛氏基金团人文部，叫他们帮助我们这个工作。当时这事我并不知道，后来洛氏基金团的一位朋友把那封信打了一份寄给我，我才知道。信上写着：

> ……我最近在中国看了平民教育促进会在乡间演出的《过渡》话剧，是由农民演出的，那种演出的艺术乖剧情的生动，远超过我在苏联所见到过的。

你们想想，这一般平校同学会的会员能自己从事文艺戏剧各方面的活动，他们自然就有了力量，这就是力的教育，八万有知识有团结的农民青年，当然会做了改造社会的核心。

科学是要有事实有证据，外国人常说的两句话，“拿事实来！拿证据来！”（Give me facts！ Give me proof！）这就是科学研究问题应有的基本条件。但我们在定县开始时，没有这种事实和根据，后来遇到李景汉先生，他原先在燕京大学从事城市调查工作多年。我和他谈了几次话，劝他到乡村去从事大多数老百姓的调查工作，他乃答应到定县来了，遂设立了调查部，由李先生主持这个工作。初办调查的时候，是由上而下用大学生去调查，但因与老百姓生活隔阂，不能得到真的材料。后来抓到同学会会员，给同学会会员一种浅近的调查训练，利用他们，引导他们一同去做调查。他们与老百姓是没有隔膜的，所得的材料是真实的。那时李先生受河北省政府的委托，把各县的调查报告材料做一个统计，发现其中笑话很多。如有一县所有的鸡的数目比鸡蛋还多，诸如此类不一而足，这种笑话的造成是由于调查人员不能钻到乡村，与乡村人民打成一片。乡民对调查发生误会,真实的材料自然不会得到。而我们的做法是由平校同学会的会员先做初步的调查,使乡人不生怀疑后,再由我们去调查。如此,绝不会有隔膜,材料自然真实可靠了。

调查是最基础的工作,基础工作如果没能做好,一切建设不过徒托空言而已。

二、生计教育

中国是一个农业国家,生产的基础是农业,我们要培养人民的生产力,所以不能不注意生计教育。民国十八年,我们在定县设立了生计部,主持这个部门工作的是冯梯霞先生,我今天把这一部分工作的几桩事告诉你们。

我们在定县是经过详细调查以后,发现定县农业方面主要的生产是棉花,但品质不算好,对选种工作不讲究。我们一方面播种美国的脱籽棉,因为它的品质优,产量高;另一方面是由平校同学会会员自己研究选种。后来同学会会员刘雨田选出了一种比脱籽棉还好的本地种,命名为“雨田种”,并且办了生计巡回训练,到各村去训练同学会会员。训练好了以后,由同学会会员设了许多表证农家,表证农家除去对棉花改良外,还有鸡的改良,猪的改良。鸡是用来杭鸡与本地鸡交配,第一代可产卵 80—100 个;猪是用波支猪杂交第一代,较本地猪增肉 40—60 磅。这样由农人自己做科学的农业表证,更使他们有了自信心,相信这些事是可以由他们自己做的,因之收效很大,这是定县很重要的一种推广制度。

我这次在美国农业部一个两千多人的大会席上(华莱士也在座),讲演定县农业研究推广办法,后来在美国报纸发表,一致认为这种办法在南美洲应该仿效应用。

生产的增加,不能完全改进农民的生活,更重要的是——农民的经济组织。

当时定县主要生产棉花,因为农民自己没有经济组织,棉花一届收获季节,就有天津的棉商来收买。棉农因急需钱用,乃忍痛贱价出售,无形中遭受了很大的损失。我们针对着这点,遂倡设合作仓库,农民可以先用棉花抵押借款,把棉花寄在仓库里,可先按市价借贷70%的款,利息仅8厘,等到市价高涨的时候再出售。并组织了棉农运销合作社,直接由定县运到天津出售给纱厂,中间不会受到商人剥削。仓库之外又成立合作金库。当时定县有银号200家,但这些组织设立之后,不到两年,全部银号统统倒闭了,因此曾引起绅商土豪等旧势力反对。有一天我们全体同仁在我家里开会的时候,外面就有几百人高吼"打倒平教会",这是那般土豪劣绅纠集了他们的长工来闹。但是平教会并没有被打倒,因为老百姓有了组织,有了自觉,他们成了我们伟大力量的支持者,平教会可打倒,农民大众的力量是无法打倒的!

所以我说,一方面要抓住生产,一方面要抓住农民的经济组织,是非常重要的。办合作运销第一年,不过12万元的生意,两三年以后,就增到160万元。因为有同学会的组织赚来的钱,一部分增加合作社的资本,一部分拿出来办教育,后来农民自己又办了合作银行。

定县农业方面要做而没有完成的还有两个问题:(一)土地问题;(二)农业与工业配合问题。

工业与农业的配合很重要,在欧洲工业革命的时候,产生了许多大工厂,工厂把人不当人,当作了工具,如是闹成了童工、女工失业等问题。少数人发大财,多数人变成奴隶牛马。上海的工人更不算人。工人来自农村,没有教育,没有组织,当然要被少数人蹂躏，我们要趁中国还不曾大规模工业化的时候，防患于未然。一方面要尽最大的努力，求教育之普及，使农民有经济的合作组织，使农民收入增加，减少生产上人力的耗费，如是，方能有剩余的人力到工厂去做工，所以农业和工业的配合发展是非常重要的。

计划经济是全套的整个发展，一个配合好的农业与工业的发展，而且要使平民有知识力和团结力，不然仍旧是要受剥削的。

再是土地问题，姚石庵先生主持生计教育部以后，与一般同仁积极从事农业生产的改良，及农村经济的组织。从工作当中渐渐地感到农村土地分配的不合理，他曾选了一个村，联合了60家，组织了合作农场，北方的农村虽然多自耕农，但因土地的分散，耗费了人力，影响了生产的增加，依然很穷。土地问题是一很重要的问题，在定县只做了一年多，还不曾得到科学的结论，希望大家能够负起这个使命，继续探究一个合理解决的方法。

三、卫生教育

卫生教育是要培养人民的健强力。谈卫生教育，有两方面要大家注意：一就是消极的治疗，二是积极的预防。我所要讲的特别注重在预防。在一般的情形，多注意在消极的治疗，很少有人知道这预防工作。不知要免除疾病，不知预防疾病，保持身体健康的水准，预防实胜于治疗。定县的卫生教育工作，就抓住了这一点。不过卫生教育工作，在中国有两个困难问题：一个是中国人民生活贫苦，一遇到医药卫生问题，就牵连到经济问题；另一方面，就是我国的文化水准太低，医药卫生的技术人才缺乏，在美国每750人，就有1个现代化的医生，中国则每7.5万人才有1位医生。我们若和外国相比相差太远，外国的人才多，他们可以到外训练专门医师。我们全国大多数人连普通医生都找不到，怎么能照外国的制度办呢？所以在我们现在的情形下，必须有一套简单、经济、普遍的办法，我们要注意大多数人的问题，必须求出平民化的办法。要学者专家，将从外国学得的，再加以炼丹的工夫，才能适用。此种工作在已往没有人注意过，一般的不是模仿古人，就是抄袭外国的。有卫生教育工作，有乡村的卫生教育工作，就是从定县开始的。中国在定县以前没有卫生教育，就如同在没有平教会以前，中国也没有平民教育一样。

我们要做一桩平民化的卫生教育工作，就要有对这件事有抱负的人才。很凑巧，在1929年，陈志潜大夫刚从美国哈佛大学留学回来，他正担任中央大学卫生教育系系主任。我劝他何必专办城市的医药工作，为什么不到民间来，为大多数人想办法呢？在南京和他谈过几次，他答应我先到定县看看再决定。当他到定县住了一个星期的时间以后，他决定了要到定县来，于是毅然辞去中央大学的职务，带着太太和小孩一齐搬到定县来工作。他说他看到两点：第一，定县有八万青年农民是工作的新干部；第二，定县的工作不是孤立的，而是各方面连锁配合的，有了建立新医疗制度的条件。因此，他决定了他的办法：

调查：先从事科学的调查。调查的结果，定县472村，只有270个村子中有中医，其余200个村子，连中医都没有。生死统计，35%的死亡是没有见到过医生的，其他如沙眼、小儿四六风等病患，极为普遍。而全县每年所用的医药费是12万元（这是1930年到1931年的调查统计）。当时就在这种人财两空的情状下，根据定县现实的行政组织，建立了县、区、村三级的卫生机构：

四、村——保健员——在每村中平民学校同学会卫生组的会员中选拔保健员一人或二人，给以两周至三周的教育，使他学得基本的医药技能与卫生常识，使担任下列的工作。

① 种牛痘、治沙眼、急救等简易治疗工作，备有保健箱一只，内有16种简要的、必需的、经济而普遍的药品，供其应用；有一次种痘运动，在一星期内，种了10万人。

② 土药研究——如大黄精等草药的应用。

③ 防疫宣传——如传染病预防的宣传，及环境卫生、水井消毒等。

④ 卫生调查——出生、死亡及各种有关卫生方面的调查工作，而生命统计工作，做得极为确实。

五、区或乡镇——保健所——设受过普通训练的医生1人，护士1人，他们的任务是：

① 负起该所区域内，人民病患的治疗工作责任，治疗保健员不能医治的病患。

② 巡回辅导保健员工作——随时与保健员以指导协助，定时地召集保健员集中讨论工作问题，解决他们工作上共同的困难，所以保健所医生是上午在所门诊，下午则到各村做辅导工作。

六、县——保健院——保健院全县有一所。它的设备规模较为完备，它是负起全县的保健责任；是全县的保健所和保健员的辅导机关；它有各种专门的医生，负责治疗保健所医生不能诊视的病患；此外还做护士训练和乡村中的产婆训练。如产婆训练，即传授与平校女同学会会员以新法接生的技术，练做最低限度的清洁消毒工作。

如此县有保健院，区有保健所，村有保健员，互相衔接，那么它的结果使定县动员了民众自动参加了保健活动。三年的时间，扑灭了四六风与天花的死亡，这全是不须要多用钱，而可以收大效的办法。此种制度的建立,全县有四万元的经费,已经足用。以每人为单位,所费不过一角钱。这种设施,就在适合人力与财力的原则下研究出的,这就是我所说的又简单、又经济、又普遍的办法。

你们要知道,在中国现时的需要,照各医科学校造就的医生数分配,要使我国每2000人也有一位医生的话,要达到这个目的,还要465年的时间。今天的中国医药制度,决不能这样地等下去。但是我们有了这样分层工作的新保健制度,就不会有人力的浪费和时间的耽误了,因为它是运用了"小兵能做的事,就不必再麻烦长官"的办法,已经补救了我们人才缺乏、经济不足的困难。

定县的这种制度,引起了一般外国朋友的注意。当时有国联的两位朋友——斯坦巴和拉希曼两位先生到定县参观。他们看了之后,认为这种办法,不但适合于中国,而且适合欧洲和南美。他们请陈志潜大夫赴美讲学,把这种制度就介绍到国外了。拉希曼先生任国际联盟的卫生署署长,他曾协助中国创办中央卫生署。中央卫生署成立之后,首先采用了我们的保健制度,在江宁实验县办理卫生实验工作;根据了这种制度,建立了全国的卫生机构,每县设卫生院,县以下乡镇设卫生所,保设卫生员,完全和定县的保健制度一样!

现在这种制度已经成了全国通行的"公医制度",既合于我国国情,而且简单经济,能普遍推行,这种办法,是我国从来所没有的。我们要了解平教工作,不但卫生教育是这样,文艺教育,生计教育,各方面的工作,无一项不是从基础上想办法的。有了基础,而后才能普遍;能普遍适应的,才是真正有效的好办法。

我们培养医药卫生的人才,也不是只培养少数的医生,而是要培养"Social Medicine"。我们曾和江西省政府合作,在南昌办医学院，就是训练的这种人才，这种实验是要改变今后的学校制度的！

四、公民教育

“公民教育”是培养民众的团结力，以解决一盘散沙的散，也就是自私的私。我们在定县的工作，无论是教育、农业、卫生都是革命的、创造的工作。但是都没出过问题，就是举办公民教育，要人民能团结，有组织，因为这是要和一班恶势力发生冲突，动辄就涉及政治，所以就出了问题！

在定县472村，每村都有了学校，有了8万受过教育的青年农民，教育是普及了，有了表证农家，有了合作社，有了合作银行，还有了合作仓库。曾打倒了200多家银号，经济是改善了，卫生教育，使民众疾病减少了，并且有了稳固的机构，有了显著的成效。若是民众再能组织起来，发挥了他们的力量，那还了得？所以问题就从这里发生，不但地方上的豪绅，就连县政府的县长科长都不放心，都起来反对。因此怀疑、恐惧、造谣，对我们加上许多“帽子”，用种种方法想破坏我们的工作。当时，就连那不进步的留学生，他们虽然已经在大学当教授，仍然是不能了解，不假思索地乱加诽谤、蛮骂。这些人都是旧社会制度下培养出来的，自然不能懂得这些。当时的政府，更是贪污腐化，我们要做的工作，他们只用一纸空文，命令地方去办，民众为了对付他们，光是敷衍，不求实际的效果。我们本不想干政治，可是为了实现我们改造社会的最后目的，为了事事能得到法的根据，使民众的力量表现得合法化，事实的情势使我们也不能不钻入政治。要政治能彻底改革，成为“平民政治”，成为民主的政治，这种精神，是我们20年来努力的目标，始终没有丝毫的改变！

我们在定县决定要把地方政治改革，抓住政治力量，训练人民自治的能力,使民众的力量能纳入政治的轨道,一切的行动能“法”化。有了这个理想,有了这个抱负和雄心,我们是抱定了“不入虎穴、焉得虎子”的精神。所以在民国二十年正当天下大乱的时候,蒋介石派张文白先生(即张治中)到定县来考察我们的工作,他看了之后,印象极佳,很受感动,回京后报告的很好,后来卫生署继续派人来参观,各方面报告都非常好,蒋先生乃电邀我去南京。到南京后,与蒋先生谈了三个下午三个晚上,有一天谈到夜深 12 时,蒋先生虽然疲倦上楼休息,还留蒋夫人和我续谈到很晚的时候才得辞出。第二天清晨,蒋夫人在电话中告我,昨夜蒋先生和她通宵未睡,在想民众组织与训练的问题,这个工作太重要了,无论如何要把这个基础工作做起来!

内政部次长甘乃光先生到华北各省考察县政,主要的是来看定县,他在定县住了四天,以为定县工作极为可取,认为这才是真正的县政内容。所以返京后,就在 1932 年 12 月召开第二次全国内政会议,提出了县政改革案。当时内政部长是黄绍雄氏,出席这个会的人,都是各省主席和民政厅长等 300 多人,主要的提案就是县政改革案,这个提案的提出,就是甘乃光先生在定县要我们拟定的。这个提案内容有两个决定:(一)各省设县政建设研究院,指定一县做实验县,实验县县长由院长推荐;(二)人才经费有困难的省份,可先设县政建设实验区。开完了会,我们带回了这件议案,回到定县。我们虽是有了法律的根据,但是那时北方政局,不大受中央节制。河北省主席于学忠,我和他不甚相熟,很少往来,不过,他还知道我,因为他在东北任团长时,听过我讲演。同时,他背后是靠了张汉卿做主的,我也找过张汉卿,和他谈河北要从事基层工作,应该使全省每人都受到教育,每一个官都成一个好官吏。和他曾谈过四个小时，请他用电话通知于学忠，我和他也做了两次长谈，于本人也说设立县政研究院很好，但是他以省府为委员制，应得到省府委员会同意通过才行。当时省府委员共九人，其中有三个人从中破坏阻挠，我们为了事业，不得不低声下气婉转和他们来往。所以就分头地拜访了他们一次，他们知道我平时瞧他们不起，但是，面子上又不得不和我敷衍。这样的婉转经过了四个月的工夫，于才邀我去天津，我去了之后，他仍以兹事体大，不便遽然通过为辞。但是他要我和省政府全体讲演一次，我毅然应允，就和他们做了一次四小时的讲演。向他们解释，要有好的省政，必须有好的县政，有了好的省政，才能有好的国家，河北省应该首先做这样一桩事情，为全国倡。讲完之后，他们全体赞成，为了这件事，我前后费了共计一年零两个月的时间，算是一直从中央到省府全通过了。为了院址的问题，还费了许多周折，才决定设在定县。我自己担任研究院院长，并且由中央加聘，又推荐本会社会式教育委员会主任霍六丁先生做实验县县长。河北省县政建设研究院，就在民国二十二年五月成立了。我这段话就是要你们知道，一桩大事业的完成，不要把它看得太容易了。

其次，我要谈定县的县政改革。平时一般县政府只看做两件事，催科和听讼而已。因此，贪污黑暗，弊病百出，平常说亲民之政是县政，但最坏的也是县政。一般人都志在大官，谁也不愿做小吏，所以多看不起县长，不知县政是最基层的政治，县政办不好，国家如何会好？可惜今日一般人的视线根本没有注意到人民身上！今天的青年，假如对这个问题没有认识，那么国家是永远不会有办法的。所以，当时定县实验县第一件事，就是改组整个县政机构，全县成立公民服务团，建立稳固的基层组织，推进充实基层的建设活动。这公民服务团，就是县政建设的重心，使一切的建设活动都落在人民身上，使人民的一切活动法律化；这个组织机构是基层大，上面小，免掉了一般的头重脚轻的毛病，人民的成分加多，当然人民的力量也自然加大。后来由这个组织机构，就产生了新县制。

我们要使弱的民族，变成力的民族，那就要靠力的教育。平民教育的意义，就是在培养这一切的力，我们要炼丹，就是要完成这一套培养人民知识、生产、健强、团结的四大力量，并且要使它打成一片，连锁配合。它是一套现代化的、中国的、而且在中国能生根的办法。因此到定县来参观的人成千成万，络绎不绝，而且都受了影响，引起了几个有名的大学如南开、协和、燕京、金陵各校和我们办的乡村建设育才院合作，组织华北农村协进会，各校派学生到定县实习，就以这种方式改革了大学的内容与教法。虽然这类工作中间曾因抗战而停止，可是我们以后仍然是要做的！

现在虽然新县制颁布实行了，可是人才不行，所以只有躯壳，内容太空，我们今后要注意培养人才，就为了这点！同时对于大学教育的改革，我们也在有计划的准备中。

五、县政改革工作的展开

讲过四大教育之后，现在我继续谈谈河北县政建设研究院的工作对各方的影响与推广。

谈到地方工作，就感到政治力量的需要，我们的工作一向是站在学术的立场做的，不过有些事学术立场可以做，有些事就非以政治立场不能做。所以我说，要对整个建设有办法，必须进一步打入政治本身去，然后才能彻底地得到完满的结果。在当时，我们费了一年多的工夫，要求得政教的合流，真是一件不容易才做到的事。

当一个人没有当政以前，都是很前进的，一旦得到政权，立刻就变成保守，只想保持自己的地位，再忙于对上峰功令的应付，简直对民间问题，无从研究，当然也就无从了解，结果许多政令，不合民情，不合需要。政治若不能学术化，它是永远没有基础的，要想让它对人民有好处，那就要政治学术化不可。要把学术深入到民间去，最理想的是政治要学术化，学术要实践化，最好是学术与政治合流。定县县政建设研究院，就是一般学者全都钻入政治中去，研究以往政治，为什么效率那样低，为什么贪污那样多，就是要做到学术与政治、政治与学术打成一片，真正合流。

在民国二十一年到二十二年中间，中央先后派黄季宽、张岳军、张文白等到定县参观。得到他们的报告以后，于是江宁实验县、兰溪实验县相继成立。一时各省对县政研究的风气，极为普遍。

在二十五年一月，得到广西省李宗仁、白崇禧两先生电报，邀我到广西。四川省主席刘湘也电请我来四川。同时我们在湖南已接受省主席何健之请，成立了衡山实验县。我现在只将四川的工作情形谈一谈。

我自己是四川人，但我离开四川很久，没有回来过。同时平教工作有一原则，就是如果当局不请我们来，我们是绝不来的。我在南京时，蒋先生刚从四川返京，和我谈到，极力称赞四川是锦绣山河、天府之国，说我应该回四川做平教工作。接着我就一连收到刘湘电话三遍，请我到四川来，这才决定来川。当我到成都的时候，有一件事使我大受感动，就是我到的时候，刘正在病中，病得不能行动，我去看他时，本来向省府秘书长谈，不必惊动他，可是他听说我来了，一定要人搀扶他起来见我。见面后，非常谦虚恭敬，意极诚恳。他说:“早就希望你来,现在既然来了,四川的事,你要怎样办就怎样办。”我住了两周的时间。对四川建设的工作,他完全接受我的指导。先组织了四川省设计委员会,为了工作的方便,请刘自任主任委员,我做副主任委员,并请各厅厅长及大学校长任委员。其中最重要的一段工作是县政调查,这就是我们在定县工作的原则,先要从事调查,以彻底明白了解实际情况与问题,然而再决定解决问题的办法。为了实际工作的展开,就又选定新都做实验县。在新都有了成绩,再推广全省。请陈开泗先生做新都县长。从民国二十六年开始,一共经过了18个月的时间,因为他是参酌了定县和湖南衡山县的工作经验,所以在这18个月中间的工作成绩,可以和定县七八年的工作相比,这就是我所说“定县的科学”。新都工作是最切实的,成绩最好的,如户口调查最清楚,建立了很好的户籍行政;其次地籍、土地测量与呈报也都很清楚;再如警察,新都警察除了维持治安而外,还担任卫生员工作,成绩很好,与人民情感极为融洽。还有一件工作,就是改组公安局,使警卫合一。地方治安,以警察为中心,同时把人民组织起来自卫。当新都工作开始时,每周都有土匪,时常发生绑票事件。从建立起警卫合一办法以后,半年中仅出了两次抢案,而且犯案后两小时之内就破获了,在半年之后,匪患净绝。不过天下事总是有问题的,就因为你一切事弄得太清楚了,别人不能再去浑水摸鱼,他们当然不甘心。比如地籍清楚了,老百姓不再受人敲诈了,可是平常就不报不上粮的黑地,这一来就不得隐瞒了,私人利益发生了冲突,所以引起土豪劣绅恶势力的反对,同时他们借了袍哥关系,勾结土匪,要和我们拼命。今天包围县城300人,明天100人,煽动人民暴动,有与平教会人员“予及汝偕亡”的口号。是时,刘湘病死汉口,省政由王瓒绪主持。王主席胆小怕事,因此实验县停办了。这就说明做一件事不能抓到痛处、痒处,如果真碰到了真正的痛痒,就会发生问题的。你们要知道,一件事发生了问题,生了阻碍,那却不一定是失败,那正是成功!你们要记住,对老百姓做有利益的事,当老百姓还没有力量来支持你的时候,你是得不到他们的帮助的。20年来我们的工作,步步荆棘,不是没有困难。不过,我们是不怕困难,接受困难,总是坚定地要做,它就总是会成功的!

新都实验县虽然停办了,可是他的警卫合一办法,当张岳军先生参观新都之后,最为欣赏。因为他自己曾任过上海警察厅长,对改善警政问题,最有兴趣,所以他当时说:"回到南京,必建议中央采用此种办法。"一个办法行之有效,自然是有人采纳的。

战时与战后时期

第九讲　平教工作与抗战动员

从七七事变以后,平教工作在抗战期间,本来很多,在抗战开始,我们就很紧张地发动民众协助抗战,现在只提出其中的一段来谈谈。

1937年抗战开始以后,展开了空前未有的全民抗战。中央邀集全国的有志之士,组织最高国防参议会,这个会成立于二十六年八月,由16人组成之,其中都是中央聘请的在野的学者名流,我也是其中之一。在九月间开会时,我曾有一个建议,就是要高中以上程度的学生参加抗战工作,可惜当时蒋百里先生不同意,因他为前辈，不便争辩。但此次前所未有的抗战，大中学生未能参加，实属一大憾事，也实为抗战期中对大中学生教育与锻炼上的一大损失。如在外国，许多知识分子都是要参战的。我国的知识分子不参战，虽然是说要保护国家的可爱青年，为战后建设之用，然而外国人看了，常以为异，这总是一个不合理的现象。

国防最高参议会16人是将全国划分若干区域，分别负责，发动抗战动员工作。我担任的就是川湘区，那个时候川、桂等省与中央隔膜，不能合作。我为了使他们抛弃成见，竭诚相与，完成神圣的全面抗战，就和陈筑山先生分头飞南京、南宁、庐山、成都各地，往来奔走，促成团结。四川虽然向来故步自封，结果竟使刘湘赴汉口抗战，那时就是湖南省主席何健，也是同样情形，对抗战工作踌躇不前，然而都被我说服了。

在1936年时我们已经在湖南衡山办起实验县，平教会办事处设在长沙，1937年战事爆发，我们立即组织“农民抗战教育团”，招收60个大学毕业生，共分10团，到乡村去做宣传工作。后来张文白来主湘政，认为抗战动员，民众组训，至为重要，决定发动全省民众参与抗战工作，来征询我的意见，我告以要动员民众，必先深入民间，与人民接近，以取得民心，才能生效。具体办法，就是要把全省75县县政先加以改革，非有清明的政治，绝不能得民心的。不过，整顿县政，须分两方面，一为治人，一为治法。有治法无治人，法没有用，有治人无治法，无所遵循，也难成功。所以一面要积极进行抗战教育，一面还要改进农业生产，办理合作，提倡医药卫生，培植团结抗战意志，想整个将定县办法彻底、大规模地做起来。先将县政机构改革，确定整个的建设计划，同时调整人事，各县县长及佐治人员，贪污的撤换，清明的保留。张文白有眼光，有魄力，他完全照我们意见办了。毅然成立湖南省地方行政干部学校，请我做主任委员，当时平教会同仁参加这个工作的有29位之多，都是为训练全省大批的县政人才，以解决改革县政的"治人"问题。这一工作，在县政改革本身工作上，重要的建树有以下列事项：

（一）制度的改革——废区设督导员，建立督导制度。督是"作之君"，导是"作之师"，督导员是真正亲民的人员，他能切实的与人民接近，每月在乡办公20日，在政府办公只有10日。他的责任，对政府他要做人民的代表，替人民说话，使民情上达；对人民，他要替政府传达命令，说明政令的重要，使上情下达；他要起上下沟通、发掘民隐的作用，绝非以往区长的对人民作威作福，鱼肉人民，摆官架子的可比。

（二）设技术辅导制度——县除有督导员外，关于各方面建设工作，更有各项专门技术人才，任辅导员以巡回辅导，解决民众各种建设的技术问题。与定县的生计巡回训练组织办法是一样的，这种制度，最为密切，这个办法的设计，本会老同志姚石庵先生贡献最大。上面两种制度是同时并进、相辅相成的。在当时将要开始的时候，有一次与张文白主席、陶秘书长及全省府的人员还有地方上重要人物，谈及废区的办法时，大家还都极力地反对，曾做过极热烈的辩论，互相交换意见，才得通过了。这种制度，至今还在实行。

（三）行政干部的训练——有治法，就须要有治人，在湖南全省的行政干部训练，就是培养"治人"。当时召集全省的县长、科长、秘书等上级人员，共计分5000多人，乡镇干部人员，计3万多人。先考试，然后训练，而考试除笔试外，还要举行口试，并且特别重视口试，口试的分数占50%，内容分仪表、态度、言谈、思想等，并且口试由张文白主席和我及民政厅长亲临主持，尤以对县长更为注意。张公正严明，不稍循情，有事实可以证明。当时有一考生，我只给他 30 分，张就没有取他，可是那个考生听说就是张夫人的弟弟。还有一次，考试科长，适值敌机临空，投掷炸弹，而张文白若无事然，仍旧聚精会神，在楼下继续口试，可见其对事认真与举措镇定的精神！

训练的重要意义——无论县长、科长、督导员、乡镇人员，都有共同的训练，这是人人都应有的认识，一个地方工作人员，如果对于地方建设工作的基本精神没有认识，则对于工作必难连锁合作。但是，对于个人职务，亦应有专长，才能胜任愉快。所以除共同的认识外，另有个别的训练；又为了实现“计划的政治”、连锁的政治、通力合作的政治起见，开始就确定了各人服务的县份，而将每个县份的县长与佐治人员、乡镇人员等编为一组。规定每星期六日晚，分组开会一次，共同讨论他们本县的县政建设的计划与方案，以准备回县后，展开他们的建设工作。如有问题，正好在训练期间，共同求得解决的方法。全省 75 县，就好像 75 个竞赛小组，大家都在那里竞争设计，预备他们建设的计划。同时这种做法，使得全体人员意见上彼此了解亲切，情感上水乳交融，做起事来自然能打成一片。绝不像已往一个县长就任时东拼西凑的找不到佐治人员，就任后，对地方工作茫然摸不着头脑，而致造成没有公事、只有人事的现象。如果一个县长终日在应付人事，哪还有余力去做实事呢？

这一件全省的训练工作，真是一大改革，当时有 2/3 的县长，昏庸不合格，都被撤换了，完全补进新的血液。每个新的人员受训毕业时，都赠以“廉正勇勤”四字的官箴，作为誓言。湖南至少在廉字上是做到了，原因是在当时的群眼的监视下，大家造成了一种良好风气。大多数的人是好人，少数人即或素性不好，也就不好意思做坏事，同时也不敢做坏事。再因做坏事，绝对有人监视检举。检举了，自己要吃大亏，自然的更不肯做坏事了。在这种情形下，贪污当然绝迹。

抗战期中，敌人进攻湖南，三战三北，能使湖南保持五年之久，不受敌人蹂躏。就是因为有过去民众组训的基础，军事上得到人民的合作，做它的主要力量，方收到那样结果。这可见中国人并不坏，只是无人领导，没有造成良好风气，所以不见进步。今后如有机会，我们是绝对有把握，可能将基层政治建设起来，发生效果的。

我们有了湖南这一段工作的经验，知道工作规模越做越大，也就越感人才的缺乏。要做大规模的建设工作，就必须有大批的建设人才。到1940年以后，此种需要，大感迫切，所以我们就继已往训练委员会的工作，也可说是本会准备许久的计划，创办了乡村建设育才院。

现在中央又在向我接头，一则要我负责全国民众教育工作，一则由行政院设全国乡村建设委员会，推动全国的乡村建设工作，要我任主任委员。因为各方面的条件尚不具备，我还未能接受允许，这件事究竟怎样，还要看将来的演变如何而定。

本院训练人才，不是盲目的，是有计划，有目的，要培植为国家真正能做事的人，只要你们有抱负，肯努力，做事的机会正多，就是要我们能担当得起！

第十讲　平教运动的回顾与前瞻

两周来我讲平教运动，到今天我简要地做一个结论，可以得到几个重要的特点，因为时间的关系，只能示意：

第一，平教运动是独立的——我们和别的从事乡村工作者不同，我们不依赖任何政府的力量，我们的这种工作精神，二十年如一日，从来没有改变，虽然经过了种种变乱，我们自己也有不少困难，但是不曾停顿过一天，并且我们的工作还是一天比一天蓬勃发展。虽然我们不依赖政府，但是我们可以和政府合作，我们一向是帮助政府的，只要它是开明的、民主的。

第二，平教运动是科学的——不是悲天悯人的漫无计划的慈善救济工作，它是要研究实验，由近及远，由小及大，一点一滴的虚心极客观的研究工作；是要研究出科学的合理的真理来的。

第三，平教运动是革命的——平教工作是前无古人的，前人所没做过的。它是革命的，它要革多年来"士为专业"的命，要人人都受教育，要人人都变成读书人，人人都是有知识的人。要把人民变成为士工、士农、士商、士兵，这就是要革四千年来教育的命。我们办的是全民的教育，我们还要实实在在钻进人民生活里边去，设法解决这个问题。我们要改善人民教育，改善人民生活，我们有办法，有确实的办法，只要政府有决心，扫除文盲，推进教育，我们是绝对有把握的。我们不是专在图书馆去研究，去找材料，专为写书而写书，把大书改成小书，洋书译成新书，装点门面，敷衍了事；我们是要请那有抱负有见解的学者，深入乡村，深入社会，把真的社会做我们的研究室图书馆，真的社会的人，当作我们的活书，抓住真正的问题,去寻求真的有效的解决问题的办法,在研究室方面,开了一个新纪元;这是古今中外所未曾有过的工作。

第四,平教运动是实际的——我们不是为研究而研究,为写书而研究。我们是为做实际的事,研究实际的办法,为了解决问题,而研究问题。是要把研究的所得,打入人民的生活里边去,改造整个的社会,改造人生。也就是说,我们不光要研究,而且要实践。不过,这也是我们的困难之所在,也就是惹人反对、招人排斥的根源!但是,我们要改善大多数人的生活,提倡合作,改革土地,虽然不免得罪于巨富,但是,我们既要接近于实际,要解决实际的问题,我们就不怕困难。你们要知道天下事最不容易做的事,就是又要研究又要干,然而这才是彻底的办法,我们不能不干!

第五,平教运动是基础的——凡事须从基础做起,基础稳固了,然后什么事都可成功。天下事多得很,千头万绪,无从着手,我们必须抓住基础的先做好。我们的千字课,就是一个很好的例。我们先给农民以起码的知识,有了这起码的基础,然后自然能接受进一步的教育。在北平时,为了讲演千字课的好处,曾有一个笑话。就是遇到张伯苓先生,他问我:"光教民众这1000个字,怎么能够用呢?"我答复他说:"夫子之道,忠恕而已矣。"孔子也不过是两个字,何况我有1300多字呢!此话虽近笑谈,其中却有深意,中国人本来没有起码的教育,假如就连这一点基础的知识,也不给他,岂不是永无改进了吗?谈识字如此,卫生教育也是如此,一般大医生大教授看了保健制度、保健药箱、受了两星期教育的保健员,以为他们怎么能办卫生?可是有了他们就扑灭了沙眼、四六风的病,就减少了传染病的死亡,这一点的基础教育,就发生了大的效果。这就证明,越是平凡的基础的,才越是与生活有密切的关系的问题。我说我们中国是先要有了稀饭教育，使他不致饿死，然后渐渐地才能吃干饭。否则，久病之身，羸弱不堪，给他生硬的丰富营养，反倒不能接受消化！和今日的老百姓谈选举，他连本地乡镇长都不知道怎么选，你却要他去选总统，那如何能成功呢？所以要让他能选举，必先教他选举的基本知识，有了基本训练，会选保长、乡长，然后自然就能选县长、省长、选国长。平民教育是实事求是，不唱高调，凡事要从根本做起，注意奠定基础。我国向来只注意庆祝“上梁”，不知注意“奠基”。假如长此下去，我以为国家是永远不会安宁的。如果再不做基础的工夫，我恐怕我们有我们这一代，就不知有没有下一代。我们不努力，将来只有做外国人的附庸，不是做美国的附庸，就是做苏联的附庸，希望大家要认识这一点。你们不是为读书而读书，是要为解决问题而读书，我办学校的目标，也是如此。我们是为改造中华民国，为国家奠基而来的！

第六，平教运动是平民本位的——一切为人民，一切要适应人民的需要。无论你有多大学问，人民不能接受，人民不懂，那就是没用。教育如此，卫生、农业、经济，也是一样，无论你原理讲得如何进步，人民得不到，还是没用。生产、经济，不能让人民享受，不能让人民生活以改善，也是没用。凡是不以人民为本位的，都是要不得的，没有用的。平教运动是平民本位的，因为无人不是平民，所以平民无阶级之分，他是包括了人民的各类型。我们可以说都是平民，就是那自命为达官贵人，也不能不承认他是平民种！所以平民教育运动，就是全民的教育运动！

平教工作在中国20年来，对全国影响不敢说大，但不是没有。一件事努力不一定就能有结果。在我国今日情况下，努力而能有

结果,那简直是侥幸!我现在把平民教育对国家的影响简要的再谈几点:

（一）识字教育的影响——以一个私人学术团体提倡的识字教育,居然影响政府在全国推进民众教育。中央把识字教育,列为七大运动之一,直到现在中央还在邀我们负起全国民众教育的责任;他们始终要尊重我们,信赖我们平民教育工作的贡献与地位。

（二）民教人员的训练——政府注意到民众教育的重要,所以他们就办了江苏民众教育学院,以及现在国立的社会教育学院,全是为了民教储备人才。开始的江苏教育学院,就是中央请本会计划筹备的。

（三）卫生教育制度——定县的保健制度,先由本会以学术团体的立场实验的,有了成果,立刻被政府采纳,而建立起全国的卫生工作机构;并且引起了协和医学院的合作,派学生到定县实习,影响了他们的教育办法。

（四）县政建设的工作——县政改革的研究虽然不只定县,还有邹平等地也在实验,但是定县却不是为一县一地,而是为全国做的。它注意的是普遍性的条件,所以它不但在河北实验,而且可以在川、湘等各省推广。政府施行的新县制,它的县政机构,就是仿行定县的办法。从前政府只知道注意上层,不顾到下层。殊不知县政是亲民之政,必须注意。有了好的县政,才能有好的省政和好的国政,我们的县政研究,就是在引起政府注意到下层,政府果真重视县政,将来才能得到有志之士去从事县政。我们的工作就在改变他们的观念,有了计划,有了办法,供政府参考。不过,现在只是有了一个架子,今后还要再努力充实内容,并且要培养民众的知识能力,使有安全的生活,然后他们才能自己管自己的事,以实现理想的地方自治！

（五）国际上的影响——定县工作为洛氏基金团副主任参观之后，大受感动，他把定县的实验办法介绍到美国，于是哈佛、威斯康辛、密西根等几个有名大学都改变了他们的课程计划，也在注意实际研究，并且他们的进展很快。我希望已往是我们影响他们，今后，我们也可以有教授和学生去参观他们的工作，做我们的参考。

一个才仅仅有了20年历史的运动，对国家社会能小有影响，这是侥幸！我们不敢自满，今后工作范围将更广大，现在我们有了一点成就，只能做我们的鼓励，使我们更要前进，更要努力，前途才更远大、更光明。学院是培植人才的中枢，现在就有了500万人的区域，做我们的实验场所，我们要好好准备，只要机会一来，就绝不放松，紧紧抓住。今后要我们的工作能进一步对广大的民众有贡献，必须有四个条件：

（一）要有学力——我们重视学术，我们就要有学问，要有真学问，要继续不断地加强学力，求学术的进步，才能继续不断的深入探讨。单有热情而无学问是不能研究进步、解决社会的问题的。

（二）要有人力——有人才，有学识丰富的人才，才能对学术有贡献。我们要把已成熟的国内外志同道合的朋友作核心；一面还要培养后起之秀，以为后继。两方面合起来，才能质量并进，事业推动的力量，才能扩大加强！

（三）财力——要有钱，经济是一重要条件，有了相当足用的经济条件，一切设施才能顺利。

（四）政力——政治的力量要分国内国外两方面说，今天的世界一天天在缩小，只有小池，没有海洋，我们不能关起门来，闭门造车,自己讲这讲那。做一件与整个民族有关的大事,绝不能关起门来做,必定要配合了国内国外的各方面的力量,要运用得好,配合得适当,那才能有把握,它的成功也是指日可待的。

为和平而教育世界*

在这里我们先提一段历史，1925 年，太平洋国交讨论会，因为受了欧战的教训，知道整个世界的和平不那么容易就能实现，不如先从维持太平洋沿岸各国的和平做起。于是美国国民发起，召集沿太平洋九国代表开会于檀香山，这是一个很好的理想，开会两星期，讨论了许多重要问题。出席代表都是各国在野名流，不是掌握政权的军人，或野心家，所以说话很痛快，很恳切。每晚有演讲，一共 12 次，最后一次请中国代表演讲，我就把中国的平民教育运动这一种精神、历史，以及在中国努力的经过给大家报告，并且说明这个运动如果成功，不但与太平洋，而且与整个世界和平有绝对关系。演讲完毕，在座 100 多位代表如狂一样欢呼，对这个运动表示同情与赞佩。主席美国威尔伯博士起立结论，他是胡佛总统时代的内政部长、斯坦佛大学校长，他有几句话值得记住："我们开了两星期的会，讨论了 60 个不同的问题，听了 12 位演讲，但以今天这一

---

* 原载《新教育》第 1 卷第 1 期(创刊号)，1947 年 5 月。原文附有"编者按语"："平民教育创始人晏阳初先生，三十二年春赴美推动国民外交使命，彼时国际情势对我由好转坏，由积极变消极，由希望变失望，美国特甚。晏先生以 20 年来从事平民教育运动，代表四亿五千万人民，转移国际错觉，使整个国际确认中华民族是有历史有文化有力量的民族。此次战争，中国受苦最多，贡献最大，四万万五千万人民无不动员为反抗侵略而出力流血，这是在人类创造史上飘扬着最光荣的一页。"

次为最有价值。照我看，以中国物力的富足，历史的伟大，假使四亿民众都受了教育，我敢说，那中国是维持世界和平唯一的主力。中国要世界乱，世界不敢不乱；中国要世界平，世界不敢不平。”

回溯欧战中的华工教育，光阴荏苒，已20多年了。到今天我们这一种以全民大众为对象的教育运动还没有达到目的。我深信如果这一个全民教育运动一天不实现，那中国必然地一天无办法。大家要知道平民教育的“平”字意味着什么？它是平等之平，平社会之不平的平，要世界各国都承认中国人的平等的平，世界一天不承认这一点，世界就不平一天，社会上如果一天没有承认平民教育的重要，不把平民教育作为立国的生命、立世的生命，社会就不平一天。非社会平等，人人受教育，世界决不能和平。中国三亿以上的平民，潜伏着的雄厚力量，必得下决心来教育、开发、培养、组织、训练、运用，20年后的今天，国家又是一个新阶段。

全世界有3/4的人，是属于苦力阶级，苦力阶级是全世界的最丰富的未开发的资源。除非用教育的力量把苦力们加以教化，任何一个国家都无法获得进步。世界上的领袖们，拼命地叫“和平”，“和平！”可是，除非你教育人民大众来参与本身的改造工作，否则就不会有真正的和平。

原子弹发明后，把世界一打就打成一片，一打便打成一家，国际潮流趋向民主，中国不得不民主。民主叫民“主”什么？怎样“主”？这是一大问题。中国人民如果还是在“愚贫弱私”里生活，同时习惯了成自然，贫惯了不知贫，愚惯了不知愚，弱惯了不知弱，私惯了不知私的醉生梦死下去，中华民族没有前途。我们要三亿以上的广大民力，普遍地开发出来。运用教育三大武器：一、文字：如报纸、杂志、丛书，使平民有阅读的机会、发表的机会，培养民意，造成民力。我国最大的报纸，推销最多的不过几十万份。中国有四亿人民，为数实在可怜。我们要广大人民都能阅读，都能发表。平民的报纸、平民的杂志、平民的丛书，是不可缺少的。二、电影：使广大人民都有机会欣赏电影，电影可以启发国际精神，提高人类意识，灌输生产技能，培养科学知识，电影活动在平民教育的推广中是很有力量的。三、广播：中国语言的不统一，人民的知识水准低落，广播收效困难，不过二三十年后必然普遍运用的。新中国的新生命，是在三亿以上的平民身上，新人类的新前途是在3/4的人民大众的身上。他们的基础教育，便是世界改造、人类和平的动力源泉。人人都能取得这样良善的教育，世界一切的自由，都从这里创造出来，国际一切的平等都从这里建设出来。所以，免于愚昧的自由，就是取得教育的平等，取得教育的平等，才是国际的真民主，人类的真解放。

人们生长在战争与和平的交替时代中，都奔赴和平的急流，热烈地掌握住永恒的和平，掌握和平的力量，全寄托在整个世界所有的良善人民。就是我国古人的遗训："民为邦本，本固邦宁"。20年来平民教育运动，在中国普遍地发动了，定县的实验，根据实际问题而施的适当教育与建设，目的在以文艺教育救愚，以生计教育救贫，以卫生教育救弱，以公民教育救私。这四大教育为实际上大多数民众所必需的教育，希望用教育的力量使一般民众能够有组织地自身得到解决这种根本问题的智识能力。

全世界3/4的人民是缺乏智识的，缺乏温饱的，缺乏健康的，缺乏组织的，他们的生活远低于不论种族颜色、宗教等等的任何人类最低限度的生活水准之下，他们还没有离开人下人的时代，这一个世界将是如何的局面？

人民是国家的基础,也是世界的基础,若这一个基础强大稳固,人类便幸运地享受安宁,若失去这3/4的广大基础,世界一切都抱之落空。今日,我们不仅是为和平而组织世界,更要为和平而教育世界。和平要永恒,就得奠基于民众之上。人类历史,经过了第二次世界大战的血洗人心,人们站在新的旅程上,迎接新的世纪,这是一个最新的契机。也是一个最后的契机。中国的大改造,世界的大改造,就从这最新的契机中开端。人民的大解放,人类的大解放,就从这最后的契机中起始。

平民教育运动已经是一种世界运动;世界需要它,它不得不存在,不得不发展,它的生命深入整个平民群。今后,各国朝野都要为此共同努力,由平民教育运动出发,打通一条新时代的文化路线,整个人类走向共存共荣共进步的康庄大道。

中国农村教育问题*

所谓教育，一般的、普通的教育，并不是难事，要使教育切合实际的需要，才是难事。在今日的中国，最切合实际需要的就是农民教育。一般人以为教育的目的在产生伟大庄严、光辉灿烂的中国，我们的希望也是如此，只是这种希望在今天实在太渺远！

现在，中国已经到了生死关头，目前需要的是救亡图存，因此现在应当实施的也就是最低限度的、最基本的救亡图存的教育！

现在的中国是处在一个非常时代，但是各地实施的教育仍是一种普通的教育。例如各处乡间一般小学所采用的教科书，仍和十年前的大同小异。“一切照常”，长此以往，国家前途真不堪设想！目前国家需要的是救亡图存，教育的唯一目标也就是救亡图存。我们就是看不见国家的复兴，也要让我们的儿孙看到，最低限度也是要他们脱离了我们目前的危境。

非常时代的教育应当是计划教育，教育的内容与方式，都根据国家实际的需要，预为计划。根据我十余年从事平民教育的工作经验，我以为教育若能达到救亡图存的目的，对于受教育者必须具有下列三种效能：

---

* 原载《新教育》第1卷第3、4期，1947年10月。

第一，培养知识力。愚昧，是广大的农民层的一种最普遍的病象，非常时代的教育最低限度是启蒙教育，至少把广大农民的民族意识、国家观念培养起来，使他们明了国家民族和自身的关系，以及自己应尽的职责，自觉自强，负起救亡图存的神圣职责。我们要站在教育者的地位，引导他们，启发他们，不能仅以空洞的名词塞入他们的脑筋。

第二，培养生产力。我们的农业生产现在还墨守着几千年来的成法，因为生产落后，形成今日农村破产、国民经济凋敝的现象。培养农民的生产力是要在可能的范围内，尽量介绍科学的生产方法，更换那些老农老圃的旧方法、旧技术。更要使农民明了近代科学能控制自然，人力可以胜天，一切都可以自己创造，最低限度要养成自给自养的能力。

第三，培养组织力。个人时代早已过去了，目前是集团时代。两国交战，不是赌赛两国元首个人的智力，而是比较两国整个国民的力量。我国今日必须把全国人的力量，凝结成一个力量，才可自存。这就不能不赖组织，不能不赖广大农民群的组织力，不能不赖教育以培养农民的组织力。培养农民的组织力，要使农民的生活团体化、纪律化。有纪律的生活，就能自卫自保，卫家保国。

具备了上述的三种能力，才可以谈救亡图存。实施这种非常教育，要同时注意到目标、计划与方法三方面。农民有成人、青年与儿童的分别，对于他们实施教育的方法便各有不同。成人在乡间极有力量，我们推行农村工作时，必须得到他们的合作，才能进行顺利。要对他们实施教育，必须多用开导的方法。儿童是国家的基础，将来建国必须依靠他们。儿童的身心都未成熟，所以儿童教育要多用培育方式。

实施农民教育应当特别注意的还是青年，18—19岁至25—26岁的青年农民。他们是继往开来的，同时年富力强，正是目前救国的中坚。以定县而论，全县人口40万，青年农民有8万。以全国四亿人口计算，我国的青年农民至少有8000万。除去1000万已受教育以外，还有7000万完全是文盲，他们需要教育，需要精神的食粮。要救亡图存，挽救垂危的国家民族，必须抓住这7000万青年，使他能为国出力，并且有为国出力的机会。把他们组织起来，施以必要的训练，给予他们文字知识训练，保健知识训练，科学的生产知识训练，以及公民政治训练。把这8000万的青年组织起来，强化起来之后，国家才算真正有了“人”，国家总动员，才真正有员可动！有了有训练有组织的几千万国民中坚，什么计划也能实施，什么目标也能实现，民族国家的什么危机也能胜过！

中国自鸦片战争以后，经过甲午之战，八国联军，以至日本向我们提出“二十一条”，经一次刺激，一班有志之士便想出一个个救亡的方法。忽而变法，忽而改制，忽而学东洋，忽而学西洋，今天忙这样，明天忙这样，但是都没有把根本问题认清，所以终于不见效果，大家束手无策。直到最近才算把根本问题认清了，知道了我国的基础在农村，我国的主力是农民。今后我们必须拿定主意，下大决心，窜进农村，深入民间，造就这八千万的农民青年，使他们起来担负国家复兴、民族再造的使命！

我们在定县研究实验，并不是为定县，是要找出一套农民教育与农村建设的方法、内容，贡献给国家。我们研究出来的结果，必须切合四个条件，才算满意：一、经济；二、简易；三、切合实际；四、有基础性。因为必须具有这四个条件，在今日的中国才能普遍地推行，才能真正切合广大农民的需要。

定县的工作因为是研究实验性质,所以重质不重量。集中各方面的人才,根据客观的情境与农民的需要,应用科学方法,由下而上,一点一滴地从基础做起,以期能解决中国农村基本的、具体的问题,为农村农民,为国家民族,打出一条道路。十几年来我们工作的一点结果,都是在这个目标下,应用这种方法而成就的。

以个人或社会团体立场从事农村建设,主要的工作是农民教育;若以政治的立场推动农村建设,则必须从事于县政改革或县政建设,因为县政是直接与农民发生关系的政治,健全的县政是农村建设成功的必不可少的条件。所谓县政改革或县政建设,包含两个问题:一是政治组织的问题,一个是行政人才的问题。就是:一方面是如何使以前专司收税、审问官司的县衙门,变为实施救亡教育、建设各种基本事业的工作机关;一方面是使所谓亲民之官的县政负责人员,切实地有效地去服务人民,建设地方。县政改革与建设是由上而下的,准备基本条件的工作,若和上述的由下而上的工作方法,相辅而行,农村建设以至民族复兴,一定有一个光明灿烂、伟大宏远的前程!

现在国家民族似乎到了山穷水尽的地步,但是看看农村,实在有光明的希望与无穷的前途!深愿一班青年,发挥宏愿,深入农村,施展宏才。好静的做研究工作,好动的做推广工作,以伟大的精神,成伟大的事业。我们的前途虽然布满了荆棘,但是只要能任劳任怨,大下决心,为农民,为中国,甘愿吃苦受罪,没有不成功的道理!这样,不但青年自己有了出路,整个国家也就有了出路!

开发民力　建设乡村*

中国的安危足以左右东亚和平,东亚和平是世界和平的支柱。

目前的世界还是个“唯力是视”的世界:有力者存,无力者亡;有力者主,无力者奴;有力者支配人,无力者被人支配。而今日所谓有力者往往就是那些握有雄厚资本,握有军火武器的强权者,他们正以他们的强权压迫着世界的弱小民族。这显然是一种反常悖理的逆流。我们中国虽然经过八年英勇的抗战,到今天还是一个无力的弱国,仍然为有力者所支配。其实,我们并不是根本无力,而是我们的“力”被湮没了,被压抑了,被摧毁而扼绝了!结果,使中国整个社会窒无生机,中国的广大土地和人民全不发生作用,这是中国之所以危乱终年,东亚之所以不能安定。这对于世界和平当然是一个很大的威胁。

究竟中国的“力”在什么地方呢?它潜藏在广大的占有全世界人口1/5的老百姓当中。这广大的人民生长在他们的土地上,终年辛劳地操作着,无知地被驱使着,流血流汗。他们曾发挥过无上的威力!他们建筑了万里长城,他们开凿了南北漕运的河流,他们穿草鞋,吃粗藜,抗了8年的血战,他们在90天内修成了足以起落

* 原载上海《大公报》,1948年8月14日。

超级空中堡垒的飞机场。几千年来他们就这样辛苦地、天真地、浑朴地流出他们的血汗。他们应该有权利要求合理的生活,也应该有能力安排他们的生活。但不幸,他们受了封建传统的压迫,以及外来强权的欺凌,以致他们一天甚于一天地过着牛马生活。到今日,他们实在已经是奄奄一息了!我们在今天,已只有“民”而无“力”。这是中华民族极大的悲剧,极大的危机!

为了挽救这种危机,我们今天急需的不是空洞的口号和标语,而是真正站在老百姓的立场上,为老百姓做点起码的基本的实际有益的工作。这工作,就是把蕴藏在中国广大乡村中伟大磅礴的力——民力——开发出来。

中国的农民向来负担最重,生活却最苦:流汗生产的是农民,流血抗战的是农民,缴租纳粮的还是农民,有什么“征”有什么“派”也都加诸农民,一切的一切都由农民负担!但是他们的汗有流完的一天,他们的血有流尽的一日,到了有一天他们负担不了而倒下来的时候,试问,还有什么国家?还有什么民族?

所以,今天更迫切的需要是培养民力充实民力的乡村建设工作。

乡村建设工作是多方面的,凡与人民生活有关的无不包括在内。而千头万绪之中,必须抓住问题关键之所在,那就是:建乡须先建民,一切从人民出发,以人民为主,先使农民觉悟起来,使他们有自动自发的精神,然后一切工作,才不致架空。我们要达到开发民力的目的,须从整个生活的各方面下手:必须灌输知识——“知识”就是力量;必须增加生产——“生产”就是力量;必须保卫健康——“健康”就是力量;必须促进组织——“组织”就是力量。我们所谓开发民力,就是开发人民的知识力、生产力、健康力、组织力。人民自己有了这种力，才能称作“自力”，有了“自力”才能做到“更生”！

时贤对于乡建工作的见解似乎并不一致：有的重视政治，有的偏向民众自卫，有的高唱唯有教育可以救国，有的特别强调农业。这些都甚重要，但乡村建设不是任何一面可以单独解决的，而是连锁进行的全面的建设。因为社会与生活都是整个的、集体的、联系的、有机的，决不能头痛医头，脚痛医脚，支离破碎地解决问题。例如：欲增加生产首先就要改良技术，而技术的改良，又非要知识的增进不可。同样，知识的进步也有赖于生产的增加，体魄的强健，乃至组织力量的运用。这一切，都是互相关联的，互相为用的。乡村建设虽始于乡村，但并不止于乡村，它不过是从拥有最大多数人民的乡村下手而已，它的最终目标当然是全中国的富强康乐，因而奠定世界和平。这条路，今日也许有些人以为缓不济急，他们认为目前最迫切的是解决饥饿、物价、战争种种现实问题。当然，这些问题都是今日最严重的，但我们不应该忘记，30 年前，当乡村建设工作发动时，何尝没有人认为现实问题是战乱、灾荒、穷困等？何尝不以为此种乡建工作是太缓不济急？这种被批评为缓不济急的工作一天不动手推行就更多迟缓一天，而一切现实问题仍将存在。说“迂缓”并不能否定问题，不做尤不是“迂缓”的解答。所以 30 年前应该走这条路，今日还是只有这条路可走。舍此别无二途，更无捷径。

我们不否认乡村建设是艰巨的工作，30 年来许多同志同道深入农村研究实验从事工作且都有其相当的成就，尤其是在方法与技术方面，如识字教育、乡村卫生、农业推广、经济合作、农民自卫以及整个的县政建设，都有极可宝贵的心得提供出来。抗战之前，这类工作曾普遍于南北各省,形成一个全国性的社会建设运动;抗战期间,在有过乡建工作的许多地方,更充分表现了农民力量的伟大!这些事实加强了我们的自信心,博取了国际的同情,给知识分子为民众服务开辟了一条崭新的大路。

乡村建设虽有如此的意义和价值,但工作总在阻遏曲折之中,始终未能达到吾人理想的境地。事实上,我们只是学术社会团体,我们所能为力的乃是乡村建设的研究实验。至于较大规模的推广实施,非赖政治力量不可。而不幸这30年来,国家连年遭遇内忧外患,政治始终未能踏入正轨。一直到今日,仍是漫天烽火,兵连祸结,使这种为人民的基本工作困难重重,遭受无穷的阻碍。愈在艰难的局面之下,愈需要我们加倍努力,因为今日的局面,人民几已陷于绝地,不容我们袖手旁观,见死不救。其实所救的就是你我自己。中国老百姓的失教、贫困、散漫、弱病,一日不解决,中国的社会就一日还要动荡混乱!人民就一日不能不继续做奴隶!所以乡村建设是基本又基本、迫切又迫切的工作。今日中国要求安定,要求繁荣,要真正实行民主,都必须从这为人民谋福利的基础上下手。因为求安定,首先是人民的安定,使人民能安能定,才是社会安定之本;求繁荣,首先亦在农村的繁荣、农民生活水准提高,才能得到普遍的繁荣;尤其实行民主,人民在文化政治经济各方面的基本力量——知识力、生产力、健康力、组织力——未曾开发出来,如何谈得到真正的民主呢?

30年来,本着我们坚定的信念,努力这种工作,环境却使我们的工作不能满意,且今天的处境更使我们痛苦。我们要做还是不能如理想去做,不做又复深感良心不安。只有在艰苦之中,冒着漫天烽火,站在人民当中,含着眼泪,咬定牙关,做一点算一点,做一滴算一滴。除了加倍努力之外,更渴望各方面共体时艰,捐弃成见,转阴霾为光明,化暴戾为祥和,都站在为人民谋福利的立场上,以工作成绩相竞赛。那时,民力才能发扬,民主才能实现。我们站在中国人一个起码的立场,以乡村工作者的身份诚恳地要求各方面,尤其对知识青年人士,今日大家极度苦闷自不待言,但一味垂头丧气,何补时艰?唯有走到田野当中,走到农民当中,认识农村,服务农民,帮助他们挺立起来,才是我们彷徨中唯一的出路,也就是我们中华民族的唯一出路。当然,今日的乡村环境万分恶劣,工作难免不受阻害,然而只要我们有正确的认识,有坚决的行动,有前仆后继、百折不挠的精神,任何阴霾终必冲破,任何困难必可克服,因此,我在此特郑重提出"开发民力,建设乡村"这八个字,作为大家今后努力的方向!幸希教之。

乡村建设工作展望*

今天我想简单地扼要地报告农复会近来的工作，特别是与本院和实验区有关系的方面。

前次农复会的朋友到院来，虽然不过停留两小时，但是因为看见了这美丽的自然环境和我们这种简朴的乡村生活，都认为本院可以锻炼出能够深入乡村的实干苦干的青年，所以他们很同情我们，很愿意帮助我们。

他们离开本院之后，即飞往成都考察四川水利建设工程。四川水利工程大小共有11处(属于华西实验区者有2处)，若完全修筑成功，可以灌溉农田20万亩，其功利不可谓不大。但是如果所灌溉的都是地主的田地，每年因灌溉而增收的产物，如果都落在地主手里，则无疑“助纣为虐”了。那完全失掉了农复会的本意。因此，农复会为防患于未然，特别要四川省政府订立合同，凡灌溉之处都须创办农业生产合作社，只有直接从事农业生产的农民才得为社员。合作社对于它的社员有几点任务：一、巩固土地租用权：使尽力生产的农民，有长期使用其土地的权利，限制地主撤佃换佃。二、保纳地租：合作社一方面是保佃，一方面也要保租，使地主

---

* 本文是作者1948年12月对乡村建设学院全体学生的讲话，后发表在《乡建院刊》第2卷第4期，1949年2月5日。

应得权利,不致遭受损失。三、扶植自耕农:合作社可以向农复会贷款来转给佃农购置土地,如果有地主要出卖土地而佃户又不愿承买时,则由合作社购买,不使土地再向地主集中。总之,农业生产合作社之作用在于改善今天乡村极不合理的租佃关系。兴修水利以增加生产必须要与改善租佃关系相配合,对农民才有实际利益,才称得上乡村建设。

其次,农复会在湖南方面的工作,是帮助湖南省政府修筑洞庭湖堤。我们知道,洞庭湖畔有1100万亩的肥沃土地,外人称之为"中国的米库"。可是由于洞庭湖堤太不坚固,常常泛滥成灾(如果没有水灾,那里每年可以增产食米600万石),并且当地土地所有权亦多操在少数人手里,遂使富饶之区的农民仍在穷困线上挣扎,所以农复会一样地要他们成立农业生产合作社以为交换条件。

在广州方面,农复会的朋友考察结果,准备开拓一块极大而未被利用的荒地。此外在广西亦将展开工作,不过现在还未去考察过。

以上是说农复会准备以四川、湖南、广州、广西作为主要的工作区域,尤其四川是一个中心;而四川又以平教会华西实验区为起点。因此我要跟你们谈谈华西实验区究竟要做些什么?

四、农业方面:(1)改良与推广品种。如推广中农所的改良水稻、小麦、玉米及南瑞苕、美芋等。(2)大量栽种桐树。(3)防治植物的虫害。(4)推销肥料。(5)提倡畜牧、繁殖约克杂交猪。(6)注意兽医,设法防治猪牛病瘟。这些都是建设乡村而必不可少的初步工作,也是最实际最有利于农民和增产的工作。譬如说,防治牛瘟,说起来好像是一件小的事情,但对于靠牛吃饭的中国农民却是最关紧要的。

五、组织方面:举办机织合作社与农业生产合作社。合作社是乡村经济建设的良好组织,假若光是生产而无组织,仍是不能改善人民的经济生活的。璧山机织合作社,已得农复会朋友们的欣赏。孙廉泉先生近正准备检讨过去之得失,重新草拟计划,送请农复会批准实施。

六、水利方面:除梁滩河水利工程须迅速完成外,还有铜梁和其他两个地方的水利亦待兴建。

七、教育方面:华西实验区现在已有3000多所国民学校,尚拟兴办1000所。这几千所学校,即是几千个"社学区"内的经济、教育、卫生的中心,也是乡村人民自行推动建设的机关,接受教育的场所。

这四方面的工作,立刻便有一批专家来领导,而且恰好和本院四系相配合。农业方面需要农学系的学生去参加;合作社需要社会系的学生去举办;水利工程需要水利系的学生去兴修;国民教育需要教育系的学生去主持。你们还愁没事做吗?你们还不感到责任重大吗?我实在非常着急,本院这一两百个学生,单是华西实验区都不够分配;何况湖南、广东、广西都在向乡建院要人呢!

他们为什么向乡建院要人?因为乡建院是今天唯一造就乡村建设人才的地方,只有你们这批青年人才在向乡村建设的路上走,乡村建设工作也只有我们努力过二三十年。但是我们不会感到孤单,任何政府或团体,除非它不要老百姓,要老百姓就得做这个工作。所以我们这工作虽没有军队或雄厚的财力来作后盾,事实上今天已为国内国外的人士所重视所趋向了!所以乡村建设一定会成功的。

然而要使乡村建设成功，不仅需要一批学识优良的青年，尤其需要一批会做事、不尚空谈的苦干青年，你们应该加紧充实做事的能力，希望先锻炼你自己！

截至 1949 年 4 月的工作进展报告*

一、名称

中华平民教育促进会总会

二、地理位置

在四川省政府的合作下，第三专员区（重庆附近）被划为乡村建设运动的实验地区。这一专员区包括 10 个县和 1 个特殊地区北碚。我们指定璧山、巴县和北碚的主要地区为示范区，并以璧山为总部。一项乡村建设的协调性计划正在这一地区实施，这项计划包括基础教育、识字、合作社组织、农业改良和灌溉、农村卫生保健，以及地方自治等内容。这项计划在示范区已开始实施，今年年

---

* 原文标题"Chinese National Association of the Mass Education Movement in Cooperation with the United Service to China, Inc. "，副标题为"中华平民教育促进会与对华联合服务会合作"。

初,又扩展到其他四个县,即铜梁、綦江、合川和江北四县。

乡村建设学院位于四川巴县歇马场。

三、目标和目的

平民教育运动,从它数年所取得的经验中,已让人们认识到农村民众的潜力。正是通过一项包括了生活活动各个方面的综合建设计划以及科学民主的民众组织,使民众的力量得到发挥。这只有通过发展民众的自我意识、群体活动及合作社组织中个体的积极参与,工作才能得以完成。也就是"教育的方法"和社会福利事业的发展的逐步发展过程。这项计划根据人民实际需要有四个方面,即教育和文化、生计,它包括农业改良、合作经济组织、地方工业、灌溉和符合民众需要的其他经济计划,着重于预防医学的乡村卫生保健和民主社会自治政府等方面。平教运动的实验和示范工作目的是通过社会实验方法和具体的示范,说明这项综合计划的功能。乡村建设活动中,各专业领导人员的培训是作为训练机构的乡建学院的办学目标。

四、组织

中华平民教育促进会总会的监督机构,是以著名教育家张伯苓先生为主席的理事会,平教运动的最高行政负责人是总干事及其同事。目前行政机构有三个部,即训练部、研究部和实验部。训练部的负责人同时兼乡村建设学院院长，该学院依据教育部颁定的规章进行管理，它还设有一个特殊的田间实践部。学院设一个理事会，张群将军为理事会主席。

五、全体人员

总干事　晏阳初

乡村建设学院院长　晏阳初

霍六丁（代理）

实验部　孙廉泉

研究部　瞿世英

训练部　霍六丁（代理）

六、资金

今年年初，在平教运动实验区，中国农村复兴联合委员会拨款支助乡村建设综合计划的发展。这笔款项通过贷款的形式提供给合作社组织，以实现其生产计划。对其他建设计划的拨款将在下文中汇报。

七、目前的计划和一些结果

(一) 实验和示范

据上所述,实验区即设于四川省第三专员区,这一区域包括 10 个县和特殊行政区北碚。这个地区有 533 万人口。示范区是在专员区的主要地区,由整个璧山、北碚和巴县西部地区组成,大约有 70 万人口。推广性的工作已在巴县的其他地区以及另外四个县:铜梁、江北、綦江、合川开展。这项乡村建设综合计划,包括这样四个方面,即(1)民众的生计:合作社、农业生产的改良以及其他经济活动是其主要计划;(2)基础教育和识字;(3)乡村卫生保健;(4)民主自治政府。为了保证计划的有效作用,管理和训练显得很重要,这将在另外的部分加以论述。

1. 民众的生计

据计划,合作社应是乡村社会的基本经济组织。农业生产的增长、当地工业的发展、灌溉、土地改良以及其他同类性质的计划应以合作社的方式为基础。这里,首先汇报纺织合作社。在 1947 年早期,由于农民银行的资助进行贷款,平教会第一次组织了纺织合作社,进行了技术的改进。到 1949 年 3 月末,组织了 64 个纺织合作社,这些合作社的成员共有 5805 人,织布机总数为 6823 台。更多的合作社还会组织起来。下列表格表明了目前的情况。

社(个)	成员(人)	织布机(台)
	5805	6823

对于农业生合作社,璧山现有18个,巴县有74个,北碚地区有79个,伴随着这些社的出现;小型水利设施、合作社农场、优良种子、水牛、猪的贷款的推广计划将会开展起来。

对于农业推广,特别注意到推广站的建立,璧山现有6个站,巴县有5个站。稻子、小麦、桐油树、土豆和柠檬水果,甚而在一些地方的美国烟草等等,这些种子的推广和繁殖即将开展。除了农艺学方面的工作外,为水牛、猪和美国约克夏种白猪的推广以及兽医学方面的计划而进行的贷款正在实施。

铜梁的造纸工业对这部分农村地区来说是一项相当重要的计划。但是,由于缺少资本和技术的改进,它没能得到像它可能的那样的发展。因此,平教会就开始组织纸浆生产合作社,并将本地造纸工厂纳入到更现代化的轨道之中。目前,每月生产的书本纸大约有1000卷。鉴于竹子——造纸的原材料供应丰富,因此,这一附近地区的造纸工业可能在发展起来后,会给附近的农民带来巨大的利益。

在农民组织合作社的经验逐渐丰富之后,就可以开始"耕者有其田"的土改试行方案。正是通过以合作社形式出现的有组织的活动,个别的事业与社会的安全之间得到了平衡。通过预期的过程,社会将使佃农获得供他们自己使用的土地,同时又保证付给地主合法的租金。生产合作社将经营这类契约性的交易,实验工作将在今年展开。

2. 基础教育和识字

基础教育一方面包括学龄儿童和成人两者生活要素的教育;另一方面,将教育与个人和社会生活具体需要结合起来。这类教育之所以是基础,是因为它是生活的基础。识字工作被视为一种渠道,通过这一渠道,农村人口(老人和青年人,男人和妇女)被引入到各种各样的乡村建设活动中去。这项教育计划的主要特征如下:

a. 管理和经营。为了增进乡村教育的管理效能,必须具备一定的预备措施。在当地县政组织的基础上,设计出了学校管理区域单元,为了在教育和生计之间获得较好的综合,生产合作社的教育中心也就是示范中心。下表显示了它们之间的关系:

县	乡(镇)	学校管理单位区			
		总计	教育中心单位	生产合作社中心单位	社学区
总计	512	4000	512	512	2976
綦江*	42	337	42	42	253
大足	32	250	32	32	186
江北*	56	409	56	56	297
江津	68	480	68	68	344
永川	43	345	43	43	259
荣昌	40	254	40	40	174
北碚*	8	124	8	8	108
巴县*	71	609	71	71	467
璧山*	35	267	35	35	197
铜梁*	44	337	44	44	249
合川	73	588	73	73	442

* 工作已经开始。

在专员区,现在 3425 所保学校和 160 所中心小学。据计划,专员区需 4000 所学校。我们还需另外增加 415 所。学校越多意味着教学人员也越多。对每一所学校来说，三名教师（包括一名校长）对于前四个年级是必不可少的。对于成人识字班和其他社会教育活动，拟任命一位成人教育工作者来负责。这些教师的选拔和长远的训练是这项计划成功的必需条件。当地农民为教育预算贡献了谷物，这与农村复兴联合委员会的拨款相称。此外，还需建立一套管理体系，许多乡建学院教育系的毕业生和四年级学生都参与了这个工作。

b. 采用导生制为识字和继续训练服务。随着平民教育运动的发展，导生计划已被证实是一种有效的方法，这不仅对识字工作（特别是在由于缺少足够的教学人员和农民时间不足的情况下），而且对于引入群体的活动都是一种有效的方法。需要征募实施导生制的志愿工作人员。1947 年早春，教育工作就开始了。每年可划分为两个工作时期，第一个时期是从 1947 年 3 月到 7 月；第二个时期是从 1947 年 10 月到 1948 年 4 月；第三个时期是从 1948 年 10 月到 1949 年 4 月。对第一个时期，“地区性运动”包璧山、北碚和巴县西部的 7 个乡。

县	乡数	学校单位区数	传习处数	志愿导生数	扫盲人数
璧山	35	280	1140	2292	31,947
北碚	8	100	427	867	12,579
巴县西部	7	90	391	1073	8,704
总计	50	470	1958	4232	53,230

写作这份报告时，识字教育的第四个时期正处在准备之中。在璧山，“地区性运动”扩展到了另外的 5 个乡 76 个学校单位区。46 个乡的进一步推广工作正在开展。总观这些地区，成人教育工作者以及导生志愿者的选择和训练是准备工作中的一些重要特

征。成人教育工作者的训练包括这些课程:(1)乡村建设和平民教育运动的介绍;(2)实验区计划的目标和目的;(3)农村社会共同性的基本概观;(4)导生计划的理论实践;(5)作为一名乡村成人教育工作者的要求;(6)合作社的组织和管理;(7)合作社的实际工作;(8)乡村卫生保健。大多数课程与实际的实践结合在一起。

c. 视听计划,作为中国基础教育试验性计划的一部分,与联合国教科文组织相配合。在试验区,这项计划已开始实施。哈伯德先生(Mr. Hugh Hubbard)作为中国基础教育方面的联合国教科文组织顾问,则负责这项计划的主管。这项计划的目的是关于在教学材料的样本方面的准备与实验,中心主题是“健康的农村”。电影、宣传画和其他形式的直观教具已准备就绪。第一个项目是关于天花流行病的防治。两个村庄,一个在北碚,另一个在璧山,已被选作实验场地。在这两个地区,一项更为彻底的教育计划正在实施之中。除了视听教育方面的技术人员外,平教运动的教育和卫生保健人员也为这项计划提供服务。人们期待着,这样经过准备的设备不仅对于中国,而且对于那些基础教育非常需要和重要的世界其他地区,也会是有用的。

d. 课本和设备。为了开展一项识字和基础教育计划,课本和教学材料是必需的。作为数年研究和实验的结果,一些基本的课本和材料已准备就绪了,有的已印刷出来。对于导生制,农民读物,如何成为一名有效的导生,导生计划是什么,教师手册以及其他方面的书籍都已经准备好了。为了取得有系统的教学效果,《平民千字课》以及与之配套的教师手册都已准备好了。其他书籍,例如大众算术、应用文、大众歌曲,以及其他与合作社、卫生保健和农业有关的教育类印刷品和宣传画也都准备好了,而且一些已经印刷。一系列的大众阅读材料也都已被修订并准备出版。除了这些外,还备好了一册袖珍字典。

3. 乡村卫生保健

在河北定县时,乡村卫生保健计划是重点。这方面的社会实验成就之一,是已被政府采用后来又扩大到其他省的乡村卫生保健体系的建立。健康问题,被视为乡村建设不可缺少的一环。对当前实验区系统提出的乡村卫生保健计划,特殊的重点应放在预防医学上,它包括两个主要方面,即:①与健康教育、产妇、儿童健康和学校保健有关的专门计划。②健康服务,包括特别流行的地方性疾病的控制、水的供应和卫生设备的改进、医疗服务及人口统计。过去几年中,在歇马场和璧山的小范围内,平民教育促进会实施了卫生保健工作,一项系统的乡村卫生保健计划和工作今年才在实验区开始了。为了对计划的实施进行准备,重要的是获得设备、材料、医药供应以及吸收合格的人员,制订实际的工作细则,进行调查,和与当地居民进行联系等。目前,已特别注意控制天花。国家卫生协会的合作这里必须提及。

4. 当地自治政府

从乡村建设的观点来看,政府将成为社会福利和社会改良的协调机构,当地政府不应与社会福利活动脱离。在实验区,县立法机关和乡—保会议在整个专员区已组织起来(事实上璧山县议会已通过了一项乡村建设计划,同样以投票的方式通过了一项预算案),为民主参与当地自治政府,设备和条件已通过专员区政府提供。在当地财政的整顿、地方自卫队的组织以及自治政府人员的训练方面,初步的工作都已经开展。

(二)训练

乡村建设学院现在四个系,即农村教育系、农学系、社会学和社会行政系、水利工程系。今年入学的人数有295名。大部分毕业生现已在实验区工作,同时,所有的四年级学生正在实验区进行至少一学期的工作岗位上的训练。

学院毕业生和乡村建设工作者已被吸收来从事1949年的计划,这一群体的短期课程已经确定。自1948年12月初,平教会已安排了这些短期课程训练中的四项,总受训练人数为292名。巴县、璧山、江北、合川、綦江、铜梁的县长以及这些县议会的代表参加了这些课程的培训。培训课程完成后,许多受训者被任命为督学,一些人成为管理单位区的负责人。这些管理单位区的负责人,许多是有着丰富的乡村工作经验、并对此项工作深信不疑的原来的县长。训练课程的组织包括演讲、讨论及参加实际工作。主要的研究如下:

1. 中国西部乡村建设实验的目标和计划
2. 乡村经济建设的理论和实践
3. 乡村教育的理论和实践
4. 农业的改良和推广
5. 乡村卫生保健计划
6. 教育材料的准备
7. 社会调查基础
8. 作为一名乡村工作者的社会认识
9. 乡村工作的经验和实验

对于合作社、农业推广、教育和乡村卫生保健及当地工作人员的其他特殊训练课程，也都已经安排。

八、中国农村复兴联合委员会的贡献

自抗战以来，中国农村复兴联合委员会对平教会教育和社会工作的捐献，平教会是感激的。更重要的是在平教会困难的时期给予的精神上的支持。中国农村复兴联合委员会对平教会在培训高级复兴建设工作人员的工作中的作用的承认，使得社会上认识到平教会工作的重要性。

九、平教运动的需求和对中国农村复兴联合委员会的期望

根据平教会现在的计划和目前中国的形势，在下述各方面希望中国农村复兴联合委员会给予合作。

（一）乡村建设学院

乡建学院有着为平教运动准备高级人才的单一目标。已要求学院在大众文学、乡村卫生保健和农业经济学方面增设新的系，因为在这三个领域，平教会在过去十年中已取得一些经验。学院的设备、实验室装备和图书馆都还需进一步改进。由于缺少必需的房屋，学生的数量受到限制。此外，学院经常被要求从事短期课程

训练和为相当于师范学校等级的实际工作人员的训练，但是，由于缺少房子和教学人员，不可能按照那些已认识到乡村建设人员的训练的重要性的人们期望去做。

（二）深入的研究和社会实验

有一些与乡村建设的各方面有关的问题存在，这些问题需要更多的深入细致的研究和社会实验。因此，这类工作将被系统地组织起来为了人民的福利找到推动乡村建设计划的方式和手段。平教会的这个观点已被国际教育组织，如联合国教科文组织很好地接纳了。中华平民教育促进会对基础教育和社会改良做了一些贡献，但在深入研究和实验方面还需发展。因为，这些深入细致的研究，对教育、社会福利以及乡村卫生的保健都是特别重要的。

目前，农村复兴联合委员会已同意对平教运动的推广计划进行资助，这些计划或以给予合作社贷款的形式，或以对计划给予援助的方式进行，所有这些推广活动，也存在时间限制。对于某些其他需要深入研究的计划，平教会需要其他来源的援助。

（吴霓译　晏振东校）

中国的平民教育和社会重建及其对世界的影响*

这里的朋友们常常问我，为什么在中国这样有高度文化的国家里，不识字的人数比例会如此之高？理由很多，我可以简单地列举下面几点：第一，由于历代王朝有意识地执行愚民政策。让百姓愚昧，这对他们来说是有利的。第二，中国的文字与语言很复杂，一般人差不多需要一辈子时间才能掌握。第三，士大夫对平民毫不关心，以致多少世纪以来，士大夫及平民自己都把人民的文盲现象视为是理所当然的。

即使在民国成立之后，公众教育制度仍然很不完备，甚至不能解决学龄儿童的教育问题，更谈不上数以百万计的没有上过学的青少年及成人了。中国的教育表面上虽然对所有人都是开放的，但并非人人都能够受到教育。

朋友们，关于中国的平民教育及它的开端，其简况如下：

首先，它在法国的战场上开始，之后在中国的农村。先是在一个县，之后推广到有几个县的地区，最后推广到有 3000 万人的整个一个省。经过 20 年的深入研究和实验，以及实际推行，我们在

* 本文是作者 1950 年 10 月 24 日在美国麻省韦尔斯利学院（Wellesley College）远东研究所的讲话稿。国际乡村改造学院提供。

中国的土地上实施了一套可以提高平民群众的社会地位、经济水平的现实和有效的基本方案。为了让平民有一基本的起点，为了使现代工农业能有效地运行，这是非常必要的。当时这一方案已准备就绪，可以在全中国实行。为了使其在全国实施成为可能，至少有两个要素是必不可少的。其一是政治权力；其二是充分的资金。我们是民间机构，因而能进行深入的研究，但却不能进行广泛的全国性的实施。我们原来希望抗战之后，可以在全国实施这一方案，但却没有得到这种机会。当时的中国政府，深深地陷入内部冲突，已无暇顾及这一为人民谋福利的方案了。

但是，1948 年发生的一些事，使得平民教育运动又有机会来大规模地将其经验贡献给中国的建设事业。在平民教育运动中美委员会的邀请下，我于 1947 年到美国。这一委员会是由一些杰出的美国公民组成的，他们十分关心我们在中国的平民教育和社会建设的计划。那时，美国政府对当时在中国进行的美援所取得的效果很不满意，但它却仍有意继续对中国提供援助。当时的国务卿马歇尔（George Marshall）将军和众议院的外事委员会和参议院的外交关系委员会的一些领导成员，了解到中国平民运动的工作后，要求我提出建议，如何才能最好地帮助中国。我特别强调地向他们指出，帮助中国的最好方法是帮助中国人民，而帮助人民的最好方法就是要帮助他们自力更生。在这些美国人士的要求下，我准备了一份备忘录。这份备忘录长达 20 页，是根据中国平民教育运动 25 年来的经验写的。其后，国会在 1948 年 3 月 31 日通过的一项中国经济援助法案中，就包括了这一备忘录的内容。该法案拨款 27,500 万元，其中的 10% 是指定用于援助中国农民的乡村建设方案。

为了实施这一方案，成立了中国农村复兴联合委员会（Chinese-American Joint Commission on Rural Reconstruction，简称“农复会”）。它包括两名美国委员和三名中国委员，分别由美国总统和中国总统委任。由于这一工作对中国和其他亚洲国家以及世界其他不发达国家的人民具有重大意义，我想向你们简单介绍一下这一联合委员会的工作。我本人是农复会的一名成员。

农复会在中国实施的方案，主要根据我已向各位描述过的四点计划，其重点在于生计和增加生产。时间不允许我向各位讲述农复会所从事的各个重要项目，如扫盲、直观教育、公共卫生及农业教育。我只想在此提到两类项目，希望这能够帮助说明，在有了足够的资金和得到了政治力量的支持时，可以做多少大规模的工作。

让我们先谈谈生产。在生产方面，农复会最大的投资是兴修水利。这笔费用几乎占了总预算的50%。这样做的主要原因是，农复会发现兴修水利是帮助中国农民改善生活的最快方法。在我对各位讲话的过程中，我曾谈到湖南省，这是中国的“粮仓”。在这个省里借给了省政府100多万元贷款，以便在洞庭湖一带修建水坝。洞庭湖区是全省最大的产米地区。必须指出，所有发展生产的措施和经济改善方案，都是在投资相等的基础上进行的。在这件事中，地方政府和人民必须提供和农复会贷款相等价值的现款、物资或劳力的投资。这一水利计划的结果是湖南由于得到水利的帮助而增产了大米，其总量约相当于中国每年进口大米量的2/3。

湖南可以代表农复会在华中地区的工作。现在我想谈谈农复会在中国西部四川省所做的工作。四川是一个大省，总人口将近五千万。这个省在水利方面已经有两千年的历史。两千年前一个叫李冰的工程师，为四川西部的成都平原创建了一套叫做都江堰的水利工程。这一水利工程在过去的两千年中灌溉了200多万亩土地，也就是333,333英亩的土地。这一套工程一直工作得十分有效，就连现代的工程师们也提不出改善它的意见。这个省的建设署署长是个既有强烈事业心又有突出成就的人。他提出了一项巨额的水利工程预算，几乎高达200万元之多。当时我们告诉他，我们农复会在给予这类援助时的方针是，要求省政府筹集预算50%的款项。他说对四川这样一个20多年来一直受到内战和外敌摧残的省份，这么大的款项是很难筹集的。但是，我们坚持必须按我们的方针行事，最后他想出办法要农复会写一封正式公函，说明可以提供100万元的贷款，但条件是四川省参议会能够通过同样数目的拨款。我们照他的要求做了。署长到省参议会做了仅仅几分钟的发言。他对他们说："诸位先生，大家都知道我省极需水利，但我们太穷，无法解决。现在这些美国朋友和我们中国同胞们，通过农复会可以贷款100万美元，以便浇灌我们这一广大地区的土地。这些远来的朋友愿意帮助我们，你们难道不愿意帮助自己吗？我手中持有农复会的正式公函，保证可以提供贷款。诸位先生，你们将如何做决定呢？"参议会全体鼓掌，立即投票决定拨款100万元，达到和农复会贷款同样的数目。朋友们，那是省参议会有史以来第一次投票支持拨如此巨大的款项来发展中国农民的经济福利。

我想提的另一个项目，是可以代表那些需要有政治权力才能实行的项目。我指的是对中国农民特别有意义的土地租佃改革。中国佃农的命运是很苦的。他们常常要付出收成的50%—80%作为地租交给地主。大约六七年前政府颁布过一项优惠法律，允许佃农减交地租 25% 。但是法律通过后却没有实施。这次农复会抓住机会帮助政府实施这一法律。我们和省当局谈判，特别是那些地租苛酷的省份。最后经过农复会同意训练监督人员、纠查员和地契登记员，并在他们工作时付给他们生活费和差旅费之后，才取得了合作。仅仅在四川一省，就动员了 10 万工作人员。这个项目成功地在广西、台湾和四川等省实施了减租法，使得 2500 万农民摆脱了多少世纪以来压在他们身上高额地租的沉重负担。美国国会对农复会第一年的工作结果十分满意，因而再一次拨款将近 1500 万元。现在我需要指出农复会虽然有权支付到 3000 万元，但它在一年半的活动中却只用了不到 800 万元。而它的一些经济与社会建设的项目，包括发展农业、组织合作社、公共卫生、教育、水利及地租改革等却遍及 7 个省份，估计有 6000 万中国农民受惠。同时请注意，在这 800 万元中，其 75% 即 600 多万元是用于给农民的贷款。是贷款而不是施舍。不仅如此，这些贷款引起当地政府和人民的反响，他们也拿出同样数目的现款、大米、材料和劳力。这些笔款将按照农复会和当地政府及人民同意的条件偿还给农复会。在这笔钱还给农复会之后，在这些省份中又建立了乡村建设基金会来进一步促进乡村建设事业。具体用在 6000 万农民身上的社会福利费，仅仅是 250 万元，也就是每个人只摊上 4 分钱。

美国政府认为这一乡村建设方案是成功的，达到了预期的目的。

我来到美国后，这里的朋友常常问我，这一方案在中国成功的原因是什么？据我看，可以简单地总结如下的几条重要原因：

第一，因为这是一项联合的事业，是中国和美国成员之间的合作事业。中国农村复兴联合委员会是一种“合伙”事业。在我刚刚提到的备忘录中特别强调了这“合伙”的概念。如果这一项目仅仅是美国或中国一方去实行，我怀疑是否能取得这样的成功。

第二，因为这一方案不仅承认技术性技能的重要性，同时也不忽略社会职能的重要性。这使我想到外国商人早年到中国销售留声机的一个故事。他们的广告中有一幅画是一只狗在听留声机。对中国人来说，这幅广告毫无意义，因为中国人对狗的态度和美国人完全不同。在美国狗是宠物、是人的好朋友。宣传的意思是留声机保留了真实的声音，就连狗也听出了它主人的声音。这是西方概念。对东方人来说，狗就是狗，可以用它来看家，但一般说狗是被人瞧不起的畜生。因此对中国人来说，他们看不到留声机与狗之间的关系。更何况当时他们也不知道留声机是什么东西。在复杂的经济与社会建设工作中，仅仅有科技方面的技能是不够的，必须充分考虑人民的社会、心理和文化方面的背景。近年来，关于科技方面技能的议论是如此之多，所以我们必须大力强调社会职能，特别是在亚洲国家里。

第三，因为农复会特别注意到必须鼓励并启发当地的积极性。农复会本身并不去做具体工作。它所做的事是经过细致调查之后，找到那些在乡村建设方面正在做很好的工作的当地机构及个人，比如说在教育、卫生、合作社、农业和水利方面，然后给予他们财政援助和技术指导。农复会的目的是想让那些在国内已有根基的当地机构能够发达和繁荣起来。农复会到底不能长期存在。它的一些计划早晚得结束。所以鼓励地方积极性并帮助地方组织把工作做得更好更多，至少有两点好处。一是农复会本身不需要维持一套人员过多的复杂机构；另一点是当农复会结束工作时，当地的领导人和地方机构就能自己继续实施这些方案。任何经济或社会的改革,要想持久的话,必须扎根于人民之中。

第四,因为在进行其物质建设方案的同时,农复会在可能情况下,也推行一些社会建设的措施。到一个不发达国家,很容易看到的是那些明显的问题,即急需物质上的改善,因而容易忽略社会改革。这对人民却是利少而弊多。比如说,如果农复会仅仅促进水利工作,但是却忽略了减租和改革地租法,那么由兴修水利取得的好处就将全部归于地主。如果农复会帮助农民使用良种和化肥来增加生产,但是却不同时做工作推动合作社的成立来解决信贷与销售问题,农民就将继续受到中间商和高利贷的剥削。物质建设,如果没有同时进行的社会建设,将会使富者更富,穷者更穷。

第五,因为这不仅仅是一项建设方案,而是求得解放的方案,释放人民潜在的能量。在每一项经济项目中,农复会都特别强调合作的基础是承担同等义务。虽然当地人民遭受了 20 多年的内战和外来侵略,他们却尽力做出各种牺牲以提供同等数量的筹款。通过财政援助,不仅动员了当地的资源,而且当地的领导人也被吸收进来为整个建设方案做出他们自己的贡献。这就是我称之为“发芽性的货币”。说到底,就是美国金钱也不是用之不竭的。能在用钱时经济一些是好的,但是还必须创造性地使用,让它能“发芽”。亚洲不发达国家的人民,以及全世界不发达国家的人民,他们今天需要的不是救济,而是释放,释放人民的潜力和财富。

最后——但不是最不重要的,是因为这些方案是土生土长的,是在中国的土地上产生和发展出来的,不是从外面或上面强加下来的。就因为是土生土长并适应中国的需要和条件,所以,农复会才能在那么短的时间内、经费那么少的情况下做出那么多的成绩。在我所阐述的所有的原因当中,我认为这是最根本的一条。它使得农复会在中国的方案能够成功。我怀着虔诚的心情告诉大家，我很高兴中国平民教育运动，一个土生土长的运动，能够做出自己的贡献，并把它的经验提供给农复会。

根据最近发展的情况看，农复会在中国的工作，已经对杜鲁门(Truman)总统的四点计划产生了影响。伊朗是第一个从四点计划中接受援助的国家，它也组织了一个农村复兴联合委员会，是按照中国农村复兴联合委员会模式办的，同样也强调教育、农业和公共卫生。

到现在为止，我们只谈到中国。你们以为一些基本问题，如文盲、贫穷、疾病和管理不善只是中国一地的问题吗？请看一下东南亚的国家——马来西亚、印度尼西亚、印度支那和印度次大陆。在这些国家中，文盲数字很高，达到80%以上。人们十分贫困，受到疾病的危害和管理不善的痛苦，这种管理有的是自己人，有的是外来强权。现在我们再从占有世界人口一半的亚洲看看拉丁美洲和非洲，那里又怎么样呢？我们看到同样的一些基本问题——文盲、贫穷、疾病和管理不善。

令人震惊的事实是世界上有2/3的人是文盲，饭吃不饱，房不够住，并且生活在远远低于人类应有的最低水平线之下。

中国的圣贤在三千年之前就教导我们说："民为邦本，本固邦宁。"

三千年之后，联合国宪章用不同的字句表达了同样的基本道理。宪章一开始就说："我们联合国人民。"宪章不是说"我们联合国的外交家们"或说"我们联合国的将军们"，只是说"我们联合国人民"。但是这些被认为是联合国的基本力量的人民，却有2/3的人不认识联合国宪章的字句。像联合国这样的国际组织仅仅是上层建筑。联合国想要完成其使命,就必须建立在人民的心中,并得到世界人民大众的智慧和良心的支持。

正像人民是一邦之本一样,人民也是世界的基础。基础巩固,世界才有希望享受安宁。但如果像现在这样,基础的 2/3 是软弱无力的,那么全世界的男男女女尽管高喊和平、和平,却不会有和平。因为没有通向和平的捷径。当世界人民只有 1/3 的人受过教育,另 2/3 的人是文盲;只有 1/3 的人得到温饱,而另 2/3 的人挨饿;只有 1/3 的人健康,另 2/3 的人受疾病的折磨;只有 1/3 的人自由,另 2/3 的人是奴隶,世界怎么能有和平呢?

我并不赞成降低 1/3 的人的生活水平以便和其他人拉平,而是赞成提高 2/3 的人的水平来拉平。这并不是幻想,是可以做到的。归根到底,人的基本水平是相同的。在这一基本水平上,在一个国家里发展起来的基本原则和方法,可以适用于另一个面临类似的基本问题的国家。中国平民教育运动 25 年来在处理这些我刚刚描述的基本问题中所取得的经验,应该可以作为一项有益的模式。

《联合国世界人权宣言》中说:"人人生而自由,在尊严和权利上一律平等。"世界任何地方的任何人,不论其种族、肤色和信仰都应享有最起码的教育,即能识字;最低的生活,即能吃得饱;以及最起码的健康保护和自治。

各地人民不仅应该享有这些,而且他们正在要求得到这些,甚至在为此而进行斗争。落后的人民正在向前推进。他们要求人们听到他们的呼声!他们要求生活的权利。谁能真正帮助世界上那些享受不到权利的那 2/3 的人民实现他们合理的愿望,谁就是胜利者。

在民主与专制这一世界性的斗争中,不仅有军事战线这一面。

问题远远超出这一点,还牵涉到心理、社会和经济战线。取得人民的善良意志和制造坦克、炸弹同样重要。稻田的重要性不亚于战场。经济与社会战线和军事战线是同样必要。

就在几天前,我在报纸上看到美国计划在军事战线上支付约 500 亿元。但是在经济和社会战线上,也就是四点计划,仅仅花费 3500 万元。要把这些大到天文数字的费用简化为容易掌握的字句,那么可以说是用于一个警察身上所费是 1000 元,而用于每个人自己家庭的却只是 7 角钱。

谁也不否认美国是今天世界上最强有力也是最富有的国家。在经济和社会战线上,而这实际上是争取世界不发达国家人民友善的方案,没有哪一个国家,包括苏联在内,能和美国较量。这就是美国的时机,也是对它的挑战。仅仅去反对这样或那样是不够的。像美国这样一个伟大而充满活力的年轻国家,不能生活在简单的消极方面。为报答上帝所赐予它的无穷幸福,美国应该支持一项积极的、建设性的社会和经济建设计划,来提高世界上沉沦在下层的 2/3 的人民,让他们提高生活水平,而不是去掠夺剥削他们;使他们能在我们共同的为世界和平与自由的斗争中,成为平等和全面的伙伴。和平缔造者应该比战争制造者更有远见卓识和勇气。

近来美国最常用的一个词是“危机”。大家都在谈论危机。据说我们面临有史以来的最大危机。确实是这样,但我们该怎么办呢?你们知道中文“危机”这个词吗?它由两个字组成,一个是“危”,意思是危险;另一个是“机”,意思是机会。危机是危险加机会。如果我们不能有效地处理危机,将有巨大的危险,即有消灭全人类的危险。但另一方面,如果上帝保佑我们能对付它,将有巨大的时机引来一个世界和平的新纪元。危机确实在我们面前，是危险还是机会，那就看我们怎么做了。

（唐笙译　唐建文校）

接受拉蒙·麦格塞塞奖的答谢词*

我怀着深切的谢意和惭愧的心情接受这一巨大的荣誉。当然,我认为,颁发这个奖状与其说是对我个人所获得的成就的承认,倒不如说是对乡村改造和平民教育运动重要性的承认。我投身这个运动已近 40 年了。拉蒙·麦格塞塞奖励基金会(Ramon Magsaysay Award Foundation)董事会以平民自由和教育的伟大运动的名义颁奖,将鞭策我和我的同事们不能不为那些处境不利的同胞们贡献我们更大的力量。我们极为赞赏基金会表示支持和理解的讲话,我们"对全人类有着持续的关注,并且建立了各种社会组织,而不是简单地改变农村的生活条件"。村庄是重要的,但村民更重要。如果村民的思想和精神得不到改造,村庄的改造是不可能取得成效和持久进行下去的。乡村改造仅仅是方法,而人的改造才是目的。上帝最宏伟的创造不是日月星辰,而是人,因为人能按照自己的想象来塑造自己。

现在,让我们看看我们的同胞在今日世界处于什么境地。为了回答这个问题,最好是引用艾森豪威尔(Dwight David Eisenho-

---

* 1960 年 8 月 31 日,菲律宾"麦格塞塞奖励基金会"颁奖给晏阳初,以表彰其杰出成就。晏阳初时任国际平民教育促进会主席和菲律宾乡村改造促进会顾问。国际乡村改造学院提供英文稿。

wer)总统的话："在这个广袤的土地上，今天，人们在饥饿中醒来。他们终日劳作，就像太阳升起又落下，可等待着他们的还是饥饿。许多人都因不能养家糊口而感到绝望。只要这种状况不改变，在我们这个世界上，和平和自由就将处于危机之中。"艾森豪威尔的话特别适用于亚洲，她的饥民占世界饥民人口的一半以上。我们亚洲人到底出了什么事？是我们智力低下，还是我们遗传了穷人的血统？这些都不是，我的朋友们。孔子、释迦牟尼和耶稣都是亚洲人！亚洲的血统并没有错。但是，为什么大多数亚洲人却成为贫穷和疾病的牺牲者？我冒昧地提出一个理由。我认为，我们亚洲人的祖先把大量的时间用来研究治人之道，而西方人的祖先却把时间用来征服自然。其结果是，西方人发展了所谓科学。他们用科学征服了陆地、海洋和天空。显然，也战胜了贫穷和疾病。因此，如果我们要把亚洲的农民变成现代的人，使他们能够战胜贫穷和疾病，就必须把科学带给他们。但是，要做到这一点比只是动嘴说要难得多。

首先，在大学里教授的现代科学，不论是农业科学、医学，还是社会或政治科学，亚洲的农民都理解不了。要使农民能够接受科学就必须普及科学。这对教育家、科学家们的智力和创造力是个巨大的挑战。他们必须将那些复杂的科学通俗化、简单化，并把那些科学转化成简单的、实际的术语，以使农民能够理解和应用。

这对于受过教育、条件优越的青年大学生来说，同样是个挑战。他们必须愿意做传播科学的教师，到农村去工作，去生活，并在现存的现代科学与农民之间的巨大鸿沟上架起桥梁。为农民改良种子是一回事，而教会他们自己选种则是另一回事。给农民送药治病是一回事，而教育他们自己预防疾病却是另一码事。一种做法是救济，而另一种做法则是发扬，即发扬农民的潜伏力，使他们立足自己，与贫穷、疾病做斗争，并且战胜它们。

同疾病和饥饿斗争，科学是至关重要的，但单靠科学是不够的。如果我们只把注意力放在科学技术上，忘记了思想意识，总有一天我们会觉察到人们可能越来越满足生活现状，很少去考虑生活的目的。他们可以吃饱饭，但却不能成为自由的人。如果我们只考虑填饱肚子而忽视提供精神食粮，那是可悲的。而我们促进科学技术来增加生产，改善健康，就必须有意识地、强有力地推行我们的民主观念。

目前，菲律宾的乡村改造运动生机勃勃，这是由于人们越来越意识到发展"全人类"的紧迫性和重要性。那些杰出的国家领导人主张，商业、银行业、工业和教育界都应支持乡村改造和平民教育运动。大学校长、教授和科学家们离开城市，深入农村，向农民传授科学知识和技术，并使之简便易行，以适合农民的文化水平。那些受过大学教育的男女青年也与农民共同生活、共同工作，成为普及科学和争取自由的斗士。这些具有献身精神的男女青年在农村与贫穷、普通的农民一起工作、教学和唱歌。每当我看到这种情景时，就不由得想起阿西西(Assissi)的圣弗朗西斯(St. Francis)和圣克拉拉。正是这些感人的人和事，使我们对菲律宾的前途和亚洲人民的未来充满信心。

尊敬的董事会成员们，你们通过为我颁奖来表达对乡村改造和平民教育运动的肯定，极大地鼓舞了我们在美国的董事会成员们和在世界各地的同事们。我们决心竭尽全力，在发展中国家推广平民科学教育和争取自由运动的方案。我们计划在发展中国家促进国家乡村改造运动，就像我们与菲律宾乡村改造促进会的菲律宾同事们一起做的那样。你们慷慨授予的一万元美金将存入我们的国际奖学金基金会,以鼓励那些来自发展中国家的最优秀的男女青年到菲律宾学习乡村改造的经验和获得传播科学和争取自由的精神力量。我希望在适当的时候,将各国的乡村改造促进会组成一个世界联盟,形成一种世界力量,来促进国际理解并为平民教育和乡村改造的迫切和重要的工作提供援助。因此,我接受你们的不是一笔巨额奖金而是一个挑战。

20 世纪最大的挑战不是探索外层空间的秘密,而是发展亿万被上帝遗忘的孩子们和我们这个星球上不发达的农民,使他们成为我们平等的富裕的伙伴,以建设一个更美好的世界——一个自由的、真诚相爱的世界。

(柳乔、方晓东译校)

从事乡村改造必须兼有科学的本领和坚定的信仰*

尊敬的各位来宾，对于你们今天的光临，我谨表由衷的感谢！首先欢迎来自危地马拉和哥伦比亚的朋友们，你们来参加这次会议不仅是以受训者身份，而且是我们亲密的“传教士”伙伴，你们在这儿不仅是学生，而且是我们工作上的同事。我在危地马拉可以亲自挑选杰出的人员，在哥伦比亚，我没有机会参与挑选你们这些哥伦比亚队的成员，但是从你们的委员会，从哈里·普赖斯先生（Mr. Harry Price）和贾拉米洛夫人（Mrs. Jaramillo）那里了解到你们是如何被审慎、精心地选拔出来的。据我所知，你们分别是危地马拉、哥伦比亚两国的真正代表。

今天早上，我不打算花费时间向你们介绍国际乡村改造学院将要指导你们两国培训项目的内容，而把它留给哈里·普赖斯先生去做；我也不打算花时间讲述菲律宾乡村改造运动的目标，费利西诺先生（Mr. Feliciano）和他的同事、技术人员和助手们，以及乡

* 这是作者1965年2月10日在菲律宾新怡诗夏省圣罗纳多城（San Leonardo）尼维斯的田野里举行的国际乡村改造学院国际乡村改造培训工作大会开幕式上所做的演讲，参加培训的是危地马拉和哥伦比亚两国热心乡村工作的领导人和各类专家。国际乡村改造学院提供英文稿。

村改造工作者将会有充足的时间向你们介绍。我想充分利用这次机会介绍与你们自己相关的一些事情。首先，你们的使命是什么？看着你们聪明机智、充满渴望的脸庞，让我想起了另外一位拉美人，一位伟大的拉美人。我所说的这个人名叫西蒙·玻利瓦尔(Simón Bolívar)。当他还是一个23岁的年轻人时，就立下了这样一个誓言："我向祖先的神灵和我的祖国起誓，战斗不止，灵魂不息，直到取得胜利，把人民从西班牙殖民者手解放出来。"此后，年轻的玻利瓦尔始终牢记自己的誓言，并且把它努力践行。虽然西班牙厚颜无耻的侵略和压迫这些殖民地人民长达三个世纪，但在西蒙·玻利瓦尔反抗西班牙的统治之前，这里还没有出现过任何一个有组织性的反抗侵略的运动。在15年里，玻利瓦尔进行了五百场战斗，成功地解放了拉美大陆一半以上的领土。他是一个伟大的爱国者，而且他的爱国主义活动并不局限在委内瑞拉一个国家范围之内。他指出，只要西班牙侵占拉美任何一个国家，他都将予以坚决反抗。所以不论在哪里发现西班牙侵略者，玻利瓦尔都进行战斗。最终，他收复了包括委内瑞拉、哥伦比亚、厄瓜多尔和秘鲁在内的领土。他是真正的"民族解放者"。

但是，这里有一个问题，我希望来自哥伦比亚和委内瑞拉的朋友们能够稍做片刻思考。玻利瓦尔解放拉美已经大约是150年前的事了，可是现在拉美人民的情况怎么样呢？获得政治独立是一回事，取得经济独立是另外一回事，获得道德上的崇高境界又是一回事。我和你们都目睹了拉美人民依旧生活在贫穷、疾病、无知和奴役之中消除贫穷、疾病、无知和奴役是一项艰巨的任务。完成这项任务不能用利剑而要用十字架，不能用杀戮而要通过治疗。这项任务不能像玻利瓦尔抗击西班牙侵略者那样，在15年内就能完成，它需要花上 30 年或者更长的时间，它也不像赢得一场战争那样壮观、激动人心和迷人。它呼唤另一种类型的解放者，需要人们对劳苦大众具有无比的耐心、深刻的理解力、真挚的同情心，以及在乡村改造主要领域的技术能力。它要求人们具有像科学家那样训练有素的思维和传教士那样献身的精神。正如戴维·利文斯通那样，不仅是一位物理学家、一位开拓者，而且是一名传教士；如同阿尔伯特·施韦策博士一样，既是一名医学家，也是一名传教士；比如印度的甘地，对于他的国民来说，他不仅是一位政治家，还是一位传教士。这位全新的"解放者"必须是科学家思维与传教士心灵的完美结合。你们也许会问，为什么我要如此强调传教士的角色呢？难道我们没有足够的能力饲养更多的鸡和猪，生产出更多的大米和小麦吗？我一刻也不否认物质改善、增加鸡和猪数量的重要性。但是，如果你们想塑造新的国民、新的民族，那就完全是另外一回事情了。我见过世界上其他一些地方过分强调物质生产，把民众只是当作生产的工具，却忘记了民众有潜能成为与我们一样完全平等的公民。我亲爱的朋友，对于我们乡村改造学院而言，乡村改造仅仅是一种手段、一种方式，人类改造才是最终目的。但是，人类改造不能在真空下进行，而是需要在人与人间进行。它必须处理人们天天面临的问题，给他们机会去发展成为新民——而不只是吃饭的两条腿动物。所以，我们总是强调通过乡村改造来实现人类改造，以人类改造指引乡村改造，二者相互影响、相辅相成。乡村改造可通过乡村改造专家来完成，但是，人类改造只能由人类改造的十字军战士完成。为了实现人类改造与乡村改造的共同发展目标，你们必须集科学家与传教士于一身，同时拥有科学和信仰。

那使我回想起了1953年与罗马教廷驻菲律宾代表瓦格洛齐大主教的一次谈话。他的一位朋友在某一天晚上听了我的讲话之后,来问我是否可以抽出15分钟的时间去拜访瓦格洛齐大主教。我说那将是一个莫大的荣幸。我于是去拜访了他。我们的谈话不是15分钟,而长达四个小时之久。在我们的谈话接近尾声时,他说:“晏博士,这次乡村改造活动将给我们的教堂带来生命与活力。”大家都知道,我们每个礼拜天都要去做弥撒,但我们在平时却忘记了民众。在座的各位都是基督徒,这是值得骄傲的一件事情。你们有着共同的信仰,这比任何事情都重要。你们可能会想起圣·詹姆斯说的一句话:“没有工作的信仰只是死的信仰。”因此,在宗教中,更多的是仪式,是规范,没有生命。没有工作,没有对同伴具体的服务,宗教就是死的;另一方面,没有信仰的工作又是无法坚持下去的。你们一定了解关于科学与宗教的巨大争论。有人说科学与宗教之间是不可调和的,但是,从戴维·利文斯通那里,我们可以看到物理学与宗教的幸福联姻;从阿尔伯特·施韦策博士那里,我们可以看到医学与宗教的良好结合;从甘地那里,我们可以看到政治学与宗教的良好结合。来自哥伦比亚和危地马拉的朋友们,以及来自菲律宾的优秀男女青年们,你们必须懂得没有宗教的科学将不能使你们的民族获得新生,同时,没有科学的宗教将是空洞的。我们必须把科学与宗教二者结合起来,把科学家与传教士集于一身。理由很简单,我们的任务不仅仅是乡村改造,还要特别注重于人类改造。你们也许会问为什么我要如此强调人类改造。我现在讲一个简单的道理,那就是,不发达国家最大的资产并不是他们的稻田和咖啡种植园,而是拥有成百万上千万未开发和不健全的人。你们或许会说,拥有众多不健全的人是多么大的包祉？当民众处于不健全状态时几乎所有的事情都是不妙的。为什么这些国家处于不发达状况呢？因为这里的人民没有被开发。当人民处于不健全状态时，这个国家的资源就会是极其贫乏的，甚至政府也是不健全的。道理很简单，政府与人民密切相连、共生共存。

所以我说20世纪最大的挑战不是对神秘宇宙空间的探索，而是对生活在我们这个星球上的为数众多的处于未开发和不健全的人的发展。现在，我的朋友们，我们在哥伦比亚、危地马拉的眼光不是投向月球，而是应该重新关注农民。看到你们，我看到了一个新哥伦比亚和新危地马拉的未来的先驱。你们应该感谢西蒙·玻利瓦尔，因为他没有解决拉美国家的所有问题，而是把一些新的问题留待你们去处理。我从你们身上看到了一个伟大的拉美大陆未来的民族建设者的身影。你们也许会问我，你究竟是怎么了？你既想让我们当科学家，又想让我们当传教士；你既想让我们拥有技术能力，又要具备高尚的道德情操。要做到这样的人实在是很难。问题的关键是，你们究竟如何准备发展自己？我看见道德败坏的人变成非常成功的商人，甚至成为百万富翁，见过品行不端的人成为成功的政治家，但是，你们可以向我找出一个道德沦丧的人能够改造他的人民和国家这样的事例吗？你们明白我想让你们成为这样的人，又成为那样的人这一道理吗？这个道理就是因为你们这些青年男女有一个艰巨的任务。我向玻利瓦尔和阿西西人圣弗朗西斯表示最崇高的敬意，但是，你们将要从事的工作比他们都要难。玻利瓦尔可以在15年内完成解放拉美的任务，你们却无法在15年里为你们的人民完成乡村改造的使命。阿西西人圣弗朗西斯可以放弃一切，变得一无所有，可能是为了使自己值得去为贫穷而战。人民生活贫苦,他就到人民中去,和他们共同生活在贫穷里,这是一种伟大的精神。但是,你们需要做的事情比这要稍微多一些。你们要走到生活在贫困中的民众中去,如同菲律宾乡村改造运动中的男女青年们正在做的那样,你们将要到危地马拉、哥伦比亚的贫穷农民中去,不仅仅与贫穷中的农民生活在一起,而且要帮助他们战胜贫穷。看着从拉美来的你们,我不禁想起了北美。让我们看看那些先驱者、今天北美的祖先们,他们是什么样的人呢?他们是与迫害、奴役斗争的伟大的冒险家、伟大的革命家。但更重要的是,他们是伟大的道德巨人。这些男士与女士在道德上、物质上和精神上都是坚忍不拔的。

亲爱的哥伦比亚和危地马拉的朋友们,你们将来不是作为乡村改造的技术专家回到各自祖国的,这种人才会有很多很多。你们应该是以人类改造的十字军战士的身份回去,这种人才的培养将是很少的。因此,将来的一切事情都取决于你们自己。你们可以仅仅以技术专家的身份回去,饲养出更些的鸡和猪,这是帮助你们的人民的一种方式。当然,这比一事无成要好得多。但是,如果你们想要去培养人,培养新民,那就是完全不同的另外一回事了。在国际乡村改造学院,我们的目标和期望是不仅能培训乡村改造的技术专家,而且更要培育人类改造的十字军战士。亲爱的朋友们,你们为什么要来到国际乡村改造学院?我不必隐瞒你们,国际乡村改造学院以及与我们紧密合作由我们的姐妹们组织开展的菲律宾乡村改造运动,有不少局限性,我们没有找到解决所有乡村改造问题的全部答案。但是,我们的活动已有了至少 45 年的历史,这是一段集实验与大范围应用为一体的持续不断的历史,涉及了成百万上千万的人,在中华人民共和国成立前的中国开展了 30 多年，在现在的菲律宾又进行了13年。当你们到45岁年龄时，你们已经会有很多时候犯过不少错误。但幸运的是，你们也有机会去吸取一些宝贵的经验教训，这就是正如刚才我所说你们不是我们的受训者，而是我们的传教伙伴，我相信你们也有很多东西教给我们。如果你们能从我们身上学到一些东西，那不是因为我们比你们聪明，而是我们比你们年长的缘故。

我们非常希望你们年轻一代通过避免我们所犯的错误，汲取我们一些宝贵的经验教训，取得比我们更大更快的成就。据说，一个愚蠢的人是从自己的错误中汲取教训，一个聪明的人则是从他人的过失中获取经验。我们有很多错误值得你们引以为鉴。像我们的运动一样，危地马拉和哥伦比亚的乡村改造运动也都是民间性的。我们大家都不应该以覆盖范围和数量为目标，而是以质量为宗旨。当你们回到危地马拉、哥伦比亚以后，你们要建立乡村改造的卓越中心区，它有一天将会被证明是一个示范——自己的人为自己的人民能够做什么的典范，并将成为邻近国家乡村改造的好榜样。为了改造你们的国家、改造你们的人民，你们愿意立下誓言吗？以西蒙·玻利瓦尔的精神起誓："我向祖先的神灵和我的祖国起誓，战斗不止，灵魂不息，直到消除束缚人民的贫穷、无知、疾病、惰性等枷锁。"

（孙立峰译　宋恩荣、孙邦华校）

中国农村复兴联合委员会在抗战胜利后的建立*

1945年,抗日战争结束。这对我们来说是一个非常重要的日子。我的拉美朋友们,你们非常幸运。在你们的国家,你们从未有如此大规模的战争,也从未遭受如此惨重、难以言说的伤痛。我们的菲律宾朋友,也同我们中国经历过同样的战争遭遇。

在中国,我们遭受了三千年以来最为严重的战乱。谁的伤痛最严重?是农民,我们祖国最普通的人!我们国家那些卑微的苦力和农民,占总人口85%。在和平时期,是他们支撑了整个国家。他们种植稻谷和棉花,供给我们食品和衣物。当发生抗击外敌入侵的战争时,他们又是保家卫国的战士。尽管他们是国家中坚,却衣食无着。他们是卫国者,但是,在和平时期却不能养活自己。他们被地主、高利贷者、官员们剥削。战争结束后,为把苦力们从"苦"和"力"中解脱出来而奋斗四分之一世纪的我们认为,开展一项大规模乡村改造运动的机会来了。我们对于自己30年来为农民和苦力进行的深入探索所得的成果,终于有了希望能够大规模地推广。但是,对整个国家来说,和平和改造却遥遥无期。我去见

---

* 本文是作者于1965年3月10日在菲律宾国际乡村改造学院所做的第十二场演讲。由国际乡村改造学院提供英文稿。

委员长蒋介石,对他简洁地说:“委座,军阀们打了20年内战,后来又有8年艰苦的对外抗战,农民和苦力,无论从精神上还是从肉体上,都已经精疲力竭,元气大伤。你很清楚,也相信,现在在全国大规模开展这一计划为时还不算太晚,除非我们这样做,否则就会失掉民心。失去民心,就失去了一切。”他当然明白。你们记得他是如何先向定县派来代表,后来我们在湖南又如何经过他的批准而开展的自卫—改造项目。他很熟悉定县实验及其后来在湖南的推广应用。他答道:“晏先生,我了解你的计划。我知道这些优秀的学者和科学家,离开北平舒适的居所到定县。我曾派代表到你的实验中心学习。我也赞赏你在湖南动员民众的做法。但是,你是学者,我是军人。我知道军人要做什么,必须做什么。我必须先消灭共产党,然后再委派你领导中国的乡村改造工作。乡村改造只能在和平时期进行,但是,现在是战时状态。”我说:“委座,我不同意你的看法。共产党胜利的一个原因就是不只是在一条战线作战。他们同时在多条战线上作战。对军事我了解不多,但是,与农民和苦力有关的社会和经济方面,我应该知道一些。这两方面必须一起做。这就是我们在湖南一面做自卫一面进行乡村改造的原因。”他说:“然而我是军人。我必须集中我们的资源消灭共产党,我没有多余的资源为农民和苦力提供经济便利。”这就是我们当时的现状。那就是战争的“消灭”思维。那就是蒋委员长决定追求的道路,于是我们分手了。但是,我没有放弃。我去见蒋夫人宋美龄。蒋夫人是一位享有盛名的女士,是我的老朋友。她在西方(美国)受过教育,我希望能够得到她的理解和支持。长话短说,她也认为最迫切的事是与共产党作战,乡村改造要暂时搁置。我们终于分道扬镳了。除了我的大学同学和妻子外,另外只有好友司徒雷登(Leighton Stuart)支持我。他是一个伟大的传教士和教育家,创办了中国最好的大学之一的燕京大学,并担任该校校长。国共内战爆发之后,时任美国国务卿的马歇尔将军委任他为驻华大使。在那些艰难的日子里,他是我的一个可信赖的老朋友,所以我去拜见他,并告诉他我的这个似乎不能实现的想法。我们谈到了我和委员长及其夫人的谈话,与他一起分担那些不愉快的经历。他问我现在还在想些什么。我说在为时不太晚之前,想去美国看是否能够申请到支持大规模开展这一计划的紧急援助。他认为那是一个极好的想法,表示支持我。我说:“我想立即就去。你能给我帮什么忙吗?”他说:“我将就你赴美国的使命给马歇尔将军发一封密电。”

1947 年我去了美国。我首先去拜见了马歇尔将军。他身为国务卿很忙,还是忙里偷闲地同我谈了一个小时。他心情不好,因为他刚从中国回来,而且经历不很愉快。他希望能调解蒋介石和毛泽东之间的矛盾。他感到他知道怎样去帮助欧洲,但是,在调解中国问题上束手无策。他问我想与他谈论什么。于是,我同他谈起了刚才我所告诉你们的事情,但是,我没有提到中国政府,而只是谈了中国的民众。对于身受八年战乱疾苦的民众而言,除非我们能为他们做些事,否则就会失去他们。他说:“晏博士,能否为我写一个备忘录,让我有一个考虑此事的基础。”于是,我给他写了一份15 页的备忘录,要点就是讲“经济与社会方面同军事一样重要,农田比战场更加重要,除非把福利先给人民,否则就会失去中国”。我写了一个平民教育和乡村改造实施计划的提纲,并说明钱与人力各需花费几何。计划就是服务人民大众,发展社会与经济建设,同时也可以加强军事。马歇尔很聪明。读完后,他说:“你征服我了。但是,要使想法付诸实施,你会面临更多障碍。为得到拨款,你必须去国会游说。我会为你说好话,但是,只有国会才能决定。"很幸运,在美国国会,我有一些老朋友。在外事委员会,我们有民主党的海伦·吉荷根·道格拉斯(Helen Gahagan Douglas)和共和党的周以德(Walter Judd)博士。所以这可以说是一个两党联立之事务。他们为我安排了午宴,外事委员会成员和每位政府官员都来了。我足足讲了两个小时。我以为他们都会跑开,但是,他们很友善,而且坚持到最后。他们又提问了两个小时,所以我们一共花了四个小时。当时,那笔重要的援助——价值 2.75 亿美元的援华经济法案——开始提上议程。最后他们说:"我们将组建一个小的委员会来讨论它。"然后,使参议院也支持它就显得必要了。我们在那里也有朋友。参议院外交委员会主席范登堡(Vandenberg)就是其中之一。其他参议员如史密斯(Alexander Smith)和诺兰(Knowland)也是我们的朋友。他们说:"我们必须支持中国人民。"有一天诺兰对我说:"你得到参议院的支持固然不错,但是,你必须与主要报纸联络。如果有它们的支持,在国会法案通过的可能性就大大增加。"我照着他的建议在各大媒体界联络。结果主要报纸,如《纽约先驱论坛报》、《基督教科学箴言报》(*Christian Science Monitor*)、《华盛顿邮报》(*Washington Post*)都支持中国的乡村改造计划。诺兰复制了所有的评论和支持文章,并发给他的同事。最后,有些明智之士建议我去见杜鲁门总统。在我见他之前,他们建议我不要带备忘录,它太冗长。我的好朋友联邦最高法院法官威廉·道格拉斯(William O. Douglas)是我们现在在纽约的董事会的成员,他说:"吉米,让我来做。"我们定于 11 点拜见总统,道格拉斯法官在早晨 6 点就来到我的旅舍。我们讨论了很长时间,把 15 页的备忘录压缩为一页。然后他带我去见总统。我们并没有走前门而是从后门进入,因为我们有很多敌人。例如,有一个中国政府代表,他想把2.75亿美元全都用于军事。他虽是我的好友,但是,我为此次来访是保密的。我们不想让关于我来访的事哪怕是一个字出现在报纸上。白宫前门有不少记者,如果他们看见我,第二天所有的媒体都会知道。杜鲁门总统朴实而伟大。在我说话之前,他说:"晏先生,对你的活动,我有一些了解,你的一些朋友已经跟我说过。在马歇尔将军访华之后,我对中国和中国政府确实已经感到厌倦。"我简洁地说:"我不是来跟你谈论中国政府的,我只是一个普通公民而已。我和我的同事们是为农民和苦力而工作,我只想说一说中国的农民和苦力。中国的普通百姓,经历了20年的国内战争和8年的对外战争,已经精疲力竭。不错,军事很重要,但是,社会和经济也很重要。我和同事们对军事一无所知,但是,在过去的25到30年间,我们在社会和经济方面如何去帮助农民已经有了不少体会。我们对战场一无所知,我们只是懂得农村和农民的事。我们必须立即开展乡村改造计划,否则就太迟了。失去民心,就会丧失一切。"你们知道他是怎么说的吗?他说:"这真是振奋人心。这是第一次有人跟我说中国人民,我对人民很感兴趣。我们尝试过一切,唯独对人民例外。晏先生,国会有一项对中国的拨款,总计2.75亿美元。我将建议所有的钱都用于乡村改造计划。"太令人兴奋了。我说:"总统先生,我对你的信任和慷慨表示感激。但是,我们并不需要整个这笔钱。另外,如果我拿到所有的钱,我怕我在上海登陆时会有麻烦。"他问:"你的建议是什么?"我说:"如果你能建议给其中的十分之一,对我们已经足够了。如果我们做得好,可以再给我们更多。"他说:"这很公平。"从那以后,道格拉斯法官总是把这件事看作笑话，说我是头一个拒绝接受2.75亿美元巨额援助的人。

1948年3月31日深夜12点，这笔2.75亿美元的拨款援助被国会通过。援华经济法案款项的十分之一被指定用于乡村改造项目。拨款通过后，建立了中国农村复兴联合委员会。中国农村复兴联合委员会有什么重要特点？第一，是联合。在向马歇尔提交备忘录时，我特别强调了合作关系。不是美国或中国单方面，而是美方出钱、中国实施计划的合作关系。委员会有五个成员，三个中国人，两个美国人。因为他们感到我能为委员会带来收获，所以让我担任委员会主席；但是，我向中国总统和行政院院长表明我只想待在农田里，所以我只是做委员会的成员。你们可能想知道为什么中国平民教育运动能得到美国好心人的支持。我要特别提到那些参议院和众议院的议员。如果你知道关于提交给国会的那笔预算的庞大，你就会想知道为何以及我们是如何得到国会的支持的，那就是有许多好的议案，还有许多能言善辩者在国会的发言。我在华盛顿时，同时有许多来自欧洲的代表，他们的好想法和提议也都想得到国会支持。但是，只有我们能顺利得到两院的支持，其原因有两个：第一，美国政府对中国的（国民党）政府已非常厌倦，认为只有我们的计划是为农民、苦力和全中国的老百姓谋福利。第二，乡村建设并不是一个空泛的理论，或者是一些人的幻想，而是一项长期的科学实践运动，这个运动产生于中国，许多人为了改善中国农民生活状况而呼吁，并为了把这些想法与理念付诸实施而组织起来。而国会成员通常听到的大都是一般的讲演或建议与计划。我们的工作能抓住他们注意力的是关于我们实际成就的记录——30年来献身于改善农民生活的学者与科学家、成百上千的年轻人的热血与眼泪的记录。当你们返回危地马拉和哥伦比亚后，不要以为你有好的想法和演说词，你就一定能取得成功，那是绝对不可能的。

中国的乡村改造团队经历了斗争、辛苦、失望与挫折。成熟而富有经验的人和平民教育运动的优秀年轻人做了这项工作并从中取得了经验，是最好的证明。仅有聪明，你还不能获得成功。一个政客或一个说大话的人，绝不可能获得成功。正是因为辛勤的工作、卓有成效的工作，才能赢得平民的支持。中国农村复兴联合委员会建立以后，我们遇到了很多困难。有一些嫉妒者说我们拿走了用于农民的钱，也有一些人想要破坏这项计划。我们得到美国国会的支持，但是，同时也招致了不少敌人，无论在中国和美国都有。

这个委员会做了各种社会和经济发展工作。一个是文化，一个是农业计划，一个是公共卫生，还有一些合作计划。我特别告诉你们一项工作，你们可能很有兴趣，那就是土地租用制计划(land tenure program)。土地租用制问题在中国非常糟糕。几年前，国内通过一项改善缺地农民状况的法案。法令规定农民无需把收成的75%到80%都交给地主，而只需交37.5%，但是，后来该法案被搁置和遗忘了。在委员会中，我们提出探索是否能采取措施改善土地租用制度实行“减租减息”。委员会要求我在土地租用制问题最严重的、有4500万人口的四川省(比法国还大)做些事。委员会成员贝克(John Baker)和我一起去四川省。我先拜访王主席，他是个没有文化的军人。我之前提到过大军阀如何混战想占领这些省区，结果王占据了四川省。王主席是一位大军阀的下属，那位大军阀是我的好友。按照中国习惯，他对我极为礼貌热情。我向他建议,实行土地改革法案——37.5%的地租限额。他的第一个问题是“需要花多少钱”。我说:“不需要花太多,大约10万美元。有了10万美元,我们就可以做很多事。”我建议省里出一半,委员会出一半。他开始讨价还价。他意识到,该省农民有大量的动荡和暴力行为,除非他能做些什么,否则该省就会失控。最终他答应提供1/3。于是我们开始实施该计划。我们需要动员10万名由学校教师、大学生及高中生组成的志愿者。在四川省所有的乡村中,旧的土地制度使地主有权力收取70%—80%的租。我们试图做的是实施我先前提到的土地改革的法律。我们买了该省所有的空白地契,以便我们可以用新的契约换旧的契约。这可以使农民只需交付37.5%的地租。我们派了很多志愿者,经过十天培训后,让他们到全省各地。他们每天只得到1.5元的伙食费。我们为这个土地租用制改革工作了八个月,估计约有700万佃农从中获益。这一活动如此成功,我们因而被邀请到中国南方的广西省。广西省地域较四川省略小,只有1200万人,是我们国家的模范省。广西省主席黄旭初是一个优秀的将领,白崇禧将军是他的战略家和智囊。几年以前,我们曾派十人专家组到该省,应他之邀进行县政改革。四川和广西的两位主席都因其廉正和爱国而闻名全国。广西省主席在得知我们在四川做的土地改革后,马上给我们打电报,让我们帮助他们开展类似的活动。辖区小,政府诚信,加上此前的工作经验,使我们在广西的日子稍微轻松一些。我们帮助广西政府不仅开展土地租用制改革,也开始进行土地改革。政府把土地分为三等。一个地主,只能有50亩上等地,100亩中等地和500亩下等地。在我们离开之前,土地改革已经在全省的1200万人中展开。这项工作只花费400万美元,而不是2750万美元。这项计划包括灌溉、农业推广、文化教育、合作组织、公共卫生和土地租用制改革，从而使成千上万的中国农民受益。中国农村复兴联合委员会目前正在台湾岛做一项大的工作。当委员会第一次从大陆搬到台湾后，台湾岛还要进口大米，现在它出口大米了，也出口大量生猪；从一项叫做蘑菇文化的小项目中，每年收益也超过1000万美元。菲律宾乡村改造运动的四个成员访问我们在台湾的中国农村复兴联合委员会计划后认为，它是世界上最好的乡村发展计划之一。

我想花一些时间告诉你们为什么共产党人能成功地占领中国，这里面很有值得我们学的东西。这是个非常庞大而且复杂的事情，尤其对大多数像你们一样对中国历史一无所知的人更是如此。中国是一个古老的国家，有六亿人口。然而，尽管不能做过分简单的叙述，我也要尝试一下。我告诉过你们在第二次世界大战中，中国在四年时间里是如何独自抵抗日本的。我同时也讲过，日本是一个非常可怕的敌人，它曾经打败过俄国。在第二次世界大战中，在90天时间内，它接连占领了香港、新加坡、菲律宾，乃至整个东南亚各国。它备战多年，而中国同期在忙于内部重建。战前，蒋介石的军队几乎有300万人，当战事结束时，他的军队被彻底摧毁。共产党做了些什么呢？战争开始之前，毛泽东在西北大约有15万战士，占据着10到15个县的地盘。但是，战争结束后，他的军队超过100万人，附加的还有现代化武器。所以第一个原因是很简单的。作为国家元首的委员长先生必须为整个国家的存在而战斗，但是，他没有也不应该为了国家的独立和民族的自由而不关心民众的疾苦。而在毛泽东方面，这是建立他的军队的好机会。另一个原因是蒋介石政府的领导态度和精神。我跟你们说过蒋委员长如何请我为军校的学生、领导和政府成员讲课的事，他对乡村改造非常有兴趣，并委任我为1931年建立的全国经济委员会的九个成员之一。除我之外，其他成员都是高官。他让我这么做，因为他清楚地意识到应该支持乡村改造计划。那时是1931年，发生了什么事呢？军事纠纷、国家事务、政治、政客、军队首脑，那些事和那些人侵占了他的时间和注意力，所以为人民做些事的念头也逐渐淡忘了。起初，我们互相为对方做很多事情，我们能经常见面。后来彼此见面的机会渐渐地越来越少了，因为他被军事问题所困扰。忘记人民是很容易的。民众不善言辞，而政治家却能制造舆论。在两者之间，沉默的大众与喧哗的政客之间，人民很容易被遗忘的。蒋介石认为与共产党作战并剿灭他们最为重要。他于是把所有的资源都给予军队，却没有任何东西给予人民。蒋介石在军事上没有输给共产党，但他失去了人民。失掉了民心，就失掉了人民，失掉了一切。

许多朋友说："你已经工作了30年，你已经使成千上万的人来做此事，你应该停下来休息了。"但是，我对自己说："我和同事们从事的这项工作，如果要是仅仅局限于中国人民的需要和状况的话，那现在我可以休息了。但是，我们在解决农民的基本问题——愚、穷、弱、私——上已经积累了30年的经验，这一经验具有普遍性，可以用来帮助世界上其他有类似社会背景与经济问题的国家。如果仅仅是为了中国的计划，仅仅为了中国人民，那我们可以长时间的休息了。如果它可以帮助任何地方的志同道合者的话，我认为自己应该继续奋斗，把它尽可能推向那些欢迎我们的国家。"我和同事们都信仰耶稣基督。耶稣出生在一个名叫巴勒斯坦地区，他的一大使命就是宣扬天国。今天的天国在哪里？贫穷的巴勒斯坦是遭受苦难最多的地方之一。我想这不是基督教辜负巴勒斯坦，而是巴勒斯坦抛弃了基督教。基督教没有保护世界上的所有人，但是，受护佑的人在增加。天国不能在所有的地方都见到，它却渗入世界上的不同国度。基督教在巴勒斯坦不够成功，但是，在欧洲、北美、南美却做得不错。或许到2000年我们也依然看不到天国的完全实现。但是，上帝的慈爱和人们的手足情谊是永久的、不可抗拒的、不可摧毁的。如果人类不再互相残杀，我们一定可以实践耶稣所教诲的上帝慈爱和人类手足之情。

有一天一个有名的电视记者采访我。他问我，菲律宾乡村改造运动在做过这么优秀的工作后将在什么时候结束。我说："只要还存在贫穷、文盲、疾病和陋习，菲律宾乡村改造运动就要继续奋斗和进行下去。"所以我告诉你们，只要还存在贫穷、文盲、疾病和陋习，你们就要继续奋斗。在这个日益变小的世界，没有"外人"而只有"邻居"，正如我们的圣哲孔子在两千多年前所说的："天下一家。"

（李会春译　孙修福译校）

菲律宾圣路易斯计划及其影响

——一个民间运动、一个本土运动*

圣路易斯计划让人激动，成绩斐然。在圣路易斯市，由于政府军与虎克党发生过激烈战争，所有的乡村都被彻底摧毁，村民都背井离乡。麦格塞塞是一位伟大的领导，热爱自己的人民，想重新安置圣路易斯的乡村人。当他担任国防部长（Secretary of Defense）时，就开展过被称为卡图巴桑行动（Operation Katubusan）或叫拯救行动（Operation Redemption）的项目。他信任军队，军队在建筑公路、清理垃圾和残垣断壁等活动中做得非常好。政府的投入则超过了50万美元，但是，人民仍然生活在痛苦、贫穷、负债之中。麦格塞塞非常有洞察力。他发现军队在圣路易斯所做的事情与菲律宾乡村改造运动在乡村所开展的活动有很大的区别。在圣路易斯，军队为民众做任何事情，但是，它只是一个救济项目。在菲律宾乡村改造运动之中，乡村的每件事都由民众自己来做，它是一个发扬人民潜能的项目。当你无偿地给予人民水、衣服乃至任何东西的时，你实际上是让他们变得更加贫困化。毕竟军队在圣路易斯工作的时间内，人们一直是仍然依靠救济而生活。麦格塞塞总

---

* 本文是作者1965年3月20日在菲律宾国际乡村改造学院所做的第15场演讲。由国际乡村改造学院提供英文稿。

统说:“这项工作是为人们做所有的事,它使政府的投入太多。我偏爱人们自救的项目。我不相信救济,我相信解放,即发扬民众自己生产和成为公民的巨大潜能。”这就是麦格塞塞总统邀请菲律宾乡村改造运动开展项目的原因,不是为了救济,而是为了发扬。

菲律宾乡村改造运动董事会在是否答应总统的邀请时犹豫了很久,因为菲律宾乡村改造运动非常窘迫,无论是资金还是人员,都很缺乏。在经过仔细考虑之后,董事会决定答应总统的请求。当总统提出请求时,他并没有拨款。所以我们做出了最大的牺牲,尽可能地筹资,派遣了八人组成的乡村改造工作队。队长是我前面提到过的里克·拉贝斯。圣路易斯当时到处是虎克党人,他们不断制造谋杀。不管这些优秀的年轻人有多么崇高的志向,虎克党人都认为他们是政府的代理人。从一开始,菲律宾乡村改造运动就没有懦弱者,没有资金,他们坚持不懈地工作。虎克党的控制区,他们也想进入。他们都有一种“我不入地狱谁入地狱”的精神。这就是从活动开始我们菲律宾乡村改造运动的青年工作者们的形象。菲律宾乡村改造运动的青年工作者们到了圣路易斯之后,我也跟着去了那里。由于要筹措资金,我在那里停留的时间并不长,但是,在停留期间我和他们生活在了一起。那里的民众生活贫穷,负债累累。他们遭受疾病的折磨,生活充满了不幸和悲伤。

菲律宾乡村改造运动在一个叫萨姆塔莫里卡的乡村开展,那里是共产党领袖路易斯·塔鲁克的家乡,他们的势力已经扩展到另外四个乡村——圣阿古斯丁(San Agustin)、圣尼古拉斯(San Nicolas)、圣马丁(San Martin)、圣伊西德里(San Isidre)。具有讽刺意味的是,虽然它们的名字都带有圣(saint)字,但是,它们却被邪恶占据。该地区90%的穷人都是佃户,有贫穷、疾病、文盲等问题相伴。美国驻菲律宾大使雷蒙德·斯普鲁恩斯(Raymond Spruence)是我的好朋友,我于是向他大力陈述圣路易斯人的迫切需求。我告诉他三件迫在眉睫的事:让人民拥有土地,建立灌溉系统,建立优惠而有信用的贷款。斯普鲁恩斯大使说:“我完全赞同。你想让我陪你去见麦格塞塞总统吗?我想支持你。”我说:“当然,如果你愿意与我一起去,我将不胜感激。”他说:“我们立即出发。”我们去拜见麦格塞塞时,他对斯普鲁恩斯大使非常尊重。我与总统会谈了一个小时,主要讨论使圣路易斯的穷苦民众拥有土地成为可能的重要性,他完全赞同我的意见。

但是,我们如何像往常一样筹集到资金去买地呢?那里大约有2000公顷土地和473个家庭。我们对麦格塞塞总统说,贫穷的农民们不愿意返回家乡,因为他们回去以后,将会面临从前一样的高额地租的剥削,而且他们也害怕虎克党。结果他当时就打电话给财政部长要钱。圣路易斯的土地由三四个大地主和其他一些小地主占有。在他们打电话的过程中,我们听到总统和财政部长之间发生了非常激烈的争论。财政部长告诉总统没有钱,麦格塞塞让他设法筹集资金。事情拖延了数周,麦格塞塞最终筹集到50万比索。你们可能会认为有了钱,就容易得到土地了。事情不是这样!尽管只有50万比索,我们还是想购买一些土地,以开展安置农民的实验。想要把所有的土地买到手,大约需要250万比索。大部分土地被两个人拥有:一个是高等法院法官,另一个是牧师。没有一个人想卖地。尽管麦格塞塞有权有势,也不能说服他们。我们所能做的,就是利用那50万比索从小地主那里买地。与此同时,八人工作队在里克·拉贝斯的带领下,开展了以下乡村改造项目:识字,谷物农作物,次农作物——尤其是烟草被证明对农民有很高的回报，卫生项目，家庭工业——尤其是他们称为普拉（pura）的编织业。他们没有任何牲畜，幸运的是，他们使用拖拉机耕地。

在菲律宾乡村改造运动计划的各种项目开展两年之后，佃户就能够还清以前的欠债。文盲在该地区实际上已经全部扫除。更重要的是，家庭的年平均收入从300比索增加到了965比索。麦格塞塞对此做了一个非常有意义的演说。他说："菲律宾乡村改造运动计划使路易斯·塔鲁克的脸面丢尽。"我说："总统先生，这不仅使路易斯·塔鲁克的脸面丢尽，而且使他丧失信仰。路易斯·塔鲁克从此再也没有反抗政府的合法理由。"

两年后，即1956年，乡村改造运动计划交给菲律宾政府，变成了麦格塞塞的展示橱窗。罗斯福夫人到东南亚旅行时，表示希望参观菲律宾圣路易斯的乡村改造运动项目。结果，她乘坐麦格塞塞的直升飞机进行参观。当我们董事会的另一位成员威廉·道格拉斯造访东南亚期间，到达菲律宾时，麦格塞塞又如法炮制，同样让道格拉斯乘坐自己的直飞机在圣路易斯上空参观。总统为这些不寻常的访问者展示这一切时非常骄傲。如今圣路易斯已经变成为一个美丽的地方，当水稻临近收获季节时，看上去更加壮观。最重要的是，那片土地上的大多数农夫都拥有了自己的土地。

接下来我想介绍菲律宾乡村改造运动计划对这个国家其他地区所产生的两大影响。一是它对政府单位如全国善后重建署（National Rehabilitation and Resettlement Administration，英文缩写 NARRA）的项目产生了巨大影响，因为就像其他政府机构一样，它花了大量钱却收效甚微。该机构随后派人到圣路易斯，让菲律宾乡村改造运动的民众对他们进行恢复和重新安置计划的培训。这一机构有一个全国出版物叫做《全国善后重建署下的农民》（NARRA

Farmer)。在他们的一篇主要社论中,讲述了他们是如何把菲律宾乡村改造运动的方法用于善后恢复和重新安置项目中,以及他们如何派人到菲律宾乡村改造运动接受培训。他们也挑选一些菲律宾乡村改造运动的领导到棉兰老岛黎刹省为他们开展这类项目。另一个持续而显著的影响是麦格塞塞仿照菲律宾乡村改造运动而为乡村改造建立的政府机构,叫做总统社区发展助理处。目前该机构在全国的工作人员已经超过 2000 名,他们正在为发展菲律宾农民的福利而奋斗。

朋友们,我认为有许多东西不是我所能教的。你们是爱国者,你们爱你们的祖国,爱你们的人民。这些天来我给你们讲的是我们平民教育暨乡村改造运动 43 年来的演变,希望你们回到各自的国家后,这些经验会对你们有直接而重大的影响。作为这场运动的代表,我尽力让你们分享这些年来开展乡村改造运动过程中遇到艰难困苦时所付出的奋斗、汗水、泪水和祝福。但是,只要你们有挑战性的思想,有一个适合你们国家的经过实验的计划和不屈不挠的信念,我能够担保你们将会获得成功。你们会对你们的政府和人民产生影响,如同菲律宾乡村改造运动对菲律宾政府和人民的影响。你也许会说,正如一些菲律宾乡村改造运动董事会成员所说过的,由于菲律宾乡村改造运动已经做了很好的工作,影响了政府,帮助菲律宾建立了新的机构,所以它应该关门歇业了。我尽力使我们菲律宾乡村改造运动董事会成员们相信,我们的工作才仅仅是一个开始。总统社区发展助理处成立于 1956 年,如果菲律宾乡村改造运动当时决定解散的话,你们今天就不会来到这里,我现在也不可能站在这里。

为什么说菲律宾乡村改造运动有作用呢?一般来说,政府机构能为成千上万的民众大规模地开展工作,却没有精力开展精深的研究和科学实验,以继续发展现有技术以及革新技术,这时私立民间运动就应运而生了。政府机构依靠人民纳税而获得支撑,所以政府必须轰轰烈烈地开展工作。但是,私立运动有实验以及革新的自由,它必须走在政府和一代人的前面。例如,甚至在总统社区发展助理处建立后,卫生部依然把它的职员送到菲律宾乡村改造运动接受培训。这是民间机构的优点、特色,也是挑战。

我们必须保持进步性,不能满足于当前已经取得的最大成就。一旦有了满足感,就会变得停滞不前。坚持先进性就是保持领先的一个方法。不是追求数量,而是追求质量。有人多次问过我,像我们这么小的一个机构怎样对国家施加如此巨大的影响?我回答说,第一,因为我们的机构是私立性的。与民间机构和政府机构相比,有不利条件,也有优势。与受纳税人支持的政府机构不同,它是自由的。它可以自己去做自己认为有利于人民福利的任何事情。

我知道很多来自危地马拉的人都曾经为政府工作,所以你们清楚政府机构的问题。政府机构天生就是政府的工具,卷入各种政治和其他势力当中,它有大量的官样文章(red tape)。官僚政治使创新几乎变得不可能。像危地马拉和哥伦比亚这样的国家,政府开始实施计划,刚开始有了结果,政府却又发生变动。我知道你们中的许多人有此经历。然后当你开始实施计划时,所有的政治家——议员、将军、内阁成员——把他们的亲戚朋友安插过来,你不得不接受他们。当然,民间机构也面临着资金匮乏的问题。但是,如果让我在贫穷与自由之间选择,我宁愿选择自由。菲律宾乡村改造运动能保持创新和领先的一个重要原因就是其私立性质。

有人可能会说,如果真的要为国服务,你必须拥有大量的金钱和工作人员,这话当然没错。在拉美和亚洲的不发达国家,政府应该做这个,又应该做那个,却没有做。不发达国家不仅有不发达的人民,还有不发达的政府。政府只能和人民保持一致。由于落后,政府效率不高,欠缺经验,在许多政府还不讲信用。今天政府还可能存在,但是,明天就可能倒台或被推翻了,几乎没有持久性和稳定性。

在我们的乡村改造项目中,我们强调的是通过乡村改造来达到人的改造,同时通过人的改造来达到乡村改造的目的。人的改造需要一个很漫长的过程。我们必须有稳定性和持久性,才能完成改造人的计划。据说上帝 30 天能造出一个南瓜,但是,造栎木则需要 100 年。人的改造是一个十分漫长的活动。拉美和非洲很少有政府能稳定和持久。对私立的菲律宾乡村改造运动来说,在过去的 12 年内没有停止过活动,即使最初没有资金和职员时,也是如此。你们知道龟兔赛跑的故事。我们也许就是那只乌龟,我们一直在前进。正如先哲所说:"我走得很慢,但是我从不退缩。"尽管遭受过巨大的困难、困扰和攻击,菲律宾乡村改造运动一直稳步向前。它从未达到鼎盛,但是,它持久而自由。

菲律宾乡村改造运动的第二个特点是,它是一个本土项目。它由自己的国民组成。在中国是中国人,在危地马拉则是危地马拉人。无论在中国还是在菲律宾,这都是成功的秘诀。你们将注意共产党人是如何工作的。在中国,领袖并不是苏联人,而是中国人毛泽东,在意大利是陶里亚蒂(Palmiro Togliatti),在越南是胡志明(Ho Chih Minh)。当我第一次来到这里时,菲律宾乡村改造运动董事会让我担任主席,我当时非常生气,但是,还是保持克制,并且说："先生们，这应该是在菲律宾发生的最后一件事，主席必须是菲律宾人，而且是百分之百的菲律宾人，而不是我。"我告诉他们，我只想担任顾问的角色。我不是菲律宾乡村改造运动的执行官，只是一个顾问。我所代表的机构名称是国际平民教育运动，99%以上的菲律宾人不知道这个组织，但是，每个人都知道菲律宾乡村改造运动。

感谢上帝，从一开始，这些优秀的志愿者都是菲律宾人。从菲律宾乡村改造运动董事会主席费利西亚诺先生到乡村改造工作者的每个人都是菲律宾人，这是百分之百的菲律宾人的运动。我经常说，在这个乡村改造项目中，局外人可以提供帮助，但是，当局者必须亲自做事。激发这些高层官员、助手和合作者兴趣的，正是由于这是他们亲身参与的运动。他们有一套自己的思想意识与哲学。只有当他们亲身去做，而不是由他人越俎代庖，运动才会有动力。当费利西亚诺先生端着锡杯从一家讨到另一家时，他说："这不是中国人的运动，也不是美国人的运动，更不是日本人的运动。这是菲律宾人的运动。不仅名称上如此，事实上更是这样。你们将要做的帮助我们的运动的一切事情，就是帮助我们得道多助。"如果不捐款，他们就会感到羞愧。这就是运动背后蕴藏的力量。

我们为什么把那些在大学里讲授农学、公共卫生、合作组织的学者，在你们深感惬意的时候请出象牙塔？我们有什么权力叫你们深入乡村？如果你们热爱的国家和人民，你们为什么不回到那些被无知、贫穷和疾病困扰的民众中去呢？你们这些大学者和知识分子为你们的人民做过什么贡献？如果不参与这场运动，你们会感到羞愧！因为菲律宾乡村改造运动是一个本土运动，是由菲律宾人完成而为菲律宾人谋利，所以它能解决基本的改革问题。一个外国机构，不管它多么有钱，多么伟大，它永远也做不好这些事。

让我举一个真实的例子。在菲律宾乡村，曾长期存在一个叫做乡村委员会（Barrio Council）的机构，委员会成员都由市议员委任。一般来说，议员总愿意选自己的亲属和朋友。但是，菲律宾乡村改造运动开展了三个自治项目的实验，一个在邦板加省，一个在新怡诗夏省，一个在黎刹省。实验的目标是训练当地村民自治。项目开展过程中，有参议员和国会议员来参观。这些政客很少会到访乡村，除非是在选举的时候，他们不了解自己的人民，正如我在法国开展华工识字教育之前对中国苦力的无知一样。当他们看到乡村的景象时十分惊讶。

与此同时，我们在马尼拉开展了自治论坛，省、地方的官员和马拉卡南（Malacanan）都在邀请之列。在论坛中，他们不仅讨论地方政府的理论问题，而且研讨与自治相关的乡村的实际问题。给我留下深刻印象的是，这些国会议员自乡村参观结束以后，在参议员托马斯·卡比利（Tomas Cabili）的带领下提出了一个议案。必须说明的是，卡比利曾经有几年担任菲律宾乡村改造运动董事会成员，所以他对菲律宾乡村改造运动的工作、哲学和指导原则非常熟悉。他们在1955年提出被称之为《乡村委员会法》的议案，建议家族首领有选举乡村委员的权利。该法案获得通过，1956年1月17日，第一次全国选举在菲律宾展开，这是菲律宾有史以来第一次由民众选举委员而不是自古以来的那种任命方式。一些人说他们不理解为什么人民有选举权。我承认不少乡村人第一次选举时肯定会有不少错误，也有少数人不会选举。举例来说，在教小男孩学骑车时，你知道他会摔倒，你也清楚他在摔倒后会爬起来继续骑车，但是,一个男孩如果没有骑自行车的机会,他又怎么能学会骑车!仿效菲律宾乡村改造运动的四大教育相结合的方式,乡村委员会法规定,乡村委员会有一个委员负责生计,另一个负责教育,还有一个负责公共卫生,而且乡村委员会本身就是一个自治机构。1956年1月17日,举行的全国选举是菲律宾具有重大历史意义的事件,它有利于推动整个国家与民主相关活动的发展。我们经常轻率地对民主发表评论,说这个国家是民主的,那个国家也是民主的。但是,民主不会自上而下降生,它只能是从社会的底层,即占总人口85%的乡村民众的生活、活动乃至死亡中成长。

朋友们,不论在危地马拉还是在哥伦比亚,如果你们要想享有真正的民主和健康的共和制,你们必须首先建设乡村共和制度。人民参与乡村委员会是在任何国家建立民主的基础。什么组织能够带来民主呢?是政府机构吗?不是,只能是私立运动!但是,如果仅仅是私立,没有实行本土化,它是也不可能实现的。哪一个外国机构,是美国的,还是欧洲的,敢来尝试改革你们的乡村政府?一个外国人到这里来,然后说你的咖啡必须改良,你的水稻产量有待提高,这就是外国人所能做出的咨询。但是,假如一个外国团体,即使是美国国际开发署(AID),来到菲律宾,然后说这个国家的地政府应该改革,必定会马上遭到来自全国的强烈反对,认为这侵犯了国家主权。如果这是一场菲律宾人的运动,由菲律宾人推行,并且是为菲律宾人谋利,还会有反对菲律宾公民想要改革自己的政府的法律吗?当然不会。菲律宾人能够说,我们必须改革我们的乡村政府,然后改革就会发生。正如上帝说:“要有光。”然后就有了光,改革乡村政府的事只能由具有持久性和稳定性的民间机构来做。首先必须是自己的国民要深入到民众中去,他们不仅能够帮助民众饲养更多的鸡和猪,甚至能够做到改革他们的政府。危地马拉和哥伦比亚的朋友们,我对你们回到自己的国家后的工作充满了期待。

（李会春译　孙修福校）

菲律宾乡村改造运动的整体理念及其对国家的影响*

菲律宾乡村改造运动的另一个重要特征，我把它叫做整体理念，它渗入到菲律宾乡村改造运动所有的重要活动之中。我想首先讲一讲渗入菲律宾乡村改造运动领导层之下的整体理念。

菲律宾乡村改造运动的领导层和我们帮助拉美及亚洲建立的其他乡村改造运动的领导层，并不是由一个团队所组成，而是一个联合领导层。它由社会的三个关键团队构成。第一个团队我称之为国家的创立者，他们是国内教育、商业、财政及其他机构的杰出领导。菲律宾乡村改造运动有一个卓越的领导团队即其董事会（Board of Directors），但是，仅有这个团队不能做多少事，它必须由科学家和学者——我称之为科学人性化者和科学简化者——组成的第二个关键团队的加入，这个团队将会运用他们的科学知识和技术去解决农民的问题。你们可能会想起我以前所讲到的，在当今世界，现代科学技术与农民之间存在巨大的鸿沟，为了填补这一鸿沟，我们必须把科学——医学、社会科学、工业技术和政治学——传授给农民。但是，这些作为在大学课堂里讲授的科学远

---

* 本文是作者1965年3月24日在菲律宾国际乡村改造学院所做的第16场演讲。由国际乡村改造学院提供英文稿。

远超出了农民的理解能力，我们在乡村改造的主要方面必须有一批核心的超强能力的专家，他们不仅要有技术能力，更要有创造力和适应力，能够把复杂的科学简化成农民可以理解和应用的东西。这是个非常艰巨的任务。在我和这些优秀科学家接触的过程中，我注意到尽管他们大都是大学里的杰出研究者和优秀教师，但是，他们在处理农民的问题上束手无策。这不仅需要技术能力，而且需要想象力、创造力，还要有对农民的热诚和爱心。对科学家和学者的巨大挑战，在不发达国家和发达国家的情况截然不同。对美国科学家的巨大挑战是飞往月球和火星。但是，对不发达国家的科学家的最大挑战则是怎样缩短贫穷农民像原始人一样生活状态与今日欧美社会的现代科技之间的巨大差距，他们的任务就是要找到方法和途径，使这些原始人变成现代人——现代农民、现代技术人员和有责任感的公民。除非能完成这一使命，否则危地马拉、哥伦比亚、菲律宾等国的农民将永远生活在不发达状态之中。我们必须有创新和奉献精神的科学家和学者，能够将科学通俗化和人性化，这样才能够使现代科学文明之光普照在不发达世界乡村地区的男女身上。

第三个团队，我把它称为科学传教士。科学人性化者能够把科学通俗化，而且把通俗化的科学带给农民大众，担任他们的教师和组织者。我们还需要科学传教士，需要来自大学和高中并接受过科学基础训练的青年男女。这些年轻人就是需要我们鼓励、培训，然后派遣到受贫穷困扰的农民中去的人——科学传教士。

这就是我说的联合领导。第一个团队——国家的创立者——很重要，但并不能做很多事。第二个团队——科学人性化者——也很重要，但他们也不能做很多事。以在波哥大的机构为例，它得到自由基金资助,已经做过14年的研究。它们在农业科学通俗化和人性化方面的工作做得不错,但是,农民从他们的科研中获益很少。因为他们的大多数研究都写成了报告,储藏在图书馆中,而没有传播给大众。因此,最后一个团队——科学传教士的重要性不言而喻。这就需要受过教育和培训的优秀青年男女,与农民一起工作和生活,把这些经过通俗化和人性化的知识带给他们。这三个团队,任何一个都不能孤立地把乡村改造工作做好。在许多国家,都有这个或那个团队,菲律宾乡村改造运动在这方面非常独特,它是三个关键团队的联合体。倘若分离,难有作为;一旦联合,就能为国家经济和社会改造提供巨大的潜力。

整体理念的第二个方面是整体计划。在拉美及亚洲的不少国家,一些优秀的计划做得不错,但是,各个项目之间都是互不相干的,或者是一个识字项目,或者是一个卫生诊所,或者是一个农民合作项目等等。农民的基本问题是相互关联的,一个项目的成功依赖于其他项目的成功。40多年来,我们发现为改善农民的生活状况而开展的项目,必须有一个整体的方法。阿瑟·莫舍(Arthur Mosher)博士是社区发展专家,在印度生活了多年,曾做过印度乡村发展的研究,以确定乡村改造中单一方法是否优于整体方法。他的结论是,整体方法一开始尽管费时长,见效慢,但是,从长远来看会更有效率,更有持久性。对我们来说,乡村改造运动的最终目标并不是物质的改善,而是人的改造,乡村改造仅仅是最终改造人的一个手段。人的改造的目标不是制造半个人,或四分之一个人,而是一个全人。为了达到全人发展的目的,我们必须具有整体性的项目。

菲律宾乡村改造运动的第三个显著特色是全民动员,这也是乡村改造运动的最终目标。进而言之，乡村改造运动不是单个人参与的活动，而是动员乡村的全体民众。隐藏在这一运动背后的原则是什么呢？就是要为最大多数人谋最大的利益。所谓最大利益，尽管可能要由我们来指导，但是，不是由我们来做，而是由民众自己参与而获得。乡村的哪些人应当是我们去动员的呢？

乡村里的人由四个部分组成：成年男人、成年女人、青年和儿童。除儿童外，其余的人都是需要我们动员的。为什么没有包括儿童呢？首先，成年男人、成年女人、失学青年不在国民教育体系中，而对适龄儿童的教育是政府的责任。几乎在每个国家的教育体系中，为儿童提供教育都被认为是政府的责任，而数目庞大的错过受教育机会的成年男性和青年人则不在此列。其次，我们强调的是当今国家的劳动力，即能够对直接促进经济与社会发展做出贡献的人群。这就是在我们的乡村改造运动中，为什么不把学龄儿童纳入教育和培训之中的两大原因。但是，在拉美、亚洲、非洲的不发达国家，大多数人，即75%到80%的人，已经超过18岁，而从来没有机会接受学校教育，这些成年男女和青年人占劳动力的绝大部分。15岁到45岁，是他们最具生产能力的时期，意味着大约30年为一代劳动力。如果不培训和教育这些人，就错失了整整一代人。正如我之前所说，他们在人口中的数量最为庞大，占总人口的2/3。他们不仅是今日国家经济和社会改造的中坚，也是为国家明天奠基的代表。因为他们是父亲，或母亲，或长兄，或长姐，如果仅仅把教育儿童的重任托付给学校，那我们就错了，表明我们忘了更有效的教育机构是家庭。设想一下，学校教育儿童彼此要有礼貌，他回家后却看见他的父母正在发生激烈争吵；或者学校教育他们注意饮食营养，但是，孩子回家后却什么吃的也没有，不得不忍饥挨饿;或者学校教导要节约,孩子一到回家却发现父亲因为斗鸡而输得精光。谁要是认为学校是教育儿童的唯一机构,那就大错特错了。因此,如果我们关注这个具有全局战略意义的队伍,我们就不仅要对国家今天的生产者负责,还要为未来公民的塑造者负责。这就是菲律宾乡村改造运动在乡村,为什么组织男人加入乡村改造男子联合会,组织女人加入乡村改造女子联合会,组织男孩和女孩加入乡村改造青年联合会的原因。

我们已经讨论过国家创建者、科学人性化者、科学传教士的共同指导,已经讨论过项目的综合性、整体性。但是,前两个方面是达到目标的手段,这个目标就是动员全体农民。我们打算以前两个方面实现人的改造。除非强调全体村民参与的重要性,否则乡村改造就不会有高效率和持久性。今天每个人都在讨论社区或乡村的发展。有人可能会问你们,这个运动与世界上的其他乡村项目有何区别?你们必须回答这个问题。你们可能说我们是民间性的,但是,其他机构可能也是一样的,这没有什么特别之处。唯一的不同是我们最大程度地发挥我们的私立性质,我们强调自由。你们可能说我们是本土性的,但是,本土运动并不是特色,许多运动都有这个特点。在危地马拉,有许多本土机构,在哥伦比亚也是一样。但是,我们却最大程度地发挥了运动的本土化特点。我们激发了他们的爱国主义情感,也培育了他们对祖国的自豪感和自尊感。我们把民族主义发展到顶点。最重要的是,我们的独到之处在于整体理念,它渗入到领导层、计划和民众的动员。

现在,我想说一说菲律宾乡村改造运动对国家的影响。此前我曾经说过,但我还要再讲一讲。作为一个机构,做了什么,不只是对机构自身重要,让其他机构也能跟随着做才更加重要。例如,菲律宾乡村改造运动并不是一个大型机构,也没有多少员工,财政预算也是紧巴巴的,覆盖的地区也很有限。菲律宾乡村改造运动对国家有什么影响呢?

你们可能记得我说过这个民间性的、精而小的运动最近对麦格塞塞总统的影响,直接导致总统社区发展助理处建立起来。我也提过由奥斯卡·阿雷拉诺建立的民间性质的行动兄弟会,当他了解菲律宾乡村改造运动开展的活动之后,他于是到越南、哥伦比亚及其他国家开始了医疗救济项目。后来,有一个建于美国被称为“世界邻居”(World Neighbors)的机构,该机构的主席对我们在菲律宾乡村改造运动开展的活动进行了多次访问后,对菲律宾乡村改造运动印象深刻,于是在菲律宾也开展“世界邻居”项目,并任命此前曾经是菲律宾乡村改造运动领导的里克·拉贝斯担任领导。

菲律宾乡村改造运动的另一个重要的影响是,它在帮助这个国家的知识分子群体——科学家和学者——和受过教育的青年人建立了一种新的社会价值观。正如我经常所说的,在你们对受教育者进行教育之前,必须对已受教育者进行再教育。大多数专业人员,不管是医学还是农业专家,都愿意留在大学,或者在大城市,只想着挂起招牌赚钱,发家致富。为了让他们离开自己的安乐居所,而下到乡村中去,你就得创造一种新的价值观。菲律宾乡村改造运动是第一个,也是截至目前唯一能够劝说在社会顶层的科学家和学者转而与农民一起工作、生活的机构。菲律宾乡村改造运动使越来越多的公民领袖、科学家和学者在思想和态度上发生根本转变,并吸引上流社会的人走到乡村农民阶层中去。受过教育的青年人有了新的偶像,不再羡慕那些快速发财致富或官运亨通或别墅众多等人士，而是敬佩那些从前的政府官员转到在乡村工作与生活的人，或者是那些先前的公司总裁现在与乡村民众共同工作和生活的人。这就是你们这些来自危地马拉和哥伦比亚的朋友们必须做的一件重要事情——帮助创造新的社会意识，这样的话，知识分子和受过教育的青年就不再把赚取千万美元、住上豪宅作为他们人生的最终目标。如果你们想要使你们国家的乡村改造运动取得成功，你们就必须创造新的偶像。

菲律宾乡村改造运动的又一个影响是它为受过教育的青年建立了新的使命。不发达国家的人有一种模仿发达国家的不良习惯，而不顾自己的需要和能力。在发达国家有律师，所以我们也要有律师，他们有社会工作者，所以我们也要有社会工作者。我的意思不是说我们不需要社会工作者和律师。但是，在不发达国家，有一种更为迫在眉睫的需要，就是填补现代科学技术与农民之间的鸿沟。在北美和欧洲则没有这样的问题，所以他们不需要科学传教士。对世界上所有不发达国家来说，最重要的事情是教育农民发挥自己的作用，把他们带入现代生活的主流之中。不发达国家人民的最根本和急切的需要是科学传教士，菲律宾乡村改造运动正好为青年人创造了这一新的职业。

我去过秘鲁、委内瑞拉、多米尼加共和国、哥伦比亚和危地马拉，在那些国家，我发现最让人伤心的一件事就是大学生们专注于政治。试想一想，拉美国家把所有的金钱和精力都用于教育青年人，但是，我们见到大批的优秀大学生回到乡村民众中去了吗？没有！是错在他们身上还是别人身上？我相信这是他们的长辈和教授们的过错，正是由于这些长辈生教授们的引导和鼓励所致。有时他们在大学里一待就是十年之久，有时他们在那里玩弄政治而不是致力于学问。许多年以来,拉美的优秀青年没有遇到任何挑战,他们中的许多人热爱他们的祖国和人民,但是,他们能够选择的只有共产主义。如果他们投奔共产党,不要责备他们。在多数大学,你能看到极左的人和极右的人,但是,这两种人只代表了一少部分,还存在着不左不右的中间集团。极右的人和极左的人都知道他们属于哪个阵营,自己该干什么,但是,中间集团就像是一个巨大的真空地带。谁来填补这个真空?他们爱国,他们爱人民,他们想为人民做事,但是他们的希望看上去只有共产主义。你怎么能责备他们加入共产党?请记住这一点:你可以朝共产党人开枪,杀死他们,但是,你不能消灭共产主义。共产主义代表了一些东西,更主要的是,共产党人准备为共产主义目标而献身。共产主义鼓舞了那些青年,如果你想与共产主义对抗,你必须有能够鼓舞人心、强有力的替代品,它能吸引优秀青年,使他们为此而不惜冒险,甘愿做任何事。除非你有更能鼓动人、更强烈的替代品,否则你不可能与共产主义战斗,因为共产主义代表了一个思想,理想是无法清除的。

当我们访问拉美,与那些优秀的青年交谈时,他们被献身于战胜贫困、疾病、文盲、陋习的整体思想所吸引,他们想要参与这一运动。因此,当你们回到危地马拉和哥伦比亚后,你们都有一个重要的使命。这一重要使命并不是指喂养更多的鸡和猪,去填饱肚子,而是填饱肚子之后的事。我们都知道填饱挨饿的肚子的重要性,但是,如何充实空空的灵魂呢?大众的问题是空空的肚子,对于受过教育的大学生来讲则是空虚的灵魂。对大众的使命是针对他们饥饿的身躯,对知识分子的使命是充实他们空虚的灵魂。

菲律宾乡村改造运动不仅激励了大学生,也带给了他们新的任务和使命。菲律宾乡村改造运动从一开始只有少数几名近乎信徒一样献身这一运动的志愿者，如今在菲律宾已经有150多名工作者。这样的运动值得认识。1960年，在菲律宾独立14周年的庆祝会上，卡洛斯·加西亚总统(Carlos Garcia)把总统功勋奖(Presidential Award of Merit)授予菲律宾乡村改造运动，并称赞道："因为从1952年到现在的8年间，通过重要的先驱性工作在乡村改造和社区发展方面，对国家的经济和社会发展做出了突出的贡献……因为在乡村民众中开展了一场静悄悄但又显赫的革命……因为在汇集民间、政府和国际力量上，进行了持续引导，在改善菲律宾乡村生活上，是对政府的工作一个补充……"

(李会春译　孙修福校)

国际乡村改造学院的历史与理念*

今天上午,我准备让你们对我们现在的国际乡村改造学院有一个全面的了解。我想先给你们介绍这个国际乡村改造学院的背景。

1952 年,在菲律宾国家领导人的邀请下,我作为国际平民教育运动组织的代表第一次来到这里。菲律宾乡村改造运动和我们之间的这次合作,就是菲律宾乡村改造运动和国际平民教育运动之间的合作。于是,国际平民教育运动的名字就变成了国际乡村改造学院。你们是否还记得我所说过的,当我第一次从法国回到中国时开展的中国平民教育运动吗?然后在 1951 年,我们组织了这场国际平民教育运动。就像我所说的,国际平民教育运动被改造成了国际乡村改造学院。所以,几乎所有的人都不可避免地错误地认为,菲律宾乡村改造运动在前,国际乡村改造学院在后。事实上,这个国际乡村改造学院与国际平民教育运动原来就是同一个组织。这点就是为什么我要在讲演一开始就向你们解释的原因,是为了不让你们迷惑不解。就像我对你们说的那样,现在我回忆 1952 年来到这里时的情景,感觉就好像发生在昨天一样。

---

* 这是作者 1969 年 1 月 14 日在第二期越南特别培训班上所做的第四次报告。由国际乡村改造学院提供英文稿。

关于菲律宾乡村改造运动的组织，关于该国一群具有民族精神和公共精神的民众非常想从中国30年的经验中得到益处，他们想让我在这里帮助他们组织菲律宾乡村改造运动，并与菲律宾乡村改造运动董事会进行合作。我们有两个明确目的：一个是帮助我在菲律宾的所有朋友组织和发展一个充满生气的乡村改造运动，以提高农民群众的经济和社会标准；另一个目的是，如果这次在菲律宾改造运动和国际乡村改造学院（在当时叫国际平民教育运动）的合作被证明是成功的话，那么我们国际乡村改造学院就想把这个计划推广到第三世界的其他国家去。一些人认为，我们有些人开始考虑乡村改造的国际拓展是因为菲律宾乡村改造运动，也就是说，我们考虑国际拓展是在菲律宾乡村改造运动之后，这不是事实。实际上，我很久以前就有此想法了。当然，我们与菲律宾的朋友合作的另一个重要目的是：我们要在这里发展中国的乡村改造计划，我们想证明中国乡村改造运动中的项目、模式、基本理念、技术是否也适合于其他国家，是否适用于另一个有着完全不同的历史和文化背景、完全不同的经济和社会背景的国家。我们不能确定在中国创立的原则与方法是否同样适用于其他国家。所以16年前，我们和菲律宾的朋友合作的目的就是为了检验我们的计划是否也适用于另一个国家。虽然两国的历史和文化背景不同，这个计划只是在较小程度上适应当地的条件和需求，但是，中国乡村改造的基本原则、基本理念和基本技术大致上还是适用于菲律宾，这一点使我们很受鼓舞。我们发现尽管世界不发达国家的文化不同，但是，无论是拉丁美洲、非洲还是亚洲，农民所面临的基本问题却是普遍相同的，这一点让我们倍感欣慰。

因此，在一个落后国家发展的基本原则和方法也同样适用于别的落后国家，当然，还是需要做适当修改。国际乡村改造学院有五个重要的目的或功能：(1)国际推广；(2)领导层培训；(3)运行研究；(4)咨询和反馈；(5)国际会议和出版物的发行。因为没有太多的时间给你们详细介绍每一个功能，所以我只能简单地谈一下。我们在菲律宾所做的一切是为了帮助研究出一种模式，一种适合于乡村改造的国际模式，当然这种模式并不是尽善尽美。但是我们已经设计出这种模式的基础，所以我们想把这个模式推广到其他新兴的发展中国家。我想我可能稍后要告诉你们，在哥伦比亚、危地马拉和泰国也会出现这种模式。所以，这个国际推广功能是菲律宾国际乡村改造学院的一个非常重要的功能。

下面讲讲领导层培训功能。如果你们明白，就可以看出，这个功能与推广计划直接相关。因为如果我们想推广，就必须为这个推广计划训练领导人员。下面我非常简单地提一下领导层培训问题。我们在接受了相关国家的邀请之后，无论是哥伦比亚、危地马拉，还是尼日利亚，我们都会按菲律宾乡村改造运动的模式帮助他们组织一场全国乡村改造运动。在泰国，它被叫做泰国乡村改造运动；在菲律宾，它被叫做菲律宾乡村改造运动；在危地马拉，它被叫做危地马拉乡村改造运动。它们都有一个由这个国家的民众所组成的全国董事会，在董事会下，有一个由教育、农业、合作方面的资深专家组成的核心队伍。在资深专家的下面，有一些大学毕业生，在这个国家，我们称他们为乡村改造工作者(RRWS)。因此，你们有一个由三个社会关键部门或关键团体组成的联合体：即国家领导人、专家和乡村改造大学毕业生。这些团体单独行动是做不了多大事情的，领导人独自做不了什么事情，专家独自做不了什么事情，大学毕业生独自也做不了什么事情。但是，如果他们联合起来，就可以做出许多事情。国家领导人将以国家主办者的身份加入这场运动，那些在农业、教育等领域的资深专家也会研究出简单实用的技术和方法，从事乡村改造工作的大学毕业生在经过训练后，会把简单易行的技术带到乡村，和农民一起劳动和生活。所以，这种菲律宾模式的唯一性，就在于三个重要团队的联合，为了共同的目的而结合起来，为提高农民群众的经济和社会地位而工作。

我要指出的是，危地马拉、哥伦比亚和泰国现在正在仿照这个模式做。当你们在许多国家旅行时，可以看到许多优秀的年轻人在工作，虽然可喜，但也不幸，没有一个团队经常给予他们指导和帮助。所以，当他们在乡村待了大约一年左右以后，就会感到筋疲力尽，不知道下一步该做什么。因此，他们大部分人都感到很受挫败。第四团队都是成年人，像我们一样都经历过磨炼，他们想找一些年轻人出来工作，他们有成熟老练的领导人物来指导他们，帮助他们。这就是我们在这里发展出来的模式的优点所在。比如说，从哥伦比亚、危地马拉或者泰国来的成熟老练的科学家和学者团队，与年轻的大学毕业生团队各自被组织为一个乡村改造队伍。一般来说，这个队伍包括 16 名成员：1 名执行官，5 名专家（通常他们都是大学教授，平民政府和各局的负责人）和 10 名有三到五年经验的大学毕业生。这样组成的乡村改造队伍，送到这里来接受我们的培训。正常情况下，例如在菲律宾的乡村改造运动，我们将会挑选出最优秀的大学毕业生，然后在他们被送往乡村之前训练大约六个月。但是，这些来自拉美地区和泰国的朋友很忙，所以想把时间缩短时间为四个月。这样，来自这些国家乡村改造队伍在我们这里接受为期四个月的集中培训。

让我们用泰国做例子，来说明我们如何进行领导层培训的。当我们在一个国家工作时，我们没有采纳琐碎的计划，而是在合作国家的帮助下，组织一场由我们自己的领导人和受过教育的年轻人组成的全国运动。例如在泰国，就是一场泰国人民的民有、民权、民享运动。这16名成员送到我们这里，其负责人被他们称为泰国乡村改造运动的主席，名字叫斯诺，曾在英国的剑桥大学学习。在加入我们之前，他是利弗兄弟商务公司(Lever Brothers)的董事长，有一份非常丰厚的报酬，我们之所以游说他加入进来，是因为他是一个非常有能力的人。他最终辞掉了公司的董事长职务，加入了这支队伍。负责田间实践的指导者叫法诺姆(Phanom)，曾在康奈尔大学学习，获得农学博士学位，又在曼谷的一所国立大学担任了多年的教授，也加入到了资深专家的队伍。那里有10个年轻人，并且在各自的领域都很有经验。他们来到我们这里接受培训，于去年7月28日毕业。他们回国后采取与我们一样的方法，如在人事组织方面，他们有全国运动的董事会，有资深专家和在乡村工作的年轻人。他们回去时按照我们所采取的同样程序和同样方法，选出了一个省作为试验性的社会实验室，我期待着大约一个月后能见到他们。你们知道在泰国，国王是一个非常重要的人。尽管他没有特别的政党意识，但是，作为国王陛下，现在也想支持这场运动。所以一年前，当我在泰国帮助组织这场运动时，国王听说我到了那里，就很想同我谈一次话。我本来估计和他进行十分钟的谈话，因为他对乡村改造很感兴趣，结果我们的谈话持续了三个小时。他们的整个想法是这样的，在所选择的某个省——我们把它叫社会实验室，他们会先找一个小的地区进行工作，如果取得成功的话，他们会像推广定县经验一样，开始推广菲律宾乡村改造运动。这种想法就是,在你知道做什么,如何做之前,首先从理论上、科学上彻底地研究所有的问题。

让我来讲一下在受过培训的领导人员的指导下的另一个国家乡村改造运动,那就是南美的哥伦比亚。你们知道那是我们所做的第一个培训。你们可能会很惊讶,我们在亚洲推广我们的计划之前,为什么首先在拉丁美洲推广。1961 年,《读者文摘》上发表了一篇关于我们在菲律宾所做工作的文章,那篇文章是由斯克内克塔迪联合大学(Union College in Schenectady)已故的校长卡特·戴维森(Carter Davison)所写。他和他的妻子一起来到这里,花了 24 个星期从一个村庄考察到另一个村庄,非常广泛地研究了我们的工作。他回去后,写下了那篇文章。当这篇文章的西班牙语版本出来时,仅拉丁美洲的邀请书我们就收了 800 多份,有些是想要获得更多的关于我们工作的信息,有些是非常想让我们去他们的国家,帮助他们仿照菲律宾的模式,组织乡村改造运动。唯一没有邀请我们的国家是菲德尔·卡斯特罗(Fidel Castro)领导的古巴,剩下 19 个国家都邀请了我们。

我们该如何回复那么多的国家和那么多的邀请?所以,1952 年我做了一次探索之旅,首先到所有的亚洲主要国家,然后又去了拉丁美洲的主要国家。这次探索之旅的目的就是为了找出一个最合适的国家,能像 1952 年在菲律宾那样开展乡村改造计划。经过研究不同的国家之后,我们最后决定挑选两个国家,选择哥伦比亚代表南美洲地区,危地马拉代表中美洲地区。我们用与菲律宾相同的模式去帮助哥伦比亚人组织哥伦比亚乡村改造运动。然后他们也有一个由资深专家组成的团队,和 16 个我刚才提到的那种大学毕业生。1965 年,危地马拉团队来到这里接受我们的培训。顺便说一下,我只想告诉你们关于他们中的一些成员。其中有一位叫做奥费利亚·贾拉米洛的女士,她是一名博士,一位非常有才华的学生,帮助我把所有的演讲稿从英语翻译成了西班牙语。团队里的另一位成员名叫罗多尔福·马丁内斯(Rodolfo Martinez),一个大约30岁的年轻人,非常聪明。当这个团队回国后,他们向政府提出了同样的建议。他们在危地马拉选择了一个省,在该国的东南部地区,叫做加拉帕(Jalapa),大约有十万人口。这个省处在很边远的地区,不被政府关注,因此在危地马拉完全被遗忘了。他们回国后,对该省给予了很多的关注,但是,刚开始他们却遇到了很多困难。当这些团队回国后,他们不管遇到什么样的问题都会问我,然后我给予他们解答。目前在哥伦比亚仍然有很多游击队不停地给他们的工作制造麻烦,还有来自天主教的反对。当他们在昆迪纳马卡的实验区开始工作时,没有得到一点合作。但是,随着他们工作的进展,越来越有信心。他们工作的地区是在波哥大城外30英里的地方,有个实验活动中心叫做科瓜(Cogua)。我们训练过的团队后来表现得很棒,以至哥伦比亚总统卡洛斯·耶拉斯·雷斯特雷波(Carlos Lleras Restrepo)亲自任命该团队的成员奥费利亚·贾拉米洛女士为该国动员和教育农民全国委员会的主席。在该委员会中,有一些与众不同的科学家和教育家。像哥伦比亚这样的国家仍然非常保守,妇女的地位非常低,但是,总统却做了一件非常出人意料的事。为了整个国家,他任命这位妇女为动员和教育农民全国委员会的主席。他为什么要那么做?因为他开始认识到乡村改造对农民很重要,所以他想得到这个团队的帮助来实现他的乡村改造计划。

一天,哥伦比亚乡村改造运动董事会邀请耶拉斯总统到科瓜参观(就像尼维斯一样的中心)。我想告诉你们,总统花了整整一天时间,参观科瓜和周围的郊区。一般来说,当国家总统访问农村时,所有的村民都会围住他,恳请他这个,恳请他那个,对不公正的行为做出一些抱怨等等。科瓜的农民却没有那样做,并且对他说:“总统先生,我们邀请你来这里不是为了向你要求什么,请你来是为了让你看看,我们为了发展自己的社区和提高自己的生活做了些什么。”这些地位卑微但是拥有自尊、自信的农民对国家的总统没有提出任何要求,没有向他乞求什么。总统说,这是他以前从未听说过的事,对此深受感动。当总统在村子里四处随意走走的时候,经过了一个合作商店。一年前,他看到这个合作商店只有 5 个人。才过去了一年,现在已经有 265 名店员。刚开始,该店只卖一些药品,现在他发现已经在卖肥料了,同时也经营农具,并从事家庭手工业。最令总统感动的是,他知道在这里的农民尽管没有什么钱,但是,他们仍然愿意把仅有的少量的钱拿出来存放在银行。虽然这些农民存钱的数目不大,但是他们之间已经有了相互信任的精神。否则,这些贫困的农民找不到那么多急需的钱。他们没有多少钱,不想浪费。他意识到如果成员之间互相缺乏信赖,合作社是组织不起来的,工作也不会成功。总之,首先,这里农民的自信和自尊给总统留下了深刻的印象,他们没有向他乞求什么。其次,又被农民彼此之间的信任和相互尊重所打动。

随后,他继续往前走,进了一个年纪较大的妇女的简陋茅屋,看到她正在教一群不识字的农妇学习,他被所看到的一切深深地感动了。因为他所看到的这个正在教别人学习的农妇,先是接受了我们队员的教育,现在她又将她所学到的一点知识来同没有知识的文盲一起分享。这不仅是一种自助的表现,而且是一种热心、渴望去帮助别人的行为。当他回到首都波哥大的第二天，马上通过电视节目对整个国家的人民发表了讲话。他说道："一般来说，每次去农村，因为看到农民非常的贫穷，所以回到波哥大时，总是感到很沮丧和失望。但是昨天，我去了科瓜，我所看到的和我所听到的一切极大地鼓舞了我，使我对哥伦比亚的未来充满了希望。因为，我看到那里的男男女女是如何在一起合作工作，一个年老的妇女如何将她仅有的一点知识同那些一无所知的人一起来分享。哥伦比亚乡村改造运动的这一计划应该被推广到哥伦比亚的其他地区。"

顺便说一下，在美国出版的《读者文摘》第九期上发表的那篇文章，主要是写有关在哥伦比亚的乡村改造运动计划。你们已经清楚，通过在哥伦比亚所发生的一切，我们受到了极大的鼓舞。因为在菲律宾，我们花了很多年去研究那个计划，所以我相信我们对哥伦比亚的朋友所进行的培训对他们是很有帮助的，因为他们可以从我们的失败中获得宝贵的教训，可以避免重蹈我们的失败，也可以从我们的成功中得到启发，通过这些启发会使他们的经验变得更加丰富，在相对较短的时间内，他们能够做出很多的事。这就是我们要成立国际乡村改造学院的原因，也就是说，我们可以给来自非洲、亚洲、拉丁美洲的朋友提供我们多年积累下来的许多的失败教训和成功经验。在他们懂得我们为什么会失败，是如何失败的，以及我们为什么成功，是如何成功的之后，那么他们就可以节省时间，不再需要像我们那样花那么长的时间。如果我们继续培训来自不同国家的领导层，然后他们回到自己的国家为他们自己的人民服务，如果他们能充分利用我们 47 年的经验，那么就可以在短时间内完成很多事情。

在危地马拉，故事就不是那么美好了。1965 年，我们也对送到这里来的危地马拉团队进行了培训，就像同一时期对哥伦比亚团队所做的那样。现在他们回去了，也选择了危地马拉东南部的加拉帕做实验，几乎花了两年时间去帮助组织危地马拉乡村改造运动。在他们动身来菲律宾培训之前，政府社会福利部门的负责人，正巧是一名女士，她对这个优秀团队在菲律宾接受我们的国际乡村改造学院培训非常嫉妒。他们回去后，她不允许这个团队去加帕拉工作，这位女士要使危地马拉的乡村发展计划受她的控制。她有权禁止他们去那里。在我们这里接受过培训的团队，在他们一回国之后，就充满热情与渴望地想开始工作，但是这个老女士不让他们去。起初差不多两个月，他们什么也不能做。后来他们就变聪明了，他们团队集体上访农业部长。他们告诉这位部长，在他们加入这场运动之前所做的工作，在菲律宾国际乡村改造学院所接受的培训，他们计划为自己国家人民所做的事情，以及为什么要选择加拉帕。这背后的故事是什么？你们知道农业部长是多么的感动。他说："你们正是我们国家极其需要的那种人才，现在你们去加拉帕吧。我给你们去加拉帕实施你们的农业计划的权力。"他们又去见了教育部长，把他们对农业部长所说的话又对教育部长说了一遍。于是教育部长对他们说："你们带着我的批准和祝福去加拉帕实施你们的乡村改造计划吧。"他们又去见公共卫生部长，从他那得到了在加拉帕实施卫生计划的批准。在职位上，这些内阁部长高于那位女士，因为她的机构隶属于一个部，通过采取一些技巧和方法，就能够实施农业计划、教育计划和公共卫生计划，而那位女士什么也不能做。

一年后，你们知道发生了什么吗？新总统上任后，把那位女士解职了，任命我们其中的一位学员罗多尔福·马丁内斯为干事长。现在，危地马拉政府和危地马拉乡村改造运动之间的合作非常紧密。危地马拉是一个小国家，没有足够的财力去支持这个计划。危地马拉的政治形势和经济条件比哥伦比亚要糟糕得多。在天主教国家你们知道游击队干了什么吗？他们曾经绑架他们的大主教。还有一次，他们竟劫持高级法院的法官。这些麻烦总是在不断地发生。昨天，我曾经告诉你们关于这些战争，尽管有这样那样的麻烦，他们还是不放弃，因为他们下定了决心。所以，我认为危地马拉的人民将需要很长时间内才能看到真正的结果，因为整个国家存在政治、经济和社会等方面的所有麻烦。但是，对危地马拉人来说，最重要的事情是他们有战斗精神，同他们国家的贫穷、文盲和疾病做斗争。这些严峻的事实也使他们更有决心进行斗争。这个问题在国际乡村改造学院被提出过许多次，那也是国际乡村改造学院的地址选在菲律宾的原因。当然，刚才我提到在 15 至 16 年前，我们明确地把它作为菲律宾全国乡村改造运动一个具体的示范。做出这个决定花了很长时间，我们用 16 年的时间去准备场地和所有必要的设施，使这个国际乡村改造学院不仅成为可能，而且具有效力和生命力。

我简短地陈述一下，为什么地址选在菲律宾，而不是华盛顿或纽约或其他国家。第一个原因，就是我们一个小时前所谈到的正在进行的那个模式。人们来这里学习或接受培训，他们不仅在教室里听讲课，而且能亲眼看到一些具体的、实际的操作。你们可能会问，为什么国际乡村改造学院作为世界乡村改造人才的一个培训中心，比我们现在做的开始得还要晚？要记住，我们是在与人打交道，在中国大陆我们几乎花了 30 年的时间，在菲律宾花了 15 年的时间,又在台湾花了几年时间,我们才觉得做好了成立这个世界中心的准备。为成立这个世界中心,以及形成菲律宾这样一个具体模式,我们用了差不多45年的时间(30年在中国大陆,15年在别的地方)做准备。我们在这里正在进行的这个计划,促使我们决定应该在这里成立一个中心。

另一个重要的原因,是我们有新的训练员的苗子。在国际乡村改造学院,我们认为,只有那些有宝贵经验的专家才有资格在这里教授他们自己擅长的技术和一些实践经验,把科学知识和技能传授给农民。举个我们这里训练员的例子,如马蒂拉先生,他来之前已经担任15年的农业学院校长。但是当他第一次来到这里的时候,我们对他说:"你现在还不能教学,你必须先了解农民群众,了解他们的问题所在,然后你才能应用你的专业知识来解决这些问题。在你熟悉了农民,知道了他们的问题之后,才能根据他们的问题制定具体的技术和方法,然后你就可以和别人一起来分享你的经验了。"我们发现这些教授尽管他们在自己的领域都是专家,但是他们并不熟悉农民群众的问题。我们认为在农村工作的这些资深专家都会碰到这个难题,他们来这里教的不是书本上的知识,而是他们从实践中得到的经验。

不发达国家今天所面临的问题,仍然是现代科学技术和农民之间存在的巨大鸿沟。我们拥有我前几天提出的具有"三C"(孔子Confucius、基督Christ、苦力Coolies)的专家,许多专家在他们自己的领域内部游刃有余,但是他们缺乏创造力。他们虽然能教书,但不能解决农民的生存问题。无论他们受过什么样的教育,我相信他们想去的地方仍然是一些高度发达的国家。这就是为什么我说,这些专家在开展工作之前,他们必须重新定位的原因。这也是我为什么刚来这个国家时，我头脑中已经想好了我在中国所做的，然后让这些经过训练的专家去乡村工作和生活的原因，尽量使他们的科学知识和技能适应农民的水平。他们经历了这个过程之后，就能教那些来自发展中国家的学员，以至于无论他们教什么，都会有机会与不同的发展中国家相适应。我的这个观念现在已经实行了40年，但这是一个非常痛苦的过程。

一些人问，在我们成立这个国际乡村改造学院之前，为什么晏博士要花费了那么长时间？我这么多年在中国大陆一直在从事这件事情，然后在菲律宾试图培养一种新型的教授。我不想谈论北美，我想谈一下个人的经验，看看这些学校是否应该再照搬西方的课程。这些课程不能满足他们自己的民众需要，无法解决农民的困难。他们是农民，是农夫。除非我们能把先进的科学技术带给世界上的所有农民，否则他们永远是原始、迷信、无知和愚蠢的。为了把科学带给他们，科学必须是人们能理解的那个水平，不能太高深。不过说起来容易，做起来难。在中国那些日子里，我常常寻求符合"三C"的科学家和学者，以便他们能使这些复杂的科学人性化、简单化，使科学更容易被理解，更加容易推广，更加实用，那需要贡献出相当多的创造力。当我去世界各地的时候，无论是在拉丁美洲还是在亚洲，我都不停地寻找具备"三C"的人。我告诉你们，如果没有这样的人才的话，对于发展中国家来说那是毫无希望的。

我们希望尽量跨过那个巨大的鸿沟。唯一能做的人就是我所说的简化科学的人（science simplifiers）和科学传教士（science missioners）。首先，前者是成熟的、有创造力的科学家，后者是来自大学和中学的有奉献精神的年轻男女。在菲律宾这里，我们有使科学简单化的专家在实地研究和发展技术。然后你们就有这些来自各个大学的有奉献精神的年轻人，去帮助在现代科学技术与缺乏知识的农民之间架起沟通的桥梁。不谈经历和想法等等，谈谈他们来了以后所看到的，那就是我们把国际乡村改造学院建在菲律宾的原因。这并不意味着我们已经很完美了，但是我们已经取得了一个模式和一个示范的开始。示范将会表明难懂的科学——农业科学、工业科学、药学和社会科学 ——可以传授给农民。我之所以选择菲律宾，是因为亚洲或拉丁美洲的许多国家都不稳定或不安全。那些国家不是今天不太安定，就是明天爆发一场革命，政府今天还存在，明天那些军人、领袖人物和将军又联合起来夺权，组织起一个临时政府，而在菲律宾就不存在那样的事情。相对来说，菲律宾还是一个稳定的国家，也是我们选择菲律宾的另一个原因。当你们回去时人们可能会问你们，为什么我选择菲律宾而不是其他地方，现在我希望我已经给了你们答案。

简而言之，在我成立这个世界中心之前，我们已经花费了40多年的时间做准备。从现在起我们计划做什么呢？我相信你们一定会对此感兴趣的，即国际乡村改造学院的第三个功能——领导层培训。我给你们说过的，在拉丁美洲和中国，这种操作研究与培训是密切相关的。当你们进行培训时，可怕的就是你年复一年地教授一些一成不变的旧内容。我知道许多教授仍然教授和十年前一样的东西。为了充实培训的内容，你们应该研究一下培训方法学。但是那个研究只是理论上的，它必须是一种通过实际操作去检验其否有效的研究。你们如何知道你正在做的真的就是好的呢？那你就试着把它应用于实际，看看它是如何发挥作用的。如果它有用，你们就可以知道它是好的。如果它没有用，你们就可以知道它不好。所以，我们说操作研究不是单纯的研究，而是一种应用、实践类型的研究。通过实际操作将会检验研究的有效性，然后通过研究得到的科学数据和科学基础进行操作。

当今世界上有关乡村发展存在着一个很大的危险，虽然有许多工厂，但有关社区发展或者乡村改造方面的实验室却很少。你们知道，乡村改造很多年来一直被看作是一种慈善事业，做好事而已。其实乡村改造是一门新的科学，对世界上大多数人来说它是一种新型教育，所以你们有必要对它进行深入研究。例如，你们接受过完整的教育，包括幼儿园教育、初等教育、中等教育。许多专家和内行花费数年的时间来研究各级各类的教育，大学生、高中生、小学生的人口只占国家人口的很少的一部分，仍然有那么多的研究被用来完善各级各类的教育。今天，世界上大约有2/3的人都是农民，遭受贫穷和疾病的折磨，受到压制，没有受过任何教育。在没有经过研究和调查，人们就认为能够进行乡村改造。这是当今我们整个世界所面临的最大的教育问题。在每一个不发达国家，你们可以发现大约占全部人口的70%都是农民、文盲，没有上过学，没有接受过任何训练，对任何一种现代科学都一无所知，他们幼稚、迷信、愚昧。难道这些农民就不应该去大学、学院、高中学习吗？完全应该。但是没有任何地方可以让他们去接受教育。我们研究世界上任何一个国家的教育制度，有为70%的人口接受教育提供过任何充分安排吗？我不是指小男孩和小女孩，而是指那些错过12岁上学年龄而从来没有机会接受教育的成年男女。他们去哪里上学？他们应该去什么地方上学？他们没有地方可以上学，也没人安排他们上学。我们开展的乡村改造运动的一个最大目标，就是希望找出最好的教学内容，用最好的方法和最好的方式把科学知识和技能传授给他们。农民们说，这是现在出现的一种新的教育、一种新的科学，这就是我们强调研究的原因。招募一些世界上最优秀的科学家和学者加入到我们的队伍里来，是我的明确目的和计划。

在所有这些改善人类的主要领域，如教育、农业和合作组织、公共卫生等所有这些方面，我们打算组建一个国际团体或国际队伍，由来自欧洲、拉丁美洲、印度和非洲的科学家和学者所组成。只要他们能够胜任，只要他们具备“三C”条件，我们就说服他们加入我们。这是我们必须继续研究和提高的一种新的教育，我们需要世界上受过最好教育的人，来帮助解决占人口2/3的农民朋友的痛苦问题。农民朋友们完全被遗忘了，处于失望和压迫之中，在发展和建立一个更好世界的过程中不能发挥任何作用。在这些杰出的学者当中，我们有一个小团队、一个先驱者的核心。他们中的一些人现在都在这里，我们想巩固他们的社会地位，加强这个团队。我们有最优秀的天才和最勇敢的一群人，然后他们就可以同时分别到不同的国家去帮助那里的农民。在我们做研究的时候，不仅仅是为了菲律宾。比如说土地改革问题，菲律宾的经验是什么？危地马拉的经验是什么？哥伦比亚的经验是什么？泰国的经验是什么？越南的经验是什么？总之我们必须利用世界上所有经验中最好的经验。对于来到我们这里的非洲和世界上其他地方的朋友，我们交给他们的不仅仅是我们的经验，而是从全世界汇集来的经验，以便他们能够熟悉有关世界各地在土地改革、出生率控制或者任何方面最好的方法和最好的技术。

现在你们看到我们的图书馆是不是很简陋？我们的计划很明确，就是建立一座世界上最好的乡村改造图书馆。如果我们真正打算进行国际推广，就必须开展培训活动；培训必须始终是新颖的、充满活力的、富有生气的；为此就我们必须继续开展研究。这三个方面是紧密相联的。如果你想推广，那么你就必须有一些值得推广的东西。如果你想推广，你就必须有人力来做推广的工作。所以推广、培训和研究三者是紧密相关的。当然我们不能覆盖全球，但是我们希望可以在拉丁美洲、非洲和亚洲的大陆挑选出有战略意义的国家，能够帮助他们在乡村改造中发展出一个"杰出中心"，这样，他们就可以对自己的百姓和邻国做出具体的示范。我们的希望和乞求就是当这些人来我们这里接受培训时，我们培训的不仅仅是技术人员、养鸡专业户和养猪专业户，而是一些能为自己的人民服务的有奉献精神的仆人。我们也希望这些来自不同国家的接受培训的人，因为他们生活在这个愉快的国际团体之中，能够借此培育起国际主义的精神。当他们回去之后，不要变成一个沙文主义者，而应该成为一个既爱自己的人民和国家同时又尊重其他民族的人民的领导者，这样的人要胸怀"天下一家"的思想。换句话说，他们是集国际主义者和开明通达的民族主义者于一身的人。他们回到各自的国家之后，必须首先建设好自己的家乡，同时也不忘帮助建设一个更加美好的世界。"天下一家"，我喜欢用这四个中国汉字来表达这个思想，它来自中国的儒家思想，也是我们乡村改造运动所要达到的目的。人们回国后要建设自己的国家，也要参与建设一个更加美好的世界。

现在谈一下商议和反思。在菲律宾新怡诗夏省，人们整天都忙于在农村工作，做得很辛苦。他们也必须有一个能商议和反思的地方，能有一个气氛安静的空间。他们需要的不仅是汗水，也有鼓励。在尼维斯，他们必须行动起来，付出汗水，他们来到西朗的国际乡村改造学院,是为了得到鼓励。这就是商议和反思。

最后是国际会议和出版。你们知道我们打算干什么吗?我们准备召开国际会议。每年我们都有会议,有来自哥伦比亚、危地马拉、泰国的代表,后来又有来自尼日利亚和中国从事乡村改造的代表,他们当中,有领导者,也有普通工作者,来到这里,坐下来和我们交流经验。所以,一两年后你们回到这里的时候,难道不开心吗?你们经历过什么失败?为什么会失败?你们取得成功,请告诉我们成功,告诉我们你们为什么成功以及如何成功的,我们会感到很高兴。也许在越南,你们公共卫生方面做得不是很好,但是另一位来自危地马拉的人可能会说:"在现代卫生方面我做得很好,我愿意和你们分享我们失败的教训和成功的经验。"在合作方面,哥伦比亚可能做得不好,但是来自越南的你们会说,你们特别是在合作方面做得非常成功,因此可以告诉他们关于你们成功的经验。所以,每年我都会把来自不同国家的乡村改造的领导人和工作者召集到这里,在这个美丽的、安静的、便于思考的和感悟的环境中交流经验。他们会像兄弟、像亲密的同志一样互相交谈。他们一直在同贫穷、疾病、文盲做斗争。他们来到这里就会分享彼此的经验,无论是成功的,还是失败的。当你们回到越南时,你们会带回其他兄弟和同胞的更多经验。当你们带着新的活力、精力和决心回去继续战斗时,将会感到很受鼓舞。

在出版方面,不仅出版我们研究的结果,也出版我们研讨会议的成果,以便对世界上的其他国家有利用价值。我们所希望的就是他们避免犯我们犯过的错误,而且能够从我们的成功经验中获益,这样我们能够有助于加速世界乡村改造运动的进程。这就是国际乡村改造学院的故事。但是一定要记住,我们的工作才刚刚开始。现在人们问我:“晏博士,你多大了?”“75 岁。”接着会问:“你什么时候退休?”我会说:“到该退休的时候退休,我现在还不累”。所以,我要继续战斗,和你们一起继续并肩作战,现在你们都是我们当中的一分子。你们中的每一个人都会帮助创造一个世界乡村改造运动,所以我非常高兴有这个机会和你们一起分享我自1918 年以来50 年的经验和一些简单的思想,我一直都以这种思想在工作。当我自己在慢慢变老的时候,很高兴地看到你们年轻人在不断地补充新鲜血液。你们将会是你们国家乡村改造运动的“繁殖者”和先驱。

请记住,当你们回去后不要忘记我们与你们是在一起的,你们不是一个人回去,我们永远与你们在一起。你们的失败就是我们的失败,你们的成功就是我们的成功。如果遇到困难,我们会帮助你们克服。如果你们成功,我知道你们会愿意和世界上正在投身于乡村改造运动的其他兄弟姐妹们一起来分享你们的成功经验。

(张媛媛译、孙修福译校)

就“乡村改造”答记者问*

问:关于农民工作,普遍称之“乡村发展”,为何国际乡村改造学院却用“乡村改造”这个名词?

答:国际乡村改造学院是过去中国平民教育和乡村建设活动的延续和发展。早在本世纪20年代,一大批大学校长、教授、政府官员发现自己尽管明白孔孟之道和现代科技,但并不理解我们的人民,即85%的农民民众。由此我们决意离开象牙塔和美丽的北京城,带着我们的妻子儿女到贫困的定县农民中生活和工作。定县是中国北方的一个拥有40万人口和473个自然村的穷县。作为我们的第一个“社会实验室”,由于我们积多年的调查研究成果,制订一套旨在改善经济和农民生活方式的计划,我们曾称此谓“改造”。

Reconstruction一词,是从中文本义的“改”(“改变”)和“造”(“建设”)直译过来的。因此我们所谓的改造不仅意味着“改变”,而且包含着“建设”。当然,最关键的问题是改变什么和建设什么。改造在中文里是一个富有动力和挑战性的词,意味铲除贫穷。所

* 本文是1979年1月的一次“访谈录”,摘译自国际乡村改造学院:Rural Reconstruction Review,January,1979,p. 30—31。标题是编者根据原文标题(A Conversation with Dr. Y. C. James Yen)改定的。

以50余年来我们一直沿用“乡村改造”这个词。

问:最近很多人大谈“整合”,其实,很少人真正理解它,更少人知道如何实行。您自30年代始就一直实验和传授“整合”,就此您可以谈谈这个问题好吗?

答:我们并未从东方或西方的书本中学习到什么“整合”,但是我们在与农民共同生活和工作的过程中掌握了这个艰苦的方法。在我们试图解决农民的问题时,我们认识到整合的重要性。一个患病的农夫是个低能劳动者,此即表明健康与高效劳动存在着一定的关系。一个大字不识的农民是一个素质低下的公民,此即显示教育与新民的关系。总而言之,各地农民所面临的种种基本问题,诸如贫穷、文盲、疾病、公民意识差,是相互影响和制约的,要解决好其中的一个问题必须同时解决其他的问题。一个农夫也许会把生产搞得好些,但他若是一个对商业一窍不通的人,仍然受人剥削,例如放高利贷者或中介人会剥削他;他的产品增加了,但是收入却仍然微薄。简单地说,片面地解决问题不足以使农民翻身站起来。由此可见,“整合”方法,或用国际乡村改造学院的术语说,“全面”的概念是多么的重要。

问:在您过去多年的乡村改造运动中,必定遇到过许许多多的困扰,您能对我们谈谈吗?

答:最明显的困难是经费的短缺,这也是所有私人机构的一个共同的困扰。但国际乡村改造学院的困难更大,因为我们重视自己的知识分子人格完善和学术自由,我们宁愿穷也要选择自由,即自由地实验和自由地创造,不愿得钱而成为别人的代理人或工具。

然而,经费的匮乏还不是我们最大的困难。最大的困扰乃是难以找到适当人选参与我们的工作。适当的人选指的是什么呢?

让我把我曾经与一位农业学院院长的谈话告诉你吧。当时他问我需要物色什么样的人选，我说："我需要的人选是必须具备四个 C 的"。他问："何谓四个 C？"

第一个 C 表示能力（competence），他必须在他自己的专业范围内能干。第二个 C 表示创造力（creativity），许多现实中的农民问题不是写在欧洲、美洲或亚洲的课本上，它们是新的富有挑战性的，除了他或她必备的专业知识之外，如果没有所谓的创造力，则将一事无成。第三个 C 表示奉献（commitment），这是一种很难的献身精神，要实现任何一项改善农民的目标需要一个艰苦而漫长的过程，需要花费大量的血汗、泪水和个人生命代价，在任何时候都要坚持不懈。除非强烈地信奉并全力以赴地献身，否则他或她就会善始而不能善终。第四个 C 表示的是品行（character），这是不常谈到又非平常的因素。

国际乡村改造学院的乡村改造仅仅是一个手段，而人的改造才是真正的目的。我们不给予农民我们自己都没有的东西，因此我们必须具备品行。其他的大多数机构，第一个 C 是相当具备的，然而像上述的其他三个 C 则很欠缺。

在所有的困扰中，发现人才是最难的，这样的适当人选也极难得。雄鹰不像燕雀成群结队，唾手可得，但终究可以发现它们，尽管艰难而缓慢。

问：国际乡村改造学院在非洲、拉丁美洲和亚洲都推行了国际性的乡村改造运动，然而推动这些运动的政策是什么呢？

答：作为一种民间机构，我们不把大规模的群众运动或面面俱到作为追求目标，我们不强调这些，而是旨在乡村改造的质量和榜样。国际乡村改造学院不会在一个与我们合作的国家内直接展开工作，我们的实验告诉我们，外人可以帮助，但工作必须由当事当地的人去做，因此我们强调的是地方化领袖的作用。每一运动是群众自愿自发的，由该国的人来领导和推行。他们由专业人员组成一个乡村改造的基干队伍，这些专业人员来自国际乡村改造学院并受过有关专业训练。

我们的政策是在第三世界的每一个洲中只选择两个国家与我们合作。在拉丁美洲，我们与两个国家的运动有联系，一个是南美的哥伦比亚，一个是中美洲的危地马拉。在亚洲，我们选择了泰国和菲律宾。在非洲，我们选择的一个是西非的加纳，在不久的将来我们会在东非选择另一个国家的。

国际乡村改造学院的中心课题是帮助发展我们的每一个隶属的国家运动中心，使之成为“中心典范”而发挥其三方面的功能：(1)成为本国的典型，使人们既能做到又明白依靠自己的人民为自己在乡村改造运动中怎样做；(2)在适当的方针指导下，服务其邻国，并成为邻国的培训中心；(3)建构自己的“社会实验室”，再次试验在菲律宾的国际乡村改造学院的社会实验室里发现的乡村改造的非常有活力且成功的技术与方法，是否适应和实用于第三世界国家。

每一运动由三个核心群体组成：(1)杰出的公民领袖，充任董事会董事；(2)在农业、合作社、公共卫生和乡村教育方面的专业人士，每个人都成为“科学普及者”，使专家的科技变成农民实际生产和生活的简化操作；(3)献身于乡村改造的知识青年。这三组人如果分开，各行其是，则哪一组人也完成不了什么大业；如果三股力量凝集在一起，就会对国家的社会基层的经济和社会改造发挥极其重大的作用。

问：经历长期的乡村改造，您获得的许多有价值的知识学问，能分享予我们吗？

答：这需要一两本书才能回答得了啊！在过去的半个世纪里，从我们的成功和失败中，的确学到了许多。简单地说，没有比乡村改造运动的格言更好地概括它们。

深入民间。有人说："到图书馆去，到资料库去。"但是我们的工作对象是人，必须与人民特别是农民打交道。在少数受过教育的上层知识分子和成千上万没有受教育的平民之间，有一个很大的鸿沟，为了架起桥梁，我们必须到人民中间去。

与平民打成一片。为了真正知道农民，了解他们的"长处"和"短处"，你就不能像游客一样，走马观花，你必须进入他们的生活圈子里，成为他们的邻居。

向平民学习。我们在过去的经验中有这样一个痛苦的教训，即在乡村改造工作中为了提高效率，我们必须首先甘愿承认自己无知，放弃学术包袱和偏见，然后重新再学习。不少专家发现否定过去所学和再学习是很难的，因为对于他们来说不再是自己知识的主人，而是自己的知识的牺牲品。他们必须有足够的虚怀若谷之胸襟，在我们能够成为农民的优秀教师之前，首先必须是农民的优良学生。

与平民共同计划。很少有专家理解并真正懂得，以参与者的角色和农民在一起讨论他们的需要和问题，并与他们一起制订可行的计划。这不是越俎代庖，而是参与者的伙伴。这是艺术高于科学的活动。

从农民已知开始。绝大多数计划是从我们所知的开始，因为这样容易。要明白农民知道什么，不知道什么，并从他们所知的开始是需要很多的理解和洞察力的。农民虽是文盲,但他们是理智和务实的。他们不知道的事情我们应当了解,但是,我们都不知道。

在已有的基础上建设。这两句话其实是很有意思的常识。但可悲的是,许多在第三世界的计划是开始于我们所知和建设于我们所有的基础之上。因此它们缺乏根基,难怪外援一撤除它们就会马上倒塌。

不是迁就社会而是改造社会。你或许听到人们绝望地说:“我们的社会过去是坏的,现在是坏的,将来也会是坏的。何须枉费心机?”维持它是容易的,无非让它破罐子破摔。但你还会记得我们谈到的改造(reconstruction)这个富有活力的词,我们教育并训练贫困愚昧的农民不单是为了过生活,而是重建生活,改造生活。所以我们的格言是:“不是维持而是创新。”

不是救济而是发扬。在地震或者洪水等自然灾害时救济是必要的。但是把救济作为一种政策是不当的。60年前的第一次世界大战期间,通过与农民劳工的亲密接触,我们发现他们所缺少的不是智力而是机会,他们需要的不是救济而是发扬,即发扬他们的脑力、生产能力、体力和组织能力。只有这样,这个人类中的绝大多数的农民才能成为发达国家的完全发展和自由平等的公民伙伴,在良好的基础上去共同建造一个更美好的世界。

(行庄译)

我为什么第二次回到祖国*

欧美同学会诸公、各位会友：

今天举行这个会，我非常之感动，至于还聘请我做一个名誉会长，真是不敢当，深知自己没有这个资格也没有这个能力。对大家这样的爱戴，我是十二万分的感谢，感谢！

刚才各位的报告，关于欧美同学会今年的惊人进步，是真了不起的事情。这种学会不容易募款，捐钱的人不能得到财务上的好处，然而捐钱的人若认识了欧美同学会的意义、宗旨、价值、在国际上的地位，他就不能不继续支持，今后更加支持。

今天在这里有我的一个很好的、很宝贵的同年的同志，就是梁老——梁漱溟先生。他办乡村建设，在中国是大家非常崇拜的。他有许多学生，今天还在那里努力工作。他们是在中国艰难的情况下回来的，是很勇敢的，很了不起的。一时的讥笑不算什么，老早他就忘记了这一切。他毕生献身于一般的劳苦民众，提高他们的生活，提高他们的知识，这是中国不能忘记梁老的一件大事。我

---

* 1987 年 7 月，晏阳初继 1985 年 9 月归国后第二次回国访问。7 月 10 日“欧美同学会”举行了欢迎会，胡子昂、严济慈、雷洁琼、傅学文、茅以升、伍修权、梁漱溟、陈铭德、鲜恒等著名人士及欧美同学会会员一百多人到会。本文系作者在会上的讲话，晏振东根据录音整理。原载《群言》1987 年第 10 期。这次收录时，编者根据录音重新做了校订。

们同年同岁,今天我们又能见面,几天前我们在他家里大谈特谈。所谓“酒逢知己饮,话逢知己谈”,我们谈得很多,我得到很大的安慰,很大的兴奋。他还出版了许多本书,不但有益于现在的青年,今后几百年的青年,也可以从他的书里看到他的做人道理,献身于平民的这种精神。希望青年们遵照梁老百年如一日的精神,为平民服务。

大家愿意知道我们为什么第二次回到祖国。第一次是1985年,我们来住了三个星期。我们梦想不到祖国在这么短的期间内有了这么巨大的成就。凡是政府应该为一般人民做的事情都在做。但是更让我们激动的有这么件事:那就是谦恭和虚心。我们平教会是一个很微小的研究农民生活的机关。但世界上最大的一个国家,居然以谦恭和虚心的精神邀请我们回来,看看祖国的建设情况,我们深受感动。第一次回来时有国际乡村改造学院的院长弗拉维尔,还有副院长颜彬生女士。我和颜女士同事40年,和弗拉维尔院长同事25年。他们都是献身于平民的人。“茫茫海宇寻同志,历尽了风尘,结合了同人。共事业,励精神,并肩作长城。力恶不出己,一心为平民,奋斗与牺牲,务把文盲除尽。男男女女,老老少少,一起见光明。一起见光明,青天无片云,愈努力愈起劲,勇往向前程。飞渡了黄河,踏过了昆仑,唤醒旧邦人。大家齐做新民,意诚,心正,身修,家齐,国治,天下平。”这是我们《平教同志歌》。我们这次回来有两个重要目的:第一,因为已经一年多了,为什么一年多就要再回来呢?我们回去做了自省自察的工作,在哪些方面,我们对于祖国多多少少可以有点贡献。我们不敢说自己在哪一方面一定能帮助祖国。第二,我们要到祖国来进一步学习。中国之大,人民之多,历史之长,对这样大一个国家在短时间内要有较深刻的而不是那种肤浅的认识是做不到的。我们对于当代诸公所执行的政策非常的敬佩。最大的一点,是对外开放,我觉得是20世纪的一个奇迹。这是了不起的一桩大事。我们五体投地地佩服。我们这次回来就是要进一步地增进彼此的认识。在彼此认识了解的条件下,我们愿意把我们70多年在乡村深入民间认识问题、研究问题、协助人民解决问题所取得的一点知识献给祖国。

我们从事乡村工作主要的一个哲学是“民为邦本,本固邦宁”。本不固邦不宁。如果诸公要问我们这些年干些什么工作,我们答复是努力实现“固本”的工作。怎样“固本”是个大问题,也可以说我们这几十年就是为了要研究,彻底地深刻地创造一套学术,以便传授给后来人,后来这些青年。叫他们能够知道,能够献身于这个伟大的工作。这就是“固本”工作。为什么说民为贵?因为本为民,我们绝不能忘“本”,忘本是最危险的一件事。所以我们这一辈朋友,这一辈同事,包括从欧美回来的,大家决心从象牙塔上钻到茅草房、泥巴墙里的劳苦民众中间,与人民同住,与人民为伍,向人民学习。许多知识分子不了解这一点,不了解这些劳苦大众,看不起这些人,还说他们有些什么东西可以让我们学习?我们搞了这几十年,我们知道,很多事我们可以向人民学习。要求我们因时、因地、因人而施,逐渐把我们几十年的研究形成了一个系统,要求我们的研究工作做到四个字:“深入浅出。”这四个字是最不容易做到的,是最重要的。单是“深入”不够,还要“浅出”。要做到这一点对我们是一个挑战。你深入了,我们很钦佩,你能不能浅出呢?你不能浅出就与一般劳苦大众没有关系了,你就不能影响他们了。

科学深入是我们今天最宝贵的东西。我们需要有一批人能够深入研究任何一方面能够提高人民生活、提高他们的人格的科学。

根据我们几十年的经验,能够深入的同事是有的,能浅出的同事却凤毛麟角。浅出是不容易的。换句话说,现在最宝贵的,能够建设新中国、新世界的,就是科学。科学不应是少数人享受的,而应是全世界劳苦大众都应享受的。应该成为他们的知识,成为他们的技能。使专家的所有科学知识能够打入到民间去,必须能够把科学民众化,然后才能化农民。这几十年我们深入了,但浅出这方面做的还很少,但多少做了一点。为什么我们要到民间去呢?这就好像一个医生,你对一个病人,面都不见,就开出药方,这合理不合理?古人说过的"闭门造车"是不行的。我们的办法是要办一个人民中间的实验室,一个民间实验室。到民间实验室中钻到人民生活中去,深入民间去发现种种问题,人民的长处何在,短处何在,发扬长处,克服短处,研究问题,慢慢地解决问题。"药方"适用不适用,要看服用以后的效果。另一方面,在解决问题的过程中,不要包办代替,只能协助人民去做,推动人民去做,要培养他们自力更生的能力。这种力量,我们能在人民的精神中和他们的实践中发现和加以培养。在外国,在非洲,在南美、中美,好些人都把工人叫做"苦力"。他们很肤浅地知道一点"苦力"的苦,但是并没有直接为这些劳苦大众做什么事,真正帮助他们翻身。我们的工作只是深入人民的生活,为这班民众。不是我们自己去做这样做那样,而是发现和发扬他们的"力",把苦力变成民力,变成人民的力量。

什么东西叫做"力"?这是一个大问题,我们认为有四个东西叫力:一个是知识,知识就是力量,要发扬这个知识力。我晏阳初的经验是,在第一次世界大战时,有20万华工在法国。我看出了苦力的苦,但是更有价值的是我发现了苦力的力。那个时候我们看中国的书,在哪一本书中写到民力?那时我刚从大学毕业到法国去当翻译。当时是想去做华工教育。结果呢，是他们教育了我。我发现了苦力的力。他们立过功，受到奖赏，很多很多人受到奖赏。他们勤学好问，可是他们一个大字不识。他们想家，他们从前连自己的家乡都没有离开过。现在好像从天上飞下来来到法国。就像李太白老先生的那首诗："床前明月光，疑是地上霜，举头望明月，低头思故乡。"在法国这些工人虽是苦，他们却能尽他们的力。我要教他们什么呢？他们要寄信回家，他们不能写信，90%以上[①]是文盲。就是在这个时候我学会一点怎么教文盲。教他们能够写信回家，教他们能看一点我办的《华工周报》。他们能够看报了，我有了这一点认识后，自己就发誓，回到中国去，不做官，不发财，把我这一生献给这个最可教的、最能学的占中国人口90%以上的人民，为他们造就一种教育，帮他们翻身。教他们不但能得到政府这样或那样的好处，而且能对政府有所贡献。所以我认为有四个力：第一，知识力；第二，生产力；第三，健康力；第四，团结力。我们要培养、发扬这四种潜伏力。我们这些当书生的人，从来没有看见人民的四力，我们才是盲子呢！对人民的力不知道，是民盲，不是文盲。因此，我们工作的四大教育第一是发扬知识力，第二是发扬生产力，第三是发扬健康力，不能成为东亚病夫啊。还有孙中山先生说过，我们虽说有四万万同胞，但是一盘散沙。所以，我们还要讲团结力。而且这四力要综合，像这五个指头，每个指头单独没有多大力量，拿筷子都拿不起来，但是综合了就是个拳头，就有力量了。这四力不是各干各的，合起来，大家共同成为一个团结的力量。这

① 前面说80%以上，与此处似有出入。

四力兼备的人，才叫做新民。梁任公先生编《新民丛报》，我们很崇拜，对中国的知识分子有很大的贡献。但是，他没有告诉我们，什么样的人才可以做新民，什么人有资格叫新民。不敢冒昧，我觉得，凡是四力兼备的，有知识力、有生产力、有健康力、有团结力，综合这四力兼备的才是新民。所以，我们在中国的口号是一方面除文盲，一方面做新民。

今天我说话太多，不应该。不过，诸公对我阳初这样爱戴，我实在十二万分感动。谢谢你们。

乡村改造运动十大信条*

——在 IIRR 国际乡村改造研讨会上的讲话

同胞们，欢迎你们从祖国来到设在菲律宾的 IIRR——国际乡村改造学院，参加国际乡村改造研讨会。国际乡村改造学院是一个国际性的民间组织，面向发展中国家，以训练、研究、推广乡村改造的知识、技能、方法、经验、理论为己任。你们是来自共产党领导下的社会主义国家的代表，在国际乡村改造学院的历史上与社会主义国家的专家学者共同探讨乡村改造的理论与实践，这是第一次。有十亿人民的国家派出代表团与一个民间组织共同探讨问题，这表明了中国领导人的气度与魄力，也反映了中国政府执行开放政策的决心。

1985 年与 1987 年我曾两度应全国人民代表大会副委员长周谷城先生的邀请回祖国访问。会见了邓颖超、万里、周谷城等各位领导人以及许多老朋友，并在北京、定县、成都等地参观访问。百

---

* 1988 年 4 月 11 日至 26 日，在菲律宾国际乡村改造学院举行了国际乡村改造研讨会。中国学者及有关人士一行 15 人应邀到会。晏阳初特地从纽约赶来，为大会做了五次学术报告。本文系最后一次报告的讲词，由宋恩荣记录，并对原“九大信条”重新梳理调整，演绎为“十大信条”。后寄往美国，经秦宝雄先生校阅，并呈晏阳初先生过目认可，同意收入宋恩荣主编的《晏阳初文集》。作者曾于 87 岁时手书“九大信条”，措辞及顺序与这次报告略有出入。本文可视为作者晚年对国际乡村改造运动经验的新概括。

闻不如一见，我亲眼看到祖国取得了了不得的成功，亲身体会到邓小平等先生固本工作的伟大成就。此行使我对祖国的前途产生了无限的希望，我真诚地希望能对新中国的建设力尽绵薄，做一点贡献。

今天，我请你们来到国际乡村改造学院，相互交流乡村改造的经验，共同探讨乡村改造的理论，以促进乡村改造的工作。今后我们还要争取更多的机会到中国去学习，尽可能地吸收有益的营养，来充实我们的国际乡村改造工作。国际乡村改造运动，溯其历史，源于第一次世界大战时期法国战区的华工教育，后来演变为中国的平民教育运动，成熟于定县实验时期。从 50 年代起，以中国定县实验的基本理论为基础的乡村改造运动，在第三世界发展中国家推广开来。经过 40 多年的努力，我们的平民教育与乡村改造实践与理论又有了很大的发展。国际乡村改造学院出版的期刊与书籍中都有详尽的介绍。

今天我向诸位介绍一下“乡村改造运动的十大信条”，这是我们集 70 年工作经验的总结，也可以说是我们事业成功的十个基本条件。

一、深入民间

先圣先贤留给我们的古训中有一条叫做“民为邦本，本固邦宁”。人民是国家的根本，本不固则邦不宁。这虽是几千年前的老话，但它却是历千年而不朽的真理。人民是国家的根本，要建国，先要建民；要强国，先要强民；要富国，先要富民。世界上无论任何国家，都是一样，从来没有哪一个国家，是国势强大而人民衰弱与人民贫困。过去的中国，号称有四万万之众，但是其中90%以上的人是贫民、愚民、病民。这样的国家怎么能强？怎么能富？以前，英国殖民主义者把中国人叫做“苦力”，我国的农民历来过着最苦的生活，是真正的苦力。在这数以万万计的劳苦大众中，有多少勤劳朴实的一般群众，同时也一定有无数英雄志士，有许许多多的大发明家、大科学家、大文学家、大思想家、大政治家、大实业家。但是由于政治的腐败，社会环境的不良，经济的贫困落后，中国宝贵的人力资源没有得到发掘，不知埋没了多少杰出的人才。

鸦片战争之后，列强把我们的国家一块块地瓜分了，中国变成了殖民地。为什么能成为这个样子？就因为我们丢了本，没有从根本上去重视建民、强民、富民的工作，本不固，国家自然不会强盛。过去几十年间，我们在中国倡导平民教育运动与乡村建设运动，其用意就是在固本上着力，以图祖国的繁荣富强。有了这样一条根本的信念，几十年我们坚持不懈地躬身实践，艰苦奋斗，深入民间，认识问题，研究问题。在中国，历来有“万般皆下品，惟有读书高”的传统观念，由于这种封建意识的影响，于是乎产生了许多书生、书呆、书奴，养成了一个士大夫阶层。“学而优则仕”，更有人飞黄腾达，青云直上，当官做老爷。这些人往往误国戕民。在中国历史上，有两种瞎子，两种盲人。一种是生活在社会底层的不识字无知无识的瞎子，叫“文盲”；一种是虽有知有识，但处在社会的上层，远离劳苦大众，不了解广大人民的疾苦，更看不到人民身上的潜在力量，这种人也是瞎子，我称之为“民盲”。近代以来，中国的许多读书人，跑到欧美去留学，染习西化，回国后俨然一个“西洋人”了，吃的穿的，一切的一切，都西洋化了。与中国的劳苦大众、平民、农民、苦力，根本就没关系了。还有一些读书人，相信文章救国、文章建国，而看不到劳苦大众中蕴藏着无穷的伟力。以上这些人都应归之于“民盲”之列。“民为邦本”、“民为贵”，恰恰是我们中国的古训，而我们的读书人又偏偏忘记了祖宗的遗教。

我个人由于特殊的经历，第一次世界大战时期在欧洲战场与华工朝夕相处，有机会了解到“苦力”之苦，同时也发现“苦力”之力。于是下定决心今生今世要献身于劳苦大众的解放事业。回国后，渐渐有许多朋友和我合作，投身于平民教育与乡村改造的工作。我们这一批同志朋友，有分别留学于德国、法国、美国、日本的博士硕士，也有毕业于国内各大学的专门人才。有学经济、政治、教育、农业、卫生、社会等学科的。当时他们学成归来，满腔热忱企图报效祖国，但是英雄无用武之地，报国无门，政府腐败透顶，人民穷困已极，深感失望。当他们看到平民教育促进会在全国范围内开展大规模的识字运动，深受鼓舞，感到有实现报国之志的机会了。当平民教育运动转向农村，演变成一种更为深刻的治本建国的乡村改造运动时，他们舍弃了大学校长、教授的工作，有的还放弃了当官升迁的机会，大家从象牙塔跑到泥巴墙，从大都市来到穷乡僻壤。我们回到乡村，来到中国的基本群众农民父老兄弟姐妹中间，以图了解人民，探索救国的方略与道路。

二、与平民共同生活，向平民诚心学习

深入民间的目的是为了认识问题，研究问题，协助人民大众解决问题。为达到这目的，就要彻底地放下知识分子的架子，虚心地

向农民学习,向人民群众学习。要当人民的先生,首先要做人民的学生。要化农民,必先农民化。我们来到定县,住的是与农民一样的房,吃的是与农民一样的饭,我们提醒自己绝不自筑壁垒,与农民隔绝起来,搞成一个“小北京”式的小圈子。我们要彻底地与农民打成一片,甘当他们的小学生。起先农民对我们怀有很大的戒备,以为我们是政府派来收捐、征兵、拉夫的。后来看到我们真心诚意地为他们办事,才消除了疑虑。

中国的知识分子在和农民、平民结合的时候,要从根本上破除“上智下愚”的传统封建观念。把自己看成是上等人,而把农民、平民看成是下等人,这是大错特错。1776年美国的《独立宣言》,1789年法国的《人权宣言》都表明了“人人生而平等”的思想。1948年联合国大会通过了《世界人权宣言》,进一步发挥了这一基本思想。它和中国的封建思想是根本不同的。受过现代教育洗礼的知识分子首先应当具备民主自由的先进意识。对待中国的平民百姓,特别是占人口总数85%的农民,我们要从心底把他们看作是与我们一样的平等人,看作是我们的同胞,是自己的兄弟姐妹。几千年来的封建统治,使他们祖祖辈辈受苦受难,不能摆脱愚昧无知的状态。这不是他们的过错,他们不是不可教,而是“无教”。他们并不缺乏才智,缺少的是机会。他们受尽千辛万苦,有其独有的不朽经验,只要给他们以机会,他们的聪明才智总有一天会爆发出来的。我曾说世间最宝贵的财富是人,世界最宝贵的矿藏是“脑矿”,最大的“脑矿”在中国,中国的平民、农民蕴藏着无穷的伟力。我们搞平民教育与乡村改造,就是在开发“脑矿”,开发民力。而从事这一工作首先要求我们扫除自己头脑中的封建意识,树立一个平等的思想所谓平民教育,其“平民”二字中的“平”,并非只“平凡”一义，其中还含有“平等”的意思。首先是人格平等，其次是机会平等。当真正实现平等的时候，天下才能“太平”。如果世界上2/3的人总在贫困和不满中生活，世界能够实现和平吗？

70年来，我们初衷未改，坚持生活在劳苦大众中间，前30年在中国，后40年在第三世界发展中国家，为了推动乡村改造，我们必须虚心向农民学习，向农民求教。不这样做，我们在农村就不可能站得住脚，更不可能有所作为。你高高在上，视自己与农民为异类，你就不可能抓住他们的心弦，就不会得到他们的信任与尊重，就不可能推行你的主张。这好像医生为病人看病，要达到治病救人的目的，你就要问病情，检查身体，这就是向病人学习。你还要有一个严肃、诚恳、热情的态度，否则病人就不跟你合作。积几十年经验，我们深深认识到，要想使自己的乡村改造事业取得成功，非要和农民打成一片不可，非要向农民学习不可。

三、共同计划，共同工作

60年前我们在中国选择了定县，最近几十年，我们又选择了菲律宾、泰国、印度、危地马拉、哥伦比亚、加纳等国的一些乡村作为我们推动乡村改造的基地。自然科学的研究需要实验室，社会科学的实验也需要实验室，但这实验室不是在屋子里，不是在图书馆，而是在社会实践中，在农村里。上述这些基地，就是我们乡村改造的社会实验室。

从事这一实验的主力应当是平民自己，他们是社会改革的主力。因此，不是说我们一切都知道了，指示人家应该怎么去做。平民是我们的伙伴，首先要对他们做启发、教育、宣传的工作，让他们树立主人翁意识与从事改革的主动精神。一切计划、方案及方法，都要与他们共同商量研究，要使我们所掌握的科学道理与方法，与他们的实践经验及具体情况相结合。要做到因时制宜，因地制宜，因人制宜。不能固执己见，不能以为我们有知识，是大学士、大博士，就什么都懂得，一切都正确。应当承认，有好多东西我们不懂，或没有真懂，反倒是农村的百姓具有真知灼见。有些时候，我们的主张尽管正确，也需设法使它变成平民大众自己的主张。这往往需要耐心，需要说服等待。我们切不可操之过急，一厢情愿，简单从事，包打天下。社会改造事业，没有千百万觉悟了的劳苦大众积极参加，是一定不会奏效的，是注定要失败的。

四、从他们所知开始，用他们已有来改造

整个乡村改造工作的目的是发扬平民的潜伏力，要他们运用自身的力量去改造自己的生活。推行平民教育运动本身不是我们的最终目的，它是发扬平民潜力的一种利器。因此，平民教育，并不能代表我们工作的全部内涵，在某种意义上讲，平民教育与乡村改造，都是发扬平民潜伏力的方法。

过去我们说中国农民的问题是愚、穷、弱、私，现在，我们认为不发达国家农民所存在的问题仍然是愚、穷、弱、私。我们就是要从教育的立场出发，用教育的方法来医治这四大病症。用文艺教育攻愚，发扬知识力；用生计教育攻穷，治穷，开发生产力；用卫生教育防病治病，培养健康力；用公民教育攻私，发扬团结力。我们

过去的口号是“除文盲,作新民”;现在发展为“除天下文盲,作世界新民”。时代的发展,更加证明“新民”应当是知识力、生产力、健康力、团结力“四力”兼备的人。所以今天我们国际乡村改造学院的工作重点仍然是 livelihood(生计)、education(教育)、health(健康)与 self government(自治)四大改造连环进行。

发扬民力,开发民力,改造生活,是一个巨大的工程,需要付出巨大的努力。但是千头万绪从何开始?我们认为要从平民最迫切的问题入手,从他们所知道并能理解的地方开始,在他们现有的基础上来进行改造。这就要求我们的乡村改造工作人员将复杂而高深的科学知识简单化,用中国话来说要深入浅出。只有将农业科学技术简单化、经济化、实际化,才能达到民众化,否则农民接受不了,用不上,一切都将成为空谈。做到这一点并不是轻而易举的事。但是,我们必须努力这样去做,它关系到我们工作的成败。教育与改造,固然是一神圣而伟大的事业,但必须从基础上做起,万丈高楼平地起。必须从大处着眼,从小处着手,脚踏实地,集腋成裘。

五、以表证来教习,从实干来学习

早在定县实验时期确定的以训练做准备,以表证为方法的实施制度,近 40 年来又为亚洲、非洲、拉丁美洲一些国家所仿效。实践证明这种制度有效地推动了农业科学深入民间。对农民进行生计教育,是为了有效地发展他们的生产力,改善他们的生活。生计教育的成效如何,关系到农民投入乡村改造的热情,这对整个改造运动的成败关系重大。如何推行生计教育,在中外教育史上无前例可循。采用传统的学校式的正规教育方法是不可行的。

在定县实验中我们创造了表证农家的办法。这一办法强调在实践中学习的原则。一般的做法是由下列过程组成:设立生计巡回训练学校,有计划地到各社区进行农业技术教育与实际指导。目前国际乡村改造学院还施行一种来校做为期一周的短期培训的办法。这些培训指导常以单项农业技术为内容。受训人员为农民领袖与生产能手。在生计培训的基础上,挑选成绩好并热心农业技术改革的农户,作为表证农家。以此作为当地农业推广的中心与农业经济建设的枢纽,通过他们的实地操作、实际成果与现身说法,向其他农民做表演示范。这样就把课堂搬到了农田,变书本教学为实干学习。举凡理想之宣示、技术之传授、试验之证实、推广之实施,都可从表证教习来完成。推而广之,表证教习,也适用于教育、卫生、自治各项事业。

六、不是装饰陈列,而是示范模型

平民教育与乡村改造所进行的一切,不是为了装饰陈列,专门拿来供人参观的,而是为了在农民实际生活中发生效应的。我们在定县搞平民教育与乡村改造实验时,一时吸引了国内外各界人士前来参观。国内来的包括从事乡村教育、乡村自治、乡村建设以及有关的高等学校、经济团体、文化团体的有关人士与政府官员。其中国内国际著名人士如周作人、黄绍竑、甘乃光、梁漱溟、黄炎培、江问渔、任鸿隽、蒋廷黻、斯诺、孟禄、Mr. Gunn 等亦先后来定县考察。很多人对定县实验给予充分的肯定，也有些人提出这样那样的批评。其中有些人对定县乡村改造的市政设施感到失望，认为没有平坦的马路与像样的建筑。其实，我们向来不主张做表面文章，我们作为一个私人学术机构，多年来一直靠募捐得来的资金维持事业，从来舍不得乱花一文钱。我们要扎扎实实搞实验，注重实绩，希望为各地各国提供一个示范的模型，这个模型是看得亲切，学得容易，富有实效。我们没有忘记，自己的事业是为广大贫困地区的劳苦大众服务。如果我们提供的模式是一种中看不中用的东西，那就失去了乡村改造的意义。

七、不是零零碎碎，而是整个体系

过去我们强调文艺、生计、健康、公民四大教育连锁进行，现在我们强调教育、生产、健康、自治四大任务连环配合，同时并举，基本思想是一样的。国际乡村改造学院的院标就是四个圆圈连环并置，标志着四大任务连环进行。这代表了我们多年从事乡村改造事业的一个基本认识，即乡村改造是一个完整的系统工程。

我们都知道，农民的生活水平太低，问题错综复杂，改造工作刻不容缓。我们也知道，从事乡村工作者，在任何一个问题上单独动手去做，多少可以有些成就，有些帮助。可是经验告诉我们，零零碎碎去做，不但费时间，不经济，而且往往顾此失彼，效果也不能持久。所以我们帮助全世界的农民，去发挥他们的知识力、生产力、健康力和团结力，不仅要深切了解这四大任务相互配合的关系，更应对每一个问题都有彻底的认识，用有系统的方法来全面解决问题。不应只在每个具体的问题上零碎地去做一点事,就希望能把整个问题全部解决了。

为了说明这一信条,我们用保健工作来做例子。我们在定县,发现农民的卫生需要是多方面的。他们需要环境卫生、防疫注射、节育方法、医药治疗设备、家庭营养和婴儿保健知识。我们下了几年工夫,建立了一个有效果、农民经济能力可以负担的农村保健制度。由受过基本医药训练的保健员(每村一人,平民学校毕业生担任),负责推动乡村基层卫生工作。他们经常和区保健所(有医师、助理员、护士)保持联络,继续接受训练,并将病情比较严重的农民送到区保健所去治疗。最后有县保健院,这是县保健制度的最高机构,有完善的医药设备及可收住 50 人的病房。县保健院并负责主持训练各级卫生工作人员及助产妇。这个保健系统,可说用很低的代价,全部满足了定县 40 万人的卫生需要。这样,我们解决了的是卫生保健的整个体系。

八、不是枝枝节节,而是通盘筹划

社会既然是一个有机联系的整体,乡村改造是一个系统工程,这就需要在进行这项工程的过程中通盘筹划。四大任务既可以看成是具有并列关系的小系统,又可以看成相互间有一定因果或逻辑联系的立体网络,因此解决乡村社会的问题既要注意四大任务进行过程的联系性,又要照顾到它们之间的必要逻辑联系。比如乡村最迫切的问题是贫穷,为了提高人们的生活,自然首先会想到发展生产。但是,如果不同时筹划教育,不努力提高人们科学文化知识水平与生产技能,不加强人们道德观念和社会思想认识方面的工作,不提高人民的民主意识与自治能力,不注意提高人民身体素质,不加强卫生健康教育工作,只单纯抓生计,抓生活方式,抓眼前的枝节的致富而不知致富的道理、道路、技能以及目的与各方面的保障,不注意巩固与提高的措施,是行不通的。且不说生产搞不上去,即使搞上去了,也不能使社会和个人得到均衡的巩固持久的发展。人的发展需要和社会发展的需要都是多方面的,并且彼此之间互相联系,满足了一方面的需要,只是解决问题的某一方面,只有使各方面的发展需要都得到满足时才能得到均衡的发展。单方面的考虑和解决问题,即使某一方面成功了,但由于其他问题未解决,这种成功也是暂时的,势必要被未解决的问题破坏掉,或者形成畸形发展的新问题,阻滞社会进步。由于这些,我们必须注意在进行乡村四大建设工作时,既要使四大任务的工程连锁推进,又要特别注意把握住它们之间的环节,从立体网络结构的观点来通盘筹划。

70 年来,我们搞的既是一项旨在解除劳苦大众贫困、愚昧的一项大的系统工程,又是一项基于这项工程成就之上的发展与建设性工作。我们乡村改造的目的不单是使人们摆脱困境,而主要的是在摆脱困境的过程中真正开发出个人和社会的发展与创造能力,通过自己的能力和社会的生命机制,开拓新世界前景,使个人和社会都得到良好的全面发展。我们不希望人们单纯地从教育或其他的立场看待我们的事业,教育只是我们事业中的一个主要环节,不是我们事业的全部。这点请诸位注意!

九、不迁就社会，应改造社会

乡村改造既是一种社会改造运动，就意味着要对自然的、社会的、历史的、现实的种种问题采取革命的措施，弃旧图新，走向光明。我们肩负的使命要求我们应当永远迎着困难上，向困难挑战，最终战而胜之。因循守旧，得过且过，就会固步自封。你常会听到有人说：社会是如此恶劣，看不到一点希望，将就凑合吧，能维持现状就不错了。——这是一种悲观的论调。我们当今处在人类社会的一个大变动时代，改革是时代的潮流，要创造一个新社会，自己就必须与时俱进。要有旺盛的斗志，时时刻刻准备应付各种困难与挑战。国际乡村改造学院的同志们意识到自己任重而道远，因此我们提出要坚持自己的特有精神：(1)自由与独立的精神；(2)所向无敌，不惧怕任何困难的精神；(3)奉献精神。

过去在中国，我们曾受到军阀的威胁利诱，受到地主与高利贷者的围攻，受到贪官污吏的刁难与破坏，更不用说连年的战争造成了巨大的困难。困难正是一位绝好的老师，把我们锤炼得更加坚强。我们的口号是：威武不能屈，富贵不能淫，贫贱不能移，战乱不足忧！

十、不是救济，而是发扬

70年前，当我在法国第一次接触中国的劳工时，我就发现他们并不缺乏智慧，而是缺乏发扬这智慧的机会。在以后的实践中，我更认识到：平民教育不是以慈悲为怀的施米施粥的贫民教育，而是培养国民元气，改进国民生活，巩固国家基础的新型教育。后来我们又提出：乡村改造是为了民族再造，农民——特别是青年农民——是乡村改造的主力。知识分子回到民间去，不是包办代替，而是启发教育农民，激发调动他们的主人翁意识，培养他们自发自动的精神。

国际乡村改造学院以有限的人力推动菲律宾几个基地的乡村改造实验，而为世界发展中国家培训乡村改造各种人才，就是立足于发扬。“发现、发明、发扬”的“三发”原则，始终是我们的基本思想。发现是指我们与劳苦大众朝夕相处中发现了蕴藏在他们身上的无穷伟力；发明是说我们发明了开发人矿、脑矿的平民教育与乡村改造的一整套理论与方法；发扬则是说我们整个的系统旨在发扬民力、发扬人格平等的精神。

我们不是包打天下的英雄，我们不是解救众生的基督，我们只是广大平民的朋友，乡村改造的事业没有千百万劳苦大众的自觉参与，是一定不能成功的！我们为民服务，一定要牢记“民为邦本，本固邦宁”。现在世界上还有三分之二的人在受穷受苦，我们不揣冒昧，不分种族，不顾国界，以改造乡村，来负起达到天下一家的使命！

晏阳初先生学术年表*

1890 年(光绪十六年)

10 月 30 日,生于四川省巴中县。名兴复,字阳初,乳名云霖。

1895 年(光绪二十一年)

入父亲所办塾馆接受启蒙教育。

1903 年(光绪二十九年)

到阆中,入学西学堂,开始为期四年的西学堂生活。期间,领受洗礼,加入基督教。

1907 年(光绪三十三年)

入成都“美以美会”设立的华美高等学校肄习三年。

1912 年

冬,随传教士史文轩赴香港。

1913 年

1 月,以晏遇春名入香港圣史梯芬孙学堂。

9 月,以最优成绩考取香港大学政治系。因拒入英国国籍而失去获得英皇爱德华奖学金 1600 元的机会。

---

* 本年表由宋恩荣撰写。参考了晏阳初先生生前提供的文稿、书信,国际乡村改造学院菲律宾校本部与纽约办公室提供的中英文档案文献,哥伦比亚大学图书馆藏“晏阳初专柜”,吴相湘:《晏阳初传》。

1916 年

夏，乘海轮启行赴美。9 月，入耶鲁大学，修政治经济学。

1918 年

夏，在耶鲁大学毕业后二日，即搭乘军舰赴法国战场，参加基督教青年会主持的为华工服务工作。

6 月中，抵达法国北部的布朗。开始华工识字扫盲的工作，此为中国平民教育运动海外之起源。

1919 年

1 月，创办《华工周报》，以“开通华工知识，辅助华工道德，联络华工感情”为宗旨。

6 月 9 日，与蒋廷黻一同离法返美继续求学。入普林斯顿大学，主修历史学。

1920 年

8 月 14 日，回到上海。接任中华基督教青年会智育部平民教育科工作。

秋，赴济南、天津、北京、武昌、汉口、南京各地考察平民教育。

1922 年

2 月，主编的《平民千字课》出版。同月，抵长沙开展平民识字教育大实验，开办两届为期四个月的平民教育识字班。

1923 年

2 月，在烟台推行平民教育实验。8 月 1 日，烟台平民学校举行毕业典礼。朱其慧为毕业生颁发《识字国民证书》。

8 月 26 日，中华平民教育促进总会在北京举行成立大会。推选朱其慧为董事长，晏阳初任总干事，主持工作。

1924 年

11 月,直隶保定道 20 县开始普遍提倡乡村平民教育。

1925 年

3 月 1 日,平教总会创刊《农民旬刊》。

7 月,应邀出席檀香山太平洋国际会议,发表题为“中国的新生力量——平民教育”的演讲,并开展募捐活动。

1926 年

10 月,平教总会在定县设立办事处,划东亭镇为中心的 62 村首先开展乡村建设实验。

1927 年

张学良、杨宇廷邀晏阳初面议,欲通过平教将华北政治、经济、文教统一起来。晏以“保持平教运动独立性,不染指党派政治”为由拒绝。

1928 年

6 月 5 日抵美。20 日,出席耶鲁大学毕业典礼,领受“文学硕士”荣誉学位。

本年,“中国平民教育美国合作委员会”在美成立。

1929 年

7 月,平教总会机关与晏阳初全家由北京迁至定县,其他工作人员及家属也随之迁入。开始“集中全会力量做彻底的、集中的、整个的县单位实验”。

1930 年

4 月,全国基督教识字运动研究会在定县召开。

1932 年

12 月 10 日,参加在南京举行的第二次内政会议,会议通过“县政改革方案”，决定将定县原则推广于中国。

秋，由李景汉编著的《定县社会概况调查》出版。晏阳初、陶孟和、陈达、何廉、陈翰笙等作序。

1933 年

春，全国基督教农村建设研究会在定县举行。河北省根据国民政府第二次内政会议决议成立县政建设研究院。晏阳初担任院长。以定县为实验区，应用政教合一力量试验县政建设。

7 月 14 日至 16 日，全国乡村工作讨论会第一次大会在山东邹平举行。晏阳初发表题为“中华平民教育促进会定县工作大概”的报告。

1934 年

10 月 10 日至 12 日，全国乡村工作讨论会第二次大会在定县召开。晏阳初在大会发表演讲：“乡村运动成功的基本条件”，“中华平民教育促进会定县实验工作报告”。

1935 年

10 月 10 日至 12 日，全国乡村工作讨论会第三次大会在江苏无锡教育学院举行。晏阳初在会上做“乡村运动与民族自救”的演讲。

1936 年

2 月，选定衡山县为实验县。

4 月 2 日，华北农村改造协进会在北平成立。晏阳初被推举为执行委员会主席。6 月，平教总会正式自定县南迁到湖南长沙，以便就近指导华中、华西实验的工作。

10 月 17 日，在湖南衡山乡村师范学校做题为“误教与无教”的演讲。

1937 年

8 月,应邀出席最高国防参议会会议。

9 月 29 日,定县沦陷。定县实验区工作被迫停止。

1938 年

8 月,派平教会干部堵述初赴延安考察,会见毛泽东。毛泽东对晏阳初及其同人"以宗教家的精神致力于平民教育运动深感钦佩",表示"共产党愿做你们的朋友!"

1940 年

10 月,私立中国乡村育才院在教育部正式备案。28 日开学,晏阳初任院长。

1941 年

1 月,华北乡村改造协进会更名为"全国乡村建设学会",晏阳初被推举为理事会主席。

1943 年

5 月 24 日,"哥白尼逝世四百年全美纪念委员会表扬委员会"表彰晏阳初与爱因斯坦、杜威等十人为"现代世界具革命性贡献伟人"。

7 月,开始与美国著名作家 J. P. Mevy 合作撰写《免于愚昧无知的自由——平民教育实用手册》,提出"第五自由"的著名论断。

1944 年

1 月,在哈瓦那大学及其他教育团体演讲中国的平教工作,并商讨在古巴推行平民教育问题。

5 月 12 日,与美国人士商谈决定建立"平民教育运动中美委员会",后被选为该委员会理事。

7 月,在美国《生活》杂志发表《中国战后是否民主?》一文,重在说明中国能够建设强大的民主。

1945 年

3 月，诺贝尔文学奖获得者赛珍珠(Pearl S. Buck)所著《告语人民》刊行，该书用晏、赛二人对话形式，叙述晏阳初 25 年来献身于中国乡村建设工作的经过。

8 月，经教育部批准，中国乡村建设育才院扩充更名为“中国乡村建设学院”。

11 月 13 日抵旧金山，19 日被授予该市“荣誉公民”称号。

1946 年

3 月 11 日，与大法官道格拉斯(William Orville Douglas)一同到白宫会见杜鲁门总统，介绍中国平教运动的意义。

秋，乡建院学生民主选举产生“四自会”，主席由中共地下党员担任。

11 月，包括十县一局的璧山华西实验区正式成立，覆盖耕地 1230 万亩、农民 70 万户、人口 532 万，占全区人口的 76%。

1947 年

7 月 10 日，拜见美国国务卿马歇尔(George Catlett Marshall)。应马歇尔要求，于 9 月 30 日向美国国务院提交一份要求美国援助中国教育与生计等社会建设的备忘录。

1948 年

1 月至 3 月，为争取美国通过援华法案，分别与美国政界、经济界以及新闻界人士频繁接触。

3 月 8 日，全美教育协会为晏阳初举行盛大午餐会，他即席演讲“中国乡建平教大要”。9 日再次拜见杜鲁门总统。19 日，美国会众议院外交委员会通过杜鲁门总统提出的援华法案，4 月 1 日正式公布。该法案中“农村建设”部分亦名“晏阳初条款”，指定在对华经济援助总额4.2亿美元的5%至10%作为中国农村战后复兴专用，并由美中双方政府联合组织一委员会管理。

8月5日中美正式换文公布，决定成立“中国农村复兴联合委员会”。随后国民政府与美国政府分别委任晏阳初、蒋梦麟、沈宗瀚与穆懿尔、贝克为委员。14日，晏阳初在上海《大公报》发表《开发民力，建设乡村》。10月1日，“中国农村复兴联合委员会”在南京正式成立。

1949年

11月20日，晏阳初在台北参加中国农村复兴联合委员会会议，随后转赴美国，就美国援助及农复会前途问题与美政界及民间人士交换意见。

1950年

1月16日至8月17日，正在美国的晏阳初与身在香港的卢作孚互通标注“极密”、“阅后火之”等字样的密信8封。晏阳初在信中希望了解中共“是否同意吾人在大陆继续工作”。

11月，中共川东行署派工作组到乡建院，在师生中开展“批判亲美、恐美、崇美思想教育运动”，并以“反革命罪”逮捕代理院长魏永清等。

12月2日，重庆市军管会宣布解散中华平民教育促进会，接管乡村建设学院。随后，发起对晏阳初以及平民教育促进会“反动罪行与本质”的严厉批判。之后川东人民法院判处魏永清死刑缓期执行。

12月18日，平教运动美中委员会在美举行执委会，讨论晏阳初关于援助落后地区人民的建议。

本年，国际平民教育运动委员会成立。

1952 年

2 月 1 日，应邀参加美国国务院“第四点计划演讲会”，在大会上就中国平教乡村经验做演讲。

本年，先后赴菲律宾、印尼、泰国、巴基斯坦、印度、利比亚以及设在巴黎的联合国粮农组织、卫生组织考察或商讨合作事宜。

1954 年

1 月 16 日，自纽约经旧金山飞往马尼拉。

11 月，应菲律宾总统拉蒙·麦格塞塞邀请推行三年计划，协助菲成为亚洲乡村改造示范国家。

1958 年

12 月 2 日，国际平教会召开大会。晏在大会上提出建立“国际乡村改造学院”计划，获得与会者支持。

1961 年

7 月，先后前往委内瑞拉、危地马拉、哥斯达尼加、波多黎各参观访问，获得各国朝野的热烈欢迎。

1965 年

1 月 6 日，主持国际乡村改造学院在菲律宾境内的田野实地训练站的国际训练工作第一期始业式。

本年，危地马拉乡村改造促进会成立，成为中美洲乡村改造实验场。哥伦比亚乡村改造促进会也告成立。

1967 年

5 月 2 日，国际乡建学院举行第一期校舍在菲律宾开维特省西朗镇举行落成奉献典礼。晏阳初以“国际乡村改造学院的使命”为题发表讲话。

本年，泰国乡村改造促进会成立。

1976 年

11 月 23 日，危地马拉总统基耶尔·欧亨尼奥·劳赫鲁德·加西亚授予晏阳初“危地马拉国鸟勋章”。

1982 年

本年，四川省高级人民法院对原中国乡村建设院长代理院长魏永清案改判，宣告魏永清无罪释放。

1983 年

10 月 26 日，戴维·洛克菲勒(David Rockefeller)在纽约联合国总部宴会厅主持“晏阳初 90 寿辰纪念会”。

同日，美国总统罗纳德·威尔逊·里根(Ronald Wilson Reagan)从白宫发来贺电：“您创立了自我拯救的思想……一直影响着发展中国家的开发事业。”

1985 年

8 月 10 日，全国人大副委员长周谷城致信晏阳初，欢迎他回国探亲考察。

9 月 3 日，在阔别了 36 周年之后，晏阳初回到中国。受到全国政协主席邓颖超、全国人大委员长万里、副委员长周谷城等的热烈欢迎，并先后到定县、成都考察。

1987 年

6 月 28 日，再次回国访问，会见了周谷城先生和其他从事农村工作的政府官员及有关学者。

7 月 10 日，北京欧美同学会举行欢迎会，公推晏阳初为该会海外名誉副会长。晏即席表示，要在有生之年为祖国的建设贡献力量。

10 月 15 日,美国总统里根在白宫亲自为晏阳初颁发“终止饥饿终生成就奖”。

1988 年

4 月,国际乡村改造研讨会在菲律宾举行。中国全国人大教科文卫代表团 15 人出席会议。晏阳初专程从美国赶来参加,并在研讨会上做了四次学术报告。

8 月 6 日,麦坦 · 梅森夫妇在美国他们的安克拉姆农场为晏阳初举行 98 岁寿辰庆祝会,200 多名各界人士到会祝贺。

1989 年

6 月,《晏阳初全集》由湖南教育出版社出版。

10 月 25 日,美国总统乔治 · 布什致电晏阳初,祝贺他 99 岁寿辰。

1990 年

1 月 17 日凌晨 1 时 17 分,晏阳初在美国纽约逝世,享年 100 岁。

5 月 27 日至 6 月 1 日,“晏阳初平民教育与乡村改造国际学术讨论会”在石家庄市召开。中、美、英、加、日、印、菲、加纳等国家,以及中国台湾地区的 40 多名学者到会。会后编辑出版《教育与社会发展——晏阳初思想国际学术研讨会论文集》。

6 月,晏阳初部分骨灰的安放仪式在菲律宾国际乡村改造学院举行。另有四分之一骨灰,于 1997 年 6 月 30 日安放于故乡巴城东郊塔子山陵墓。

“创造转化”与“自我实现”

——论晏阳初的思想与人格*

韦政通

1981 年，我读完吴相湘教授的《晏阳初传》，曾写过一篇《农村改造的实践者：晏阳初》，主要在宣扬这一史无前例的改造运动，以及它所表现的精神。1983 年，晏阳初先生 90 华诞，我为《中国论坛》策划了一期庆祝专号，在专号里，我又写了篇《晏阳初农村改造的思想》①，这篇文章主要指出晏先生的思想，是由儒家的民本思想、基督教的圣经、科学方法、民主思想等四部分所组成，并就这四部分分别说明：(1)民本思想为乡村改造运动提供了最高的原则；(2)圣经所启示的基督精神，为这个运动主要的动力来源；(3)科

* 韦政通先生是台湾资深学者，国际著名的思想家、哲学家。本文是韦先生 1990 年5 月27 日—6 月1 日来大陆出席“晏阳初平民教育与乡村改造思想国际学术讨论会”提交的论文。原载宋恩荣主编：《教育与社会发展——晏阳初思想国际学术研讨会论文集》，湖南教育出版社 1991 年出版。现征得作者同意，选入本书作为“导读”。——编者注

① 以上二文均已收入拙作《儒家与现代中国》，台北东大图书公司 1984 年版。

学方法是解决农村问题的有效手段；(4)民主则代表这个运动在现代中国所要达成的间接目标。从指涉的架构可以看出，这是一篇顾及整体，但在性质上是属于概论性的文章。

本文是希望在上述二文的基础上，再深一层写篇专论，主要观点是放在“创造性”上，处理的方式，想试用思想史家提出的“创造转化”和人格心理学的“自我实现”，将晏先生的思想和人格这两方面的创造性予以凸显。

一、创造转化

晏先生的一生，在世界上所获得的荣誉与赞美，不计其数，其中最突出的，是称他为“人类伟大思想家”、“真正哲学家”、“杰出的发明者”以及“现代具革命性贡献的世界伟人”等，更恰当地说，他应是人类有史以来最杰出的“乡村改造理论的创建者”。这些头衔都具有创造性的涵义，问题是这些涵义究竟指的是什么？这将是本文所要加以分析并彰显的重点。

我之所以采用“创造转化”这个概念，是因主观上觉得它对上述“创造性的涵义”，可以做有效的诠释，当然，并不表示这是唯一的可能，晏先生不论思想和人格，其内涵也相当丰富，如用其他的观念切入，也必可有新的了解和新的发现。

“创造转化”是友人林毓生教授根据 Robert Bellah 对 Creative reformism 的分析，在 1979 年纪念他老师殷海光先生的文章中提出的。[①] 以后这个观念便在中国台湾、香港以及海外逐渐流行，近年来中国大陆也有人使用。究竟什么是“创造转化”呢？据林教授的解释，“那是把一些中国文化传统中的符号与价值系统加以改造，使经过改造的符号与价值系统变成有利于变迁的种子，同时在变迁的过程中继续保持文化的认同”。[②] 可见这个观念主要针对的问题是：如何使文化传统做有效而又具有创造性地发展。其中包含三个要点：(1)改造或重组文化思想的传统；(2)改造后的传统，必须成为有利于变革的资源；(3)变革后仍能与传统保持精神上的联系。下文便以此为参考，对晏先生乡村改造的思想进行考察。

“民为邦本，本固邦宁”，是乡改运动所服膺的最高原则，也是所有成员最基本的信条。此语最早出现于《尚书·五子之歌》，经由先秦儒家（特别是孟子）的弘扬与发展，不仅使“民本”成为文化传统中一个重要的思想符号，也成为儒家所向往的一种崇高的价值。现在依据民主的理论，才能了解到，“民为邦本”的理念，在政治上，只有在民主的实施中才能落实。在传统道德理想主义的儒家，所谓民本，只不过是对人民表达了一种道德的关爱；在专制王权主宰的现实历史中，也至多能做到“得民则威立”[③]，在这里，获得民心的归向，成为一种工具性的价值，树立君王的威权才是目的。

传统的民本观念，在晏先生的思想中，一开始就是从问题意识

① 参见林毓生：《思想与人物》，台北联经出版公司1983年版，第418页。该书有关“创造转化”的讨论，还可参看第332、277页。

② 同上书，第332页。林毓生于1989年联经出版的《政治秩序与多元社会》一书中，有《什么是创造性的转化？》一文，对这个观念有较详细的解释，可参考。

③ 《管子·形势》解：“人主，天下之有威者也，得民则威立，失民则威废，蛟龙待得水而后立其神，人主待得民而后成其威。”

出发的。早在1918年，他在法国为华工服务时，便已发现中国的各种动乱、专制虐政、贪官污吏横行，主要原因即人民大多是文盲，愚昧无知，任人宰割，“本”既如此脆弱，“邦”国又何得安“宁”强盛！① 这一发现，终于使他认识：“救国必先救乡，救乡必先救民。”民要如何救？从最平凡的“除文盲”开始，也就是将文盲乡民从识字教育着手。这就是后来发展成全球乡村改造运动的起点，传统的民本也就在这里开始落实。

在识字教育的平教运动中，晏先生又进一步发现文盲乡民们的伟大潜力，他们学习认真，进展也很快，使平教工作的同仁信心大增，于是决心经由教育，训练他们，组织他们，让他们发挥出应有的力量，并引导这股力量去改造农村、改善生活。晏先生的“培养民力”、“改造农村”便是由传统的“民本”转化而来。同时他认为，如果不从此下手，所谓民族自救、民族改造，恐怕都是缘木求鱼。可见他深信业经改造过的观念，将成为有利于中国变革的重要资源。经由变革或改造后的民族，因改造的方法，不是抄袭外国人的，而是一点一滴由实地的工作体验中创造出来②，自不致发生文化认同的问题。

1935年10月，在江苏无锡教育学院召开乡村工作讨论会第三次大会，晏先生以“乡村运动与民族自救”为题，发表演讲，他说：“乡村运动是民本的，建设是包括科学的技术和内容。把科学研究的结果带到乡间去，与农民发生关系，养成农民运用科学的习惯，使农民生活科学化，实属迫切之图。其次，现在需要一套乡村改造

① 参见吴相湘：《晏阳初传》，台北时报文化出版公司1981年版，第846页。

② 同上书，第318页。

的办法，装入制度里，大规模地推广出去，这就是要从亲民政治的地方自治入手。"[①]乡村运动虽是民本的，但改造却不是沿袭传统的老办法，而是要把科学的泉源引入农村，以养成农民运用科学的习惯，使他们在切己的问题上，就能凭借科学方法和技术去加以解决，这样才能真正"培养民力"。由此可知，传统的民本思想，是经由科学技术，把"民"本身也要加以改造，也就是"使农民生活科学化"，才能进一步落实在乡村运动之中。其次，在定县实验期间，负责公民教育的部门，就已着手研究，怎样才能使传统亲民政治的地方自治，进步成现代化的中国民主，希望由自下而上的方式，为中国的民主政治建立起坚实的基础。[②] 这是如何运用优良传统，促进中国现代变革，一个很好的例子。

乡村改造的直接目标，虽然不是民主政治，但晏先生认为平民们既已学会自己办理学校、现代农场、合作社、卫生治疗所，他们自然就有资格和能力来办理自己的县政、自己选举县长以实验"为民所治"的民主。由"民治"遂联想到美国林肯总统的"民有、民治、民享"，在这里，他很自然而巧妙地引用林肯的名言，扩大了传统民本思想的内涵。赋予现代的涵养，使民本变成有利于变革的新资源，这样不但不丧失原有的精神，反而使它更加充实。[③]

前文说过，民本是乡改运动服膺的最高原则，这个原则不是抽象的，而是要尽可能贯彻到所有具体的工作之中。被史家称为"空前伟大壮举"的定县实验开始时，第一步就是做当地社会情况的调

① 吴相湘：《晏阳初传》，第319页。
② 同上书，第202页。
③ 同上书，第203—204页。

查。一般学术工作者所做的社会调查，或是为了印证一种社会理论，或是为了建立一种新的学说，而乡改运动所做的调查，是为推动乡改工作，所以必须着眼于社会实际的改造，要根据改造的需要，调查事实。因此从事调查的人，除了具备现代社会调查的知识以及方法与技术之外，还必须要顾到中国民间的生活状况，而规划出适合中国情形的方法及技术，如拟一表格，就得特别注意能与农民心理、风俗、习惯相应合，这样才能做到使设计的问卷：你所问的，也是他们所能回答的；他们所能回答的，也是我们所需要的。①从这样的调查设计中，不难发现，他们的工作的确是以民本思想中的“爱民”、“利民”作为工作的指导原则。因为，从“利民”出发，自然容易激发农民的热情；因为工作者怀着“爱民”的情怀，自然可获得农民的合作。

像这样一个史无前例的运动，推行起来最困难的恐怕是人才难求，当年定县实验时，晏阳初竟能号召一群高级知识分子参与工作，到今天仍令人很难想象那是一股什么样的力量，使他们放弃已有的地位，牺牲安乐的生活，投身于运动之中。现代的知识分子，在过去叫做“士”，传统的士虽出身于农村，经过十年寒窗，一旦进入仕途，要想飞黄腾达，很少不“曲学阿世”，抛弃自己的理想和价值的。做了官以后，虽然不鱼肉乡里，粗鲁的乡民，在他们的心目中很少不被鄙视的。受过新式教育的知识分子，对乡民的心态，基本上没有多大改变。具有传统士大夫习气的知识分子，要想在乡改运动成为一个好干部，他这个角色本身也必须经由“创造转化”

① 参见吴相湘：《晏阳初传》，第184页。

成为一个“新人”,晏阳初称这种改变为“自我革命”,也就是要彻底清除知识分子自满自大的虚骄心理与傲慢态度,并虚心诚意深入民间,向农民学习,接受“再教育”,先做农民的学生,然后才能与农民融洽相处,获得信赖,有效地向他们灌输新知识、新技术。[①]

乡改运动,对悠久而又定型的农村社会而言,无疑的,带给它的将是一场革命性的变迁。早在1933年,美国新闻记者斯诺(Edgar Snow)在访问定县的报道中,就说晏阳初很像一“革命的十字军人”[②],1943年,也曾被膺选为“现代具革命性贡献的世界伟人”[③],“革命”用在晏阳初身上,与近代中国革命家所说的“革命”,其意义大不相同,他的革命性贡献,主要是对几千年来固有的社会制度和观念,在和平改造过程中,所做的创造性的变革。

创造性在晏阳初,一方面是观念上的,他说:“人贵独立创造,不要做他人观念的奴隶。”[④]乡改运动既无前例可援,因此所遭遇的大半是新的问题,解决新问题就需要新观念,新观念是要靠独立创造的,当然,能选择旧观念加以重组或改造,也是一种创造。观念之外,晏阳初也特别重视乡村工作人才的创造能力,因为解决乡改问题的所有方法,都是一点一滴自“干”中找出来的,缺乏创造力是难以胜任的。[⑤]

近代中国,在思想观念上强调创造的知识分子很多,晏先生与这一代许多知识分子相当不同的一点,是在强调创造的同时,还特

① 参见吴相湘:《晏阳初传》,第170页。
② 同上书,第323页。
③ 同上书,第428页。
④ 同上书,第790页。
⑤ 同上书,第318页。

别重视文化传统的认同。他自幼就是基督徒，成年后又在美国受大学教育，以他的背景仍如此重视认同，是格外值得我们三思的。他的认同并非基于单纯的民族感情，而是因长期接触平民，以及在工作中不断发现不断反思的智慧中产生。

晏阳初对文化传统的认同，可分三个层次来了解。(1)个体：1918年晏在法国教华工识字，晚间上课时，常有工人做了十几小时的工作，恐怕吃过晚饭再来，赶不上读书。[①] 这是他最早在中国平民的身上发现其优良的品性，因而深受感动。后来在抗战期间，决定成立“平民大学”时，遂将“信任平民的卓越品质与一切可能性”作为大学的基本哲学(信条)。[②] 中国平民的卓越品质是由传统文化的优良部分铸造而成，所以这是透过个体而认同文化传统。(2)社会：农村社会的改造，绝不是先入为主地要去破坏原有的社会秩序，相反的，凡事都要照顾到民间生活的状况，并尊重他们的心理和风俗。中国农民虽不识字，但始终尊重读书人，尤其敬仰教书先生，平教运动就是利用农民尊师重道的社会心理，去鼓励农民读书识字[③]，这样既有利于运动的推行，又不致破坏对文化传统的认同。(3)国家：国家认同，自西风东渐以来，一直是很严重的问题。作为上一代知识分子的领袖，晏在这个问题上，表现了他的健康性：他一方面全心全力去应用欧美的先进科技，驾驭自然的本领，一扫传统那种靠天吃饭、信赖命运的行为，因为这是农村迈向现代化必经之路；另一方面他又不断强调，我们要做一个现代人，但千万不要

① 参见吴相湘：《晏阳初传》，第801页。
② 同上书，第457页。
③ 同上书，第195页。

忘本，不要忘记我们是中国人。①

以上整个的分析，主要在说明“创造转化”的确是晏阳初乡村改造思想中一个基本的特色。同时也说明文化传统的“创造转化”、“变革”是不可避免的，“创造”则是引导变革的主要动力，但如果缺乏“认同”，则变革恐怕很难成功。这一点思想上的启示，可提供我们评估中国现代化成败一条很重要的线索。

二、人的改造

以上一节，主要偏重在思想层面的分析，就这一层面而言，说晏阳初为“伟大思想家”，他可以当之无愧。“伟大”的意义，并非如学术工作者，建立了一套理论谨严的思想体系，而是相对于近代中国的传统主义、西化主义、社会主义等思潮，他无论是对传统的固有文化，或是对外来的新文化，都能谨慎地、批评地、合理地加以吸收②，他的确能做到融会中西推陈出新。因此，他的思想完全自外于上述的三种思潮，也从不参与他们之间的思想争论。

但是，仅就思想层面，还不足以证明他是一位“杰出的发明者”，以及“革命性的贡献”这一面。要证明这些，就必须进一步深入到从“人的新发现”到“人的改造”这个处处都表现创意的运动中去。当然，“创造转化”已无法说明这个运动的全部意义，不过由

① 参见吴相湘：《晏阳初传》，第376页。

② 有关中国近代面向西方的冲击的不同反应，拙著《中国思想传统的现代反思》一书的第四章“巨变与传统”有详细的分析，可参考，该书于1990年由台北桂冠图书公司出版。

下文将可以看出，这个观念在运动推展的过程中，仍扮演相当重要的角色。

在“人的发现”这个问题上，以往的历史书，多半把焦点放在“人的伟大性质”的探讨和表扬，也就是集中在少数能塑造历史并导航人类命运的帝王、军事家和宗教领袖的身上。比较起来，历史家们对广大的平民（农民、苦力）阶层，其重视的程度，实微不足道。可是他们对国家的贡献，正如晏阳初所指陈：“中国的农民负担向来是最重，生活却最苦：流汗生产是农民，流血抗战是农民，缴租纳粮的还是农民，有什么‘征’，有什么‘派’，也都加诸农民，一切的一切都由农民负担！”①这便是平民阶层亘古以来所无法抗阻的命运，一般人道主义者，面对这种不公不义的情况，也不过只能表示同情，为他们说几句公道话而已。

晏阳初则不然，他年轻时在法国，初与苦力朝夕相处，便由他那天生富创力的头脑，从华工之“苦”发现华工之“力”，从自古以来就被知识阶层鄙视的“苦力”概念中，发现了人类的新天地，其中蕴藏着无穷的潜力，这种潜力如能有恰当的教育把它发扬出来，他们就能靠自己的力量改变命运，这一新的发现，也就是使他回到国内，创造平民教育时，所以要用“除文盲，做新民”为目标的原故。

“做新民”出自《尚书·汤诰》，是一非常古老的观念，晏阳初以“解除苦力的苦，发扬苦力的力”，将此一古老观念加以崭新的改造，并将“民”定住于“平民”，使得几千年来一向以帝王、将、相、知识分子为核心的历史，整个颠倒过来，使广大的平民成为历史的主

① 吴相湘：《晏阳初传》，第533—534页。

轴、国家的根本，这正是哥白尼式的革命，所谓“革命性的贡献”，就当从这里了解。

在近代中国，新民之说，首先由梁启超提出(1902)，他根据新思潮批判旧传统，列举中国人做一个国民所缺乏的条件。梁氏《新民说》与晏氏“作新民”之间的差别，恰如吴相湘教授所说：“梁氏只提出‘什么’(what)是应兴应革的，却没有详说‘怎样’(how)去做这些兴革的工作。”①这是思想(坐而言)与行动(起而行)之间的差别，晏氏的“作新民”根本就是从行动中悟出来的。“新民”观念经由崭新的改造，已不仅可变为有利于变革的资源，而是使得占绝大多数比例的农民、苦力成为新社会、新国家的主体。因此，知识分子为平民服务，不再是布恩、施惠，只不过是一个救赎的仆人角色。在这里，我们才能了解晏氏铭言“不是救济，让他发扬”的真义。②

值得我们注意的是：当晏阳初阐扬“作新民”之义时，除了提示如何创新、如何变革之外，立即注意到在从事“人的改造”时，认同问题的重要，他说：“所谓新不是那些不同于我国与我民族旧有的，或由东西各国新介绍新抄袭来的便是新。我们所谓的新是我国民族自身在原有的生命里创造出来的新生命的新。当我们进行创造时，既不盲从地抄袭外人的东西、固执地保守我国的古董，又不偏激轻视其他各民族的文化贡献，或偏激抛弃我中国民族固有的一切文化成绩。”③对自己的文化传统缺乏认同，就不容易培养人民自

① 吴相湘：《晏阳初传》，第805页。

② 同上书，第844页。

③ 同上书，第805—806页。

动自发的精神，虽然重视创造，却无法凝聚全民的力量。相反的，因认同的断裂，使各色各样的主义或意识形态，在互相斗争中，仅有一点的力量也被抵消了。这是我国百年来活生生的历史教训，也让我们不能不佩服晏阳初的先见和远见。

“解除苦力的苦，发扬苦力的力”，毕竟是一条开天辟地新路，这条路要怎样走下去才能走得通呢？教平民识字的平教运动只是开端，到定县进行农村改造的实验时，才于“学人与苦力结合”、“农民与科学结合”的万难中，摸索出“四育”联环的具体方案。四育是指：(1)文字教育：由文字教育灌输知识——“知识”就是力量；(2)生计教育：由生计教育增加生产——“生产”就是力量；(3)卫生教育：由卫生教育保卫健康——健康“就是力量”；(4)公民教育：由公民教育促进组织——“组织”就是力量。① 所谓连环，是因四种教育的功能相互依存的，任何一个单项都不能收到预期的效果，必须连环进行，相辅相成，才能对乡村改造获致整体发展的功效。② 一般知识分子都知道农民患有贫、弱、愚、私四种病，但没有人或任何机构像平教总会，完全能对症下药，发明一套完整而有效的改造方案：由四大教育，开发四种力量，去治理四种病患。定县经验，移来推行到其他第三世界国家，都证明其有效，因此这个方案，不但具有推广的价值，且提供了评估各国社会改造工作，缺一不可的四个指标。

由于晏阳初的乡村改造运动，是人类从来未走过的一条新路，所以步步都是新挑战，随处都是新经验，因而也创造了一些新观

① 参见吴相湘：《晏阳初传》，第538页。

② 同上书，第212页。

念。例如“脑矿”[1],“开发苦力的力”,就是要开发世界最大最富的脑力资源,因为平民人数最多,潜力无穷。又如“免于愚昧无知的自由”[2],晏阳初认为这比美国罗斯福总统的“言论”、“信仰”、“免于匮乏”、“免于恐惧”等四大自由更重要。因为世界上占多数的平民,如不能通过教育发挥他们自身的力量,参与他们自己的建设工作,他们是无从享有四大自由的。创造这些新观念,都是为了平民,使他们能够自信自尊地站起来,能经由农村改造而达到“人的改造”的目的,使农民占绝大多数的中华民族,发挥新的光彩,并进而贡献于世界。

“创造转化”表现了思想的创新,从“人的新发现”到“人的改造”表现运动的创新,思想的创新加上运动的创新,一个充满创造力的人格,已跃动在我们眼前。

三、自我实现

一般而言,所谓“创造人格”,是以生命发展为创作的对象,使自己的生命日日新,又日新,不断地向身心进步的方向转变。[3] 更简单的定义,如英文《韦氏字典》所说,是赋予自己以不平凡的存在。[4] 如何才能使自己的身心不断地向进步的方向转变?如何才能使自己不平凡?最主要表现在发现问题和解决问题的能力上。

---

① 吴相湘:《晏阳初传》,第 88 页。

② 同上书,第 431 页。

③ 参见郭有遹:《创造心理学》,(台北)正中书局 1983 年版,第 6 页。

④ 同上书,第 7 页。

千百年来无数知识分子为何对平民、苦力之苦,皆视若无睹!为何千百年来少数知识分子对平民、苦力之苦,虽有同情,却没有发现苦力之力?现在看起来,晏阳初的发现,就像牛顿看苹果落地一样稀松平常,可是他们却能从日常平淡的事项中,产生伟大的观念,这就是发现问题的能力。

发现问题只是创造过程的开端。要怎样才能"解除苦力的苦,发扬苦力的力"?其中有多种可能性的做法,开创平民教育大运动,显然是一种基本而有效的途径。在同一个时期,国内开办平民教育的教育家不止晏阳初一人,为何其他平教工作者,未能更向前推进,发展出乡村改造运动?当时从事乡村改造的团体,也不止平教总会一家,为何只有晏阳初领导的团体,能研究发展出四育连环进行的有效方案?在这过程中,他必须面对无止境的挑战,克服重重的难题,因此每一步骤,都表现出他解决问题的创造力。

据我所知,到目前为止,无论是人格心理学,或是创造心理学,所研究的创造人格,其对象多半是属于学术上有杰出成就,和技术上有重要发明者,很少研究到在思想和行动两方面都兼具创造力者,盖因一涉及行动层面,所产生的效果与影响力,究竟是属于创造性的还是破坏性的,很不容易评估。不过,研究的对象既然是创造人格,各种类型的创造人格,必有其相似与相同之处,因此,借用它们对创造人格特征的一些描述,与晏氏相印证,必可相当程度地增进我们对他性格的认识。

在人格心理学中,讨论创造人格较著名的心理学家有奥尔堡的"成熟人格"说,有罗杰斯的"充分发挥功能的个体"说,有马斯洛"自我实现的人"的学说①,下面采用马斯洛的,是因他对创造人格的内涵的描述,比其他两家更为详备。

所谓"自我实现者",是指超越任何特定文化的限制,并能使人性和心智充分发展的人②,据马斯洛的了解,这一类型的人格具备下列14点特征:③

(1)对现实和环境的认知能力较佳,而且能与之安然相处。晏是一位在人类最艰难的现实和环境中开创事业的人,所以这一点只能算是最起码的条件。在运动中他必须与各色人等相处,在世界各国,从平民到总统,都能发展良好的关系。

(2)能接纳自己、他人及自然。美国洛克菲勒基金会副总裁(Mr. Gunn)赞扬晏阳初"真是一不平凡的人",因为他结合了理想主义和最大智慧的判断与技巧安顿自己的位置,很实际地与农民相处。他与人晤谈时,偶有人批评晏阳初的计划太理想,但从没有人怀疑他的诚挚,④正说明了这一特征。

(3)内心自然流露,行为比较率真。晏阳初早年与澳洲传教士史梯瓦特在成都合办辅仁学社,就能与青年真诚地打成一片。⑤后来大半生在世界各地为苦力工作,都能与他们相处融洽,就是他

① 参见狄卡波奥:《健康的性格》第七、八、九三章,庄耀嘉编译,台北桂冠图书公司1981年版。

② 同上书,第180页。

③ 14点特征的文字,参见狄卡波奥:《健康的性格》,第180—185页;郭有遹:《创造心理学》,第143—144页。

④ 参见吴相湘:《晏阳初传》,第326页。

⑤ 参见晏阳初口述、李又宁撰写:《九十自述:早期经验与影响》,(台北)《中国论坛》第194期,第17页,1983年10月25日。

性格上具有这些特征。为此，曾有人称赞他有“布道家的热忱”。①

（4）遇事以问题为中心，而非以自我为中心，生活有目标，能全身心投入自己的工作，甚至达到忘我的地步。晏阳初从到法国为华工服务开始，以后六七十年间，都在发现问题、解决问题的过程中度过，从国内平教运动、乡改运动，以及后来在第三世界各国的推广工作，无不全心投入，始终表现锲而不舍的精神。

（5）喜欢独处。晏阳初自早年回国后，由于开展运动，生活十分忙碌，因此格外注重自修：为了强身每晚十一时以前就寝，一切有节制；为了强心，每晨做祷告，随时利用余暇时间多思、多计划、多读书、做系统的研究。②

（6）独立自主。不受环境的影响，即使面临许多挫折与打击，也能保持比较快乐且宁静的心境。晏阳初一生从事乡村改造工作，绝不依附任何特定的政治势力或机构，就是为了保持运动本身独立自主的精神。在悠长的岁月中，为工作洒心血、受攻讦，被侮辱，但他志向坚定，从不动摇，“虽千万人吾往矣”。③

（7）能接受并欣赏新奇的事物或经验。他所以选择以平民、苦力为对象的事业，就是因为他能从平凡中看出不平凡处。④ 他不但发现苦力的力，且体认到苦力的优良品性，所以晏阳初不只是能“接受”、“欣赏”而已，他还能创造新奇的经验。

（8）较常经历神秘或高峰经验（the oeeanic feeling）。深信某种重要而有价值的事情已经发生，并超然地感到有一种强大的力量。

① 吴相湘：《晏阳初传》，第327页。
② 同上书，第828页。
③ 同上书，第734、790页。
④ 同上书，第828页。

晏阳初一生中曾多次因经费短缺，感到工作难以为继，常常就在这时刻，有意外的捐款汇到。当他决心为苦力献身，当他率领同志下乡到定县展开乡建实验，当国际乡村改造学院的梦想实现，当他的工作在第三世界各国都受到热烈回响，都是他经历“高峰经验”的时刻。

(9) 能建立久远的人际关系。对其中的少数人有深厚的感情。晏阳初一生创办过许多事业，没有久远的人际关系，是建立不起来的。其中有的同志，跟随他工作数十年。

(10) 具有民主性格。对人不论其贫富、贵贱、人种，都能一视同仁，这正是晏阳初所以能把他的乡改运动推广到第三世界各国的原因。他不但个人性格上具备这些特征，在国内外创办学校，也一律以民主的方式治校，因他深信民主须植根于教育。

(11) 对于方法和目的区分得很清楚，方法总是以目的为依归。对晏阳初而言，平教和乡村改造都只是方法，“人的改造”——把苦力、平民改造成“全的人”才是他的目的。①

(12) 具有大慈、大悲、济世救人的情怀。他被称为“真正的人道主义者”、“为世界永久和平努力的人”、“科学布道人”、“平民之师”、“为农民生活改进的理想精神，举世无双”，这些来自世界各国的赞语，都凸显了这一特征。

(13) 富有创造性。前文第一节“创造转化”、第二节“人的改造”，已充分说明这一点。

(14) 能超越各种对立性而达到统整的状态。在思想方面，中

① 参见吴相湘：《晏阳初传》，第431页。

与西、新与旧、传统与现代、儒教与耶教，在许多知识分子心目中是对立的，在晏阳初却完全统合在他的目标之中。在行动方面，一般从事平教者不关心生计，从事卫生教育者不关心公民训练，晏阳初却能将四者连环进行，使分开的四大教育达成统整的状态。

以上14点，并非马斯洛实证研究的结果（事实上这方面的研究，技术上仍有困难），它只是一个有经验有智慧的心理学家，对这一类型人物的综合印象。虽然如此，作为一种学理上的依据，通过这些描述，的确可以使我们对晏阳初的人格，增加许多了解，而不再是一些模糊的印象。不过，马斯洛也特别提醒读者，自我实现的人物，虽具有24项特色，但他们并不是十全十美的完人，或"神"，他们也常有傻笨与毫无意义的举动，他们也有罪恶感、焦虑感、悲哀、自谴，以及内在的冲突。① 在主观的好恶上，我虽对晏氏极为崇敬，但并无意把他塑造成完人或神，我之所以未能涉及人性的弱点一面（我深信任何人都不可避免），是因缺乏数据，尤其是我缺乏亲身接触的经验。这次出席会议的人士当中，有人是有丰富体验的，我盼望能为我做些补充，甚至纠正我的错误。

四、结语

以上三节的讨论，主要是以"创造转化"与"自我实现"这两个观念，作为学理上的依据，探讨晏氏思想和人格的特色。长久以

① 参见郭有遹：《创造心理学》，144页。

来，晏氏所获得的赞美和荣誉，不计其数，其中有一个共同点，即都认为他是一个极富创造力的人物，可是对多数人而言，恐怕仍只是知其然，而不知其所以然，经由本文的分析讨论，我相信对这方面已提供了较明确的答案。

因为我文章的主旨和结论，都相当明显，已没有必要再去重复。最后，我想简单地解答一个大家都会感兴趣的问题来结束全文。当然，这个问题不但与前文相关，而且是每一位读了前文的人，都可能自然产生这问题：像晏阳初这样杰出的人物，是怎样造就出来的？主要的条件是什么？要充分解答这样的问题，是很复杂的，下面只尝试性地提出三点：

第一，文化资产。晏阳初常说，“三 C 影响了他的一生，那就是，孔子(Confucius)、基督(Christ)和苦力(Coolies)。”[①]他把孔子的民本思想经由“创造转化”，使一古老的观念成为充满生机的新传统。他信仰基督，主要还不是依赖圣经的文字，而是少年时代，就从两位传教士身上看到基督的榜样，使他的生命产生长远的热能和光亮。这两大传统是他能开创新事业最重要也是最基本的资源。晏阳初光辉的一生，从孔子那里得到正确的理念，基督信仰成为他生命动力的泉源，苦力则是他一生誓志服务的对象。

第二，教育。培养人才，教育的环境与教学方法，有相当大的影响。晏阳初自小就接受西学堂的教育，受基督教的熏陶，成年后又在美国著名的耶鲁大学读书。根据教育心理学家拓伦斯(Torrance)的研究，美国教育对学生所奖励的品性，主要的有：独立思

① 晏阳初口述、李又宁撰写：《九十自述：早期经验与影响》。

考、好奇、幽默、体谅、勤勉、虚心领教、坚决、自动、诚恳、彻底。① 除了独立思考、好奇两项之外，其余的品性大抵也为中国一向所重视，比较不重视的两项，却为培养解决问题的能力所不可或缺。晏阳初在这方面高人一等的能力，与在美国受大学教育，必有其相关性。此外，耶鲁大学有清教徒的传统，晏阳初在生活上的自我节制和吃苦耐劳的精神，或与此有关。

第三，天赋。根据《大不列颠百科全书》的说法：“天才应具有杰出实际成就反映出来的高度创造性，他们的成就应该有长久的价值，而且不应是出身造成的。”又说：“天才应有独创性、创造性，能在完全生疏的环境中从事思想和工作，能够独立地为世界做出前所未有的贡献。”②照这样说，晏阳初也相当能符合这个标准。据人类学家葛雷（Gray）的研究，天才的主要标准有四：（1）该人的产品或事业是否在后代继续受到重视？（2）他的工作是否在人文上具有普遍的价值？（3）他是否不受该时代的许多情况所限制而超越时代之上？（4）他对于当代与后代的同行专家具有多少影响力？③ 衡诸晏阳初先生的一生，其中（2）、（3）两点，在今日已可肯定；（1）与（4）与之中所言“后代”，要由时间去考验；（4）中所言“当代的影响力”，早已有具体的事实为证。

① 参见郭有遹：《创造心理学》，第 228 页。

② 见该书第 14 册，第 343 页。

③ 参见郭有遹：《创造心理学》，第 240 页。

编后记

“晏阳初”这个名字，在中国被有选择性地遗忘半个多世纪之后，现在又重新回到人们的视野，在出版物、电视节目中时有介绍。而在国外，在过去的70年里，他的名字、事业、思想却早已广为人知。美国拥有1000万国内订户、17种版本、800万国外订户的热销刊物《读者文摘》，22年中曾7次专题报道晏阳初言行，使他独享外国人士从未有过的盛誉。

晏阳初先生1918年在法国华工营中，从识字扫盲教育起步，到1990年生命的终点，一生都在从事平民教育与乡村建设。先在中国奋斗了30年，后在亚、非、拉美欠发达国家和地区又奋斗了40年，为劳苦大众，特别是农民的生存与发展，贡献了毕生的精力。他为后世留下了大量十分珍贵的著作，内容包括在各处的演讲、报刊发表的文章、工作报告、书信等。篇幅一般都不长，没有长篇巨制的学术专著，但就是这些篇幅不长、零星分散的文字却散发着丰富深邃的思想光芒。他被世人盛赞为“人类伟大的思想家”、“真正的哲学家”、“杰出的发明者”以及“现代具革命性贡献的世界伟人”等等。

编者从上世纪80年代初期开始搜集整理中华平民教育促进会和晏阳初的有关资料，至今已积累了相当丰富的文字资料和老照片。通过辨伪、筛选、校勘等一系列过程，先后编辑出版了晏阳初全集、文集、选辑等资料集。资料分别来源于当年的报刊、图书和中国第二历史档案馆馆藏卷宗。后又获得设在菲律宾的国际乡村改造学院提供的许多英文资料，以及从美国哥伦比亚大学搜集到不少有关资料，使收藏更加丰富。现在应商务印书馆的邀约，选编了这本《平民教育与乡村建设运动》。

依照丛书体例，各书需有一篇相应的评介性文字作为“导读”。为此，本书特别选择了中国台湾资深学者、国际著名的思想家、哲学家韦政通先生20多年前写的《“创造转化”与“自我实现”——论晏阳初的思想与人格》一文。经联系，获得韦先生的热情支持，他特意对原文进行了校阅修订。相信韦先生高屋建瓴、独具慧眼的深刻评析，一定会为读者提供极大的帮助。

宋恩荣

2013年2月28日